afgeschreven

ROSA'S OORLOG

Van Katharine McMahon zijn verschenen:

De dochter van de alchemist★
Rosa's oorlog

★In POEMA-POCKET verschenen

KATHARINE MCMAHON

Rosa's oorlog

SIJTHOFF

© Katharine McMahon 2007
All Rights Reserved
© 2009 Nederlandse vertaling
Uitgeverij Luitingh ~ Sijthoff B.V., Amsterdam
Alle rechten voorbehouden
Oorspronkelijke titel: *The Rose of Sebastopol*
Vertaling: Inger Limburg
Omslagontwerp: Marry van Baar
Omslagfotografie: Getty Images

ISBN 978 90 218 0233 6
NUR 302

www.boekenwereld.com

Voor Cheryl Gibson,
Charonne Boulton en
Mary Portas

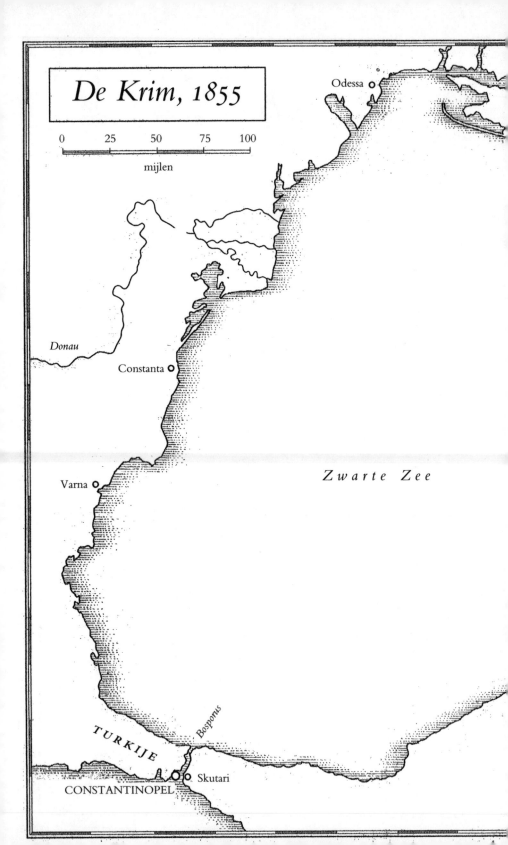

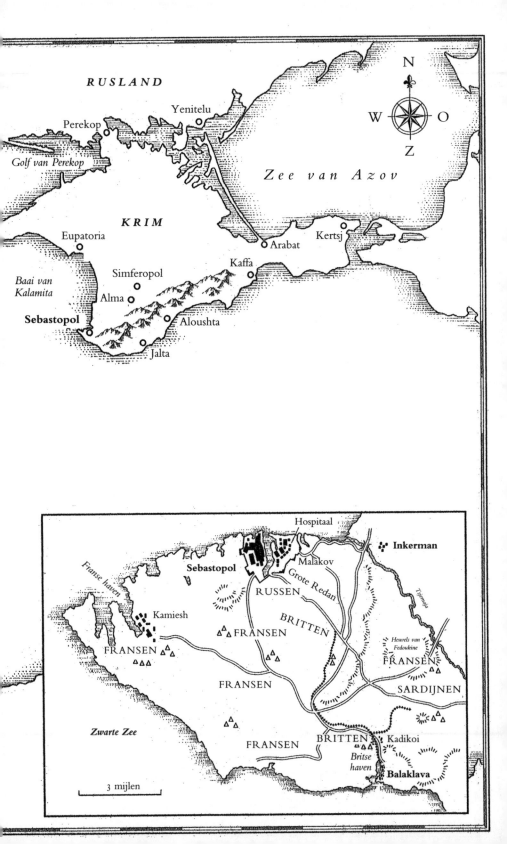

RUSLAND

Perekop

Yenitelu

Golf van Perekop

Zee van Azov

KRIM

Eupatoria

Kertsj

Simferopol

Arabat

Kaffa

Baai van Kalamita

Alma

Sebastopol

Aloushta

Jalta

N

W — O

Z

Hospitaal

Franse haven

Sebastopol

Malakov

Inkerman

Grote Redan

RUSSEN

Kamiesh

BRITTEN

Tsjernaja

FRANSEN

Heuvels van Fedoukine

FRANSEN

FRANSEN

FRANSEN

SARDIJNEN

FRANSEN

Zwarte Zee

FRANSEN

BRITTEN

Kadikoi

Britse haven

Balaklava

3 mijlen

Deel een

I

Italië, 1855

Op een zondagavond laat kwamen we in Narni aan. De deur van Hotel Fina was op slot, maar de chauffeur wekte een bediende die met zijn verkreukelde hemd uit zijn broek naar buiten stommelde, onze bagage naar binnen droeg en ons naar een kamer bracht die naar ongewassen voeten rook. Nora nam mijn mantel en bonnet aan. Daarna snoot ik de kaarsen en ging ik liggen. In de verte schreeuwde een man – waarschijnlijk dronken. In plaats van te slapen reed ik door de nacht alsof ik nog steeds in een koets zat die over slechte wegen over de vlakten van Italië hotste. Uiteindelijk hoorde ik een klok die vijf uur sloeg en een wagen die ratelend over het plein reed, en viel ik in slaap met het geluid van luide vrouwenstemmen en een emmer die op de stenen viel.

Ik werd gewekt door een zonnestraal die tussen de luiken door viel – het was bijna halverwege de ochtend. Nora stond aan mijn bed met mijn ontbijt en een brief van moeder die ik niet las. De kleren in mijn valies waren geen van alle geschikt om te dragen, omdat ze te verkreukeld waren, dus ik trok mijn reisjapon weer aan en zei tegen Nora dat we meteen uit zouden gaan. In de lobby lukte het me niet om de eigenares, die in zwart was gekleed en wier mondhoeken naar beneden gericht stonden alsof ze alle hoop had opgegeven, duidelijk te maken wat ik wilde, maar toen ik haar het adres van Henry liet zien, tekende ze een ruwe plattegrond voor ons.

Narni was een eeuwenoud stadje boven op een heuvel en Hotel Fina lag aan een pleintje in het centrum. Het gekrioel van de vrouwen die samendromden rond een fontein en de doolhof van de straatjes met hun vele winkeltjes maakten het onmogelijk om vast te stellen welke kant we op moesten, dus we liepen op goed geluk een trap op en onder een poort door. De zon brandde, de straatjes waren verstikkend smal en onze reiskleren te zwaar, dus pauzeerden we even in de schaduw van een portiek, waar ik de kaart raadpleegde.

Om ons heen verzamelde zich een groepje kinderen. Ik vroeg een van hen naar 'Via del Monte, signora Critelli?' en hij liep weg in de richting waar we vandaan kwamen. We volgden hem, staken het pleintje weer over, en daalden deze keer af door een steil straatje dat zo smal was dat ik de huizen aan weerszijden gelijktijdig kon aanraken als ik mijn armen spreidde. Wasgoed van zeer intieme aard hing als vale kermisvlaggen aan de balkons en tussen de zijgevels. Het verbaasde me dat Henry in zo'n arme wijk verbleef.

Na een tijdje stond het kind stil in een deuropening waar een geur hing van nat steen en bloemen doordat iemand net narcissen in een pot water had gegeven. Ik aarzelde wat bij de ingang, mijn vastberadenheid was verdwenen en ik betreurde het dat ik Engeland had verlaten en dat ik Henry niet eens een briefje had geschreven om hem te laten weten dat ik onderweg was. Nu ik hier was, vroeg ik me af of hij het wel gepast zou vinden. Ik was zo bang dat ik hem ziek zou aantreffen. En als hij me niet herkende, of ik hem niet? Anders dan Rosa, wist ik nooit hoe ik me moest gedragen ten overstaan van een zieke. Ik wierp een blik op Nora, maar zij trok een wenkbrauw op alsof ze wilde zeggen: jij hebt ons hier gebracht, verwacht van mij geen bemoedigende woorden.

Uiteindelijk sloop ik door het gangetje naar een keuken waar een vrouw stond met haar armen in een wastobbe. Ze gluurde naar me door haar wimpers, haar ogen samengeknepen tegen de waterdruppeltjes die van haar voorhoofd naar beneden sijpelden.

'Dokter Henry Thewell?' vroeg ik.

Ze staarde me aan, droogde haar gezicht eerst af met een handdoek en toen aan haar rok, zette haar hand tegen de deurstijl en barstte toen los in een Italiaanse woordenstroom die eindigde in een vraag.

Ik schudde mijn hoofd. '*Non capisco. Inglese. Mi chiamo* Mariella Lingwood. Ma-ri-ella. Ik ben de verloofde van dokter Henry Thewell.'

Van mijn vader had ik geleerd dat je in noodsituaties beter zachtjes kunt praten dan schreeuwen. Inderdaad kalmeerde signora Critelli; ze bleef praten, maar nu in een langzamer tempo, veegde haar handen nog eens af, gebaarde dat ik opzij moest gaan en leidde me een smalle trap op naar de eerste verdieping waar ze hard op de deur klopte. Daarna gooide ze de deur wijd open en kondigde me aan met de woorden: '*Signorina Inglese.*'

Ik deed een stap naar voren, en nog een.

Hoewel een van de luiken half openstond, was de kamer gehuld in schemerlicht doordat een vaalblauw gordijn het raam bedekte. In het halfduister zag ik dat de kamer klein was en was ingericht met een klein bed, een tafel vol boeken en een lage stoel met een rieten zitting, waarop een onaangeroerd dienblad stond met een broodje, een kruik en een beker. Het rook er naar koude koffie en vochtig linnen.

Henry lag in bed, maar kwam overeind op een elleboog. Zelfs in het donker zag ik dat zijn ogen glinsterden van verlangen en dat zijn haar zo lang was geworden dat het over zijn voorhoofd viel. We staarden elkaar aan. Toen rende ik naar hem toe, knielde neer bij het bed en omhelsde hem

Mijn bonnet gleed opzij toen hij mijn gezicht bedekte met gloeiende kussen. Ik huilde en leek uit mezelf weg te vloeien toen ik zijn lippen op mijn haar, oor en nek voelde. Ik was me er vaag van bewust dat de deur achter ons plotseling werd gesloten en dat iemand ons had bespied, maar het kon me niets schelen. Zijn handen streelden mijn rug en ik greep zijn veel te dunne armen vast. Ik hielp hem met de linten van mijn bonnet en vroeg me ondertussen af hoe ik ooit had kunnen betwijfelen of ik er goed aan had gedaan om hier te komen. Ik realiseerde me dat ik het grootste deel van mijn leven had gewacht tot ik Henry eindelijk mijn nek kon laten kussen, en hem zelfs kon toestaan aan de knopen van mijn jurk te frunniken en het boord van mijn hemd los te maken. Mijn huid trok samen toen zijn lippen zich om mijn borst sloten. Tussen de kussen door hijgde hij raspend.

Ik liet me achterover op het kussen vallen, streek mijn haar glad en voelde hem zwaar worden in mijn armen. Tot mijn verbijstering sliep hij. Ongeveer een halfuur lang verroerde ik me niet, hoewel ik half uit bed hing, mijn bonnet bungelend aan mijn nek. Een tochtvlaag bewoog de gordijnen heen en weer, en op straat klonk het geklop van ezelshoeven. Omdat mijn haar vastzat onder zijn hoofd, kon ik maar een klein stukje zien van het plafond, waar scheuren in zaten, een gebroken fries en het rimpelende, grijsblauwe gordijn. Ik kuste hem opnieuw en opnieuw, kleine, gewichtloze kusjes op zijn haar, dat veel zachter was dan in mijn verbeelding, als de vacht van een kat, en ik dacht: al die weken is hij alleen geweest, kijkend naar dat gordijn en wachtend op mij. Ik zweefde door het wonder van zijn aanraking, de onbekendheid van een mannelijk lichaam dat half over het mijne heen lag, het feit dat dit Henry was, die ik de afgelopen maanden zo had gemist dat zelfs het bloed in mijn aderen naar hem smachtte.

Toen verstevigde ik mijn greep, want ook al had ik zelfs in mijn stoutste dromen niet zo'n liefdevolle, aanhankelijke ontvangst voorzien als deze, ik had ook niet verwacht dat hij zo verzwakt zou zijn dat hij zijn bed niet kon verlaten. Ik had altijd genoten van zijn energie en de stevigheid van zijn arm onder mijn hand, maar nu was hij zo kwetsbaar als een vogeltje. En hij rook volkomen anders dan de Henry die mij altijd in vervoering bracht met zijn geur van goede zeep, balsem of kamfer. Deze nieuwe geur van gevangen vlees herinnerde me aan het tehuis voor gouvernantes.

Hij werd wakker en zijn adem in mijn nek werd onregelmatig. Toen hij zijn hoofd bewoog, merkte ik dat mijn huid vochtig en warm was op de plek waar zijn wang had gelegen. Mijn borst spande zich onder het cirkelende topje van zijn vinger en ik sloot mijn ogen.

Dit is Italië, dacht ik, niemand komt het te weten. En wat kan het me eigenlijk schelen?

'Mijn liefste,' fluisterde hij, 'ik dacht dat je nooit zou komen.' Zijn vinger trok een steeds kleiner wordende spiraal om mijn tepel en ik bracht hortend uit: 'Ik wist niet zeker of je me hier wel wilde. En toch zou ik me niet hebben laten tegenhouden, zelfs niet door jou. Daarom leek het me het best om gewoon te komen zonder je in te lichten.'

'Je bent mijn geliefde, mijn geliefde.'

'Je brieven klonken zo eenzaam dat ik vond dat ik moest komen.'

Hij vlijde zijn wang tegen mijn boezem, drukte zijn gezicht in mijn hals en trok me steeds dichter tegen zich aan. Het maakte me niet uit dat zijn adem naar koorts rook; het enige waar ik me van bewust was, was zijn warmte.

Hij fluisterde: 'Ik dacht dat ik je nooit meer zou zien. Ik dacht dat je verdwenen was.'

'Natuurlijk zou je me weerzien.'

'Maar je schreef nooit terug, geen woord. Ik hield het bijna niet meer uit.' Hij legde zijn hoofd naast het mijne op het kussen en strekte zijn arm uit om mijn gezicht naar zich toe te draaien. Ik zag hoe bleek zijn huid was en doordat zijn snor was afgeschoren, zag ik ook dat zijn mond net zo vol en jongensachtig was als toen ik hem had leren kennen. Toen zei hij: 'Laat me nu eindelijk naar je kijken. Mijn Rosa. Mijn liefste. Lieve Rosa.'

2

Londen, 1840

HENRY'S MOEDER EUPHEMIA, OOK WEL 'ARME TANTE EPPIE' GE-
noemd, was een nicht van mijn vader. Na haar huwelijk met
Richard Thewell, een herbergier uit Derbyshire, verhuisden ze
naar het zuiden en ze bestierden enkele jaren met veel succes een
herberg in de buurt van Radlett in Hertfordshire. Over het tra-
gische verloop van hun leven na die tijd werd alleen achter gesloten deuren gesproken, waardoor ik het verhaal slechts bij stukjes en beetjes te weten kwam.

Thewell, die niet slim genoeg was geweest om te voorzien dat
de nieuwe spoorlijn die door het stadje liep, het einde zou betekenen van zijn klandizie, ging aan de drank. Bovendien werd tante Eppie vlak na de geboorte van hun enige zoon getroffen door
een slopende ziekte. Zoals verwacht ging het bedrijf failliet en
mijn vader redde het gezin door ze een van de kleine landhuizen aan te bieden die hij net had laten bouwen in Wandsworth,
ongeveer een mijl van ons huis in Clapham. Terwijl de zoon,
Henry, op school zat, bracht tante Eppie haar ochtenden door bij
ons in Fosse House, waar ze zich ontfermde over het linnengoed,
en mij leerde naaien. Ik had haar man, die vanwege zijn drank-
zucht werd gemeden, nooit ontmoet, maar ik hoorde dat mijn
moeder hem eens tegen haar vriendin Mrs. Hardcastle omschreef
als 'onbekwaam'.

Eppie was een klein vrouwtje met hoge jukbeenderen, die niets
gemeen had met mijn moeder, behalve dat ze beiden uit Der-

byshire kwamen en altijd aan het werk waren. Moeder had een hekel aan naaien, Eppie was alleen maar gelukkig als ze een naald tussen haar vingers had; moeder was de dochter van een landheer, Eppie van een kleermaker; moeder had te veel aan haar hoofd om meer dan twee uur per dag aan mijn lessen te besteden, terwijl Eppie mij leerde imitatieguipure te maken, de rand van een tafelkleed af te zetten met de gevlochten kruissteek en sierlijke figuurnaden aan te brengen op een blouse van mousseline. We zaten naast elkaar te werken in de zitkamer en ik herinner me de geur van haar zweet, haar haar met de strakke scheiding, haar bleke voorhoofd, dat werd omlijst door een meisjesachtige wolk van kant, de spanning in haar handen en rug terwijl ze naaide. Ze rook naar ziekte, haar adem naar rotting.

Toen ik acht was, was ze te zwak om nog naar ons huis te komen, maar moeder nam mij één keer mee naar het huis in Wandsworth. Tante Eppie lag op een berg van kussens. Haar gezicht verdween bijna onder de flappen van haar slaapmuts, een lapje smokwerk met de naald er nog in lag tussen de plooien van haar deken. Ze glimlachte verontschuldigend en hoestbuien maakten haar het spreken onmogelijk. Daarna verdween ze volledig uit mijn leven, hoewel ik haar behendigheid in het naaien erfde, evenals haar kleine verzameling boeken over borduren en een lederen naaigarnituur met naalden en een schaar, haken en een radeermesje met paarlemoeren handgrepen. Moeder had het plotseling drukker dan ooit nu ze naast ons huishouden ook dat van de Thewells moest bestieren, een begrafenis moest regelen en de voorbereidingen moest treffen voor de verhuizing van de weduwnaar naar een tante in het noorden, die hem zou helpen de klap van de dood van zijn vrouw te verwerken. Ondertussen was het aan ons om 'de jongen in huis nemen'.

Toen Henry zijn intrek nam in ons rustige huis, was hij een jongeman met een smal gezicht, een ongezonde huidskleur en lege, treurige ogen. 'Hij blijft alleen maar bij ons tot hij klaar is met school of tot zijn vader weer op de been is,' zei moeder. 'Hij slaapt in de kamer naast die van jou en hij is iedere dag uit huis. We zullen bijna niet merken dat hij hier woont.'

Maar ik merkte wel dat hij bij ons woonde, bijna alles aan hem merkte ik op: de voorzichtige geluiden die hij maakte als hij 's ochtends opstond, zijn sobere ontbijt van thee en toast, hoe hij het huis uit sloop, alsof hij bang was om de lucht in trilling te brengen als hij de deur sloot, zijn terugkomst om zes uur 's avonds en dat hij zich in zijn kamer terugtrok zodra de avondmaaltijd voorbij was. Ik merkte op dat hij net als zijn moeder lange vingers had en dat hij altijd een boek bij zich had. Zelfs bij de maaltijd stak er een uit zijn zak en als hij 's ochtends naar school ging, rende ik naar een raam op de bovenverdieping om te zien hoe hij tijdens het lopen zijn boek opensloeg en begon te lezen. Het was een wonder dat hij niet struikelde, maar hij was zeer bedreven in het vermijden van obstakels, ook met zijn blik op het papier.

Hij en ik hadden elkaar niets te zeggen. Hij was tenslotte een jongen en acht jaar ouder dan ik. En de geest van zijn dode moeder, arme tante Eppie, hing tussen ons in. Ik ging ervan uit dat hij nog meer verdriet had over haar dood dan ik, al kon ik niet zeggen hoeveel.

Op een natte middag merkte ik echter dat hij vergeten was een paraplu uit de standaard in de hal te pakken, hoewel mijn moeder hem bij het ontbijt nog had aangeraden er een mee te nemen, en het zat me erg dwars, omdat voor zijn komst dit soort vergissingen bij ons thuis nooit gemaakt werden. Een uur lang zat ik met mijn borduurwerk te piekeren over hoe we de situatie konden redden. Uiteindelijk vroeg ik moeder toestemming om met de paraplu de tuin in te lopen en het poortje voor hem te openen, zodat hij de hoek kon afsnijden en in ieder geval de laatste paar minuten tegen de regen beschut was.

'Dat zou aardig zijn, Mariella.'

Dus ik rende over het stenen pad dat langs het gazon liep, door het deel waarvan we hoopten dat het ooit een echte wildernis zou worden, naar de bedden met vaste planten. Een pad van stapstenen liep langs de bedden naar het poortje, dat half schuilging achter de clematissen en dat was afgesloten met een goed geoliede grendel.

Bevend stond ik in de beschutting van de muur. Misschien zou hij vandaag niet hierlangs lopen, of misschien zou hij niet blij zijn mij te zien. Misschien was hij al voorbijgekomen. Een grasspriet bij mijn voeten boog onder het gewicht van een regendruppel.

Eindelijk hoorde ik het zuigende geluid van voetstappen en daar was Henry, met zijn boord omhoog en modder op zijn schoenen, een natte schooltas tegen zijn borst gedrukt. 'Henry.' Hij stond onmiddellijk stil, keek om zich heen en zag mij staan onder de poort. 'Ik heb een paraplu voor je meegenomen,' zei ik. 'En door de tuin is het korter.'

Zijn lippen waren op elkaar geperst en tot mijn schrik merkte ik dat hij zijn best deed om niet te huilen. Maar hij boog, pakte de paraplu aan en hield hem boven ons beiden terwijl hij achter me aan door de tuin liep. Eenmaal bij het huis gekomen, gaf hij me zijn tas, schudde de regen van de paraplu en vouwde hem op. Ik beschouwde het als een grote verantwoordelijkheid dat ik zijn vochtige boeken in mijn armen mocht houden en snoof stiekem en vol ontzag de geur van het doorweekte leer op. Toen we elkaar onze eigen bezittingen teruggaven, keek hij me glimlachend aan. Later stond ik tussen de vochtige lakens in de droogkamer, niet wetend hoe ik de tijd moest doden tot het avondeten, wanneer hij misschien weer zo naar me zou glimlachen.

3

Italië, 1855

IK RENDE VANUIT NARNI DE SLINGERENDE WEG AF NAAR HET DAL, waar de lucht door de hitte onbeweeglijk en zwaar was en waar een pad door struikgewas en moestuinen naar de rivier leidde. Toen ik langs een put liep met een ijzeren kroes aan een ketting, dronk ik een paar grote slokken water waarna ik al struikelend verder rende. Mijn kleren zaten strak, ik droeg vijf lagen onderrokken en aangezien ik mijn hoed in Henry's kamer achtergelaten had, hing mijn haar over mijn schouders. Alleen al de gedachte aan die hoed – met zoveel zorg gekozen voor deze reis – maar nu achtergelaten op de vloer naast zijn bed, maakte me misselijk. Als ik genoeg adem had gehad, zou ik hebben gebruld van verdriet. Op een gegeven moment verlieten de woorden 'nee, nee,' mijn mond, maar ze stierven weg tussen de rotswanden van wat nu een smal ravijn was geworden.

Ten slotte zonk ik neer onder een boom maar nog steeds kon ik niet stil blijven zitten. Ik hamerde met mijn vuisten op de grond en schopte met mijn hielen tegen de rivieroever. Weer schreeuwde ik 'nee, nee,' en ik sloeg met mijn handen tot ze beurs waren. Mijn ogen brandden van de ingehouden tranen. Als ik me had kunnen losrukken uit mijn lichaam, had ik mijn huid als een vod aan de rivieroever achtergelaten.

In mijn hoofd speelde zich het tafereel in Henry's kamer opnieuw af: zijn smachtende blik, zijn aanrakingen, zijn kussen, zijn liefkozende woorden. Nee. Nee. Het kon niet waar zijn... Hoe kon Henry zo mijn hele lichaam tot zich nemen en me daarna verraden? Hoe kon Henry zo in de ban zijn van Rosa, dat hij niet eens had gemerkt dat ik de vrouw was die in zijn armen lag? Ik!

Had ik al die tijd iets niet gemerkt?

Ik trok handenvol gras uit de aarde, gooide de sprieten in het water, en daar stond ze, op de andere oever, met haar lichte haar en bleke huid; de smalle handen naar mij uitgestrekt, de lage stem die mijn naam riep. Haar lichaam was soepel en slank, zodat het smalle lijfje van haar jurk ruim zat bij haar middel en haar blauwe rok recht omlaag viel tot op haar enkels.

'Maar ik houd van je,' zei ik tegen de schim van Rosa.

Ik strekte mijn handen naar haar uit, smeekte haar te komen en ervoor te zorgen dat alles weer goed kwam.

Rosa kon tenslotte naar alle waarschijnlijkheid over water lopen.

Ik realiseerde me dat ik besmeurd was met aarde, dat de zoom van mijn rok in de rivier hing, dat ik erge honger had en dat ik me moest vermannen en terug moest gaan naar Narni. Maar ik was veel verder gerend dan ik dacht en voelde me duizelig toen ik bij de put aankwam. Een donker geklede vrouw zat naast de put en al vanuit de verte kon ik aan de grootte van haar bonnet zien dat het Nora was. Ze reikte me eerst een beker water aan en vervolgens mijn achtergelaten hoed.

'Ik had je kunnen vertellen dat het niet gemakkelijk zou zijn,' zei ze, toen we naar het hotel liepen.

Het was drie uur 's middags, maar mijn kamer was donker en koel. Nora liet de bedienden een bad vullen en keek toe terwijl ik zat te eten. Haar haar zat plat door de hitte en het gewicht van haar bonnet, maar ze zag er vrolijker uit dan ik haar in het jaar dat ik haar kende ooit had gezien. Ik slaagde erin een paar happen weg te werken en duwde daarna mijn bord opzij.

'Wat moet ik nu?' vroeg ik. 'Hij dacht dat ik Rosa was.'

Ze staarde me aan met haar modderkleurige ogen.

'Waarom zou hij denken dat ik Rosa was?'

'Toen ik hem zag na jouw vertrek, leek het erop dat hij niet wist wat hij zei.'

'Ben je dan naar hem toe gegaan?'

'Nadat jij naar buiten was gestormd, zijn we allebei naar boven gegaan. Hij hing half uit bed en ijlde. Dus gaven we hem zijn medicijnen en brachten hem tot bedaren. Hij is heel erg ziek, de arme man.'

'Hij dacht dat ik Rosa was.'

'Dat komt vast door het delirium.'

'Maar waarom zou hij willen dat ik Rosa was?'

'Het is geen kwestie van willen. Het gaat om wat hij dacht dat hij zag.'

'Hij wílde dat ik haar was, maar dat begrijp ik niet. Er was niets tussen Henry en Rosa. Ze vonden elkaar niet eens aardig. Ik ben verloofd met Henry. Hij is altijd van mij geweest. Er moet iets zijn gebeurd in de oorlog.'

'Daar weet ik niets van.'

'Denk je dat ze verliefd zijn geworden op elkaar?'

'Ik kan niet voor hem spreken. Ik weet alleen dat die meid jou nooit kwaad zou doen.'

'Wat moet ik doen? Wat moet ik tegen hem zeggen? En als hij blijft denken dat ik haar ben?'

'Vertel hem de waarheid. Vertel hem dat je Rosa niet bent. Vertel hem dat we ons allemaal ernstig zorgen over haar maken, want God mag weten waar het arme kind nu is.'

4

Londen, 1840

IN DE VIER MAANDEN DAT HENRY IN ONS HUIS WOONDE, ZAG IK hem maar een keer huilen om zijn moeder. Op een dag, nadat hij naar school was vertrokken, kwam er een pakket. Het adres was geschreven in een kriebelig handschrift, dat van de tante bleek te zijn die zijn vader onder haar hoede had genomen. In een begeleidende brief vertelde ze dat ze naar het zuiden was gekomen om de spullen van de dode vrouw op te ruimen, zodat vader en zoon konden terugkeren naar hun huis om opnieuw te beginnen. Ze had de ingesloten voorwerpen gevonden die Henry's moeder voor hem als aandenken had achtergelaten.

Mijn ouders bespraken de kwestie bij het ontbijt. 'We mogen ons er niet mee bemoeien,' zei moeder. 'Henry is oud genoeg om het aan te kunnen. Hij is bijna volwassen.'

'Net nu het zo goed gaat met de jongen, komt dit pakket,' zei vader. 'Volgens mij doen we er verstandig aan het te verstoppen.'

'Maar hij moet toch iets bezitten van arme Eppie?'

'Hij heeft de herinnering aan haar. Dat zou genoeg moeten zijn.'

De hele dag liep ik met een grote boog om het pakket heen als ik in de hal kwam en ik zei er niets over tegen Henry toen we elkaar bij het tuinhek ontmoetten, omdat ik zijn vrolijke humeur zo lang mogelijk wilde laten voortduren.

Inmiddels namen onze wandelingetjes terug naar het huis een uur of meer in beslag. Als het warm was, gingen we liggen onder de ceder, waar de gevallen naalden in onze rug prikten, en staarden we naar de wirwar van takken, of hij leunde met zijn rug tegen de boomstam en las een anatomieboek dat hij van een van zijn leraren had geleend. Ik mocht er niet in kijken omdat, zo zei hij, de inhoud niet geschikt was voor kleine meisjes, dus ik leunde tegen zijn knokige ribbenkast en luisterde naar het kloppen van zijn hart. Op een dag, toen ik opdracht had gekregen frambozen te plukken voor het avondeten, vulden hij en ik onze kommen tot ik duizelig was van de geur van hooi en suiker en in de schaduw moest gaan zitten, terwijl hij doorging met het karwei en af en toe met zijn bevlekte vingers een framboos in mijn mond stopte. Tegen etenstijd gingen we eindelijk naar binnen, bedwelmd door de buitenlucht, zetten de schalen op de keukentafel en stormden de trap op naar de overloop bij onze kamers, waar hij aan mijn vlecht trok: 'Was je gezicht, Mariella. Je maakt de naam van je familie te schande.'

Op de middag van het pakketje pakte ik zijn hand en nam hem mee naar de hal. Zodra hij het pakketje in handen had, gebeurde precies waar ik bang voor was. Hij trok zich terug in zichzelf, ging naar boven en deed de deur van zijn kamer dicht.

Hij kwam niet naar beneden voor het avondeten. Naderhand ging moeder naar boven met een dienblad en een halfuur later gaf ze mij opdracht het weer op te halen. Zijn deur stond open en doordat hij zijn eten niet had aangeroerd, was de hele kamer doortrokken van de geur van gekookt vlees. Hij zat op zijn bed met de inhoud van het pakketje om zich heen. Ik pakte het dienblad op en zette het buiten in de gang. Toen deed ik de deur dicht en liep naar het bed, waar ik met mijn handen op mijn rug bleef staan, wachtend tot hij me zou opmerken.

Hij was nog niet erg knap; hij was te dun, zijn huid was weliswaar iets bruiner dan toen hij bij ons kwam, maar hij had nog vaak puistjes en zijn haar was futloos. Maar ik vond hem prachtig vanwege zijn serieuze, alziende ogen en ik was bedroefd omdat de glimlach die altijd op zijn gezicht doorbrak als hij mij zag, deze keer wegbleef. Ten slotte liep ik naar hem toe, legde mijn hand op zijn schouder, draaide mijn nek zodat mijn gezicht bijna ondersteboven onder zijn gebogen hoofd hing en staarde in zijn ogen. Nog steeds geen reactie.

'Mag ik zien wat er in het pakket zat?' vroeg ik.

Niets.

Zijn pijn was zo tastbaar dat ik wist dat er drastische maatregelen nodig waren, dus ging ik op zijn oncomfortabele schoot zitten en sloeg mijn armen om zijn nek. 'Laat zien,' zei ik. Hij wees naar een miniatuur, ongeveer tien bij zeven centimeter, in een sober houten lijstje. Het was een portret van Eppie in wat haar bloeitijd moet zijn geweest, voor de armoede. Haar kleine gezichtje was omlijst met glanzende krulletjes en haar lange nek rees op uit een blote borst. Ze droeg een jurk met een verhoogde taille, die op de een of andere manier om haar borst bleef hangen, hoewel de stof in een wijde v over haar schouders liep. Haar hoofd was een kwartslag gedraaid zodat ze rechts van de schilder keek, en ze glimlachte verlegen, alsof ze eigenlijk liever helemaal niet op het schilderijtje had gestaan.

Verder lag er een paar witte kinderhandschoenen met paarlen knopen, die alleen bij de vingertoppen een beetje smoezelig waren. Ik rook er even aan omdat ik wist dat handschoenen geur vasthielden en ik herkende onmiddellijk het vleugje rozenwater en zweet dat altijd om tante Eppie heen hing. Er was een klein juwelenkistje met geborduurde bloemen op de bovenkant, een zijden voering en een spiegeltje in het deksel. Eppies verlovingsring met de drie diamantjes op een rij, die ik nog kende uit de tijd dat ik nog naaide, was in een lapje verfrommelde stof gewikkeld en ik zag een opgevouwen velletje papier dat precies in het kistje paste. In een onvast handschrift was erop geschreven: 'Voor Harry. Mijn lieve, lieve jongen. Vergeet je mama nooit, vergeet nooit hoeveel ze van je hield.'

'Ze was heel vriendelijk, je moeder,' fluisterde ik. 'Ze heeft mij haar naaigarnituur nagelaten. Wist je dat?'

Hij antwoordde niet. Ik probeerde hem te omhelzen, maar hij gaf geen krimp en was even onbenaderbaar als toen hij net bij ons was.

Ik gaf het op en liep weg, maar toen ik bij de deur was, hoorde ik een afschuwelijk schurend geluid dat vanachter in zijn keel kwam en voor ik het wist zat ik op het bed, met zijn hoofd in mijn schoot en mijn vingers in zijn haar. De rok van mijn katoenen japon was warm en vochtig van zijn tranen. Zijn snikken welden op van diep in zijn lichaam en hij klauwde in mijn arm en rug.

Toen hij voldoende was hersteld om zijn natte gezicht op te heffen en in mijn ogen te kijken, zei hij: 'Nu zul jij alles voor me moeten zijn, Mariella.'

5

D<small>E TANTE UIT</small> D<small>ERBYSHIRE SLAAGDE ER NIET IN WONDEREN TE VER</small>-
richten bij Henry's vader (de ongelukkige en onbekwame Rich-
ard Thewell) en twee zomers later werd hij begraven. Ondertussen verdween Henry in de lange tunnel van zijn zware
geneeskundige opleiding met talloze colleges en examens in ongrijpbare onderwerpen als scheikunde en fysiologie. Hij had de
ambitie om chirurg te worden en ik vermoed dat mijn vader een
groot deel van de rekeningen betaalde. Soms kwam Henry op
een zondagmiddag langs om snel een kop thee te drinken, ons
brokjes informatie te geven over gips, het vak van chirurgassis-
tent en periodes van zesendertig uur zonder slaap, en een uur later te vertrekken, beladen met vleeswaren en taartjes die hem
werden opgedrongen door onze kokkin.

Het bedrijf van vader bloeide en al snel leidde hij verschillende projecten tegelijk en werd hij uitgenodigd om zitting te nemen in allerlei besturen en commissies die zich bezighielden met
de organisatie van publieke werken. Moeder had het drukker dan
ooit met lesgeven op de zondagsschool, geld inzamelen voor de
Female Aid Society en met haar lidmaatschap van de bezoekersraad van een ziekenhuis. Ik ging naar een dagschool waar ik piano-
les, Frans, rekenen en gedragsles kreeg. Dankzij tante Eppie schit-
terde ik in decoratief naaien.

En toen, in de herfst van 1843, vlak voor mijn twaalfde verjaardag, kwam er een brief van tante Isabella, de oudere zuster

van moeder die weduwe was. Ze schreef dat ze ging trouwen met een man die Sir Matthew Stukeley heette. Zodra zij en haar dochter Rosa hun intrek hadden genomen in hun nieuwe huis, Stukeley Hall – misschien de zomer daarop – verwachtte zij moeder en mij in Derbyshire voor een lang bezoek.

Moeder had altijd een beetje tegen haar oudere zuster opgezien en ze had mij Mariella genoemd als samentrekking van haar eigen naam, Maria, en die van mijn tante, Isabella. Terwijl moeder slechts een projectontwikkelaar had gehuwd, was Isabella's eerste man een landheer geweest met een bescheiden stuk grond, genaamd Richard Barr, Esquire. Helaas had hij haar na zijn dood zonder een cent achtergelaten. Maar ze was nog maar zes maanden weduwe toen ze het hart van Stukeley wist te veroveren. 'Niet dat hij uit het oudgeldmilieu komt,' zei moeder tegen Mrs. Hardcastle. 'Zijn fortuin is gebouwd op lood en textiel.'

Ze was benieuwd hoe het zou zijn om naar het noorden terug te keren, maar maakte zich ook zorgen over de reis. Er was geen sprake van dat vader zijn bedrijf alleen zou laten, zeker niet nu hij net een lap grond had gekocht in Deptford. Ik wilde helemaal niet weg. Ik ging met plezier naar school, ik zou vader missen, en bovenal was ik bang dat Henry tijdens onze afwezigheid zou langskomen voor de zondagsthee. Hoe moest ik twee of drie maanden doorkomen zonder zelfs maar de mogelijkheid dat ik hem zou zien? En het vooruitzicht een niet te ontmoeten die achttien maanden ouder was dan ik en – erger nog – een ridder in zijn landhuis, was angstaanjagend. Dus waren moeder en ik tijdens de treinreis diep in gedachten verzonken, terwijl ik een eenvoudig kleedje haakte voor de kaptafel van tante Isabella en moeder een lijst maakte van alle mensen met wie ze moest corresponderen in de periode dat ze weg was.

Op het station werden we verwelkomd door een koetsier in uniform die een reusachtige koets bestuurde. Een poosje hobbelden we over de keien langs gebouwen van lelijk, grijs baksteen, maar plotseling kleurde de hele wereld groen en reden we in volle vaart over smalle weggetjes die omzoomd waren door stapelmuren en steile heuvels die oprezen naar de hemel.

Na ongeveer een halfuur kwamen we bij een mooi dubbel toegangshek, waarachter een heuse portierswoning stond. Boven op de pijler van het linkerhek zat een meisje met een blauwe jurk. Een groot deel van haar dunne kuiten was zichtbaar en ze had een dikke bos golvend, strogeel haar; de kleur die ik altijd had gewild – mijn haar was lichtbruin. Ze wuifde enthousiast, wist op de een of andere manier buiten ons zicht van de pijler te klimmen, hoewel deze heel hoog was, en verscheen weer op het moment dat we door het hek reden. De hele oprijlaan lang rende ze naast ons, terwijl ze me door het raampje stralend aankeek.

'Dat moet je nichtje Rosa zijn,' zei mijn moeder. 'Wat een kind!'

Stukeley Hall was een kolossaal herenhuis, compleet met torens, spitsen, pinakels en puntgevels. Moeder en ik bleven vol ontzag staan op de duizeligmakende geometrische tegels van de ontvangsthal. Er stond een leger van bedienden klaar om onze koffers te dragen en ons de weg te wijzen, maar Rosa was al op de eerste verdieping. Haar haar hing over de balustrade als een rimpelend zeil. 'Kom dan,' riep ze. 'Kom.'

Tante Isabella zat in de zitkamer, naast een immense marmeren schouw met daarin een rijk versierd scherm in plaats van een vuur, aangezien het een warme dag was. Ze stond niet op, maar stak een bleke hand uit en zei: 'Ik ben vandaag zo moe.'

'Vergeef me, zuster,' zei moeder nederig. 'Ze hadden ons moeten inlichten, dan hadden we kunnen wachten tot later...'

Nu ik haar zag, begreep ik niet hoe tante Isabella erin was geslaagd zelfs maar één echtgenoot aan te trekken, laat staan twee, van wie er een ook nog een titel had. Ze was een pafferige vrouw wier enige schoonheid in haar huid zat, die zijdezacht was.

Moeder en ik gingen naast elkaar zitten, maar Rosa staarde me aan en gebaarde met haar hoofd betekenisvol naar de deur. 'Kom dan,' zei ze. 'Mama, ik wil Mariella alles laten zien.'

'Doe dat dan,' zuchtte tante Isabella.

Ik wilde niet worden weggevoerd naar een wereld waar moeder niet de scepter zwaaide. Terwijl we door de gangen van Stukeley Hall renden, had ik het gevoel dat ik ieder moment in een afgrond kon storten die Het Onbekende heette.

Rosa gooide de ene na de andere deur open: 'Dit is de ontvangstkamer, dit is de galerij, dit is de blauwe kamer, dat is de bibliotheek – daar mag ik niet komen, kun je dat geloven: juist die ene kamer waar ik iedere minuut zou willen doorbrengen, als ik de kans kreeg.'

'Maar waarom?'

'O, zomaar. Gewoon omdat mijn stiefvader een hekel aan me heeft, denk ik.' En weg was ze weer. 'Dit is de biljartkamer...' Ze liet me zelfs de slaapkamer van haar moeder zien – 'Kom, er is niemand' – en ik staarde naar het grote bed met bloemengordijnen en een sprei met een volant, alles in lichtblauwe en roze tinten, waar mijn mollige tante en de tot nu toe buiten het zicht gebleven Sir Matthew sliepen. Godzijdank waren er geen afdrukken van hun hoofden te zien op de kanten kussens.

'Kom eens hier. Even kijken,' zei Rosa, terwijl ze me meetrok naar een lange spiegel, waar we dicht tegen elkaar aan naar ons spiegelbeeld staarden. 'Ja, we lijken heel erg op elkaar. Als zussen bijna.'

Eigenlijk vond ik dat we weinig met elkaar gemeen hadden. Mijn haar was donkerder en steiler, mijn neus korter, mijn ogen grijs in plaats van blauw en mijn kaak ronder. Ik was doodsbang dat we zouden worden betrapt in dit zeer persoonlijke territorium en haalde opgelucht adem toen we over een smalle trap naar beneden stormden en een stenen gang in renden die naar buiten leidde.

'En, wat vind je ervan?' vroeg ze dwingend, terwijl ze achterwaarts voor me uit liep zodat ze mijn gezicht kon zien.

'Waarvan?'

'Van dit alles. Vind je het niet afschuwelijk lelijk? Was ik maar dood. Kon ik maar naar huis,' en plotseling brak haar stem en barstte ze uit: 'Het spijt me, het spijt me, het is zo'n opluchting om het te kunnen zeggen, maar ik mis mijn vader zo verschrikkelijk, echt waar. Je hebt geen idee hoe erg het is. Jij hebt zoveel geluk: jouw familie is compleet, je hoeft niet in een huis te wonen met stiefbroers die Horatio en Maximilian heten – kun je het je voorstellen? – en een stiefvader die nooit tegen me spreekt, behalve om te zeggen wat ik niet mag doen...' Plotseling werd ik in de rol van trooster gedwongen. Ze sloeg haar armen om mijn nek, waardoor mijn neus in haar zijdeachtige, naar citroen geurende haar werd gedrukt. Toen rukte ze zich los, greep mijn hand en kuste hem, keek me glimlachend aan, haar blauwe ogen vol tranen, en zei: 'Het is zo heerlijk dat je er bent. Ik zal je alles laten zien. Ik zal je alle geheime plekjes laten zien die ik heb ontdekt. Kom op. Kom.' En ze rende weg. Haar haar wapperde achter haar aan en ze trok haar blauwe rokken op tot boven haar enkels. Ik volgde met een snelheid die mijn hart, dat weinig gewend was, als een razende tekeer deed gaan. En mijn stemming steeg snel, want ik was nu al tot over mijn oren verliefd op Rosa.

6

Italië, 1855

NORA EN IK GINGEN DE VOLGENDE DAG WEER OP WEG NAAR DE VIA del Monte. Deze keer was ik gekleed in mijn crèmekleurige, katoenen jurk met de brede horizontale strepen en een enkele volant, en ik had mijn parasol bij me. In plaats van me te haasten liep ik bedaard naast Nora, mijn ogen zwaar en droog door slaapgebrek en mijn adem snel en oppervlakkig. Eenmaal bij het huis gekomen, bleef ik wachten terwijl Nora Signora Critelli haalde, die ons net als de vorige keer naar boven bracht en op Henry's deur klopte.

De kamer was volkomen anders: de luiken stonden open, de gordijnen waren opgebonden, de tafel was opgeruimd en de vloer geveegd. Er stond een stoel klaar voor bezoek. Henry was aangekleed en zat in een houding die ik goed kende, met het ene been over het andere, zijn arm over de rugleuning en zijn hoofd in zijn hand gesteund. Hij had een opschrijfboek in zijn handen, maar zijn blik was op de deur gericht.

Ik zei heel duidelijk en langzaam: 'Henry, ík ben het, Mariella, ik kom je bezoeken.'

Hij zat met zijn rug naar het licht, maar toch zag ik dat er iets in zijn gezicht veranderde en dat de spanning uit zijn lichaam wegvloeide. Na een korte stilte greep hij met beide handen de tafel vast en stond hij op. De zon scheen door zijn hemd en ik zag het skeletachtige silhouet van zijn lichaam. 'Mariella.' Hij kuste me op de wang en trok de stoel voor me naar achteren terwijl Nora op het bed ging zitten. Ik keek in zijn ogen waaruit sympathie en warmte sprak, en er was niets, geen spoor van besef, waaruit ik kon opmaken dat hij zich herinnerde wat er gisteren was gebeurd en welke afschuwelijke vergissing hij had gemaakt.

'Mariella, wat doe je in hemelsnaam zo ver van Clapham?' vroeg hij.

'Je brieven baarden me zorgen. Ik kreeg het gevoel dat iemand naar je toe moest om te zien of je wel goed werd verzorgd.'

'Hoe ben je hier gekomen? Wie is er met je meegereisd?'

'Nora. Verder niemand. Je herinnert je haar toch nog wel, de gezelschapsdame en verzorgster van mijn tante? Zij leek me de beste keuze omdat het met tante veel beter gaat en Nora vaak heeft gereisd.'

'Natuurlijk herinner ik me haar. Maar ik ben toch verbaasd dat je ouders je zo ver laten reizen zonder mannelijke escorte.'

'Mr. en Mrs. Hardcastle gingen naar Rome. We waren niet alleen.'

'Ik dacht dat je Mrs. Hardcastle wat te dominant vond.'

'Voor jou wilde ik dat offer graag brengen, Henry.'

Als beloning voor mijn zwakke poging tot luchtigheid, leunde hij naar voren en kuste mijn hand. 'Je bent koud, Mariella. Hoe kan iemand het zo koud hebben op zo'n warme dag?'

In de loop van het gesprek daalde mijn stemming nog verder, als dat al mogelijk was. Henry was volkomen veranderd. Afgezien van het extreme gewichtsverlies, was er een soort afwezigheid in zijn houding die mij vervulde met afschuw. Het leek wel of hij achter een dikke glasplaat zat en alles wat hij zei of deed kostte hem grote inspanning, omdat hij zijn aandacht ergens anders voor nodig had. Hij leek in niets op de hartstochtelijke persoon die mij gisteren in zijn armen had genomen, en me voor Rosa had aangezien.

Even onrustbarend waren de voorwerpen in de kamer. Half verborgen achter een gordijn, lag een enorme smoezelige overjas van schaapsvacht en alle beschikbare oppervlakken waren bezaaid met papieren met ezelsoren en linialen. De enige decoratieve voorwerpen waren de miniatuur van zijn moeder, die naast zijn bed lag, en daarnaast het oningelijste portret dat Rosa van mij had gemaakt, bij de hoeken platgedrukt door Henry's twee oude boeken met gedichten van John Keats. 'Je was aan het werk,' zei ik, terwijl ik naar zijn opschrijfboek wees. 'Je hebt rust nodig.'

'Ik kan niet rusten, Mariella, als er zoveel te doen is.'

'Wat moet er dan worden gedaan?'

'Militaire zaken. Weet je, ik ben een expert geworden op het gebied van de oorlogsvoorbereidingen van de militaire medische dienst.'

Ik pakte mijn portret, waarin Rosa mijn mond een raadselachtige glimlach had gegeven en mijn haar had laten glanzen. Toen ze mij een eerdere versie had laten zien, had ik geklaagd dat ik er veel te verlegen uitzag, dus ze had de uitdrukking in mijn ogen zo veranderd dat ik recht uit het doek keek. Het was gesigneerd met haar bekende, krachtige initialen: RB, September '54.

Ik zei zachtjes: 'In een van je brieven schreef je dat je Rosa had gezien. We maken ons zorgen omdat we al weken niets van haar hebben gehoord, dus ik vroeg me af of je recent nieuws over haar hebt.'

Zijn ogen hadden aandachtig het portret gevolgd toen ik het oppakte van het tafeltje naast het bed en op mijn schoot legde. Verder maakte hij geen enkele beweging. 'Rosa?'

'Ja, je weet wel. In een brief schreef je dat je haar op een dag onverwacht had ontmoet.'

'Onverwacht. Ja, inderdaad. Dat was heel vreemd. Ik had namelijk geen idee dat ze in Rusland was.'

'Dan zijn blijkbaar niet al mijn brieven aangekomen.' Ik probeerde mijn stem beheerst te laten klinken. 'Heb je veel tijd met haar doorgebracht?'

'Ik had nooit tijd, Mariella.'

Plotseling zei Nora: 'Mijnheer, de waarheid is dat we al meer dan twee maanden niets van haar hebben vernomen.'

'Toen ik hier aankwam lag er een brief van moeder op me te wachten, maar ze schreef dat ze nog steeds niets hebben gehoord,' zei ik. 'Moeder schrijft dat tante Isabella buiten zichzelf is van angst.'

Henry zette zijn duim en wijsvinger tegen zijn voorhoofd en

ik zag dat zijn hand trilde. 'Niets van haar vernomen? Dat kan bijna niet. Alles is zoveel beter geworden; er is een spoorlijn, er zijn zelfs telegraaflijnen.'

'Haar moeder jaagt zichzelf en anderen nog de dood in met haar angst,' kwam Nora tussenbeide.

'Niets van haar gehoord,' zei hij nogmaals. 'Niets gehoord. Iemand moet proberen erachter te komen waar ze is. Je vader kan vast wel zijn invloed aanwenden.'

'We houden onszelf voor dat er in een oorlog zoveel mensen op onverwachte plaatsen zitten,' zei ik. 'We houden onszelf voor dat ze waarschijnlijk veilig is, maar niet kan schrijven.'

'En jij vermoedt dat Rosa op een onverwachte plaats is.'

'Natuurlijk, Henry.' Ik sprak monotoon omdat ik het nooit voor mogelijk had gehouden dat ik zoveel pijn kon voelen en toch nog ademhalen. Ik kon de afgemetenheid waarmee hij sprak, zijn pogingen desinteresse te veinzen terwijl iedere vezel van zijn lichaam zich spande bij het horen van Rosa's naam, niet negeren.

Hij houdt van haar, dacht ik.

'Mariella?' Hij boog zich naar me toe, de handen losjes in elkaar gevouwen tussen zijn knieën, schijnbaar wachtend op een antwoord op een vraag die ik niet had gehoord.

Ik probeerde weg te kijken maar hij ving mijn blik met zijn ogen, die genegenheid uitstraalden, en zei nadrukkelijk, alsof hij het tegen een ziek kind had: 'Ik zei, zullen we morgen een uitstapje maken naar de ruïnes van Ocriculum? Nu je hier bent, moet je wel iets van Italië zien.'

'Ben je echt gezond genoeg om uit te gaan?'

'Mijn dokter, mijn goede vriend, zei dat ik veel frisse lucht nodig heb, dus ik weet zeker dat hij ermee zou instemmen. Als hij hier was zou hij zelfs meegaan; hij is een groot liefhebber van oudheden. Op dit moment is hij waarschijnlijk in Rome om brokstukken van het Forum af te hakken.'

'In plaats van voor jou te zorgen.'

'De arme man had vakantie nodig. Hij moet zich dood vervelen bij mij. En ik heb niet veel verzorging nodig.'

Hij keek naar me op een manier die een parodie leek op zijn vroegere houding: vol zelfvertrouwen, glimlachend, met over elkaar gevouwen armen en opgeheven hoofd. Ik staarde even naar hem en probeerde daarna net te doen alsof ik helemaal in de ban was van een raamluik aan de overkant van de straat.

Deze pijn overleef ik niet, dacht ik.

Deel twee

I

Londen, 1854

MIJN VADERS BELONING VOOR ZIJN NIET-AFLATENDE STEUN AAN
Henry, was dat zijn protegé snel opklom tot de hoge positie van
aankomend specialist, een functie die inhield dat hij studenten
begeleidde en rapporten schreef voor de ziekenhuisraad, en vervolgens assistent-chirurg werd met een salaris van driehonderd-
vijftig pond per jaar. Tegen de tijd dat Henry dertig was, genoot
hij een landelijke reputatie als docent en als een chirurg die uitzonderlijk bekwaam was met het mes. Zijn colleges waren zo po-
pulair dat zijn vrienden pochten dat de studenten elkaar ver-
drongen in de deuropening en zelfs buiten de ramen op een stoel
gingen staan om te luisteren. In tegenstelling tot zijn vakgeno-
ten, zo zei vader vol trots, nam Henry geen genoegen met het
klakkeloos volgen van de traditie en besteedde hij zijn zuurver-
diende salaris aan reizen naar Europa om te zien wat er daar gebeurde. Henry wilde deel uitmaken van de voorhoede van de
geneeskunde; hij wilde de beste zijn. Henry was, kortom, een
man naar mijn vaders hart.

In de zomer van 1853 kocht Henry een stuk land in Highgate
en vader adviseerde hem bij de bouw van een nieuw huis. Toen,
vlak na Kerstmis, als een nieuwe blijk van zijn stijgende status,
werd Henry gevraagd mee te reizen met een groep legerartsen
en adviseurs die naar Turkije zouden gaan om daar alle voorbereidingen te treffen voor de behandeling van gewonde soldaten,
voor het geval dat er schermutselingen zouden uitbreken met

Rusland. Het leek erop dat 'Het oosterse vraagstuk', een terug-kerend thema in de fragmenten uit *The Times* die vader ons bij het eten voorlas, toch zou worden opgelost met oorlog in plaats van diplomatie.

Henry bleef bijna een maand weg en na zijn terugkeer in Engeland schreef hij dat hij de vorderingen aan zijn huis in Highgate had geïnspecteerd en had ontdekt dat er een probleem was met de afvoer waardoor de tuin een moeras was geworden. Of vader hem wat advies kon geven. En nu er eindelijk glas in de kozijnen was geplaatst en de haard in de zitkamer was geïnstalleerd, wilden de dames misschien ook komen.

Moeder en ik reden op een zeer regenachtige middag in februari van Clapham naar Highgate. Ze was gekleed in bruine zijde, dat ze tegen mijn advies in had gekocht; ik vond dat de glimmende stof haar huid grauw maakte en haar gelaatstrekken niet goed deed uitkomen. Het was voor haar een kwelling om zo lang stil te zitten zonder iets te kunnen doen en ze hield een opschrijfboek en een potlood bij de hand voor het geval er ideeën zouden opborrelen. Ze was op dit moment secretaris van een commissie van dames wier missie het was om een tehuis te openen voor gepensioneerde of in financiële nood verkerende gouvernantes, een initiatief van Mrs. Hardcastle, wier koppige dochters een hele reeks huisleraressen hadden versleten, van wie er een vervelend genoeg een kwart eeuw later, fragiel en hoogbejaard, aan de deur kwam om te bedelen.

Na ongeveer een halfuur reizen met veel onderbrekingen waren we nog maar net de rivier over. Moeder haalde haar horloge tevoorschijn en zei: 'De omnibus was sneller geweest.'

'Op de terugweg zullen we blij zijn dat we een koets hebben.'

'Ik heb je vader gezegd dat een koets in Londen pure geldverspilling is. Ik heb er geen enkel bezwaar tegen om te lopen. Of een taxi te nemen.'

'Vader zal het heerlijk vinden om rond te kunnen rijden.'

'Hij weet niets van paarden. Hij had zich beter moeten laten informeren. Ik hoop dat deze niet kreupel wordt. Hij is al drie keer gestruikeld, ik heb het geteld.'

Achter het groezelige glas zag Hyde Park eruit als een groene waas en de straat was gevuld met op en neer bewegende paraplu's. Mijn ademhaling werd bemoeilijkt doordat het bovenlijf-je van mijn middagjurk een taille had van vierenveertig centimeter, vier centimeter minder dan gebruikelijk, en de driedub-bele strik van mijn blauwe bonnet dwong mij mijn kin abnormaal hoog te houden.

'Ben je zenuwachtig?' vroeg moeder plotseling.

Deze blijk van opmerkzaamheid was zo onverwacht, dat ik geërgerd was. 'Natuurlijk niet. Waarom zou ik zenuwachtig zijn?'

'Dit is de eerste keer dat je het huis ziet. Je hebt Henry een tijd niet gezien. Ik dacht alleen...'

Het bloed steeg naar mijn hals en mijn gezicht. 'Alsof ik ze-nuwachtig zou moeten zijn voor Henry. En bovendien gaan we alleen maar zijn nieuwe huis bekijken. Het stelt niets voor.'

'Ikzelf ben wel eens zenuwachtig als ik bij Henry ben – ik ben zelfs wel eens zenuwachtig als ik bij je vader ben. Ik denk altijd dat mannen zoveel meer in zich hebben dan wij ons realiseren.'

We staarden nu allebei nadrukkelijk naar buiten door de te-genover elkaar liggende ramen. Ze zei: 'Toen ik Henry in huis nam, had ik geen idee dat hij zou worden wat hij nu is. Hij leek toen zo'n verlegen jongen.'

'Hij was in de rouw. We konden niet meteen zien hoe hij echt was.'

'Maar wie had gedacht dat hij het in zich had? Natuurlijk had je vader een vermoeden; hij heeft tenslotte oog voor kwaliteit en talent. Maar je moet niet denken dat Henry de enige kandidaat voor je is. Dat is mijn grote zorg, Mariella. Er zijn ongetwijfeld andere mannen, die net zo geschikt zijn. Je bent nogal star in je ideeën.'

'Ik ben helemaal niet star, zoals jij het noemt. Henry is een broer voor me.'

Haar in een bruine handschoen gestoken hand kneep in mijn vingers. 'Iets meer dan een broer, geloof ik.'

Henry's nieuwe huis, De Iepen genaamd, was gebouwd op het terrein van een oude boerderij. We reden tussen twee pilaren door die in een oude muur waren geplaatst – relieken uit het ver-leden. Toen ik mijn raampje naar beneden trok om meer te kun-nen zien, sloeg de regen me in het gezicht. 'Wat een kast,' zei ik, een uitdrukking die ik van vader had geleerd. 'En kijk, het heeft zelfs een torentje. Je zou bijna denken dat we bij Stukeley waren.'

Het huis had twee licht gebogen vleugels die zich uitstrekten aan weerszijden van een portiek met een puntgevel. Henry wachtte ons op in de deuropening, met achter zich een dienstmeisje dat klaarstond om onze mantels aan te nemen. 'Lieve tante. Mariella. Wat dapper van jullie om met dit slechte weer toch op reis te gaan. Ik had niet verwacht dat jullie zouden komen.'

Hij pakte de arm van moeder en leidde haar naar een bijna lege kamer waar een vuur brandde en vier stoelen om een kleine tafel waren gezet. De miniatuur van Henry's moeder stond in eenzame glorie op de schoorsteenmantel.

'Wat zou arme Eppie trots zijn geweest als ze je hier had kunnen zien,' zei moeder.

'Ik hoop het.' Even zei niemand een woord. 'We drinken eerst een kopje thee en dan laat ik jullie de rest van het huis zien. Ik hoop dat jullie genoegen nemen met de primitieve omstandigheden.'

Ik maakte de vijf knoopjes van mijn rechterhandschoen los en pelde hem van mijn vingers. Ondanks het vuur was het somber in de kamer, door de regen die achter de glazen deuren op het dak van de serre roffelde. Maar dat was het enige wat ik opmerkte; het feit dat ik in Henry's aanwezigheid was, maakte zo'n indruk op me, dat ik blind en doof was voor de rest van mijn omgeving. Hij was heel formeel gekleed, in een lange jas met een kravat. Wat ik me het levendigst van hem herinnerde als hij niet in de buurt was, was zijn dikke haar dat bij zijn voorhoofd alle kanten op stond, de horizontale plooi boven zijn wilskrachtige kin en de verrassende zachtheid in zijn stem. In levenden lijve bleek hij altijd iets langer, breder en over het geheel genomen meer een man van de wereld te zijn dan in mijn gedachten.

Vader, die bij al zijn afspraken te laat was, liet zich niet zien, dus dronken we met zijn drieën een kopje thee. Moeder schonk in en Henry reikte me het kopje aan met een plechtigheid die ons aan het lachen maakte. 'Het is de eerste van duizenden keren dat we samen thee zullen drinken in dit huis,' zei hij. 'Jullie zijn mijn eerste gasten en ik wil goed beginnen.'

'Dit is een prachtig theeservies,' zei moeder. 'Ik heb het nooit eerder gezien.'

'Het was van moeder. Ik heb het al die jaren ingepakt gelaten. Dit leek me het juiste moment om het tevoorschijn te halen.'

Mijn hand trilde terwijl ik het dunne porselein vasthield. 'Constantinopel,' zei ik. 'Je hebt ons er niets over verteld.'

'Wat wil je weten?'

'Alles. Wat je hebt gezien. Met wie je hebt gesproken. Je missie werd zelfs genoemd in de krant. Vader heeft het voorgelezen. We waren zo trots!'

'Ja, blijkbaar heeft *The Times* het verhaal opgepikt. Je kunt niets meer geheimhouden voor de pers. Zoals je je kunt voorstellen, Mariella, voelde ik de zware last van de verantwoordelijkheid. Op een gegeven moment vroeg ik me zelfs af of ik wel de juiste persoon voor dit werk was, maar ze hadden gevraagd om een chirurg met mijn ervaring, ik had Herbert bij een diner ontmoet, dus de zaak was gauw beklonken. We hebben vastgesteld dat er mogelijkheden zijn voor een groot ziekenhuis in Constantinopel en we hebben enorme hoeveelheden verband en gips laten sturen. Meer kunnen we niet doen. Maar ik wou dat vader erbij had kunnen zijn. Het hoofdgebouw komt, indien nodig, in een grote, oude kazerne, en ik heb bedenkingen over de staat van de vloeren en de riolering. Oom Philip zou de ideale persoon zijn geweest om ons te adviseren.'

'Waren de legerartsen tevreden?'

'We waren allemaal min of meer tevreden. De accommodatie is zonder meer adequaat wat ruimte betreft. Maar natuurlijk kunnen we heel weinig doen tot we weten waar en zelfs óf de strijd zal losbarsten. En de legerartsen zijn zeer optimistisch omdat ze zeggen dat het leger gewend is om uit het niets iets op te bouwen. Ik was inderdaad onder de indruk van de snelheid en efficiëntie van de stoomschepen. Een man kan in een paar uur in het ziekenhuis zijn.'

'En Constantinopel? Was het wat je ervan had verwacht?'

'Het was kouder dan ik had verwacht; een ander soort kou dan hier, compacter en doordringender. In mijn verslag heb ik benadrukt dat we voorbereidingen aan het treffen waren voor een militaire operatie in de zomer, en dat de situatie wel eens heel anders zou kunnen zijn als de oorlog wordt uitgesteld tot de winter. De gewonde soldaten zouden dan een zeer onaangename reis over ruwe zee moeten doorstaan. Maar in de zomer is er niets aan de hand.'

'Wat moet het ingewikkeld zijn,' zei moeder, 'als je de taal niet spreekt. Was er iemand bij die Turks sprak? Wat een toestand moet het zijn om een leger voor te bereiden. Mijn hemel, ik vind het al moeilijk om een tehuis voor vijftien vrouwen te stichten, laat staan voor tienduizenden.'

'Hoe gaat het met het tehuis, tante?'

'O, we zijn nog lang niet open. Het is steeds afwachten welk probleem we nu weer gaan tegenkomen. De commissie onderzoekt op dit moment wat de meest hygiënische soort matras is – we hebben een groot aantal tweedehands bedden aangeboden gekregen, maar ik vind dat we moeten weten wie de vorige eigenaars waren.'

Henry leunde naar voren en nam haar hand in de zijne. 'Weet u, beste tante, we kunnen niet toestaan dat u zich met dit soort dingen moet bezighouden. Als u een lijst met vragen achterlaat, zal ik ze zo goed mogelijk beantwoorden. Is uw commissie daarmee geholpen?'

We begonnen onze rondleiding door het huis in de serre, waar een gecanneleerde marmeren fontein was aangelegd, hoewel er vooralsnog geen stromend water was. De ramen waren halfrond en boden uitzicht op de tuin, die op dat moment niet veel meer was dan een onder water gelopen weide, opgeluisterd met drie enorme iepen.

'Misschien was het een vergissing om jullie dit te laten zien,' zei Henry. 'In dit weer is het moeilijk om zonnige middagen op het gazon voor je te zien. Maar ik moet overal aan denken: behang, beplanting, bestrating, paden, prieeltjes. Hoe moet ik dat allemaal in mijn eentje voor elkaar krijgen? Ik heb hulp nodig.'

Moeder liet haar blik glijden over de patronenboeken en stofstalen die op een brede vensterbank waren uitgestald. 'Weet je,' zei ze, 'ik denk dat ik bij het vuur ga zitten om deze te bestuderen terwijl jij en Mariella het huis bekijken. Als Philip komt, vinden we jullie wel.'

Ik was stomverbaasd dat ze ons alleen verder liet gaan. Ze was toch veel te naïef om bewust een aanzoek uit te lokken? Ze zette haar stoel dichter bij het vuur en sloeg een patronenboek open.

'Goed, waar zullen we beginnen?' vroeg Henry, iets te opgewekt.

'Ik wil de toren graag zien.'

'Aha. De toren, beste Ella, is een uitspatting van de architect. Ik had de moed niet om zijn enthousiasme te temperen. Het belooft meer dan het waar kan maken, vrees ik, maar volg mij.'

Ik liet mijn vingers over de bollen en ingewikkelde kronkels van de trapstijlen glijden en genoot van het gekraak onder onze voeten van de nieuwe planken op de gang van de eerste verdieping. Toen Henry de laatste deur opende, blies de tocht hem achter ons dicht. De kamer had ramen aan twee zijden en een eigenaardige ronde ruimte in een van de hoeken, die de toren bleek te zijn. 'Wat jammer, ik had gehoopt op een wenteltrap en tenminste één donker torenkamertje,' zei ik.

'Het is een heel moderne toren, helaas, maar als het ooit ophoudt met regenen, heb je hiervandaan een schitterend uitzicht. Ik denk erover om hier mijn bibliotheek te maken. Wat denk jij? En 's nachts hoop ik tijd te hebben om naar de sterren te kijken.' Hij liep onzeker door de kamer, stak zijn hoofd in de schoorsteen en trok aan de schilderijenroede alsof hij zich ervan wilde vergewissen dat hij stevig genoeg was.

'Ik neem aan dat het hier niet altijd naar gips zal blijven ruiken,' zei ik.

'Binnenkort hangt hier de geur van verf. Ik hoop alleen maar dat het tegen de zomer klaar zal zijn. Dit huis slokt zoveel aandacht en tijd op – hoe sneller ik erin kan trekken, hoe minder ik erdoor zal worden afgeleid. En als het vol staat met meubels, lijkt het misschien minder kolossaal en protserig.'

'Het is helemaal niet protserig. Je hebt iedere baksteen van dit huis verdiend. Niemand op aarde werkt harder dan jij.'

'Natuurlijk zeg je dat; je bent veel te loyaal en kritiekloos.' Hij kwam wat dichterbij en glimlachte naar me op een jongensachtige manier die mijn bloed sneller deed stromen.

Een windvlaag joeg regendruppels tegen het glas. Hij bood zijn arm aan, kneep in mijn vingers en leidde me terug door de gang. 'Er zijn twee badkamers: een voor gasten en een die verbonden is met de hoofdslaapkamer. Natuurlijk hebben we koud water, maar warm water is wat lastiger. Ze hebben geprobeerd me over te halen een geiser te installeren, maar dat heb ik geweigerd. Je vader zegt dat geisers zeer onbetrouwbaar zijn.' We wierpen een blik in een holle, donkere badkamer met in het midden een grote badkuip op leeuwenpoten en plotseling bevonden we ons in zo'n onmogelijk intieme omgeving dat ik een beetje duizelig werd. Het huis was zo mooi en onaangetast. Kon ik het maar vullen met mijn handwerk. Kon ik maar degene zijn die de gordijnen dichttrok, de lampen aandeed en 's avonds bij de haard op hem wachtte.

'Dit is de hoofdslaapkamer,' zei hij, terwijl hij verder liep. 'In de zomer valt het zonlicht hier recht naar binnen, want het ligt op het zuiden. En je hebt zelfs uitzicht op de heide. De architect heeft overal aan gedacht. Aan de ene kant ligt een kleedkamer die toegang geeft tot de badkamer, en dit andere kamertje zou misschien een gastenkamer kunnen worden. Wat vind jij, Mariella?'

'Het is hier zo licht dat het een uitstekende naaikamer zou zijn.'

Er viel een stilte. Misschien was ik te vrijpostig geweest. Weer stonden we slechts enkele centimeters van elkaar. Het feit dat ik na bijna twee maanden weer alleen met Henry in een kamer stond creëerde een ondraaglijke spanning. Uiteindelijk zonk ik met een zucht van mijn rokken neer op de vensterbank en drukte mijn voorhoofd tegen het glas.

Na een lange stilte zei hij. 'Ja, zo zag ik jou altijd voor me, met je serene voorhoofd en kalme blik, in die kille nachten op het schip als ik naar de sterren keek en me afvroeg of jij dezelfde hemel zag. Ik geloof dat je geen idee hebt hoeveel het voor me betekent dat je nu hier bent.'

Nu ging het dan echt gebeuren. Hij strekte zijn hand naar me uit, ik legde de mijne erin en hij bracht hem naar zijn lippen om er een zachte, trage kus op te geven die nog lang nabrandde op mijn huid. Toen hielp hij me overeind, haakte mijn hand door zijn arm en keek me aan. Zijn ogen waren donkergrijs als kwik, met gelige vlekjes erin, en nu ik zo dicht bij hem stond zag ik dat zijn huid een beetje verweerd was van zijn recente reis. 'Mariella, er zijn zoveel onzekerheden. Het vooruitzicht dat er een oorlog uitbreekt baart me zorgen en volgende maand moet ik weer naar een ziekenhuis in Hongarije, waar ik een dokter wil spreken die met zijn werkwijze een grote invloed kan hebben op de manier waarop wij onze eigen ziekenhuizen beheren. Ik heb nu connecties in de regering en als ik me kan onderscheiden, misschien... met die nieuwe technieken in de operatiekamers, dan zou ik eindelijk...' Hij kuste opnieuw mijn hand. 'Je hebt altijd veel geduld met me gehad. Ik denk dat we allebei weten... tenminste, ik heb altijd geweten... Kan ik je vragen nog even geduld met me te hebben?'

Mijn lippen trilden zo dat ik de woorden bijna niet aan elkaar kon rijgen. 'Je hoeft niet... Ik vraag niets, behalve...'

Op dat moment klonk de harde knal van de deurklopper, gevolgd door de voetstappen van het dienstmeisje in de hal, en daarna de stampende voeten van mijn vader en het geflapper van zijn paraplu. 'Is mijn vrouw hier? Waar is ze? Aha, daar ben je, Maria, lief kind. Ik weet dat ik te laat ben, maar ze hadden me nodig bij King's Cross. Waar zijn de anderen? Wat is dat probleem waarover Henry me schreef?'

Henry kneep in mijn hand en kuste de zijkant van mijn pink bij de basis; we keken elkaar in de ogen, glimlachten en werden meteen weer ernstig omdat we wisten wat er achter die glimlach schuilging, maar het moment was voorbij.

2

DRIE DAGEN LATER WERD OM VIJF UUR 's OCHTENDS DE NIEUWE koets weer voorgereden bij Fosse House. Gehuld in sjaals en mantels klommen vader en ik snel naar binnen en gingen we op weg om de Grenadier Guards te zien, die aan hun mars naar de oorlog begonnen.

'Het is een klein offer, Mariella, zo vroeg opstaan, maar je krijgt er geen spijt van. Hoe vaak krijg je de kans om soldaten te zien vertrekken naar een militaire operatie in het buitenland? Dit zul je nooit vergeten. Ik was nog maar heel klein toen ik een regiment door ons dorp zag marcheren, op weg naar de strijd met de Fransen, maar ik ben het nooit vergeten.'

Heb je ooit soldaat willen worden, vader?'

'Ik kon het me niet veroorloven. Het leger is geen geschikte keuze voor een ambitieuze jongen zonder connecties.'

'Je weet dat Maximilian Stukeley naar het front gaat. Dat schreef tante Isabella in ieder geval in haar laatste brief.'

'Maximilian. De lastige stiefzoon, als ik me goed herinner. Ik dacht dat hij in Australië zat. Hoe dan ook, een oorlog kan hem in het gareel brengen. Misschien zien we hem vanochtend. Waarschijnlijk is hij ingelijfd in een noordelijk regiment, maar je weet maar nooit.'

Een halve mijl van Buckingham Palace was de straat zo verstopt dat we moesten uitstappen en te voet verder moesten gaan. Hoewel iedereen dezelfde kant op liep, leek het erop dat mijn eigen reden om hier te zijn zwaarder woog dan die van de anderen. Deze oorlog was tenslotte verbonden met Henry, en vader zei dat de oorlog een snelle promotie zou betekenen voor wie goed presteerde.'

De ochtend was grauw en koud, maar ik liep met verende tred vanwege mijn geheime liefde. Bovendien voelde ik dat ik deel uitmaakte van iets glorieus en ik was heel blij dat ik alleen was met mijn vader. Voordat hij belangrijk genoeg was voor allerlei diners en clubs, vergezelden hij en ik elkaar vaak op uitstapjes naar de stad. Ik genoot van de dikke stof van zijn mantel onder mijn arm en van zijn intense aandacht. Hij was niet groot – hoewel zijn hoge hoed hem langer deed lijken – maar zijn haar was dik en zilverwit, zijn stem krachtig met een sterk accent van de streek Derbyshire, hij had een blozend gezicht en een prachtig gebit. Als je bij vader was voelde je zijn charme.

Bij de paleispoorten wachtten we te midden van een grote menigte. Onze adem vormde wolkjes nevel in de lucht en onze handen waren diep in onze zakken gestoken. Sommige vrouwen hadden rijst meegenomen om naar de soldaten te gooien, andere glimlachten dapper, ondanks hun trillende lippen en hun betraande ogen. Toen dreunde de straat. De menigte drong zich naar voren en daar waren ze, de eerste rijen onberispelijk marcherende mannen die hun voeten omhoogzwaaiden en hun blik naar links richtten, naar het balkon waar plotseling de koningin was verschenen, een stipje naast haar lange echtgenoot. Ik snikte half, wuifde, schreeuwde: 'God Save the Queen!' en liet me meeslepen door de kakofonie van geluid en beweging: het gestamp van marcherende voeten, het gebrul van de menigte, de band die 'The British Grenadiers' speelde, de wapperende zakdoeken, de trotse, opgeheven gezichten van de mannen.

Ik had het gevoel dat ik deel was van iedere soldaat. Mijn hele wezen juichte om hun moed, hun keurige bepakking, de haartjes van hun berenmuts die bewogen in de wind, de exacte hoek waarin ze hun geweren droegen. Netheid, orde, doelgerichtheid waren deugden die ik maar al te goed begreep. Achter hen aan kwam de cavalerie. De paarden roken naar gepoetste vacht, de ruiters zaten kaarsrecht, droegen glimmende laarzen en hielden hun ellebogen strak in hun zij. Hoewel de menigte nog harder juichte, schonken de paarden noch de mannen er enige aandacht aan.

Ik zag Max Stukeley niet, gelukkig. Hoe dan ook, aangezien ik hem meer dan tien jaar niet had gezien, was het niet waarschijnlijk dat ik hem zou herkennen; ik wist niet eens of hij een snor had, hoe lang hij was en in welk regiment hij diende. Maar ik zorgde ervoor dat ik niemand te lang aankeek, voor het geval dat.

'Nou,' zei vader, 'we hebben onze plicht gedaan. Ze zullen zich herinneren dat we allemaal hier waren. Wat ik aan soldaten bewonder, Mariella, is dat ze niet alleen voor zichzelf vechten, terwijl de meesten van ons alleen werken om er zelf beter van te worden. Als je soldaat bent, zie je andere mannen als je broers. En je vecht voor iets wat gevolgen zal hebben tot ver in de toekomst, als je allang dood bent. Het is een nobel beroep, vind ik. Die paarden bijvoorbeeld – wat de meeste mensen niet begrijpen, is dat ze wordt aangeleerd om nooit te stoppen. Als je een van die paarden eenmaal in galop hebt, is er geen houden meer aan. Dat is waar het bij de cavalerie om gaat; het is een onstuitbare kracht. Stel je voor dat je met een van die machtige paarden in volle vaart het slagveld oprijdt.'

We liepen terug naar de koets door de plotseling uitgedunde menigte. 'Hoe moet dat voelen,' zei ik, 'om de zuster te zijn van een van deze mannen, of de vrouw of moeder? Te weten dat je hem misschien nooit meer ziet.'

'Zo denken ze vast niet. Ze vertrouwen erop dat hun mannen terugkomen. En hoe dan ook, levens behouden is ook niet alles, Mariella. Niet voor een man. Dit is een rechtvaardige oorlog tegen een barbaarse vijand. Om een waardevol leven te leiden, moet je je volop ergens in storten, je onderscheiden. Nee, ik benijd ze.'

3

Die ochtend werden moeder en ik in de kerk verwacht om een paastuinwedstrijd te organiseren voor de kinderen van de zondagsschool. Het zou waarschijnlijk een ingewikkelde bijeenkomst worden omdat Mrs. Hardcastle tot ontsteltenis van moeder had voorgesteld om de kinderen Turkse, Franse en Britse kleuren aan hun werk toe te laten voegen. Pasen, zo zei moeder, was een tijd van hoop, niet van conflict.

'De opstanding van onze Heer na zijn kruisiging heeft dit jaar een nog diepere betekenis voor ons,' wierp Mrs. Hardcastle tegen. 'Het paasverhaal gaat juist over de triomf van de rechtschapenen.'

Het was stormachtig weer en voordat we de deur uit gingen, sloeg ik een dikke merinos sjaal om mijn schouders. Ik kon het echter niet laten om mijn nieuwe bonnet op te zetten. Toen ik halverwege de trap was, ging de deurbel. Ruth, het nieuwe meisje, haastte zich naar de deur om open te doen. Ik was gestrand op de trap met mijn hand op de balustrade, mijn bonnet nog niet gestrikt, en kon alleen maar toekijken terwijl zij de bezoeker binnenliet, een jongeman gekleed in een militair kostuum dat zo betoverend mooi was dat Ruth er sprakeloos van werd.

'Kapitein Max Stukeley. Zevenennegentigste Derbyshire-regiment. Ik vroeg me af of Mrs. Lingwood thuis is.' Toen zijn blik op de trap viel waar ik stond, kreeg hij mij in het oog. Hij zette demonstratief een stap achterwaarts. 'Wel, wel, als dat niet miss Mariella Lingwood is.'

Hij nam mijn toegestoken hand en hield hem enige tijd vast. 'Weet u dat u nog meer op uw nicht Rosa lijkt dan vroeger, miss Lingwood. Niet het haar, misschien, maar de gelaatstrekken. Ongelooflijk.'

Ik trok mijn hand terug, gaf Ruth opdracht om moeder te halen en leidde met knikkende knieën onze bezoeker naar de zitkamer. De laatste keer dat ik Max Stukeley had gezien, was hij ongeveer zestien en ik twaalf. Toen voorspelde zijn komst altijd ellende, nu zag hij er lang en breed uit in zijn strakke rode tuniek en donkerblauwe broek, een en al tressen en vergulde knopen, en zijn donkere blik was nog net zo doordringend en intimiderend. In zijn grote linkerhand had hij een klein mandje sleutelbloemen. Vader zou zijn zwierige, fatterige snor met misnoegen hebben bekeken.

Terwijl we op moeder wachtten, voerden Max en ik een ongemakkelijk gesprek. Hij was helemaal niet op zijn plaats in onze zitkamer, met zijn felle kleuren, zijn lengte en opgekropte energie die zich uitte in continue bewegingen, een rusteloos rondsnuffelen in de kamer en onverwachte uitvallen om een boek of snuisterij op te pakken, een akkoord op de piano te hameren of mij een felle blik toe te werpen met zijn zwarte ogen. De zitkamer, die was ingericht met pasteltinten en vol stond met kwetsbaar meubilair, was afgestemd op trage, kleine gebaren.

Ik ging zitten en vouwde mijn handen in elkaar. 'Dus u vertrekt naar de oorlog, kapitein Stukeley.'

Hij zette het mandje met bloemen op de armleuning van een stoel maar bleef staan. 'Vanavond nog, als ze een schip kunnen vinden dat groot genoeg is om onze paarden in te stouwen. Geen van ons wil van zijn dier worden gescheiden.'

Ik stond op het punt te vragen: 'Kijkt u uit naar de oorlog?' maar besloot dat het geen gepaste vraag was. In plaats daarvan zei ik: 'Vader en ik zijn vanochtend naar Buckingham Palace gegaan om naar de mars te kijken.'

'Werkelijk? Ik weet zeker dat de mannen u zeer dankbaar waren voor de moeite.'

Iedere seconde kwamen meer jeugdherinneringen aan Max boven. Zijn ogen hadden precies dezelfde uitdrukking als toen hij jong was, gevaarlijk, onrustig in het rond flitsend om ieder detail van zijn omgeving in zich op te nemen, maar dan plotseling weer strak op mijn gezicht gericht. Deze laatste opmerking, uitgesproken met een flinke dosis ironie, was een aanwijzing dat zijn manieren geenszins verbeterd waren.

'Gaat het goed met uw familie?' vroeg ik. 'In haar laatste brief vertelde Rosa me dat uw vader een ernstig ongeluk heeft gehad met zijn paard.'

'Een ongeluk? Ach, inderdaad. En hij is nog niet hersteld. Eerlijk gezegd gaat het met niemand in mijn familie goed, behalve met Horatio, natuurlijk. En dat is de reden dat ik hier ben.' Hij wierp een blik op de klok. 'Duurt het nog lang voordat Mrs. Lingwood komt, denkt u?'

'Ze is zich aan het aankleden. We wilden net uitgaan.'

'Ik zie het.' Hij trok zijn wenkbrauwen op, wierp een snelle, verhitte blik in mijn richting en knikte. 'Dat is een lieflijk bonnetje, miss Lingwood, zeker met die losse linten.'

Ik boog mijn hoofd om de blos die onmiddellijk langs mijn hals omhoogschoot, te verbergen. 'Ik heb begrepen dat u in Australië bent geweest. Wat fascinerend.'

Hij wierp zijn hoofd in zijn nek en lachte; weer een levendige herinnering. Hij had een opmerkelijke manier van lachen, die begon met gegrinnik en dan, alsof hij echt geamuseerd was of alsof anderen begonnen mee te doen, begon hij voluit te schateren. 'Fascinerend. Zonder meer. Er is geen ander woord voor. Zand en lucht zijn fascinerend, vooral als je een maand of twee niets anders hebt gezien.'

Op dat moment kwam moeder binnen, haar armen zo volgeladen dat de punt van haar paraplu achter de deurstijl bleef steken en ze haar evenwicht verloor. Haar bonnet hing aan haar pols, evenals een grote tas waarin de notulen zaten van de paastuinvergadering van vorig jaar, en in haar handen hield ze haar handschoenen, mantel en een opgevouwen altaardoek, omdat het de week was waarin wij het heilige linnen wasten. Max schoot naar voren om haar te helpen en met veel gelach en bewegingen ontdeed ze zich van haar last. Ze nam de sleutelbloemen aan met overdreven dankbaarheid en keek verlegen naar hem op.

Het gesprek dat volgde, verliep in een adembenemend tempo. Zowel moeder als Max was gehaast; als wij te laat zouden komen, zou Mrs. Hardcastle de extra tijd ongetwijfeld gebruiken om een privégesprek te voeren met de dominee, en Max straalde de rusteloosheid uit van iemand die op weg was om in zijn eentje een oorlog te voeren. Hij weigerde te gaan zitten en bleef maar naar de deur kijken. 'Om eerlijk te zijn, Mrs. Lingwood, smeekte mijn stiefmoeder me om u een bezoek te brengen. Ze heeft me laten beloven dat ik Londen niet zou verlaten voordat ik bij u langs was geweest.'

'Aha, hoe is het met Isabella? Ik heb al weken niets van haar vernomen.'

'Het gaat niet goed met uw zuster, mevrouw, maar ik heb de indruk dat het nooit goed met haar gaat. En nu gaat ze ook nog gebukt onder zorgen omdat mijn vader sinds zijn val lijdt aan een darmziekte die hem aan bed kluistert... Ik verwacht niet dat hij nog leeft als ik terugkom van de oorlog.'

Moeder maakte meelevende geluidjes, maar Max haalde zijn schouders op. 'Het probleem is dat mijn broer, Horatio, Stukeley zal erven, en omdat hij binnenkort zal trouwen, is er geen plaats meer voor uw zuster of Rosa. Het komt op een ongelukkig moment. Als ik thuis was zou ik mijn best doen om voor ze te zorgen. Het klinkt cru, maar mijn stiefmoeder vertrouwt er niet op dat Horatio zich over haar zal ontfermen en een kort gesprek dat ik met hem had doet mij vermoeden dat haar vrees terecht is.'

'Maar haar man heeft haar toch wel opgenomen in zijn testament?'

'Hij heeft zonder twijfel enkele bescheiden voorzieningen voor haar getroffen, maar hij staat erop dat het landgoed intact blijft. Het probleem is dat haar gezondheid zo sterk achteruit is gegaan dat ze constante verzorging nodig heeft, en omdat vader al maanden nauwelijks bij bewustzijn is geweest, kan het zijn dat de toelage die hij voor haar heeft gereserveerd te laag is. Ik weet niet zeker of hij echt beseft hoe ernstig haar situatie kan worden. Vandaar het dringende verzoek van Isabella om u een bezoek te brengen.'

'Maar wat kan ik doen? Vindt u dat ik naar haar toe moet? Zou ik welkom zijn? Nu Sir Matthew ziek is, is het misschien geen probleem...' Ik merkte dat moeder in haar hoofd al bezig was haar vergaderingen af te zeggen en haar koffers te pakken. Het nieuws dat Maria Lingwood 'naar het noorden' was gegaan om voor haar zieke zuster te zorgen, zou, hoe onpraktisch het ook was, veel ophef veroorzaken in de commissie, wat haar ijdelheid zou strelen.

'Ik weet zeker dat uw zuster en nicht heel blij zouden zijn u te zien, maar ik denk dat uw aanwezigheid over het geheel genomen alleen maar nog meer spanning zou brengen in een al lastige situatie. Op dit moment is Rosa onmisbaar, want gek genoeg is zij de enige persoon die mijn vader in zijn buurt duldt. Nora, de dienstmeid van Isabella, is zeer bekwaam en ze is bereid om hem te verzorgen, maar hij heeft iets tegen haar. Zoals u ziet, is hij gewoon niet voor rede vatbaar. Maar als hij sterft...' Hij had het fatsoen om er gegeneerd uit te zien.

'Maar wat moeten we dan doen?' vroeg moeder.

'Op nieuws wachten. Er hoeven niet op stel en sprong maatregelen te worden getroffen, maar ik vrees dat het niet lang zal duren voordat er een beroep wordt gedaan op uw vriendelijkheid. Ik ben hier gekomen om u te waarschuwen, en misschien ook wel om me ervan te verzekeren dat Isabella en Rosa, en misschien hun meid, hier in ieder geval gastvrij zullen worden ontvangen.'

Hij keek ons aan, stak zijn hoed onder zijn arm en zag er zo keurig en knap uit toen hij de hand van mijn moeder schudde, dat ik even dacht dat ik hem had onderschat. Maar toen liep hij naar me toe, klakte met zijn hakken en kuste mijn hand met zoveel enthousiasme dat ik duidelijk de streling van zijn opvallende snor, de druk van zijn geopende lippen en, terwijl de kus maar voortduurde, de hardheid van zijn tanden op mijn huid voelde. Toen hij zijn hoofd ophief, knipoogde hij naar me. 'Wat een sierlijk bonnetje, miss Lingwood. Het doet mijn arme soldatenhart goed te zien hoe u bent opgebloeid. Ik zal het beeld van u met deze bonnet bij me dragen als ik ten strijde trek.'

Moeder lachte, maar ik was geërgerd. En ook toen we buiten waren, waar de wind aan onze rokken rukte en ons opgewonden gesprek over de meent wegvoerde, zaten de brutaliteit van die knipoog en de vurigheid van zijn kus me nog dwars.

4

Derbyshire, 1844

Rosa's heldin was een jongedame genaamd miss Florence Nightingale, die tien jaar ouder was dan zijzelf en die haar vader, een fabriekseigenaar uit het volgende dal, had overgehaald een school op te richten voor arme kinderen. Als miss Nightingale in Derbyshire was – haar familie had nog twee huizen, in Hampshire en Londen – verzorgde zij overdag de zieken en leerde zij in de avonduren de fabrieksmeisjes lezen.

'Iedereen heeft het over haar,' zei Rosa, 'en ik hoop haar deze zomer te ontmoeten. Ik wil net zo worden als zij. Stel je voor wat ik op een dag zou kunnen doen als mijn stiefvader me de kans gaf. Ik zou echt iets kunnen betekenen.'

Als eerste stap op weg naar dit doel, lijfde ze mij onverwijld in bij de pas opgerichte commissie van de Vereniging voor de Verbetering van de Omstandigheden van de Zieken, Behoeftigen en Ongeschoolden op Stukeley, waarvan zij de voorzitter was en ik secretaris werd. Samen vormden we het volledige ledenbestand en we hielden onze bijeenkomsten in wat de Italiaanse tuin werd genoemd – met paden die uiteenwaaierden vanaf een centrale zonnewijzer, klaterende fonteinen in alle hoeken, een perzikboom die tegen een muur op groeide en een wit paviljoen.

Eind juni, ongeveer zes weken na onze aankomst, hadden we een vergadering met als doel een curriculum op te stellen voor een toekomstige school. Tante Isabella was die dag onwel en na het ontbijt werd Rosa naar de kamer van haar moeder geroepen, en ik ging naar het paviljoen om op haar te wachten. Ik was heel moe en somber, het was warm en winderig, en na ongeveer een halfuur ging ik liggen op een van de koele stenen bankjes waar ik bijna in slaap viel.

Toen ik me ervan bewust werd dat er iemand op me neer stond te kijken, opende ik niet meteen mijn ogen. Maar uiteindelijk keek ik door mijn oogharen en zag ik Max, de donkerharige stiefbroer van Rosa, die bij mijn voeten tegen de pilaar geleund stond, met zijn handen op zijn rug. Even bleef ik roerloos liggen, verblind door zijn doordringende, zwarte ogen die afstaken tegen de witte pilaar en de blauwe hemel. Hij stond met zijn voeten aan weerszijden van mijn onderbenen en de blik in zijn ogen – teder, meelevend zelfs – pinde me vast op de bank. Toen was hij verdwenen.

Ik draaide mijn hoofd en mijn blik volgde hem door de tuin. Op een gegeven moment sprong hij op de rand van een fontein, balanceerde even en sprong er weer vanaf. Toen hij bij de poort in de muur kwam, keek hij niet achterom, maar stak zijn linkerarm op en liet hem weer langszij vallen.

Ondertussen was Rosa bovenaan de brede trap aan de andere kant van de tuin verschenen. Ze daalde heel langzaam af. Toen ze bij mij was, zag ik dat ze huilde. Ze veegde met de rug van haar hand langs haar neus en ogen maar de tranen bleven over haar wangen stromen.

'Je moet je koffers pakken en onmiddellijk vertrekken,' zei ze.

Ik kwam zo snel overeind dat mijn slapen begonnen te bonzen. 'Waarom?'

'Dat zegt stiefvader. Verschrikkelijke man. Hij noemde jullie "klaplopers". Mama is te ziek om te praten.'

'We zijn geen klaplopers.'

'Natuurlijk niet. Wij vinden het heerlijk dat jullie hier zijn. We hebben jullie hier nodig. Ik vind het afschuwelijk, Mariella.'

'Ik dacht dat hij ons mocht?'

'Nou, hij is van gedachten veranderd. Echt iets voor hem. Hij heeft de koets laten halen. We moeten onmiddellijk je spullen inpakken. Je moeder wacht op je.'

'Nee, nee, dit mag niet.' Ik rende naar het huis, terwijl het woord 'klaploper' in mijn hoofd bonkte. Ik moest moeder vinden en de waarheid achterhalen. Maar Rosa haalde me in, greep mijn arm en omhelsde me woest. 'Ik kan het niet verdragen. Ik kan niet zonder je leven. Zeg alsjeblieft dat je iedere dag zult schrijven, Mariella.' Ze huilde in mijn haar en haar lichaam schokte, terwijl ik onbeweeglijk bleef staan en verdoofd wachtte tot ze me losliet.

5

Londen, 1854

MIJN VOLGENDE BIJDRAGE AAN DE RUSSISCHE OORLOG WAS EEN album dat ik maakte. Hoewel het oorspronkelijk mijn vaders idee was, begon ik er vol enthousiasme aan, omdat ik zeer ervaren was in verzamelen, rangschikken en plakken. Mijn vorige album, 'De Wereldtentoonstelling', bevatte programma's, kaartjes, gedetailleerde plattegronden van het glazen gebouw en schetsen van tentoongestelde stukken. Ik had ook een album gemaakt met de titel 'Onze spoorwegen' en een ander dat ik in alle bescheidenheid de naam 'Miss Lingwoods handleiding voor borduurwerk' had gegeven.

Maar het voorblad, gemaakt op 15 maart, bleek de grootste triomf van het nieuwe album. Eerst knipte ik rode, witte en blauwe linten om een collage te maken van de Britse vlag met daarbovenop de foto uit de *Illustrated London News* van de Schotse fuseliers die met hun berenmutsen naar de koningin wuifden. Rondom dit meesterwerk tekende ik met pen en inkt een rand met symbolen van de oorlog: de Russische beer, de crucifix, een Minié-geweer (getekend door mijn vader), de Britse vlag en de fleur de lis, met daardoorheen een guirlande van narcissen, krokussen en rozen – de laatste bloem paste niet bij het seizoen, maar was een van de weinige onderwerpen die ik aardig kon tekenen. Op 29 maart knipte ik de opwindende krantenkop 'Oorlogsverklaring' uit. Daarna waren de ideeën op doordat de oorlog hortend en stotend tot stilstand was gekomen.

Henry kwam eind maart afscheid nemen voordat hij naar Boedapest vertrok. Aangezien hij zijn bezoek niet had aangekondigd, was moeder uit met Mrs. Hardcastle. Er was een huis gevonden voor de gouvernantes, de huurovereenkomst was getekend en nu waren de dames bezig de ramen op te meten om een definitieve beslissing te nemen over de gordijnen: werd het kant (tweedehands, omdat Mrs. Hardcastle toevallig al haar kant aan het vervangen was) of mousseline (nieuw). Ik was aan het werk in de zitkamer, rusteloos omdat de lucht buiten rommelig wit en blauw was, bomen hun bottende takken heen en weer zwiepten en de vrouwen hun bonnets moesten vasthouden. Toen de dienstmeid plotseling met Henry in de deuropening verscheen, was ik volkomen onvoorbereid en stond ik onhandig met mijn naaiwerk tegen mijn rok gedrukt. Ik denk dat we er allebei van schrokken dat we zo plotseling tegenover elkaar stonden zonder anderen erbij.

Hij had een armvol narcissen bij zich. 'Ik was net bij De Iepen. De tuin staat hier vol mee; verspilling, want er is niemand die ze ziet. Maar ze zijn begonnen met schilderen en er staat een groot fornuis in de keuken, dus het werk vordert gestaag.'

Hij legde de bloemen in de armen van Ruth, ging zitten op een stoel ver bij mij vandaan en aanvaardde mijn aanbod om thee te laten brengen, hoewel hij nauwelijks een kwartier kon blijven. 'Nog een opdracht,' zei hij. 'Deze heeft te maken met volksgezondheid en hygiëne. Ik zal kijken of ik je vader erbij kan betrekken. Hij weet meer over riolering en dat soort dingen dan wie ook. Ze hebben gehoord dat ik naar Hongarije ga en ze willen dat ik verslag uitbreng over de volksgezondheid in dat land. Ik heb ze verteld dat dat niet echt mijn werkterrein is, maar vreemd genoeg word je, als je een autoriteit bent geworden op het ene gebied, geacht deskundig te zijn op alle terreinen.'

'Je zult wel trots zijn,' zei ik.

'Trots? Ik weet het niet. Een beetje geïntimideerd. Het vervelende is dat ik geen tijd overhoud voor de dingen die echt van belang zijn. Ik ben het liefst aan het werk in het auditorium, met mijn patiënten en studenten, en ik zou meer tijd moeten besteden aan lezen en onderzoek. Het gebruik van chloroform, bijvoorbeeld, om patiënten in slaap te brengen tijdens een operatie, is iets waarvan ik denk dat het de chirurgie volledig zal veranderen, maar ik heb geen tijd gehad om de laatste bevindingen over de gevaren en de effectiviteit ervan te bestuderen. In plaats daarvan ren ik van de ene vergadering naar de andere. Als ik in Hongarije zit, heb ik tenminste wat tijd om te studeren en na te denken.'

Nadat Ruth eerst een vaas met de narcissen en vervolgens thee had gebracht, leunde Henry achterover en keek hij toe terwijl ik de thee inschonk, met zijn benen gestrekt naar het vuur en zijn voet enkele centimeters van de mijne. Nadat ze was vertrokken zei hij: 'Ik kom altijd tot rust als ik hier ben. Bij jou kan ik helemaal mezelf zijn.' Opeens veranderde zijn toon. 'Maar vertel me Mariella, wat heb je zoal uitgespookt sinds de laatste keer dat we elkaar zagen? Ook niet veel stilgezeten, neem ik aan.'

'Ik heb een oorlogsalbum gemaakt, maar ik laat het je niet zien omdat het nog niet veel voorstelt. En dit zijn de kussenslopen voor onze gouvernantes. Ze krijgen allemaal twee identieke slopen met een eigen bloemenmotiefje in de hoeken. Krokussen, madeliefjes, lelietjes-van-dalen. Moeder laat me flink werken.'

'En als het tehuis open is, wat dan? Ik kan me niet voorstellen dat jij en je moeder ooit je tijd in ledigheid doorbrengen.'

'O, zo ver kan ik niet vooruitdenken. Ik vermoed dat we door zullen gaan met geld inzamelen. Er is sprake van een tweede tehuis in een ander deel van Londen voor naaisters, als dit een succes wordt. En we weten nog steeds niet wanneer en of tante Isabella en Rosa bij ons zullen komen wonen.'

'Ah, de beroemde Rosa. Ik wil haar graag eens ontmoeten na al die jaren.'

'Misschien is ze veranderd en blijkt ze heel gewoontjes te zijn.'

'Ik hoop het niet, dat zou een teleurstelling zijn.'

De kamer, met zijn tikkende klok en likkende vlammen in de open haard, omhulde ons met rust, maar nog steeds had Henry niets belangrijks gezegd over onze toekomst. Toen hij weg moest, strekte ik moedeloos mijn hand uit naar het schellenkoord, wetend dat ik snel weer alleen zou zijn en dat een nieuwe, lange periode van twijfel en verlangen afbrak. Maar toen mijn vingers het kwastje raakten gaf hij een teken om me tegen te houden en trok hij me de kamer in, zodat we tussen de theetafel en het vuur terechtkwamen. Ik keek naar zijn glimmende schoenen en hij bestudeerde mijn gezicht. 'Jij bent mijn ideaal,' zei hij. 'Zo volkomen tevreden en gelukkig in je eigen wereld. Zo onbaatzuchtig in je dienstbaarheid aan anderen.'

'Maar eigenlijk doe ik niets. Wat is een kussensloop hier of daar vergeleken bij wat jij allemaal doet?'

'Waar het volgens mij om gaat is dat je deskundig bent, dat je je volledig stort op de taak die voor je ligt. Jij bent deskundig in Mariella zijn. Je aandacht voor details uit zich als een alomvattende toewijding. Je creëert een oase van kalmte om je heen. Verander nooit, lief meisje.'

Hij nam mijn gezicht in zijn handen en boog zich voorover om mijn voorhoofd te kussen op de plaats waar mijn scheiding begon. Mijn ogen sloten zich en ik voelde zijn lippen op mijn neus en toen, heel zachtjes, op mijn mond. 'Mariella.'

Bijna voordat ik besefte dat hij me eindelijk op de lippen kuste, was hij verdwenen; zijn voeten bonkten op de trap, de voordeur sloeg dicht en toen ik naar het raam rende, zag ik hem snel weglopen over de meent.

Verlamd van geluk staarde ik naar mijn beeld in de spiegel boven de haard. Mijn lichaam deed pijn, mijn gezicht was verhit, mijn ogen schitterden. Ik begroef mijn gezicht in de narcissen en mijn hoofd was gevuld met lente. Toen ik mijn naaiwerk oppakte, kon het me niet schelen dat mijn vingers een veeg pollen achterlieten langs de zoom.

6

IN *THE TIMES* LAZEN WE DAT ONZE MARINE DE RUSSISCHE SCHE-
pen en havens in de Baltische Zee bedreigde. Mijn vader liet me
op de wereldbol zien dat de Baltische Zee mijlen verwijderd was
van wat hij de 'zetel' van de oorlog noemde, maar ik plakte een
globaal kaartje in, hoewel ik nog steeds niet helemaal zeker wist
wat er werd bedoeld met de Baltische Staten: Finland, schijnbaar,
Letland en forten bij Sveaborg en Kronstadt, die de Russische
hoofdstad, St. Petersburg, beschermden. Ik vond het spannend
om de wereldbol te bestuderen, omdat ik zo de reis van Henry
naar Pest kon volgen. Maar in de Baltische regio gebeurde verder niet veel. Het was de taak van onze marine, zo zei vader, om
de Russische vloot te verpletteren. Ik stelde me een vloot voor
van versplinterde kleine, houten bootjes. Ondertussen waren onze troepen geland in Constantinopel (op een in thee gedrenkt vel
perkament schreef ik een schaamteloos ingekorte geschiedenis van
die oude stad). Eind april stelde vader voor dat ik nog een kaart
zou tekenen, deze keer van het Middellandse Zee-gebied, met
pijlen die de handelsroute aangaven en duidelijk maakten waarom we niet konden toestaan dat de Russen Constantinopel op
de Turken veroverden. Als dat zou gebeuren, zo zei hij, stond
ons hele rijk op het spel, met inbegrip van India, omdat Rusland
met zijn imponerende overmacht uiteindelijk het hele gebied in
handen zou kunnen krijgen. De volgende dag tekende ik een
stoomschip. Een reis naar de Zwarte Zee per stoomschip duur-

de acht dagen, per zeilboot een maand. Daaronder volgde een uitgebreide toelichting van vader, inclusief een schema dat liet zien hoe de stoom de reusachtige schroeven in beweging zette, die op hun beurt de schoepen rond lieten draaien. Ik schreef de termen bij de onderdelen.

Daarna verloor ik de belangstelling en richtte ik mijn aandacht weer op een veel dankbaarder karwei: het naaien van bij de slopen passende bloemenmotieven op de handdoeken van de gouvernantes. De opening van het tehuis was uitgesteld tot begin juli, omdat er geen betrouwbare waarnemend hoofdverpleegster kon worden gevonden. Dat gaf mij meer tijd om een klein optreden voor te bereiden voor de bewoners en hoogwaardigheidsbekleders. Ik had besloten om 'Where're you walk' te zingen, hoewel de begeleiding lastig was. We vonden de tekst toepasselijk voor de gouvernantes, vooral de bomen die een schaduwrijk dak vormen – maar misschien niet de impliciete romance. Als ik aan groene open plekken dacht, zag ik de tuin van De Iepen voor me op een zomerse groene middag.

En toen kwam een brief met een zwarte rand van tante Isabella, die de teleurstellende oorlog, de gouvernantes en zelfs, voor ongeveer een halfuur, Henry volledig uit mijn gedachten verdreef.

Stukeley Hall
12 mei 1854

Lieve zuster,
Ik heb afschuwelijk nieuws. Mijn echtgenoot is niet meer [Op het woord 'meer' waren tranen gevallen, waardoor het bijna onleesbaar was geworden.]
Ik geloof dat Max je toen hij in Londen was al heeft verteld dat we weinig hoop hadden. Misschien onderschatte ik op dat moment toch nog de ernst van zijn ziekte. Sinds december, toen hij op dat ellendige landweggetje van zijn paard viel, had hij constante verzorging nodig en heeft hij zijn kamer nauwelijks verlaten. Ik ben vervaagd tot een schim van mezelf.
De bepalingen in het testament zijn ongunstig voor mij. Ik laat de moed niet zakken, ik verwachtte niets, maar toch is het heel

moeilijk [meer tranen, de volgende regel een onleesbare vlek]. *Het landgoed, Stukeley, gaat in zijn geheel naar Horatio en, zoals je weet, hebben die jongeman en ik zo onze meningsverschillen. Maximilian zal een klein inkomen krijgen, maar Rosa en ik, zo schijnt het, blijven bijna berooid achter. We bezitten niet veel meer dan de kleren aan ons lijf, niet veel meer. Het is zo moeilijk... ik begrijp niet hoe...*

Lieve zuster, ik ben zo zwak dat ik mijn hoofd bijna niet van het kussen kan opheffen, maar ik kan het niet verdragen nog een minuut langer te blijven in dit huis waar ik niet welkom ben en waar zoveel herinneringen zijn, die waar ik ook ga omhoog komen om me te kwellen. Je zou toch denken dat hij na alles wat ik voor zijn vader heb gedaan...

Rosa stond erop dat ik je zou schrijven. Een verandering van omgeving, zo zegt ze, is wellicht mijn enige hoop. We komen naar Londen, lieve zuster. Ik had nooit gedacht...

Hier hield het handschrift van mijn tante op. In plaats daarvan had Rosa in een veel kordater, groter handschrift geschreven:

Het spijt ons dat we u niet van tevoren hebben verwittigd. De waarheid is dat we het hier geen minuut langer uithouden. We nemen komende vrijdag (19 mei) de trein van kwart over negen uit Derby. We zullen u niet tot last zijn, want moeder brengt haar dienstmeid Nora mee. We zullen vroeg in de avond aankomen.
Rosa

Aangezien moeder al haar aandacht nodig had voor de gouvernantes, moest ik de voorbereidingen treffen voor onze bezoekers – een afschrikwekkende taak. Rosa en haar moeder waren gewend aan de luchtige ruimten van Stukeley Hall, en aan marmeren vloeren, Turkse tapijten, uitzichten op uitgestrekte gazons, klaterende fonteinen en ommuurde tuinen. Fosse House in Clapham, gebouwd door vader voor ons drieën en een handjevol bedienden, viel volledig in het niet bij al die pracht. Bovendien zou Rosa, tenzij ze compleet was veranderd, iedere hoek van het huis, van zolder tot kelder, willen onderzoeken en van mij verwachten dat ik de geschiedenis van elk meubelstuk kende.

Hoewel Ruth vaak maar wat ronddoolde en dingen brak, was ze van nut als ze duidelijke instructies kreeg. Zij en ik brachten de kleden naar buiten zodat de keukenhulp ze kon kloppen, terwijl wij de plankenvloer schoonveegden en boenden; in de zitkamer haalden we de boeken uit de kasten, veegden de bovenkanten, de ruggen af en stoften de planken; we zetten ladders tegen de muren om de schilderijlijsten en de roeden waaraan ze hingen schoon te maken. We lieten de tafelkleden, antimakassars, onderleggers en tafellopers naar beneden brengen om ze te wassen; we lieten azijn en water naar boven brengen en wasten daarmee de ramen van de kamers door het hele huis, hoewel de zon fel naar binnen scheen en ons bijna verblindde; we veegden onder de bedden en luchtten de dekbedden en poetsten de kastjes en klopten de kussens op. Daarna rende ik de tuin in en sneed ik armenvol witte rozen, akeleien en vergeet-mij-nietjes af, want in tegenstelling tot Stukeley hadden wij geen kas of oranjerie en moesten we genoegen nemen met seizoensbloemen. Ik was ervan overtuigd dat zelfs Rosa en tante Isabella onder de indruk zouden zijn van de geur van bijenwas en bloemblaadjes en van de nieuwe galons op de kussens. Maar toen het zover was, merkte niemand het op; de staat van het huis was het laatste waar we ons druk over maakten.

Vroeg op de vrijdagavond zaten moeder en ik zenuwachtig in de salon te wachten tot vader met onze bezoekers zou terugkomen van het station. Ondanks de spanning slaagden we erin op rustige toon voor ongeveer de tiende keer te bespreken hoeveel rouw gepast was voor een zwager en aangetrouwde oom die we slechts één keer hadden gezien, tien jaar geleden. Omdat ik geen zwarte kleren bezat, droeg ik mijn donkerblauwe tafzijden jurk, maar moeder had haar zwarte satijnen jurk uit de mottenballen gehaald. Als tegenwicht had ze, na overleg met Mrs. Hardcastle, besloten een witte kraag om te doen en een grijs, fluwelen lint door het kant van haar kapje te weven. 'Overdrijven is het laatste wat ik wil. Ik kende Sir Matthew tenslotte nauwelijks en die keer dat we daar waren voelde ik geen genegenheid voor hem.' Ze zweeg even. 'Ik heb natuurlijk altijd gedacht dat hij wel op jou gesteld was.'

Ik was bezig een deken met wijnranken te borduren; voor het patroon, dat met speldenprikken was uitgezet, waren vijf groentinten nodig. 'Ik geloof niet dat hij veel aandacht aan me besteedde.'

'Maar natuurlijk wel, dat ben je toch niet vergeten?' Ze keek me even aan. 'Maar op mij kwam hij over als een zeer moeilijke man, helaas. Ik hoop dat hij op latere leeftijd milder werd en aardig was tegen Rosa.'

We hoorden het geluid van wielen op grind, vervolgens het gerinkel van de bel en stemmen in de hal. We sprongen overeind en legden ons werk uit het zicht. Even keken we elkaar aan met een blik vol weemoed omdat vanaf nu alles anders zou zijn. Eerst verscheen Ruth, die er heel verwaand uitzag, daarna tante Isabella, van top tot teen gehuld in zwarte crêpe, haar ogen vol tranen en haar gezicht pafferiger dan anders. Rosa stond op haar tenen om over de schouder van haar moeder heen een glimp van mij op te vangen. Ook zij was in zwart gekleed en haar geplooide bonnet omlijstte een gezicht dat nog mooier was dan toen ze jong was. Haar trekken waren verfijnd, haar donkerblauwe ogen straalden en haar vochtige lippen trilden.

Ze dook om haar moeder heen, rende naar mij toe, liet zich op haar knieën zakken en sloeg haar armen om mijn middel. Van diep in mijn rokken hoorde ik een gedempte stem: 'Ik denk dat ik nu weer gelukkig zal worden.'

Even was ik in de war door deze plotseling aanval, toen bukte ik, pakte haar bij de ellebogen en trok haar overeind. We staarden elkaar aan, lachend en huilend, tot ze me tegen zich aan trok en me kuste.

Ondertussen stond vader in de deuropening en verplaatste zijn handschoenen van de ene hand in de andere. 'Het verkeer was verschrikkelijk. We deden er anderhalf uur over. Maar als alles hier in orde is, ga ik weer aan het werk. Ik moet voor het eten nog een paar plannen bestuderen...'

Rosa vloog op hem af en greep zijn arm. 'Oom Philip, het is zo aardig van u dat u ons hier wilt ontvangen. U kunt zich niet voorstellen hoe dankbaar we zijn.'

Vader bloosde en hief zijn handen op, als om haar af te weren. 'Toe, het is niets. Mijn vrouw en Mariella vinden het heerlijk dat jullie hier zijn, hoewel ik jullie moet waarschuwen, want voor je het weet sleuren ze jullie mee in een of ander project. Maar ach, we hebben genoeg lege kamers in dit grote huis. Het is hoog tijd dat ze gevuld worden...' Hij liep door de hal naar zijn werkkamer, met ogen die vochtig waren van de emotie.

Na zijn vertrek verscheen Ruth met thee. Zij en ik hadden besloten het beste servies te gebruiken, met een gouden rand en een rozenmotiefje. Maar precies op het moment dat Ruth aan de gevaarlijke route tussen de vitrinekast en het voeteneind van de chaise longue begon, liet mijn tante zich met een klagende zucht languit op de sofa vallen. Haar boezem ging zwaar op en neer, ze wapperde zwakjes met haar in een handschoen gestoken hand en haar gezicht kleurde vuurrood. Arme Ruth schrok hier zo van dat ze een onverhoedse beweging maakte met het dienblad, waardoor de kopjes omkieperden op hun schoteltjes en de suikerpot van het blad viel en tegen een tafel kapotsloeg.

'Lieverd,' riep moeder. 'O, lieve Bella.'

'O, mijn God,' zei Rosa, terwijl ze naar het raam rende, de kanten vitrage opzijschoof en de buitendeuren wijd open gooide. Daarna legde ze de voeten van haar moeder met schoenen en al op de sofa, maakte haar bonnet los, trok haar schoudermantel onder haar vandaan en knoopte haar blouse los. 'Een dokter?' vroeg mijn moeder. 'Zal ik een dokter halen? Ruth, zet alsjeblieft dat blad neer.'

'Geef haar wat tijd,' zei Rosa, 'ze komt wel weer bij. Het is haar hart.'

'Haar hart?'

'Ze heeft een aandoening en moet plotselinge zware inspanning en opwinding vermijden. Eigenlijk mag ze ook niet reizen. De artsen hebben ons afgeraden hiernaartoe te komen.' Rosa nam een flesje reukzout aan van moeder en hield het onder tantes neus. Het resultaat was dat ze verschrikkelijk begon te hijgen en te sputteren, waarbij haar armen en benen alle kanten op sloegen. Toen ze weer in staat was om te spreken, vroeg ze om water.

'Laat Nora halen,' zei Rosa. 'Zij weet wat ze moet doen.'

Nora was een plompe vrouw met een zwaar Iers accent, een dikke huid met de kleur van wrongel, en dun haar. Zij en moeder sleepten tante de trap op naar de mooiste gastenkamer, terwijl Ruth een diepbedroefde blik wierp op het omgevallen porselein op het dienblad en vervolgens de brokstukken van het suikerpotje opraapte, evenals de achtergebleven bonnet en schoudermantel van tante. Ik veegde met een doekje de melk op en Rosa schonk thee in en sneed voor zichzelf een stukje vruchtentaart af.

Toen zij en ik alleen waren, voelde ik me net zo verlegen als toen we nog jong waren. Net als haar stiefbroer Max had ze de eigenschap dat ze alle energie in een ruimte naar zich toe trok. Maar de pracht van haar glanzende haar en haar tengere figuurtje vormden een bijna schokkend contrast met haar volwassen stem – die lager was dan in mijn herinnering – en de prozaïsche woorden die ze sprak: 'Dat doet ze altijd,' zei ze.

'Is ze erg ziek?'

'God mag het weten. Ik ben eraan gewend en inmiddels denk ik dat ze eindeloos blijft leven, ook al doen wij allemaal alsof ze ieder moment dood neer kan vallen. Ironisch, vind je niet, dat hij degene was die als eerste stierf? Mama had nooit verwacht dat ze hem zou overleven. Ze verontschuldigde zich altijd tegen hem omdat ze ervan overtuigd was dat hij weer weduwnaar zou worden.' Ze nam het laatste hapje taart, streek de plooien in haar rok glad, sprong overeind en begon door de kamer te lopen, waarbij ze snuisterijen en portretjes oppakte, kleedjes recht legde, een stapel pianomuziek doorbladerde en een paar trillers en arpeggio's speelde. Toen ze bij het oorlogsalbum kwam stond ze stil om de bladzijden om te slaan. 'Is dit van jou?'

'Vader wil graag dat ik me verdiep in wereldzaken.'

Ze keek nu aandachtiger. 'Weet je dat zeker, die Pruisische grens? Ik dacht dat het Russische Rijk zich verder uitstrekte... En, ben je voor of tegen de oorlog?'

'Tegen? Niemand is tegen de oorlog.'

'Ik wel. Natuurlijk wel. Je kunt er toch niet voor zijn? Niemand heeft me ooit een goede reden kunnen geven waarom we in oorlog zijn met de Russen.'

'In mijn album zit een knipsel uit *The Times* waarin onze redenen worden uitgelegd. De Russen behandelen hun eigen volk verschrikkelijk slecht en ze vormen een bedreiging voor onze vrijheid.'

'Hoe dan?'

'Ze willen voet aan de grond krijgen in het Middellandse Zeegebied.'

'Hoe weet je dat?'

'Dat is toch duidelijk? Vader zegt dat ze Turkije zullen ontbinden en volledig in bezit zullen nemen. En dan is er nog Jeruzalem.'

'Wat is er met Jeruzalem?'

'We kunnen toch niet toestaan dat de heilige plaatsen in handen van de Russen vallen?'

'Waarom niet?'

'Het heeft te maken met christelijke...'

'De Russen zijn christelijk.'

'Niet waar, ze zijn orthodox.'

'Christelijk. De Turken daarentegen zijn islamitisch.'

'Ik weet het. Ik weet het.'

'En het mooiste is dat we ook nog zij aan zij vechten met de Fransen. Heb je er wel eens over nagedacht hoe vreemd dat is?'

'Vader zegt dat dat ook zo'n mooi aspect van de oorlog is; dat we voor één keer geen ruziemaken met onze naaste buur.'

'Maar wat denk je dat onze echte motieven zijn? Heb je daarover nagedacht?'

'Dat zei ik al. Rusland...'

'Het heeft te maken met politiek. De regering heeft niet de intelligentie of de wil om het te stoppen. En het schijnt dat we allemaal verveeld zijn omdat we al veertig jaar geen oorlog hebben gevoerd. Iedereen zegt dat ons grootse en glorieuze land een vuist moet maken tegen het onderdrukkende Rusland, het doet er niet toe dat een groot deel van onze eigen bevolking bijna verhongert of zich zestien uur per dag afbeult in de fabriek.'

'De Russen hebben slaven. Dat is anders.'

'Mariella! Duizenden mensen zullen in deze oorlog sterven, onder wie Max, trouwens. Je hebt geen enkel argument genoemd dat dat kan rechtvaardigen.' Ze stond bij het raam, hield de vitrage opzij en tuurde naar buiten.

Wat vreselijk, dacht ik, ze is nog maar tien minuten in de kamer en nu al maken we ruzie. Ik werd overmand door gevoelens die ik in geen jaren had ervaren: het gevoel dat ik helemaal

in het middelpunt stond, het verlangen om indruk te maken ge-
koppeld aan de angst niet aan de verwachting te voldoen.

Ze stond zo stil als een standbeeld, met haar zwarte jurk. Haar
haar, dat losjes omwikkeld was met een lint, golfde over haar rug.
Kwam het doordat ze uit het noorden kwam, vroeg ik me af, dat
ze zo weinig om mode gaf? Hoewel ze allerminst arm was, droeg
ze maar heel weinig onderrokken, zodat haar jurk vanaf de hoge taille recht naar beneden viel en ik zag duidelijk de vorm van
haar boezem en heupen. Tot nu toe was ik tamelijk tevreden geweest met hoe ik er zelf uitzag, afgezien van de prangende vraag
of ik wel of niet zwart moest dragen, maar plotseling voelde ik
me ingesnoerd als een kip met mijn korset, mijn lange mouwen
en nauwe boord. Ook als ik mijn haar los zou laten hangen, zou
het nooit zo vol krullen.

Ik pakte mijn naaigarnituur op, maakte het open, koos halfdik
mosgroen zijdegaren en splitste drie draadjes af.

'Ik had niet gedacht dat het hier zo landelijk zou aanvoelen,'
zei ze. 'Ik dacht dat jullie veel dichter bij Londen zaten.'

'Daar zijn we ook heel dichtbij. Soms loop ik naar de rivier.
Of we gaan met de omnibus, of de koets.'

'Laat je me morgen de bezienswaardigheden zien?'

'Helaas ken ik Londen niet zo goed.'

'Je hebt je hele leven hier gewoond!'

'Ja, maar ik ga niet vaak naar de stad.'

Haar blauwe, fonkelende ogen waren op mijn gezicht gericht.
'Waarom niet?'

'Het is niet nodig.'

'Maar het is zo dichtbij. Londen is zo dichtbij. Ik dacht dat je
voortdurend in de stad zou zitten.'

'O, daar heb ik bijna geen tijd voor. We hebben het zo druk.'

'Hoezo? Waar ben je mee bezig? Hoe breng je je tijd door?'

'Ik heb zoveel te doen. Moeder wil graag dat ik in de tuin
help, en ik doe de boekhouding van het huis. En ik ben aan het
naaien voor de behoeftige gouvernantes.'

'De wie?' Ze staarde me half geamuseerd, half ongelovig aan.

'We hebben geld opgehaald voor een opvanghuis in Blooms-
bury. Het enige wat we nog moeten doen, is het huis inrichten.'

'Wat geweldig. Kan ik helpen? Kunnen we erheen gaan?'

'Ja dat kan. Als je wilt.'

'Ik wil me zo graag nuttig maken.' Ze tikte lichtjes met haar tenen op de grond terwijl ik verderging met naaien. 'Ik kan nauwelijks geloven dat ik hier ben. Al die weken, maanden, jaren heb ik dit meer gewild dan wat ook – weer in dezelfde kamer zijn als jij.'

'Hoe bedoel je? Je maakt zeker een grapje.'

'Niemand anders geeft me dit gevoel van... Wat is het? Compleetheid. Het gevoel precies op de juiste plaats te zijn met precies de juiste persoon.'

'Maar je had zoveel vrienden in het noorden. Je brieven stonden bol van de feestjes en uitstapjes.'

'Onzin. Allemaal oppervlakkig gedoe, behalve met een paar bijzondere mensen dan. Niemand van hen kon jouw plaats innemen. Als ik je zo over je werk gebogen zie zitten, moet ik weer denken aan je kleine bruine hoofdje toen we nog kinderen waren, je haar dat op je handen viel, dat ik nooit kon raden wat er in je hoofd omging, hoezeer ik het ook probeerde.'

'Er was niet veel te raden.'

'O, jawel. O, Mariella.'

Ik keek in haar blauwe ogen en het viel me op hoe verfijnd haar gelaatstrekken waren. Het leek wel alsof een kunstenaar – Alfred Stevens misschien – op vakkundige wijze met zijn houtskool vegen had getekend op het volmaakte ovaal van haar gezicht.

'Mariella, delen we weer samen een kamer, net als toen?'

'We dachten dat je liever een eigen kamer wilde.'

'Maar weet je dan niet meer hoeveel plezier we hadden? Ik had erop gerekend dat we weer bij elkaar zouden slapen.'

'We hebben meer dan genoeg kamers en mijn slaapkamer is heel klein. Omdat je waarschijnlijk enige tijd bij ons blijft, dachten we dat je een plek voor jou alleen zou willen.'

'Ik leef al jaren alleen. Je hebt gezien hoe groot en leeg Stukeley was. Ik voelde me daar altijd eenzaam. Of wil je niet bij mij zijn?' Ontzetting en onzekerheid schemerden door in haar blik.

'Ik dacht dat je me saai zou vinden en ons huis te klein.'

'Klein? Nee. Helemaal niet klein. Het is een thuis, vol dierbare voorwerpen, dat zie je meteen. En saai? Jij? Jij bent nooit saai geweest, Mariella. Het afgelopen jaar was alsof ik in een donkere tunnel leefde zonder een sprankje licht aan het einde. En toen stiefvader op sterven lag, bedachten Max en ik dat we jullie konden vragen om ons te redden en plotseling kreeg ik hoop. Ik heb al je brieven bewaard, evenals de herinnering aan die weken die we samen hebben gehad, de enige periode in mijn leven waarin ik een echte vriendin had, iemand van mijn eigen leeftijd die me dierbaarder was dan een zuster.' We stonden tegen elkaar aan gedrukt, haar wang tegen de mijne. Hoewel ik niet echt kon geloven dat ze zoveel voor me kon voelen, was het heerlijk om stevig door haar te worden vastgehouden. Ik legde mijn hand op haar schouder en kuste haar vlak onder haar oor.

7

Derbyshire, 1844

TOEN MOEDER EN IK AANKWAMEN OP STUKELEY, WAREN DE STIEF-
broers niet thuis. De oudste, Horatio, was bezig met zijn eerste
studiejaar in Oxford en de jongste, Maximilian, zat op een kost-
school in Malvern. 'Maar hij kan ieder moment terugkomen,' zei
Rosa. 'Wacht maar af. Hij houdt het nergens lang uit.'

Ondertussen brachten wij uren achtereen met zijn tweeën
door. We hadden een paar taken: tante Isabella had zo nu en dan
verzorging nodig en ik moest mijn lessen voortzetten; de rest van
de tijd waren we vrij. Rosa stak haar arm altijd door de mijne en
bracht me naar een van haar geheime schuilplaatsen: een hol in
een buxushaag dat een soort groene grot leek, een torentje met
uitzicht over half Derbyshire of de kleedkamer die aan haar slaapkamer vastzat, waar we onder haar rokken zaten. Zich verstoppen in kleine ruimten was een ware passie van haar, en het gevolg was dat ik al snel alle details van haar uiterlijk leerde kennen
– de onhandelbare krul aan de rechterkant van haar voorhoofd,
het verschil in lengte tussen haar voortanden, de hoek waarin haar
keel oprees uit de losse kraag van haar jurk. Ze had de gewoonte om, als ze opgewonden was, de stof van haar rok tussen haar
vingers door te weven, haar vingers los te trekken en ze dan weer
terug te steken in de kleine tunneltjes die waren ontstaan. En ik
raakte vertrouwd met de grasachtige geur van haar frisse adem.

'Waarom verstop je je zo graag?' vroeg ik.

Ik verstop me helemaal niet, integendeel. Ik wil graag op een plaats zijn waar niets me kan afleiden van mezelf of van jou. Op een geheime plaats waar ik zeker weet dat ik kan zijn wat ík wil zijn, in plaats van wat anderen willen. Vooral híj, die man, Stukeley. Ik wil niet dat hij me ooit vindt.'

De buxushaag liep in een keurig vierkant om de watertuin heen, hier en daar onderbroken door een pad. We gingen aan het ene uiteinde naar binnen en kropen door een tunnel naar een kleine ruimte middenin. De eerste keer dat ik daar zat met Rosa, in kleermakerszit, knie tegen knie, boog ze naar me toe en pakte ze mijn handen. 'Vertel me over je leven thuis.'

'O, er is niets te vertellen.'

'Natuurlijk wel. Wat doe je graag? Wie mag je graag? Hoe breng je je dag door?'

Ik vertelde haar over mijn naaiwerk en liet het smokwerk op mijn blouse zien en het borduurwerk op mijn buideltje.

'Denk je dat ik dat ook kan?' riep ze, terwijl ze mijn werk aandachtig bekeek. 'Ongelooflijk hoe je die kleine steekjes hebt gemaakt.'

'Het duurt wel even voor je het onder de knie hebt. Misschien moeten we beginnen met iets simpels, zoals een naaldenboekje. Zie je, ik heb het geleerd van een deskundige, mijn tante Eppie, een professionele naaister. Ze onderhield haar gezin zo'n beetje met haar naald, tot aan haar dood.'

'Ach, dus ze is dood.'

'Ja.' Ik haalde diep adem. Ik kon me niet beheersen: ik moest zijn naam uitspreken. 'En sindsdien is mijn tweede neef Henry als een zoon voor mijn vader en moeder. Hij heeft een tijd bij ons gewoond en komt nog steeds bij ons langs wanneer hij maar kan. Vader is erg betrokken bij zijn studie.'

'Hoe oud is die Henry?'

'Hij is nu bijna twintig.'

'En als hij voor je ouders als een zoon is, betekent dat dat hij als een broer voor jou is?'

'Een broer? Ach, misschien. Ik weet niet hoe broers zijn...'

'Aan stiefbroers heb je niets.'

'Henry is anders. Ik zou zeggen dat Henry meer is dan een broer. Toen hij bij ons woonde, was ik pas acht, maar we waren heel vaak bij elkaar en we zaten altijd te praten.'

'Waar hadden jullie het over?'

'Van alles. Vaak over geneeskunde, toen al. Hij studeert medicijnen.'

'Ik zou willen dat Max iets zinvols gaat doen, maar ik weet zeker dat dat nooit zal gebeuren. Als hij bijvoorbeeld dokter zou worden, zou ik hem tenminste kunnen helpen als huishoudster. Wat heb jij een geluk, Mariella.'

'Ik weet het.'

'Houd je van hem?'

'Natuurlijk houd ik van hem.'

'Als van een echtgenoot?'

'O nee, helemaal niet. Niet op die manier. Bovendien is hij veel ouder dan ik.'

'Maar je houdt van hem, dat zie ik. O, Mariella, houd alsjeblieft niet meer van deze Henry dan van mij. Beloof je dat?' Ze vouwde haar handen om mijn kin en wreef mijn neus tegen de hare tot ik begon te giechelen. 'Ik houd meer van jou dan van wie ook ter wereld,' fluisterde ze.

8

Londen, 1854

DE DAG NADAT ROSA EN TANTE ISABELLA WAREN AANGEKOMEN,
werd ik vroeg gewekt door lawaai van beneden: een ferme klop
op de voordeur gevolgd door de stem van moeder in de hal. Rosa sliep nog in het bed dat we uit de andere kamer hadden laten
halen. Met haar haar uitgespreid over het kussen en een arm gebogen achter haar hoofd, leek het wel of ze model stond voor
een schilderij van het soort dat in de Royal Academy werd ten-
toongesteld.

Ik liep op mijn tenen naar de overloop, gluurde naar beneden
en zag dat de dokter de kamer van mijn tante werd binnengelaten, hoewel het nog niet eens zeven uur was. Moeder zou hem
nooit zo tot last durven zijn, tenzij tante Isabella ernstig ziek was.

Ik kleedde me aan in de kamer die voor Rosa was bedoeld.
De lucht rook naar de bloemen die ik voor haar had geplukt, en
hier en daar lagen door mij geborduurde kleedjes met randen van
guimpewerk voor haar flesjes en borstels. Ruth en ik hadden de
gedraaide bedstijlen opgepoetst en elk hoekje van het lofwerk op
de schoorsteenmantel afgestoft. De ramen keken uit op de tuin
en het pad dat onder de rozenpoort door liep en de wildernis in
kronkelde, die niet veel meer was dan een tiende hectare struikgewas. Het hele grondgebied van Clapham zou in de Italiaanse
tuin van Stukeley passen.

Na een halfuur hoorde ik de voordeur dichtgaan, dus liep ik
naar beneden en ging bij moeder aan de ontbijttafel zitten. Ze

vertelde me dat tante in de nacht ernstige hartkloppingen had gehad en nog steeds last had van benauwdheid. De dokter had voorgeschreven dat ze op zijn minst tot en met volgende week in volledige afzondering moest blijven, bij voorkeur in bed. De lange treinreis in combinatie met de spanningen van haar nieuwe bestaan als weduwe was te veel geweest voor haar hart en zenuwen.

'Het is onaardig van me om te zeggen, ik weet het, maar het komt erg slecht uit,' zei moeder. 'Ik heb al zoveel omhanden.'

'Ik help je wel.'

'Natuurlijk. En we hebben Rosa, en hun dienstmeisje.'

'Wat zegt vader ervan?'

'Natuurlijk zegt hij dat we alles moeten doen wat nodig is, uiteraard. Maar hij had haast. Er is een probleem met de bouwplaats in Wandsworth dat te maken heeft met de spoorweg die erlangs loopt. De rioolbuizen zijn beschadigd.'

Rosa verscheen in een lange witte ochtendjas die om haar voeten wervelde toen ze zich bukte om ons een kus te geven. Ze vormde een scherp contrast met de oude en versleten voorwerpen in de kamer, maar alles wat ze aanraakte – de rug van een stoel, een servet – werd plotseling onderdeel van het sierlijke plaatje dat Rosa was. Ze was helemaal opgeknapt door de lange nachtrust. 'Je kunt je niet voorstellen hoe heerlijk het is om hier te zijn. Ik werd wakker en dacht: ik kan niet geloven dat ik echt ben ontsnapt. Dat huis in Derbyshire was een mausoleum geworden.' Ze pakte de koffiekan en smeerde een ruime hoeveelheid boter op haar toast. 'Vertel me eens,' zei ze, 'wat gaan we vandaag doen?'

'Je moeder is ziek, Rosa, lieverd,' zei mijn moeder. 'We hebben een dokter laten komen.'

'Dat was niet nodig. Ze is zo weer beter.'

'Hij denkt van niet. Hij zei dat ze constante verzorging nodig heeft. Hartproblemen zijn altijd reden tot zorg.'

'Laat Nora voor haar zorgen. Daarvoor hebben we haar meegenomen.'

'Nora is de hele nacht op geweest, ze heeft slaap nodig.' Rosa hield op met eten en keek moeder aandachtig aan. 'Voorlopig, zolang je moeder zo ziek is, denk ik dat we veel aandacht aan haar moeten besteden. En ik vind het ongepast om meteen na jullie aankomst al een verpleegster van buitenaf te laten komen.'

Rosa duwde haar stoel naar achteren en stond op. 'Ik verpleeg haar wel, natuurlijk doe ik dat. Ik ben het gewend. Ik zou niet willen dat we u tot last zijn. Misschien kunnen Mariella en ik een uurtje naar buiten om wat frisse lucht te krijgen, als u het niet erg vindt, lieve tante Maria, om even op te passen zolang wij...' Ze veegde tranen weg. 'Het spijt me, het spijt me. Ik heb een beetje genoeg van verplegen, daarom ben ik zo egoïstisch. Mijn stiefvader had een afschuwelijke ziekte, een soort gezwel in zijn darmen. Mama kon er niet tegen om in zijn buurt te zijn en hij had zo'n slecht humeur dat de verpleegsters het niet lang uithielden, behalve Nora, maar haar vond hij niet aardig. Tegen mij deed hij wel aardig; hij was veel rustiger als ik bij hem was. Ik vind het eigenlijk nooit erg om in de buurt van zieke mensen te zijn. Dat zou ik zelfs mijn hele leven wel willen doen, als ik me zo nuttig kan maken. Ik ga nu meteen naar mama...'

Ze vloog de kamer uit. We hoorden dat ze in de hal stilstond en een keer diep en snuivend inademde; daarna klonken haar lichte voeten op de trap.

Een uur later zaten zij en ik in de omnibus op weg naar de rivier, terwijl moeder thuisbleef om voor haar zuster te zorgen. 'Ik hoef vanochtend alleen maar een korte vergadering af te zeggen. Het is niet belangrijk. Die arme Rosa heeft wat tijd nodig voor zichzelf.'

Toch drukte het offer van moeder zwaar op mijn geweten terwijl Rosa en ik knie aan knie zaten met een oudere heer met een stoffige hoed op en een kindermeisje dat een jong kind op schoot had. Alle drie waren ze volledig in de ban van Rosa, die met een gretige blik naar buiten tuurde en wier lichte haar mooi contrasteerde met haar zwarte jurk, sjaal en bonnet. 'Eerst gaan we naar Marylebone,' zei ze, 'waar we een afspraak hebben.'

'Een afspraak? Hoe kan dat? We wisten helemaal niet wat we vandaag zouden gaan doen.'

'Ik heb mijn vriendin miss Barbara Leigh Smith geschreven dat ik zo mogelijk vanochtend langs zou komen. Ik weet zeker dat ze me verwacht. Kom, laten we gaan lopen; nu missen we te veel.' Ze dook over de knieën van de andere passagiers en beende in haar stevige wandellaarzen naar buiten terwijl ik voortstrompelde op mijn nette schoenen en in de drukte alle kanten op werd geduwd. Met haar welluidende stem vroeg ze de weg en dan schoot ze meteen weer weg, handkarren en kinderwagens ontwijkend alsof ze haar hele leven in Londen had gewoond.

'Wie is die miss Leigh Smith? Ik wist niet dat je vrienden had in Londen,' hijgde ik toen ik haar eindelijk inhaalde.

'Afgezien van jou? Dit is iemand met wie ik al een paar jaar schrijf, een nicht van onze kennissen uit Derbyshire, de familie Nightingale. Van hun tante Julia hoorde ik dat ze deze Barbara nooit hebben erkend omdat ze een buitenechtelijk kind is, ook al is ze de bekwaamste en briljantste vrouw in het land. Ze is een goede vriendin van Dr. Elizabeth Blackwell. Je hebt toch wel van Elizabeth Blackwell gehoord, Mariella? Ze is een gekwalificeerde vrouwelijke dokter in de Verenigde Staten.'

Ze liep de trap op van Blandford Square nummer vijf en belde aan. 'We kunnen niet lang blijven,' fluisterde ik terwijl de deur openging. 'Denk je niet dat we thuis nodig zijn?' Ik was de schok nog niet te boven van de nonchalante manier waarop ze het woord 'buitenechtelijk' had uitgesproken.

Het huis rook naar olieverf en miss Leigh Smith ontving ons in een zitkamer op de eerste verdieping die was ingericht als atelier; over de meubels lagen lakens, de gordijnen waren aan de zijkanten van de ramen opgebonden, de vloer was bedekt met oliedoek en bij het raam stond een ezel. Ze droeg een dik wikkelschort en haar kastanjebruine haar, zonder meer het mooiste van haar verschijning, was strak naar achteren getrokken zodat haar geprononceerde voorhoofd goed zichtbaar was. Eerst keek ze verbaasd toen Rosa zich voorstelde. 'Miss Barr? Het spijt me… ik weet niet…' Daarna greep ze Rosa's handen. 'Rosa Barr, natuurlijk. Mijn correspondente uit het noorden.' Haar handdruk was angstaanjagend stevig en in haar andere hand hield ze een borstel. Hoewel ze de lakens van de stoelen trok zodat we konden zitten, was het duidelijk dat we haar bij haar werk hadden gestoord. 'Ik zit bij een schilderssociëteit en we dagen onszelf uit door thema's te kiezen. Voor volgende maand hebben we als onderwerp 'verlatenheid' gekozen en ik ben maar net begonnen.'

'Mijn hemel,' zei Rosa, terwijl ze naar het doek tuurde.

'Ja, ach, het is een thema dat bij onze stemming past. Er is op dit moment veel verlatenheid in de wereld. Je hoeft niet ver te zoeken. Wat vinden jullie ervan?' Rosa en ik staarden naar een landschap dat zo werd overheerst door de woeste beweging van wind, wolken en zee, dat ik een siddering van opwinding voelde, alsof Henry me had aangeraakt.

'Het is prachtig,' zei Rosa. 'De hemel is volmaakt, die voortjagende wolken... Ik schilder ook, maar alleen met pastel. Ik zou niet weten hoe je dit soort olieverf moet gebruiken, laag op laag.'

'Ik heb lessen gevolgd aan het Bedford College. Ken je dat? Ik denk dat goede lessen en de invloed van anderen heel belangrijk zijn. Mijn vrienden helpen me – ik heb geweldige vrienden. Heb je bijvoorbeeld gehoord van de kunstenaar Gabriel Rossetti? Hij is mijn inspiratiebron.'

'Maar hoe kom je met die mensen in contact? Kan iedereen zich daar inschrijven? Is het heel duur?'

De bel ging en er kwamen twee somber geklede vrouwen binnen. Ze omhelsden Barbara en stelden zich voor met hun voornaam – ze heetten Marian en Bessie. Ik duwde mijn stoel een stukje naar achteren. Mijn jurk was veel te uitbundig, vergeleken met die van hen en hun gesprek joeg me angst aan, vooral toen ze Barbara vroegen naar een artikel dat ze schreef over getrouwde vrouwen die een scheiding aanvragen. Tot dat moment had ik het woord 'scheiding' nog nooit in het openbaar horen uitspreken.

Rosa vroeg: 'Wat is het onderwerp van je artikel?'

'We hebben een vriendin genaamd Caroline Norton,' zei Bessie, 'wier man haar kinderen van haar heeft afgenomen omdat zij ruzie hadden. Sindsdien strijdt ze voor het recht van vrouwen om hun eigen kinderen te zien nadat ze van hun echtgenoot zijn gescheiden.'

Een warme duisternis spoelde over me heen. We zouden hier niet moeten zijn. Moeder zou het zeker niet goedvinden dat ik me met deze mensen inliet; als Mrs. Hardcastle erachter kwam, zou ze er niet meer over ophouden. De vrouw met het lange gezicht, Marian, keerde zich plotseling om naar mij en zei: 'En wat doet u, miss Lingwood?'

'Wat ik doe? Nou, ik...'

'Mariella en haar moeder zijn een tehuis aan het opzetten voor gepensioneerde gouvernantes,' zei Rosa. 'Ik hoop er zelf een kleine bijdrage aan te kunnen leveren. Mariella kan heel goed naaien. Ik heb nog nooit iemand gezien die zo snel en netjes is met naald en draad.'

'Maar ik ben op zoek naar een naaister, miss Lingwood,' riep Barbara. 'Doet u ook eenvoudig naaiwerk? Ik heb dames nodig die les willen geven op de school die ik aan het oprichten ben. We willen dat de kinderen zowel nuttige als creatieve en intellectuele vaardigheden leren. Misschien wilt u het eens overwegen. Het gaat maar om een uur of twee per week.'

'O, nee. Ik kan geen lesgeven.'

'Maar mijn school begint pas over een paar maanden. U hebt nog alle tijd om erover na te denken.'

'Maar uw tehuis is overigens heel erg gewenst, miss Lingwood,' zei Bessie. 'Die alleenstaande vrouwen die te oud zijn om te werken, verdienen na een leven van dienstbaarheid beter dan hongerig en eenzaam te sterven. Wat een mooi werk!'

'Weet je, ik geloof dat mijn nicht Flo op het moment ook de scepter zwaait over zo'n tehuis,' zei Barbara. '*En dat doet ze met ferme hand.*'

'En jij, Rosa, wat is jouw werkterrein?' vroeg de onverzadigbare Marian.

'Ik heb geen terrein. Ik geloof dat het mijn droom is om een goede verpleegster te worden, of zelfs dokter, als dat zou kunnen. Mariella heeft een neef die een zeer gerespecteerd chirurg is. Ik hoop dat ik nu ik in Londen ben via hem wat mensen kan leren kennen, of op zijn minst de kans krijg om een operatie en misschien een of twee colleges bij te wonen.'

'Dat is een mooi en moedig streven,' zei Bessie. 'Misschien kunnen we je op de een of andere manier helpen. Als mijn nicht Elizabeth Blackwell naar Londen terugkeert moet je haar zeker ontmoeten. Hoe heet die neef van u, miss Lingwood? Wij willen graag dokters ontmoeten die zich willen inzetten voor de belangen van vrouwen in het medisch beroep.'

Ik had moeite mijn stem in bedwang te houden. 'Mijn neef?'

'Je weet wel. Henry, over wie je het altijd had als je naar Stukeley kwam,' zei Rosa. 'Over wie je zo vaak schreef.'

'Je bedoelt mijn achterneef, Henry Thewell? De chirurg. Maar hij is er niet.'

'Wat jammer. Hij was een van de redenen waarom ik naar Londen ben gekomen,' zei Rosa. 'Nou ja, wanneer is hij terug? Ik hoop dat hij me wil laten zien hoe het er in zijn ziekenhuis aan toe gaat.'

'Ik stond op en deed een soort uitval naar de deur. 'We moeten gaan. We hebben beloofd voor de lunch terug te zijn.'

'Kom nog eens langs,' zei Barbara, 'wanneer jullie maar willen. Alsjeblieft.'

Maar Rosa wilde nog niet vertrekken. Ze doolde wat door de kamer en bestudeerde het ene na het andere schilderij tot ze bij een potloodtekening kwam van een vrouw met volle lippen en bloemen in het haar. 'Prachtig. Ik wilde dat ik zo kon tekenen.'

'Lizzie Siddal,' zei Barbara. 'Heb je wel eens van haar gehoord? De minnares van de kunstenaar Gabriel Rossetti over wie ik het net had. We waren kortgeleden bij hen in Sussex, maar ze zag er heel ziek uit. We vragen ons allemaal af of hij met haar zal trouwen of niet, en of ze lang genoeg in leven blijft...'

Nooit eerder in mijn leven, of misschien niet sinds mijn laatste avond op Stukeley, wilde ik zo graag ergens vandaan vluchten. Het bloed steeg naar mijn hoofd, mijn kleding knelde en mijn hart bonkte hevig. 'Het is al laat,' mompelde ik en eindelijk waren we in de gang en liepen we naar buiten, de zonverlichte straat op.

Rosa huppelde een paar keer en stak haar arm door de mijne. 'Vind je Barbara niet geweldig? Ze moet wel de gelukkigste vrouw ter wereld zijn. Met een eigen huis en met zulke vrienden. Misschien bezitten jij en ik ooit samen net zo'n huis, alleen wij tweeën, waar we kunnen schilderen en naaien en met andere vrouwen over belangrijke dingen praten. Voor Barbara is volgens mij niets onmogelijk.'

Ik zei niets.

'Wie ben ik nou helemaal, vergeleken met haar,' zei ze. 'Ik ben bijna vierentwintig. Wat heb ik met mijn leven gedaan? Jij bent anders. Jij hebt een doel, Mariella, het tehuis voor de gouvernantes.'

'Dat is niet mijn doel. Dat had je niet moeten zeggen.'

Ze stond abrupt stil. 'Je bent boos. Wat heb ik verkeerd gezegd?'

'Het tehuis voor de gouvernantes is niet mijn werk. Ik naai ervoor, dat is alles. Maar het is niet mijn leven. Je had ze de waarheid moeten vertellen. Het lijkt wel of je je ervoor schaamt dat ik gewoon bij mijn ouders woon.'

'Maar ik heb de waarheid verteld. Je hebt het altijd druk. In je brieven weid je uit over het laatste kledingstuk dat je hebt gemaakt en de concerten waar je naartoe bent geweest. Ik, daarentegen, was in Derbyshire nooit meer dan vijf mijl van Stukeley verwijderd. En in die vijf mijl omtrek wonen misschien tien families met wie we omgaan, en de meeste daarvan zijn dodelijk saai. Terwijl je hier binnen vijf mijl van je huis de interessantste mensen vindt die nu op aarde rondlopen.'

'Rosa, waar ga je naartoe? We hebben geen tijd om naar een park te gaan. We moeten een omnibus zoeken en naar huis gaan.'

'O, nog niet. Alsjeblieft. Je moeder zei dat we zo lang weg mochten blijven als we wilden. Kijk eens naar dat jongetje dat van de heuvel rolt. Weet je nog dat er een zandheuvel was in de bossen van Stukeley waar we vanaf renden?'

Ze had haar arm weer stevig door de mijne gehaakt en voordat ik het wist liepen we met gelijke tred en was mijn irritatie verdwenen. Dat oude gevoel van snelheid en gevaar dat ik nog kende van de keren dat ik alleen was met Rosa kwam weer boven. We liepen verder, steeds sneller, heup tegen heup, met de wind op ons gezicht, terwijl we onze benen net zo hoog opzwaaiden als de soldaten voor Buckingham Palace.

Maar uiteindelijk wist ik haar ervan te overtuigen dat we echt naar huis moesten omdat het bijna twee uur was, ver na lunchtijd. Dus liepen we weer over de Westminster Bridge. Halverwege stopte ze, keek dromerig omlaag naar de koepel van St Paul's Cathedral en citeerde rustig en nauwkeurig: *'Dof moet hij zijn van ziel die voorbij kan gaan aan een aanblik die zo ontroerend is in zijn majestueusiteit...* Ja, nu zie ik het. Natuurlijk is het grasland verdwenen en in de lucht van Wordsworth hing waarschijnlijk geen rook, omdat het vroeg in de ochtend was, maar ik zie het: wat hem opviel was het contrast tussen de rivier en de hemel en de stad. Dat we allemaal in een ideaal geheel passen.'

'Maar hij zei niets over de stank van de rivier,' zei ik, terwijl ik haar meetrok. 'En op sommige dagen is het nog erger dan nu.'

Toen we thuiskwamen, opende Ruth de deur bijna voordat ik mijn hand op de klopper had gelegd. Nog niet gewend aan de Londense manier van doen, riep ze over haar schouder: 'Ze zijn terug, mevrouw.'

Moeders hoofd verscheen boven de balustrade. 'Lieve kinderen, waar zaten jullie? O, godzijdank.'

We trokken onze bonnets af en renden naar de trap, denkend dat Isabella dood was. Toen zagen we tante zelf naar ons afdalen, gekleed in een wijde nachtjapon en met een kapje met wapperende linten op haar hoofd. Haar handen hielden de leuning stevig vast. 'Rosa! Wat is er gebeurd?'

'We hebben een wandeling gemaakt,' zei Rosa. 'De tijd ging zo snel. Wat is er aan de hand?'

Isabella zeeg neer op de trap, begroef haar gezicht in haar handen en begon te snikken. 'Je wordt nog mijn dood. Je hebt geen idee wat jonge meisjes in Londen kan overkomen. Ik zou het niet overleven als ik nog iemand verlies. Rosa, beloof me dat je niet weer van hot naar her rent zonder me te vertellen waar je heen gaat. Beloof me dat je nooit meer alleen de deur uit gaat. Ik was ziek van ongerustheid.'

'Ik was niet alleen, ik was met Mariella. Mama, je bent ziek, anders zou je zien dat er geen enkele reden is om je zorgen te maken. Het is een prachtige dag. Waarom kom je niet even met ons in de tuin zitten? Daar zul je snel van opknappen.'

'Ik dacht dat je dood was.'

'Hoe kan dat nou? Waar zou ik dood aan moeten gaan? Hier ben ik, gezond en wel. Kom, misschien wil je liever terug naar bed. Ik weet zeker dat Ruth ons wel even thee wil komen brengen.' Rosa sprak op sussende toon, maar ondertussen pakten zij en Ruth beiden een arm en leidden ze Isabella met ferme hand weer naar boven.

Moeder duwde me snel de ontbijtkamer in. Aan de donkere vlekken onder haar arm zag ik dat ze verhit was. 'Je hebt de lunch gemist. Ik heb zo lang mogelijk gewacht. The Thorntons verwachten ons om drie uur, weet je nog? Ik zal alleen moeten gaan.

Haal snel mijn bonnet en handschoenen. En vertel de kok dat jij en Rosa nu willen eten.'

Ik kuste haar op de wang en keek haar na terwijl ze wegliep over de meent. Ze liep een beetje gebogen, haar rokken waren gekreukt omdat ze weigerde genoeg onderrokken te dragen en haar bovenlijfje zat strakgetrokken om haar rug. Tot diep in mijn hart voelde ik me schuldig dat ik zo laat thuis was gekomen dat ik niet meer met haar mee kon gaan.

Ze keerde zich niet om om te wuiven, dus ik deed de deur dicht en bleef even in de hal staan, luisterend naar het getik van de hangklok op de eerste overloop. Toen ging ik naar de keuken waar de kokkin met haar voeten op een krukje thee zat te drinken. Ze zei dat ze onze lunch had bewaard in de provisiekast en dat Ruth hem over tien minuten naar boven zou brengen.

Met veel dedain diende Ruth een onappetijtelijk maal van koud vlees en aardappelen op. Ze zei dat Rosa geen honger had en bovendien haar moeder niet alleen kon laten.

Naderhand zat ik op het terras waar ik een rand van kettingsteken borduurde in dienbladonderleggers. Ik had blaren op mijn voeten en mijn lichaam en geest waren uitgeput van mijn uitstapje met Rosa in Londen. Ik had ontelbare middagen op dit terras zitten naaien, maar nooit eerder voelde ik me zo onrustig, zo eenzaam.

Het was weer gebeurd, net als vroeger: na een ochtend samen met Rosa was ik van slag en voelde ik me onbehaaglijk, maar verlangde ik wanhopig naar meer.

9

Derbyshire, 1844

Afgezien van de zenuwslopende gesprekken in de kleding-
kast of de buxushaag, moest ik me ook nog Rosa's gevaarlijke
uitstapjes naar verboden terrein laten welgevallen. Het gevaar-
lijkst waren de bezoekjes aan haar moeders slaapkamer, waar ze
steeds weer naartoe werd gezogen. Ik durfde nooit ver de kamer
in te gaan, maar Rosa snuffelde overal rond, en opende deuren
en laden alsof zij de eigenares was.

'Ik doe niets verkeerd,' zei ze, terwijl ze de stop van een flesje van geslepen glas trok en aan de inhoud rook. 'Ze is tenslotte
mijn moeder. Toen vader nog leefde bracht ik veel tijd door in
haar slaapkamer.' Als ze over wijlen Esquire Barr sprak begon ze
altijd te huilen. 'Je zou van hem hebben gehouden, Mariella. Hij
was rustig en vriendelijk en hij vond niets heerlijker dan met mij
over ons land wandelen. Hij zei niet veel, maar als hij mijn hand
vasthield, was ik... Ik klom altijd op zijn knie en stak mijn hoofd
in zijn vest en dan voelde ik me zo... Ik begrijp niet waarom
moeder hem heeft ingeruild voor die afschuwelijke, oude...' Ze
perste haar lippen op elkaar, liep om het bed heen en liet de stof
van de gordijnen door haar handen glijden. 'Zie je ze voor je,
mijn moeder en Sir Matthew Stukeley, met zijn kale hoofd en
bruine tanden en glibberige handen? Kun je je voorstellen wat
ze hier doen?'

Ik hield de deurknop vast, klaar om ervandoor te gaan.

'Op een nacht, toen we hier nog maar net waren, vlak na hun

bruiloft, voelde ik me eenzaam en wilde ik naar haar toe. Ik deed de deur van de slaapkamer open en ze lag zo op het bed met hem eronder.' Ze ging op handen en knieën op het bed zitten en keek naar me om. Haar ogen glinsterden uitdagend tussen haar golvende lokken door. 'Kun je het je voorstellen?'

Ik schrompelde ineen. 'Niet doen, Rosa. Dat moet je niet doen. Alsjeblieft.'

'O, goed dan. Laat maar.' Ze sprong van het bed en ik rende ernaartoe om de kussens recht te leggen. 'We gaan wel ergens anders rondkijken.'

Ze leek van mening dat het haar recht was om zich bij afwezigheid van haar stiefbroers ook met hun eigendommen vertrouwd te maken. In de kamer van Horatio had ze een verzameling obscene afbeeldingen ontdekt, verstopt achter in een lade. Mijn ingewanden deden vreemde dingen toen ze de prenten bekeek van vrouwen met kanten ondergoed en ontblote benen en boezem.

'Zie je,' zei Rosa, 'dit is precies wat je van Horatio kunt verwachten. Hij is walgelijk. Als hij de kans krijgt, raakt hij me altijd aan in het voorbijgaan of strijkt hij zogenaamd per ongeluk met zijn hand hier en hier langs.' Ze legde haar hand tegen haar dij en de zijkant van haar borst. 'Als hij komt, moet je ervoor zorgen dat je nooit alleen met hem bent.'

Naderhand waste ik mijn handen. De ranzige geur van het tapijt en de gordijnen in Horatio's kamer bleef in mijn haar hangen. Toen ik hem ontmoette wist ik wat de bron was. Ik schudde zijn klamme hand en besefte dat Rosa gelijk had: hij was walgelijk. Een slungelige jongen met te lange armen en benen, die zijn tijd doorbracht met dingen als duiven schieten of met zijn vader rommelen in de papieren in de bibliotheek. Op een keer betrapte ik hem terwijl hij onder aan de trap van de bedienden naar iemand omhoog stond te kijken. Toen hij mij in het oog kreeg, trok hij zijn boord en zijn broek recht en liep weg zonder een woord te zeggen.

Het enige wat Rosa interessant vond aan de kamer van haar andere broer was een foto van de eerste lady Stukeley met haar twee jonge zonen van ongeveer drie en zes jaar, die aan haar rokken hingen en opkeken naar haar gezicht. De voorgangster van tante Isabella was een aantrekkelijke vrouw geweest met weelderige, glanzende krulletjes om haar hoge voorhoofd, een vreemd hoofddeksel met een sluier tot over haar schouders en een jurk met een diep decolleté, die leek op de jurk die arme tante Eppie droeg in de miniatuur van Henry.

Rosa legde vol minachting uit dat de geportretteerde in die tijd nog gewoon mevrouw Stukeley was in plaats van lady, maar dat Matthew Stukeley toen al hogerop wilde en waarschijnlijk opdracht had gegeven voor het schilderij omdat een portret van je vrouw en kinderen duidelijk maakte dat je wat voorstelde.

Afgezien van het schilderij was er volgens Rosa in de kamer van Max niets te vinden dan functioneel meubilair en een rij oninteressante boeken over wilde dieren en andere landen. 'Max is nooit binnenshuis, dus hij geeft niet om bezittingen.'

Zoals voorspeld kwam Max ongeveer twee weken na onze aankomst plotseling thuis. Hij werd verdacht van betrokkenheid bij een incident met een molenkolk, een dode rat en een paar dorpsjongens. Rosa vertrouwde me toe dat ze meende dat er sprake was geweest van naakt zwemmen. Dit woord 'naakt' was zo taboe dat ik na kort Max' benige hand te hebben geschud met een grote boog om hem heen liep.

Zolang er geen nieuwe school was gevonden, bleef hij thuis met een geestelijke als huisleraar die drie dagen per week langskwam en vooral pianospeelde met zijn pupil; uit de muziekkamer weergalmden donderende, onstuimige duetten, totdat tante Isabella zei dat ze moesten ophouden omdat ze er hoofdpijn van kreeg. De rest van de tijd ging Max zijn eigen gang, behalve als hij weer eens werd opgehouden door een van de vele schreeuwpartijen met zijn vader omdat een van zijn streken aan het licht was gekomen.

Op een nacht werd ik gewekt door getik tegen het slaapkamerraam. Verstijfd van angst zat ik rechtop in bed, terwijl Rosa doorsliep. Door de halfopen gordijnen zag ik in het maanlicht een mannelijke gestalte. Er werd opnieuw getikt en ik verzamelde de moed om ernaartoe te sluipen en naar buiten te kijken. Daar stond Max, op de vensterbank. Rosa's kamer lag boven de veranda en hij moest langs een van de pilaren naar boven zijn geklommen, over het dak zijn gelopen en zichzelf op de vensterbank hebben gehesen. Hij gebaarde dat ik het raam moest open-schuiven.

In een mum van tijd stond hij in de kamer en had hij zijn hand, die naar steen rook, over mijn mond gelegd. 'Sst. Geen woord. Mijn vader slaat me dood als hij ontdekt dat ik me heb laten bui-tensluiten.'

Ik stond tegen zijn warme lichaam aan gedrukt, en het was meer de lach in zijn ogen, dan de druk van zijn handen die maak-te dat ik me niet kon verroeren. 'Beloof je dat je het aan nie-mand vertelt?' fluisterde hij in mijn oor. Zijn adem was warm en stonk naar bier. 'Duizendmaal dank.' Toen trok hij even aan mijn haar en liep hij naar de deur.

Nadien lag ik wakker met opengesperde ogen, en speelde het incident zich in mijn gedachten steeds opnieuw af: het wakker schrikken, het doodsbang door de kamer sluipen, het schurende geluid van het raam en de hand van Max op mijn lippen. Ik wierp zelfs zo nu en dan een blik op het venster in de hoop dat hij te-rug zou komen.

De volgende dag werd zijn misdaad ontdekt doordat het keu-rige nieuwe pleisterwerk van de veranda beschadigd was en een zoektocht begon naar de dader. Het enige goede wat over Max gezegd kon worden, zo zei zijn vader, was dat hij nooit bang was om toe te geven dat hij iets verkeerd had gedaan.

Nu Max thuis was, rende hij vaak over de terrassen achter Rosa en mij aan om ons te vergezellen op onze uitstapjes naar de verre uithoeken van het landgoed. Een van de favoriete be-stemmingen van Rosa was een schommel die Max had gemaakt van drie smalle, samengebonden plankjes en die hij had beves-tigd aan een tak van een eik op een zandheuvel in het bos. De schommel zwaaide tot boven een snelstromende beek en Max deed altijd een bloedstollend kunstje: op het hoogste punt sprong hij ervan af zodat hij tussen de bomen op de andere oever land-de. Rosa liet zich graag duwen en zwaaide dan heen en weer, haar haar wapperend in de wind en haar rokken zo hoog opge-waaid dat de kanten zomen van haar pantalette zichtbaar wer-den.

'Wat is dit heerlijk,' riep ze. 'Je moet het ook eens proberen. Kom op, Mariella. Ik geef je een heel zacht duwtje. Je hoeft niet zo hoog. Probeer het gewoon. Je krijgt er spijt van als je het niet doet.'

'Kom, Mariella,' zei Max terwijl hij zijn bruine hand uitstak. 'Ik houd je wel vast. Als je wilt kunnen we er samen op.' Hij pakte mijn arm en duwde me naar de schommel. Even gaf ik toe aan de verleiding en liet ik me op zijn knokige schoot trekken. Hij pakte mijn handen, legde ze om het ruwe touw en bedekte ze met de zijne. 'Vertrouw me maar,' zei hij.

Hij duwde de schommel naar achteren en wilde net aan de zwaai beginnen, toen ik bij zinnen kwam. 'Nee,' schreeuwde ik. 'Nee, ik wil niet. Laat me los.'

Hij lachte, liet mijn handen los, strekte zijn benen zodat ik op de grond gleed, en vroeg Rosa om mijn plaats in te nemen. Ik ging onder de boom zitten met mijn armen strak om mijn knieën, en keek naar ze terwijl ze over het ravijn zwaaiden en zich weer terug lieten vallen waarbij de wind het haar uit hun nek blies. Ik benijdde Rosa omdat ze zich niet om het gevaar bekommerde. Was Henry maar hier, dacht ik. Hij en ik zouden voorzichtig samen schommelen; híj zou goed op me passen.

Ondertussen werden Max en Rosa steeds wilder. Hij ging staan en zij bleef zitten, en samen zweefden ze hoog door de lucht. 'Weten jullie wel zeker dat het sterk genoeg is?' piepte ik. Ze letten niet op mij maar zwaaiden heen en weer tot Rosa groen zag.

'Weet je,' zei ze, terwijl ze van Max wegliep en bij mij kwam zitten, 'ik wil niet meer met jou op de schommel. Denk maar niet dat ik respect voor je heb omdat je van school bent gestuurd. Als ik de kans had om te leren, welk vak dan ook, zou ik die met beide handen grijpen. En jij doet er niets mee.'

'De lessen die zij bieden zijn niets waard.'

'Maar hoe moet het verder met je als je steeds maar weer opgeeft?'

'Ik geef niet op. De scholen geven mij op. Ze laten me niet de dingen leren die ik wil leren, dus moeten ze me wel wegsturen.'

'Wat wil je dan eigenlijk leren, Max? Waarom moet je zo nodig anders zijn dan andere jongens?'

'Ik kan er niet tegen om stil te zitten. Ik wil geen Grieks leren. Daar heb ik niets aan. Ik word toch geen geestelijke dus het is tijdverspilling.'

'Het gaat erom dat het je op weg helpt. We moeten allemaal ergens beginnen. Grieks en Latijn zijn het begin van alles, geneeskunde, recht, alles.'

'Jij hebt nog nooit in je leven opgesloten gezeten in een klaslokaal. Je weet niet hoe het is.'

'Ik wou dat ik het wist. Hoe groot is de kans dat ik iets zal leren? Niemand zal mij ooit serieus nemen, terwijl jij de mogelijkheid krijgt om dingen te veranderen. Je bent zo'n egoïst. Denk eens aan wat je allemaal op Stukeley zou kunnen doen als je een studie hebt gedaan.'

Zijn ogen kregen een norse uitdrukking. 'Ik wil niets te maken hebben met de zaken van vader.'

'Dat getuigt van weinig verantwoordelijkheidsbesef. Het is je plicht om je ermee te bemoeien.'

'Dat is de taak van Horatio. Vader luistert toch niet naar mij.'

'Omdat hij je niet respecteert. Waarom zou hij ook? Kom, Mariella, we verdoen onze tijd. Waarom zouden we ons druk maken om iemand die zo ondankbaar is?' Ik keek nog even achterom naar Max, die met zijn hoofd naar beneden over de schommel hing, voordat ik werd meegesleurd naar de keukens, waar Rosa haar zakken volpropte met dikke boterhammen met jam, en vervolgens door het hek over het pad dat, omzoomd door stenen muren, door het dal liep. De heuvels waren bedekt met schaduwen van snel voortrazende wolken en mijn stemming werd beter omdat ik weer alleen was met Rosa.

'Wat is het hier mooi,' zei ik. 'Houd je dan tenminste van die heuvels?'

'Wacht maar.'

Hoe verder we van Stukeley kwamen, hoe minder zoet de lucht rook, tot de geur me na een tijdje deed denken aan Londen op een mistige dag. 'Wacht hier,' zei Rosa, terwijl ze me de geplette boterhammen aanreikte. 'Over ongeveer een kwartier ben ik terug.'

'Waar ga je heen?'

'Dat zul je wel zien.'

Ik ging op het hek zitten waar ze me had achtergelaten en keek naar een beekje dat in het dal tussen de bomen door kronkelde, naar de grazende schapen op de heuvel aan de overzijde, naar een leeuwerik die steeds hoger klom tot hij een zwart stipje tussen de wolken was. Maar de stank die bij vlagen door de wind werd meegevoerd bleef steken in mijn keel en ik wilde dat ze me niet zo lang liet wachten.

Toen ze eindelijk terugkwam, had ze een baby op haar arm die haar haar vasthield en een tweede kind aan haar hand. Achter haar aan sjokte een klein jongetje. Alle drie hadden ze een groezelige, bleke huid en roken ze naar ongewassen lichamen en erger.

'Ik heb een paar nieuwe vrienden meegebracht om je te ontmoeten,' riep Rosa. 'We gaan even met ze spelen om hun moeder wat rust te geven.'

De kinderen zagen er veel te stom uit om te spelen. De jongste, Davey, moest, hoewel hij ruim een jaar was, tegen een muur worden gezet – waarna hij prompt opzij viel en begon te huilen. Daarop zetten ook de anderen een keel op, wat gepaard ging met veel snot en slijm. Alleen de boterhammen met jam konden de kinderen tot bedaren brengen en ze propten alles naar binnen alsof ze een maand niets hadden gegeten. Ik nam Rosa terzijde en fluisterde dat ik had gezien dat er luizen door het sprietige haar van het meisje kropen, maar dat weerhield haar er niet van om in kleermakerszit op het gras te gaan zitten, het kind te vragen op haar schoot te komen zitten en haar te kussen.

Een halfuur later zongen de twee oudsten af en toe een woord mee met een kinderliedje en hadden we ze zelfs zover gekregen dat ze meededen aan een springwedstrijdje, hoewel ze er geen van beiden in slaagden twee voeten van de grond te krijgen.

'Hun moeder, Mrs. Fairbrother, is weduwe,' zei Rosa, 'en ze heeft nog een kind van zes dat heel ziek is.'

Ik bood aan mee te gaan om ze thuis te brengen, maar dat wilde ze niet. 'Misschien vindt de moeder dat niet prettig. Wacht jij maar hier.'

Ik voelde me enigszins opgelucht om weer alleen te zijn op de heuvel. Inmiddels was de lucht bewolkt en ik kreeg het koud. Om de tijd te doden schreef ik in gedachten een brief aan Henry – misschien zou ik hem vertellen over de kinderen uit het dorp maar niet over de schommel.

Een week later moest ons haar door de huishoudster van Stukeley worden behandeld met een stinkende lotion, en toen tante Isabella erachter kwam, stond ze op van de sofa om ons te vertellen dat Sir Matthew ons ten strengste had verboden nog een keer in de buurt van die kinderen te komen.

IO

Londen, 1854

ZODRA HENRY EIND MEI WEER IN ENGELAND WAS, SCHREEF HIJ OM te vragen of hij de volgende avond langs kon komen. Rosa en haar moeder voelden zich nu zo thuis in Fosse House dat ze zich niet meer als gasten gedroegen en ook niet meer zo werden behandeld. Het huishouden draaide om de noden van tante Isabella, die niet meer dan een paar minuten alleen gelaten kon worden omdat haar gezondheidstoestand volgens de dokter te kritiek en haar geestestoestand te fragiel was. Aan het einde van de middag werd ze uit bed geholpen en naar beneden gebracht voor een stevige maaltijd, waarna ze op moeders plaats op de sofa ging liggen met haar voeten op een kussen waarop ik twee pauwen had geborduurd, met de snavels tegen elkaar. Ze hield *Cranford* van Mrs. Gaskell in haar handen, maar ik zag haar nooit een bladzijde omslaan. In plaats daarvan staarde ze ieder van ons om de beurt aan en zuchtte ze om ons duidelijk te maken dat ook zij zich nuttig zou maken, als ze niet zo zwak was. Deze avond droeg ze, waarschijnlijk ter ere van onze bezoeker, een verleidelijke kanten stola en een opzichtige saffieren ring.

Vader las *The Times* onder een lamp. Op een gegeven moment mompelde hij: 'Nog steeds veel soldaten op zee... Afschuwelijke reis voor de paarden.... Zeilen in plaats van met stoom... Ik begrijp het niet...'

Moeder was een brief aan het schrijven waarin ze pleitte voor de installatie van een lift in het tehuis voor de gouvernantes, om de warme maaltijden snel van de keuken naar de eetzaal te kunnen transporteren, en Rosa was bezig met een portrettekening van mij.

In tegenstelling tot wat ze Barbara had verteld, was Rosa in tekenen – net als in zoveel andere dingen – veel bedrevener dan ik, omdat ze aanwezig was geweest bij de privélessen van Max in de vele perioden tussen zijn vorige en zijn nieuwe school in. In haar map zaten stapels half afgemaakt werk en toen ze net bij ons in huis was, was ze er snel doorheen gebladerd waarbij ze af en toe een vel eruit trok om aan me te laten zien. 'Wat vind je ervan? Het perspectief is helemaal verkeerd, vind je niet?' En dan stopte ze het weer weg voordat ik de kans had een mening te vormen. Ik ving een glimp op van Max staande op de schommel, zijn lange lichaam tegen de touwen geleund, van een groepje hutjes in het dorp, van Isabella liggend op een bank bij het raam van de zitkamer en van mijzelf, kleine Mariella, in de Italiaanse tuin. Ik zag er erg mistroostig uit en Rosa had mijn kinderlijke verlegenheid, naar ik vreesde met onrustbarende nauwkeurigheid, weten te vangen – mijn licht gebogen postuur, leunend tegen de muur met mijn handen op mijn rug en mijn hoofd opzij.

Ze zei dat ze een nieuw portret van me wilde maken waarin ze hoopte iets te kunnen leggen van de 'energie' van Barbara Leigh Smith, zoals zij het noemde, en daarom was ze begonnen met een aantal studies. Ze zat op een laag krukje, haar rug kaarsrecht, de rokken rondom haar voeten. Haar houtskool piepte, haar haar zakte naar voren en werd achter haar oren gestoken met een achteloze beweging van haar linkerhand. Het ene moment boog ze haar hoofd sierlijk boven haar werk, het andere legde ze het in haar nek om naar mij te kijken. Haar blik was wazig en het leek of ze niet náár me, maar ín me keek, wat mij het gevoel gaf doorzichtig te zijn. Juist die nacht wilde ik niet dat ze zou raden wat ik dacht, want natuurlijk was mijn hele wezen gericht op Henry.

Tante Isabella keek naar Rosa met de trotse blik van een moederpoes. Ze zei: 'Vanavond komt een dókter Thewell langs, zeg je?'

Er viel een stilte en moeder verschoof haar aandacht van haar brief naar tante. 'Henry is chirurg, zuster, geen huisarts. Ik vrees dat het geen zin heeft je symptomen met hem te bespreken. Ik betwijfel of hij veel weet van hartkwalen.'

'Rosa heeft me verteld dat hij veel aanzien geniet in medische kringen.'

'Hij heeft inderdaad zitting in een aantal overheidsbesturen en commissies op het gebied van gezondheid. Hij is uitgekozen om naar Turkije te gaan voordat de oorlog begint om voorzieningen te treffen voor de gewonde soldaten.'

Hij moet al flink oud zijn als hij zoveel heeft bereikt.'

'Niet zo oud. Dertig.'

Tante was even stil maar haar blik gleed van Rosa naar mij. 'Ik ben vergeten wat precies de familierelatie is tussen Mariella en deze Dr Thewell.'

Moeder klonk een beetje geërgerd. 'Hij is Mariella's achterneef, zoals ik je al heb verteld.'

Weer een stilte terwijl de pen van moeder over het papier vloog. We zetten ons schrap voor de volgende vraag. 'Waar is ze ook weer aan gestorven?'

'Tering, geloof ik. We weten het niet precies.'

'Ah.' Lange stilte. Toen ik opkeek, zag ik een vage glimlach om haar mond. 'We krijgen hier zo zelden bezoek, zuster, ik kan het niet laten belangstelling te tonen voor de weinige gasten die hier wel komen. Op Stukeley waren we vrijwel geen dag alleen. Op sommige middagen stonden de koetsen voor de deur in de rij.'

'Ella, je hebt weer bewogen,' zei Rosa. 'Kin omhoog, alsjeblieft, en kijk iets meer naar links.'

Toen de klok acht uur sloeg, keek ik moeder aan om toestemming te vragen de kamer te verlaten, sloeg mijn sjaal om mijn schouders en liep de tuin in om de poort te ontgrendelen. Daarna drentelde ik heen en weer en ademde de meilucht diep in. De zoom van mijn jurk streek langs een bed met lavendel en in de klimop fladderde een grijze mot. Misschien zou ik de voetstappen van Henry in het laantje horen, maar verder zou er niets zijn wat zijn komst aankondigde, totdat hij het poortje opendeed.

Plotseling de klik van de grendel en daar stond hij, half verscholen achter de bladeren, hoed onder zijn arm, jasje over zijn schouder. Ik hapte naar adem. Hij was zo mooi en gedistingeerd met zijn verwachtingsvolle blik en zijn snor in een nieuwe, misschien wel Hongaarse stijl.

Hij omhelsde me als een broer, kuste mijn hand en trok hem door zijn arm. Nu merkte ik meer veranderingen op; hij had een tik in zijn kaakspier die kwam en ging als een hartslag en hoewel hij er moe uitzag, was hij behoorlijk gebruind, waarschijnlijk van de zeereis. Ik vergeleek de kus die hij me gaf met alle andere die ik ooit van hem had gekregen: hij had langer geduurd dan gewoonlijk, maar was zeker niet zo vrijpostig geweest als die van Max Stukeley. Henry rook naar zon, zweet, zeep en, onmiskenbaar, naar ziekte.

We stonden in de beslotenheid van de wildernis waar ik hem vertelde over onze bezoekers. 'Mijn tante praat graag over haar symptomen en mijn nicht Rosa wil dat je haar meeneemt naar het ziekenhuis en een dokter van haar maakt.'

'Is dat zo? Laten we dan de hele avond hier blijven waar jij en ik alleen zijn en niemand iets van ons wil.'

'Wacht maar tot je Rosa ontmoet. Ze is heel bijzonder. Ik was vergeten hoe saai ik me voel als ik bij haar ben.'

'Hoe durft iemand mijn Mariella een slecht gevoel te geven over zichzelf. Nee, ik wil jouw Rosa steeds minder graag zien.'

We namen de langst mogelijke route naar het huis, door de wildernis en over het gazon. Een lijster rende voor ons uit over het gras en onder onze voeten lag een tapijt van cedernaalden. 'Was je reis naar Pest succesvol?' vroeg ik.

'Jazeker. Ik ga een artikel schrijven voor het *British Medical Journal* en ben uitgenodigd om een lezing te geven. Maar of het me lukt om ook maar één medewerker van Guy's Hospitaal zover te krijgen dat hij zijn werkwijze verandert, is nog maar de vraag.'

'Wat zou je anders willen?'

We waren langzaam om het gazon heen gelopen en stonden nu buiten het zicht van het huis bij de dikke stam van de ceder. 'Laat me naar je kijken,' zei hij toen ik met mijn rug tegen de boom stond, mijn blik op de rozenboog achter zijn linkerschouder. Een haarlok was losgewaaid en de ruches van mijn jurk wapperden in de wind. Achter de ceder verdween de tuin in de duisternis.

'Mariella.' Ik keek hem even aan en schrok een beetje. 'Als ik weg ben, breng jij me altijd terug. Ik hoop dat dat altijd zo zal blijven. Ik hoop dat je altijd een baken zult zijn dat mij de weg naar huis wijst.'

Hij nam mijn hand, trok me tegen zijn borst en legde zijn andere hand op mijn rug. Met een steek van verdriet besefte ik dat hij me nooit meer zou aanraken als de vriend die mij toen ik acht was in galop op zijn rug over ditzelfde gazon droeg en me optilde en in de ceder zette waar ik, slap van het lachen, piepte dat ik weer naar beneden wilde. In een onhelder moment dacht ik dat als ik omhoogkeek mijn eigen in witte kousen gestoken benen zou zien in de boom.

'Mariella?'

Zijn gezicht was zo dicht bij het mijne dat ik zijn adem op mijn voorhoofd voelde. De uitdrukking in zijn ogen was deels vrolijk, deels bedrukt en afwezig. Even bleef de kus tussen ons in hangen en zijn vingers, die mijn hand vasthielden, lagen ingeklemd tussen onze lichamen. Ik voelde me verward omdat twee momenten bij elkaar kwamen: ik was zowel kind als vrouw en iets in de warmte van zijn hand op mijn rug en de druk van zijn been tussen mijn rokken deed mij weifelen. Zijn snor prikte op mijn huid maar zijn lippen waren zacht, hij smaakte naar thee en zijn tong drong zich tussen mijn tanden. Ik schrok zo dat ik bijna mijn hoofd wegtrok. Daarna hing ik in zijn armen en draaide ik mijn gezicht weg. 'Ik wil niet meer wachten,' fluisterde hij.

Ik knikte, hij stak mijn arm weer door de zijne en we liepen verder, een paar stappen over het gazon, dan over het geplaveide terras en drie treden omhoog naar het huis.

'Eindelijk,' riep moeder, terwijl ze haar brief van zich af duwde en haar wang omhoogrichtte om zich door Henry te laten kussen. Vader legde zijn krant weg, tante Isabella hield een slap handje op en Rosa sprong overeind zodat haar tekenspullen kletterend op de vloer vielen. 'Eindelijk, de achterneef-dokter,' zei ze, terwijl ze hem aankeek en hem de hand schudde met een kracht die ze had afgekeken van miss Leigh Smith.

Henry hielp de stukjes houtskool op te rapen en keek met een vertederde blik de kamer rond alsof hij wilde controleren of alles nog op zijn plaats stond. Het lamplicht viel op het rozenpatroon in het bleekgroene vloerkleed, op de koorden waarmee de roze zomergordijnen opzijgebonden waren, op het kleine tafeltje waaraan mijn moeder haar brief had zitten schrijven en op Rosa's gouden haar. Ondertussen zonk ik neer in mijn stoel, nog duizelig van wat er in de tuin was gebeurd, pakte mijn naaiwerk op en zette een serie slechte steken.

Vader begon onmiddellijk een gesprek met Henry over de oorlog. 'Ze blijven maar wat rondlummelen,' zei hij, 'Gallipoli, Malta, Constantinopel. Ze zouden vestingen moeten innemen langs de kust van Rusland zelf. Inactiviteit is gif voor een aanvallend leger. Begreep jij toen je daar zat waarom ze zich zo ingraven?'

'Alleen dat Constantinopel en Varna in Bulgarije, waar de troepen gelegerd zijn, allebei schitterende steden zijn. Misschien bezoeken onze generaals liever de bezienswaardigheden dan dat ze vechten. Hoe dan ook, het is maar goed dat ze elkaar nog niet uitmoorden.'

'Ik heb begrepen dat jij erheen bent gestuurd om ervoor te zorgen dat alle faciliteiten aanwezig zijn voor de gewonden. Welke adviezen heb je gegeven?' vroeg Rosa.

Er viel een verraste stilte omdat haar heldere, vrouwelijke stem zo vrij sprak. Henry staarde haar even aan en ik vreesde dat ze hem had beledigd. 'Niets bijzonders, voor zover ik me herinner, miss Barr. Met de komst van de stoomschepen is alles veranderd. De gewonde soldaten kunnen in een paar dagen naar huis worden vervoerd dus het enige wat nodig is, zijn veldhospitalen voor de spoedeisende gevallen. Maar misschien komen er helemaal geen grote veldslagen. De oorlogvoering is nu zo anders – de dreiging van onze superieure artillerie zou wel eens afdoende kunnen zijn.'

'Natuurlijk komen er wel veldslagen. Het is niet erg waarschijnlijk dat de regering zoveel geld investeert om die duizenden soldaten daarheen te sturen en ze dan onverrichter zake weer terug laat keren.'

'Symbolische veldslagen, hopen we. De Russen zullen het zwaar te verduren krijgen, gezien de hoge technische kwaliteit van onze wapens. Onze nieuwe geweren, bijvoorbeeld, zijn dodelijk en accuraat van een aanzienlijke afstand.'

'Een geweldige kans voor die jongemannen,' zei vader. 'Ik wou dat ik twintig jaar jonger was.'

'En toch zijn de generaals allemaal oude mannen, voor zover ik heb begrepen,' zei Rosa. 'Lord Raglan is vijfenzestig en heeft nota bene maar één arm. Klopt het dat de meesten van hen nog onder Wellington hebben gediend in de oorlogen tegen Bonaparte, zo'n veertig jaar geleden?'

'Ervaring weegt zwaarder dan jeugdigheid, Rosa. Dat zul je nog wel leren. Mijn nicht is een ongeduldige jongedame,' zei vader vertederd. 'Ze heeft de boel hier flink opgeschud.'

'Maar wat kunnen deze oude mannen betekenen in een oorlog die, zoals jij zegt, met nieuwe wapens wordt gevochten?' Ze verhief haar stem en hield haar hoofd opzij alsof ze Henry uitdaagde.

'Daar kan ik niets over zeggen,' zei Henry lachend. 'Ik ben een medicus, geen tacticus. Hoewel wij van de jonge garde proberen het hele systeem om te gooien, maar we worden belemmerd door behoudzucht van onze oude leraren.'

'De waarheid is,' zei Rosa, 'dat niemand weet wat er in een oorlog gebeurt. Dat heeft mijn stiefbroer Max me verteld. Hij zei dat de onvoorspelbaarheid en het onverwachte twee van de aspecten waren waarom hij graag soldaat was. En toch doe jij alsof de uitkomst al vaststaat.' Ze pakte haar schetsblok op alsof er niets meer te zeggen viel over dit onderwerp.

'Arme Max,' zei tante Isabella, die tot dan toe nog nooit blijk had gegeven van andere gevoelens dan afkeuring voor haar stiefzoon.

'Ik maak me echt zorgen om hem. Hij zit in het zevenennegentigste Derbyshire-regiment. Het probleem met Max is dat hij zich altijd in de nesten werkt. Toen hij naar Australië ging, stierf hij bijna van de dorst in de woestijn. Ik doe geen oog dicht tot hij weer gezond en wel thuis is. Maar u, dokter Thewell, moet wel zeer invloedrijke mensen kennen als de regering u naar Turkije heeft gezonden. Op ons landgoed in Derbyshire, Stukeley, was ik gewend aan allerlei soorten gezelschap. Wijlen mijn echtgenoot was vredesrechter en grootgrondbezitter en industrieel. We kenden alle families uit de gegoede kringen in een omtrek van veertig mijl. Ik vind het leven maar stil sinds we in Clapham wonen.'

'Je bent niet gezond genoeg voor gezelschap, zuster,' zei moeder.

Mijn tante glimlachte weemoedig en schudde het hoofd.

'Ik heb altijd genoten van de rust en vrede in dit huis,' zei Henry en wierp over Rosa's schouder een blik op mij en op mijn portret die mijn wangen deed gloeien.

'U zult er weinig waarde aan hechten, dokter Thewell,' zei Isabella, 'maar in mijn jonge, gezonde dagen organiseerde ik regelmatig diners voor veertig en bals en tuinfeesten voor honderd gasten. We hebben Rosa zo opgevoed dat ze zich goed staande kan houden in de hoogste kringen.'

'Die Derbyshire te bieden had,' voegde Rosa eraan toe.

Henry zat nog achter haar en ik vroeg me af of iemand anders de uitdrukking op zijn gezicht opmerkte toen hij het portret bestudeerde. 'Het is prachtig,' zei hij. 'Je hebt haar heel goed getroffen.'

'Ik heb het zelf nog niet eens gezien,' riep ik. 'Dat liet ze niet toe.' Rosa lachte en hield het portret op armlengte voor zich. 'Kom maar kijken.' Maar toen ik naast Henry stond kon ik niet zeggen of de schets wel of niet op mij leek. Het enige wat tot me doordrong was dat onze bovenarmen elkaar raakten, dat zijn ademhaling gejaagd was, alsof hij snel had gelopen, en dat zijn tong ongeveer een kwartier geleden met de mijne had gespeeld. Toen ik me beter kon concentreren zag ik dat ik in Rosa's portret de ogen had van een jong hert dat zenuwachtig wegkeek van de schilder, mijn gezicht leek klein boven mijn wijde, witte kraag en mijn mond stond een beetje nors. 'Zie ik er echt zo uit?' vroeg ik.

'Als je in gedachten bent wel, ja,' zei Rosa. 'En als je een beetje bang bent. Wat vrij vaak voorkomt.'

'Ik heb Ella nog nooit bang gezien,' zei Henry.

'Dat komt doordat jij haar niet hebt meegesleept door heel Londen. Ik geloof niet dat er een plek is die we in de afgelopen paar dagen niet hebben gezien, met inbegrip van het nieuwe King's Cross-station dat oom Philip heeft helpen bouwen.'

'Dan loop je voor op mij,' zei Henry. 'Je zult het me een keer moeten laten zien.'

'En ik heb haar meegenomen naar allerlei onconventionele en wonderbaarlijke mensen, is het niet, Mariella? Je zult merken dat ik een echte rebel van haar heb gemaakt sinds je weg bent.'

'Wat zijn dat voor mensen?' vroeg mijn tante scherp. 'Je hebt me daar niets over verteld. Over wie heb je het?'

'O, alleen maar de vrienden met wie ik correspondeer. Je weet wel, Barbara Leigh Smith, Bessie Parkes.'

'De Leigh Smith die familie is van de Nightingales in Derbyshire? Heb ik je niet gezegd dat je die correspondentie moest afbreken? Ik hoop dat je jezelf niet in de nesten werkt, Rosa.'

'Welnee. We praten met elkaar, dat is alles.'

'Rosa is altijd zo radicaal,' zei tante. 'Ze wil alles veranderen.'

'Is dat zo?' vroeg vader. 'Wil ze mij veranderen?'

'Niemand zou u willen veranderen, oom Philip,' zei Rosa, terwijl ze haar arm uitstrekte en zijn hand pakte. Hij glimlachte naar haar en even waren alle ogen gericht op haar slanke hals, haar fijne pols, die zichtbaar werd doordat haar mouw terugviel, en haar golvende haar. Het gevaar dat ze meer zou vertellen over onze bezoekjes aan Blandford Square was afgewenteld.

'Vertel ons over Hongarije,' zei ik tegen Henry.

'Nou, ik heb een fantastische arts ontmoet, Semmelweiss, die de manier van werken op de kraamafdelingen heeft veranderd. Nu moet bijvoorbeeld iedereen die in de buurt van een zwangere vrouw komt eerst zijn handen wassen.'

'Maar dat is toch niets nieuws,' zei Rosa. 'De vroedvrouw in onze buurt zegt dat reinheid alles is bij het baren.' Ze sprak vol ongeloof en met een gezag alsof ze net zoveel van het onderwerp wist als Henry, of misschien nog meer.

'Ja, miss Barr. Je zou hopen dat vroedvrouwen en artsen hun handen vaak wassen. Maar dat doen ze niet allemaal, helaas, en in ziekenhuizen, waar de tijdsdruk zo hoog is, waar het al moeilijk genoeg is om voldoende schoon drinkwater te bemachtigen, laat staan water om je te wassen, neemt men het wel eens minder nauw met de reinheid.'

'Ik dacht dat het inmiddels algemeen bekend was. Ik heb een artikel gelezen van Addison over pusvorming en hij zegt dat de kans dat een wond geïnfecteerd raakt kleiner is als hij schoon wordt gehouden. Bij mijn werk met de dorpelingen...'

'O, begin nou niet weer over die eeuwige dorpelingen,' verzuchtte Isabella.

'Hoe dan ook,' zei Henry, 'mij is gevraagd om een lezing te

geven over mijn bevindingen. Je kunt komen luisteren als je wilt.'

'Dat wil ik heel graag,' zei Rosa, 'en ik vroeg me ook af of ik mag zien hoe alles in zijn werk gaat in een Londens opleidingsziekenhuis.'

'Maar natuurlijk, je mag altijd langskomen.'

'Ik wil niet alleen de afdelingen bezoeken, ik wil weten wat er gebeurt in de laboratoria en de operatiezalen. Ooit wil ik namelijk werken als dokter... of als verpleegster, maar het liefst als dokter.'

'Dat is ongetwijfeld een prijzenswaardig streven, miss Barr, maar persoonlijk...'

Mijn tante ging abrupt rechtop zitten en zwaaide haar voeten op de vloer. 'Nee. Nee. Luister niet naar haar, dokter Thewell. Ik sta het niet toe. Dat weet ze.'

'Je kunt me niet verbieden een ziekenhuis te bezoeken,' zei Rosa met een bedaarde glimlach. 'Mijn hemel, tante Maria bezoekt het ene ziekenhuis na het andere.'

'Omdat ze in de bezoekersraad zit. Niet omdat ze er wil werken. Rosa, ik wil niet dat je in de buurt van een ziekenhuis komt.'

'Sst,' zei moeder. 'Ik weet zeker dat Rosa alleen interesse toont omdat Henry er is. Als hij komt, lopen de gesprekken altijd uit de hand. Hij heeft de onhebbelijke gewoonte om zijn zieken mee te nemen in de salon.'

'En over zieken gesproken, ik moet gaan,' zei Henry. 'Ik heb beloofd vanavond bij een patiënt langs te gaan.'

'Maar het is toch veel te laat om nog te gaan werken,' riep moeder.

'Vanmorgen heb ik een amputatie uitgevoerd bij een oudere vrouw. Ze is heel ziek en ik moet kijken hoe het met haar gaat.'

Rosa was plotseling vol bewondering. Toen hij afscheid nam, stond ze niet op maar keek ze hem glimlachend aan. Haar jurk had een ondiepe v-hals en zijn blik schoot van haar gezicht naar het holletje dat nog net zichtbaar was onder aan haar keel.

Ik pakte zijn arm en liep met hem mee de hal in, waar hij onder de gaslamp stilstond en achteromkeek naar de zitkamer. 'Wat moet je leven anders zijn geworden, Ella. Wat een moeilijk meisje om mee te leven.'

'Moeilijk, ja. Maar vind je haar niet geweldig?'

'Ik vind haar dodelijk vermoeiend.'

'Zou je toch bereid zijn om haar het ziekenhuis te laten zien, als ik tante Isabella kan overhalen?'

'Natuurlijk mag ze langskomen. Waarom niet? Ik wil graag dat jullie zien waar ik werk. En Ella,' hij kuste mijn handen, eerst de rug en toen de palm, 'ik heb liever dit levende, ademende meisje dan het portret dat Rosa heeft gemaakt. Je nicht is ongetwijfeld heel getalenteerd maar zelfs zij kan je lieve, tedere ziel niet vastleggen.' Hij wierp een blik op de halfopen deur van de zitkamer en een ademloze seconde lang vroeg ik me af of hij me weer op de mond zou durven kussen.

Die nacht lieten Rosa en ik het slaapkamerraam open zodat de kamer naar gras en rozen geurde. In het zachte maanlicht lag ze naast me met haar armen achter haar hoofd. 'Zullen we het over Henry hebben?' fluisterde ze.

'Wat valt er over hem te zeggen?'

'Natuurlijk begrijp ik waarom je van hem houdt. Hij is anders dan de meeste mensen. Ernstiger. Heel ernstig zelfs. Het enige wat ik me zou afvragen is of hij ooit echt lacht.'

'Natuurlijk lacht hij, vanavond heeft hij gelachen.'

'Hij lachte óm mij vanavond. Hij vindt me belachelijk, dat kan ik merken. Omdat ik een vrouw ben die te veel wil weten.'

'Hij vond je heel bijzonder.'

'Nee. Hij had eigenlijk helemaal geen zin om met me in discussie te gaan. Maar dat geeft niet, als hij maar goed is voor jou. Als hij jou soms maar aan het lachen maakt, net als ik. Ik bedoel, kan hij je ook laten lachen zoals nu?' Ze dook onder de lakens, pakte mijn blote voet en wreef met haar vingertoppen over de zool zodat ik begon te kronkelen. 'Of nu?' en ze omklemde mijn heupen en kietelde mijn buik tot ik brulde van het lachen en mijn benen verstrikt raakten in de lakens.

'Hou op. Hou op. Je maakt iedereen wakker.'

Nadat we tot bedaren waren gekomen, streelde ze mijn haar en bestudeerde mijn gezicht. 'Denk je dat je snel met hem gaat trouwen?'

'Daar heb ik nooit over nagedacht.'

'Houd me niet voor de gek, Ella. Ik merkte dat je de hele avond gespannen was voordat hij kwam. Dat kun je niet voor me verhullen, en hij staarde eindeloos naar mijn portret van jou. Natuurlijk houdt hij van je. Dat kan ook niet anders. Jij zult Mrs. Thewell worden en in pastelkleurig zijde door het leven glijden, met je haar glad getrokken over je oren en je stem die nooit luider wordt dan een fluistering. Samen zullen jullie volmaakte kinderen grootbrengen en jullie zullen alles vergeten over je Rosa, die rondwroet in de modder, op zoek naar iets zinvols om met haar leven te doen.'

'Ik zal je niet vergeten.'

'Jawel, want ik zal niet in je leven passen. Ik zal een bezoeker zijn die zich niet op haar plaats voelt, die ongemakkelijk zit te wiebelen en te draaien aan de theetafel. Jullie tweeën zullen me tolereren als een excentriek, arm familielid, dat soms tevoorschijn wordt gehaald als er een extra gast nodig is om tot het juiste aantal te komen.'

'Houd op, Rosa. Je weet dat ik nooit zo over je zal denken.'

'O, niet huilen, Mariella.' Ze drukte me tegen zich aan en ik huilde uit op haar schouder. Ik had geen verklaring voor deze plotselinge uitbarsting van verdriet, behalve dat ik nog van mijn stuk was door de zoen van Henry. Rosa's strelingen deden me weer denken aan hoe hij met zijn duim de bocht van mijn wervelkolom volgde. We droegen zomerse nachtjaponnen en onze lichamen, bevrijd uit de lagen stof van overdag, waren verrassend zacht en buigzaam, en het verwarde me dat ik zo snel nadat ik de armen van Henry om me heen had gevoeld, in die van haar lag. 'Waarom huil je, domkopje?' fluisterde ze.

'Het is allemaal zo ingewikkeld. Iedere keer dat ik Henry zie, denk ik dat hij een aanzoek doet, maar het gebeurt nooit. En nu zeg jij dat ik jou kwijtraak als ik met hem trouw.'

'Natuurlijk niet. Ik plaagde je maar.'

'Ik ben je al een keer kwijtgeraakt, weet je nog, toen je stiefvader ons wegstuurde. Rosa, waarom stuurde Sir Matthew moeder en mij zo snel na onze aankomst naar huis? Heb je dat ooit ontdekt?'

Ze liet een lok van mijn haar tussen haar lippen door glijden. 'Zo was hij gewoon: altijd stemmingswisselingen en antipathieën.'

'Op dat moment zei je dat hij vond dat wij klaplopers waren.'

'Heb ik dat gezegd? Nou ja, misschien was dat wel zo.'

'Maar wie zou hem dat idee hebben aangepraat? Waarom keerde hij zich tegen ons?'

'Dat is nu toch niet meer belangrijk, na al die jaren.'

'Ik moet er steeds aan denken. Ik ben het nooit vergeten.'

'Lieve hemel, mijn stiefvader is dood.' Ze trok zich los uit mijn armen en ging terug naar haar eigen bed. 'Ik wil niet eens aan hem denken. Het grootste deel van mijn leven heb ik geprobeerd hem te ontlopen en nu ik eindelijk voorgoed van hem ben verlost, wil ik mijn tijd niet verdoen met over hem praten. Heus, wat doet het er nu nog toe?'

Ik lag in het halfdonker en wenste dat ze voor één keer in een andere kamer sliep zodat ik kon nadenken. In plaats van vreugde over het feit dat Henry bijna een aanzoek had gedaan, voelde ik nu verdriet en bitterheid. De woorden die nog niet expliciet waren uitgesproken, wogen loodzwaar. Geen wonder dat ik nu terugdacht aan onze abrupte verbanning van Stukeley. De angst dat ik plotseling zou worden overrompeld zat heel diep.

I I

Derbyshire, 1844

AFGEZIEN VAN DIE LAATSTE DAG, TOEN HIJ IN HET WITTE PAVILJOEN
op me neer stond te kijken, was ik maar één keer alleen geweest
met Max Stukeley. Op een avond – naar later bleek mijn laatste
– kwam ik de bibliotheek uit, sloot de deur achter me en stond
oog in oog met Max, die eerst naar mij keek en daarna over mijn
schouder naar de gesloten deur. 'Hallo, kleine Mariella.'

Ik stond op het punt weg te rennen, maar hij pakte me vast
bij mijn arm.

'Hallo, Maximilian,' zei ik.

'Wat heb je daar gedaan?'

'Niets.'

'Wat is dat boek onder je arm?'

'Je vader zei dat ik het mocht lenen.'

'Is vader daar binnen?'

'Ja.'

'Waarom?' Ik probeerde te ontsnappen, maar hij trok me naar
een alkoof onder de trap waar ik als een angstig konijntje in elkaar dook, terwijl ik probeerde mijn trillende lippen en handen
stil te houden. Ik voelde de pezige arm van Max naast de mijne
en rook zijn jongensachtige adem. 'Waarom was jij daar met vader?'

Het was de eerste keer dat ik hem van zo dichtbij zag in het
daglicht. Zijn ogen waren chocoladebruin, bijna zwart, en hij had
benijdenswaardig lange wimpers. Nu hij zijn volledige aandacht

op mij richtte had ik het gevoel dat ik gevangenzat in de licht-
bundel van een vuurtorenlamp. 'Ik ken geen Latijn. Je vader bood
aan het me te leren.'

Hij trok het boekje uit mijn handen. 'Catullus. Welke gedichten?'

'Tot nu toe maar een paar.'

Hij bladerde door het boek en las een regel hardop alsof hij
precies wist wat er stond, hoewel hij volgens Rosa zo weinig op
school was geweest dat het een wonder was dat er iets van de
lessen was blijven hangen. 'Nulla potest mulier tantum se dicere
amatam / vere...' Wat leert vader je over deze gedichten?'

'Niets. Ik moet ze vertalen.'

Hij knikte een paar keer heel snel. 'Geeft hij Rosa ook les?'

'Rosa kent al Latijn. Een beetje.'

'Weet mijn stiefmoeder van deze lessen? Weet je moeder ervan? Of Rosa?'

Ik gaf geen antwoord.

Max keek me indringend aan. 'Vader geeft mij nooit les.' Hij
keek naar mijn haar, mijn gezicht en mijn kleding. Iedere keer
dat zijn blik op een deel van mijn lichaam viel, sidderde ik. 'Ik
vraag me af wat je aan dat oude Latijn zult hebben,' zei hij, terwijl hij het boek zo hard dichtsloeg dat ik schrok. Hij gooide het
opzij, sprong op en maakte een overdreven buiging, waarbij hij
één arm op zijn rug en de andere over zijn buik legde, één been
naar voren strekte, met de tenen omhoog, en het andere been
boog. Maar toen hij wegliep draaide hij zich nog even om. 'Alles in orde, Mariella?'

'Natuurlijk.' Ik beet hard op de binnenkant van mijn wangen
om niet te huilen, schoof over de bank, dook onder de trap door
en rende naar boven, naar Rosa, die op haar buik op bed lag en
schetsen maakte van haar eigen hand. Het boek dat ze aan het
lezen was, lag naast haar op het kussen.

'Waar zát je?' vroeg ze. 'Ik wacht al eeuwen op je.'

'Ik heb met Max gepraat.'

'Max? Waarom?'

'Omdat ik hem tegenkwam. Omdat hij er was.'

'Waar hebben jullie het over gehad?'

'Van alles.'

'Het is tijdverspilling om met Max ergens over te praten. Hij is nu alweer vergeten dat hij een gesprek met je heeft gehad.'

Noch Max noch zijn vader was die avond bij het diner. De volgende dag werden moeder en ik van Stukeley verbannen.

12

Londen, 1854

R OSA RUSTTE NIET TOT ZE IN HET ZIEKENHUIS WAS GEWEEST. Z E
overtuigde haar moeder ervan dat het onbeleefd zou zijn om niet
te gaan, aangezien Henry mijn vaders protegé was. Maar hoe
dichterbij de datum kwam, hoe onrustiger ik werd. Er was geen
sprake van dat moeder ons zou chaperonneren want, zoals Isabella het zei, zij zat met haar gedachten bij die ongelukkige gouvernantes die nu misschien tot september moesten wachten vanwege een nieuwe kink in de kabel, ditmaal iets met de gastoevoer.
Moeder moest iedere dag aanwezig zijn om de werklieden te in-
strueren.

Het was jammer dat ik Henry nooit eerder in het ziekenhuis
had bezocht, want eigenlijk had ik de eerste keer niet samen met
Rosa willen gaan. Overigens waren mijn gevoelens zo complex
dat ik veel liever thuis was gebleven om mijn lied voor de gouvernantes te oefenen. Ik vreesde dat mijn onwetendheid zou worden opgemerkt en dat ik schrik en onbehagen zou uitstralen in
plaats van kalme acceptatie, of zelfs dominantie.

Rosa zei dat we respect moesten hebben voor de pijn van de
patiënten en ons niet boven hen of de verpleegsters moesten plaatsen door ons te kleden in overdadig mousseline of zijde. Aangezien geen van haar jurken als frivool kon worden omschreven,
was dit gebod duidelijk voor mij bedoeld. Zij en haar sobere
vriendinnen, zoals Barbara Leigh Smith, trokken zich niets aan
van de mode, wat ik opvatte als een keuze uit artistieke en in-

tellectuele overwegingen. Ik moest daarentegen diep in mijn kle-
dingkast duiken om iets passends te vinden. We droegen allebei
onversierde, witte mouwomslagen en ons haar zat in een strak
knotje achter op ons hoofd. Rosa leende een onderrok om haar
jurk de conventionele klokvorm te geven en deed een strakke
riem om.

Nadat we ons hadden aangekleed, haakten we onze armen in
elkaar en staarden we naar onszelf in de spiegel. Door Rosa's
quaker-achtige haarstijl was er een stukje van haar slanke nek te
zien, en de eenvoud van haar jurk contrasteerde mooi met haar
lichte huid en ogen. Ik zag er echter nietig en saai uit door het
gebrek aan opsmuk en volume.

'Je ziet er niet saai uit,' riep ze. 'Zeg nooit van jezelf dat je saai
bent. Je moest eens weten. Je bent als een mooi bosdiertje, verfijnd en wild. Bovendien, als jij saai bent, moet ik dat ook wel
zijn. We lijken zo op elkaar.' Misschien was dat in sommige opzichten waar, maar de kleine verschillen in onze trekken maakten dat Rosa mooi was en ik waarschijnlijk niet.

De rit door Londen was onaangenaam omdat we dikke jurken
droegen terwijl er een hittegolf was en ik ergens heen werd gebracht waar ik inmiddels helemaal niet meer naartoe wilde. Het
ergste was nog dat ik uit ervaring wist dat mijn metgezellin volkomen onberekenbaar was als het ging om het opvolgen van de
bevelen van haar moeder, die ik maar al te graag wilde gehoorzamen: 'Kom niet te dicht bij de patiënten. Raak niets aan. Laat
je niet verleiden tot een gesprek met die verpleegsters. Onnodig
te zeggen dat je alleen op de vrouwenafdeling mag kijken, hoewel ik eigenlijk helemaal niet wil dat je in de buurt komt van de
zieken...'

Rosa was zorgwekkend diep in gedachten verzonken, haar
handen in haar schoot gevouwen, een uitdrukking van kalme
vastberadenheid in haar ogen. Het was alsof ze op het punt stond
als novice het klooster in te gaan. Dit was Rosa op een hoger ni-
veau, gedreven door nobele krachten die ik niet bezat. Haar gedachten waren waarschijnlijk bij het ziekenhuis, terwijl ik alleen
maar kon denken dat ik binnen een uur Henry zou zien, voor
het eerst sinds hij me die avond had gekust onder de ceder. Natuurlijk zou er vandaag geen gelegenheid zijn voor een intiem

gesprek, maar misschien zou er een blik of een aanraking zijn. Mijn grootste vrees was dat hij me bij onze ontmoeting geen enkel teken zou geven.

Vanbuiten zag Guy's Hospitaal er statig uit, met een indrukwekkende toegangspoort, gevelspitsen en lange rijen hoge ramen. Het zag er meer uit als een paleis dan als een ziekenhuis voor de armen en nooddruftigen, en de gedachte schoot zelfs door mijn hoofd dat Rosa misschien een verkeerde inschatting had gemaakt en we ons plechtiger hadden moeten kleden. Achter de voordeur lag een ontvangsthal met een houten lambrisering en een brede trap waarboven portretten hingen van mannen met onderkinnen en stijve kravatten. Maar er hing ook een onaangename sfeer en in de verte hoorde ik geluiden die mij zeer verontrustten.

We waren tien minuten te vroeg voor onze afspraak met Henry en na een tijdje werd Rosa onrustig. Af en toe doorkruiste iemand de hal, mannen in lange jassen, ziekenbroeders in hemdsmouwen en verpleegsters of vrouwelijke bedienden. Ik week achteruit tot onder aan de eikenhouten trap, pakte met de ene hand mijn rokken bijeen en hield met de andere discreet mijn zakdoek tegen mijn neus.

Rosa liep met grote passen heen en weer en keek naar de klok. Tien over twaalf. Vervolgens liep ze een van de gangen in waarvandaan zich aan weerszijden andere gangen afsplitsten. 'Kom mee,' zei ze. 'Kijken kan geen kwaad.'

Omdat ik niet alleen wilde blijven, moest ik wel volgen. Ze beende door een benauwd gangetje, ging een paar deuren door tot we in een zaal stonden waar één blik volstond om me ervan te overtuigen dat tante Isabella volkomen gelijk had en dat we ons voortaan verre moesten houden van het ziekenhuis. De stank maakte me duizelig. Overvolle latrines, braaksel en erger. Ik dacht aan mijn tante, achterovergeleund tegen haar kussens met haar dienblaadje met thee en een zachtgekookt ei, de onophoudelijke excreties die moesten worden afgevoerd, en het leek alsof al deze zieke mannen – mijn hemel, het is een mannenzaal! – een weerzinwekkend verlengstuk van haar waren.

Hoewel er geen stemmen klonken, op een enkele kreet van de patiënten na, was er een hoop kabaal: open- en dichtslaande deuren, zwaar schoeisel op kale planken, drukke bewegingen op de verdieping erboven, klotsend water, rinkelende flessen. Op het eerste gezicht zag de zaal er keurig uit, met aan weerszijden een rij bedden, maar overal was viezigheid: smerige lakens en verbandrepen, instrumenten met vlekken, onverzorgde mannen van lage komaf. Mijn blik werd steeds weer naar die afschuwelijke blote borstkassen en armen toe getrokken, sommige behaard, andere bleek en met een weke huid. Een herinnering flitste door mijn hoofd – die geur, die walging, het schuldgevoel.

De verpleegsters gingen geroutineerd van bed naar bed om hun werk te doen, maar ze leken verveeld en onachtzaam. De patiënten werden lastiggevallen door vliegen en de hete zon scheen door de kapotte zonneschermen. Ondertussen liep Rosa onbevreesd naar een kort, dik verpleegstertje en stak haar hand uit (waarmee ze nog twee van tantes regels overtrad). 'Wij zijn vrienden van dokter Thewell. Ik heet Rosa Barr. Ik denk erover verpleegster te worden.' De verpleegster maakte een kleine knix en liep snel langs me heen. Ik merkte dat ze naar alcohol rook.

Rosa's welluidende stem deed enkele hoofden oprijzen van de kussens om haar heen. Ze liep zelfs naar het eerste bed, boog zich eroverheen en pakte de hand van de patiënt. 'Kan ik iets voor u doen?'

Vol schaamte en walging liep ik terug. Het was alsof ze midden in een toneelstuk op het podium was geklommen. Weer op mijn vertrouwde plaats onder aan de trap in de hal zag ik de wijzers een paar minuten verschuiven. Eindelijk voegde Rosa zich bij me. 'Ik was naar je op zoek, maar je was verdwenen.'

'We moeten ons niet opdringen.'

'We wachten op dokter Thewell, dat is geen opdringen. Als niemand interesse toonde, zou dit ziekenhuis helemaal geen geld hebben. Het is afhankelijk van particuliere donaties.'

'Maar jij geeft niets,' zei ik, wetend dat ze nooit geld had.

'Je weet maar nooit wat ik op een dag zal geven. Een van de verpleegsters vertelde me net dat er een nieuwe cholera-epidemie is uitgebroken en het ziet ernaar uit dat het ziekenhuis binnen korte tijd zal worden overspoeld door slachtoffers. Er zijn al vijf gevallen binnengebracht. Ze zegt dat ze heel snel meer verpleegsters nodig hebben.'

Cholera. De ene nachtmerrie volgde op de andere. Cholera.

Dan zouden we allemaal sterven. Mijn hoofd was warm en mijn botten voelden week. De uitwasemingen in dit ziekenhuis waren nu al schadelijk genoeg om me in een paar minuten van het leven te beroven, laat staan als er ook nog cholerapatiënten werden opgenomen. Visioenen van mijn sterfbed schoten door mijn hoofd, mijn moeder die haar werk lang genoeg terzijde legde om aan mijn bed te zitten en besmet te raken, daarna vader, tante en Rosa.

'We moeten hier onmiddellijk weg,' zei ik.

'Waarom?'

'Cholera is zeer besmettelijk. Dit is een noodsituatie en we moeten niet blijven rondhangen tot de ziekte ons ook vindt. Het is een zonde om problemen op te zoeken. Misschien nemen we wel cholera mee terug naar Clapham. Vooral je moeder is heel kwetsbaar nu ze zo ziek is.' Mijn stem piepte paniekerig. We hoorden thuis in de ochtendkamer te zitten om hagelwitte lakens voor de gouvernantes te zomen.

'In een ziekenhuis is altijd wel een of andere noodsituatie. Daarom wil ik hier juist zo graag werken. Ik wil me met mensen bezighouden op het moment in hun leven dat ze me het hardst nodig hebben.'

Op dat moment vlogen de deuren open en stormde een groep mensen naar binnen die een soort brancard droegen, gevolgd door een menigte toeschouwers en een vrouw met een baby van ongeveer een jaar op haar arm die hartverscheurend huilde. De groep nam ook een stroom warme lucht mee en de stank van de Londense straten. Niemand was fatsoenlijk gekleed; de boorden en zomen waren gerafeld en de lompen waren met touwen om hun lichaam gebonden. Rosa en ik werden steeds verder de trap op geduwd.

Op de brancard lag een jongen van ongeveer twaalf jaar. Zijn bovenlichaam was bedekt met een versleten hemd, zijn huid was groenig van kleur en zijn ogen waren opengesperd. Het ergste was dat zijn voeten bloot en vies waren en dat zijn lange nagels om zijn tenen krulden. Zijn rechterbroekspijp was weggeknipt waardoor een gruwelijke wond zichtbaar werd. Zijn dijbeen was gebroken en door het bloedende vlees stak een stuk puntig bot naar buiten. Dit alles nam ik waar in ongeveer twee seconden.

Ik wendde me af maar het was te laat, het beeld stond al op mijn netvlies gebrand.

Ik rukte aan Rosa's arm. 'We moeten hier weg.'

Ze wrong zich los en liep de trap verder op zodat ze over de hoofden heen kon kijken, en op dat moment verscheen Henry, formeel gekleed maar zonder hoed en handschoenen. Zodra ik hem zag maakte ik een beweging in zijn richting, maar hij leek ons niet eens op te merken. Hij vroeg de mensen om plaats te maken zodat hij bij de patiënt kon komen, gaf met zachte stem een ziekenbroeder opdracht om de groep weg te sturen en vroeg om een stoel voor de moeder van de jongen, een klein, deerniswekkend schepsel met een bolle buik en kromme schouders – te schriel om zo'n grote baby te dragen.

'Ik had hem weggestuurd om melk te halen,' zei ze. 'Hij moest en zou steeds naar de nieuwe rioolwerken. Ik heb hem keer op keer gewaarschuwd. Hij was altijd al veel te nieuwsgierig.'

Henry trok haar terzijde en ze stonden nu recht onder ons, bij de trapleuning. 'Hoe heet uw zoon?... Mevrouw Lee, ik vrees dat we geen andere mogelijkheid hebben dan het been van Tom af te zetten. In een dergelijk geval, als het bot het vlees heeft doorboord, is dat het enige wat we kunnen doen. Anders raakt de wond ontstoken en sterft hij aan gangreen.'

Het duurde even voordat ze begreep wat hij zei. De baby kronkelde zich in alle bochten, zijn mond een natte 'o' van ellende. 'Nee, nee, haal zijn been er niet af. O, nee, mijn arme jongen. Nee. Doe het niet. Hij rent zo graag.'

'Hij zal nog steeds kunnen rennen. We zullen een nieuw been voor hem maken.'

'Maar hij zal kreupel zijn. Wat kan hij dan nog? O god, als ik bedenk hoe hij me vanochtend hoorndol maakte met zijn heen en weer gestuif.'

Henry pakte met beide handen de hand van de vrouw. 'Mijn beste mevrouw Lee, laat hem niet zien dat u bang bent. U moet de kracht vinden om voor hem te zorgen.'

Hij keek haar in de ogen en hield haar hand stevig vast tot ze zich vermande en knikte. Henry strekte zijn armen uit en nam de baby over, die van verbazing stopte met huilen, terwijl de moeder zich over de brancard boog en het voorhoofd van haar

zoon kuste. Zijn ogen gingen open en hij zette het op een huilen.

'Ik zal voor uw zoon zorgen,' zei Henry. 'Dat beloof ik.' De
baby ging weer terug naar de moeder. Henry streek het haar van
de jongen glad en noemde zijn naam. Daarna knikte hij naar een
paar ziekenbroeders.

De moeder probeerde de brancard vast te grijpen toen hij werd
weggedragen, maar een verpleegster hield haar tegen. Ik merkte
dat ik met beide handen de trapleuning omklemde omdat ik Henry nog nooit zo teder had gezien als bij deze vrouw. Het leek
alsof hij de moeder en haar kinderen meer liefhad dan wat ook
ter wereld en hij ging zo goed om met de baby, dat deze was ge-
kalmeerd en in opperste concentratie met zijn horlogeketting had
zitten spelen. Mijn hart sloeg over bij de gedachte dat hij op een
dag zijn eigen kind zo vast zou houden.

Even wenste ik dat ik ook ziek was, dat ik aan zijn voeten kon
neervallen en dat hij me in zijn armen zou nemen, dat ik het licht
van zijn meelevende blik op me zou voelen.

Rosa pakte mijn arm. 'Kom mee. Kom.'

'Waar gaan we naartoe?'

'We moeten Henry volgen.'

'Maar dat kan niet. Je hoorde toch wat hij zei. Ze gaan die
jongen opereren.'

'Operaties zijn openbaar. Kom. Het is mijn droom om een
operatie te zien.' En we renden door de gang achter de brancard
en een groep jonge mannen aan.

Ik dacht dat er wel iemand zou zijn die ons zou tegenhouden,
dat ze ons nooit in de operatiezaal zouden toelaten, maar iedereen had zo'n haast dat ze ons niet leken op te merken. Er werd
gefluisterd dat Thewell zou proberen een record te vestigen door
de operatie binnen zeven minuten uit te voeren; de snelste amputatie boven de knie in de geschiedenis. Ik jammerde en mompelde: 'Nee, nee, nee,' maar in het gedrang werden we door een
lage deur geperst en plotseling bevonden we ons boven in de
operatiezaal en zagen we over de hoofden van de toeschouwers
heen een groepje mannen met lange jassen en het kind op de
draagbaar. In het gedrang werden we naar voren geduwd tot we
over de rand van de galerij hingen en een stem achter ons zei:

'Godzijdank zijn deze verpleegsters prettiger om naar te kijken dan de vorige…'

De hitte was ondraaglijk. De zon scheen volop naar binnen door een dakraam en de kamer stonk als een slachthuis. Ik zou zijn flauwgevallen als ik niet zo bang was geweest om naar beneden te vallen. Ik dwong mezelf diep adem te halen, afstand te nemen van Rosa, die ik op dat moment hartgrondig haatte omdat ze ons in deze situatie had gebracht en die nu gretig naar beneden tuurde.

Boven het geroezemoes uit klonk hoog gejammer. Henry had ergens een lange leren tas vandaan gehaald, die hij doorgaf aan een man achter hem. Toen liep hij naar de tafel, hief zijn armen op en trok ze in een cirkel naar achteren, alsof hij zwom. Het effect was dat de kring om de jongen wijder werd, waardoor het licht uit het dakraam volop op de jongen viel, en ik precies kon zien wat er gebeurde. De jongen steunde op zijn elleboog, alsof hij zou zijn weggerend als hij kon. Zijn broek was opengesneden en over zijn geslachtsdeel was achteloos een handdoek gegooid.

Niet kijken, Mariella, zei ik tegen mezelf. Niet doen. Als je het doet, vergeet je het nooit meer.

Maar natuurlijk kon ik het niet laten; ik moest kijken.

Langzamerhand werd het stil en het gehuil van het kind werd duidelijker hoorbaar – een snuffend gepiep, als van een jonge hond.

'Zo Tom, beste jongen.' Henry's stem klonk zacht en sussend. Ondertussen hield een andere dokter het hoofd van de jongen vast en druppelde bruine vloeistof tussen zijn lippen tot zijn blik wazig werd. Henry's assistent pakte de tas snel uit en legde de instrumenten een voor een uit het zicht, achter het hoofd van de patiënt. De polsen en de ongedeerde enkel van de jongen werden vastgebonden. Henry bleef de hele tijd praten, terwijl hij zijn mouwen oprolde en een paar keer zijn vingers kromde: 'Ik heb begrepen dat je met je vrienden haasje-over speelde bij de bouwplaats aan de Mile End Road? Wat een pech dat je zo'n smak hebt gemaakt. Ik heb iemand gevraagd om het stadsbestuur te vertellen dat er een schutting om dat terrein moet worden gebouwd. Ik hoop dat je moeder je niet al te hard aanpakt. Ze zit buiten. Je zult haar zo zien, en ik vrees dat je er dan flink van langs krijgt. Oké, Tom, ik wil dat je naar de ogen van deze meneer hier kijkt, goed? Weet je dat hij ook Thomas heet...'

Het gezoem van de vliegen, de ruwe kreten van buiten, de gruwelijkheid van deze plek werden naar de achtergrond gedrongen door het besef van wat ik zo meteen zou gaan zien. Lieve god, lieve god, dacht ik, die jongen weet niet wat hem te wachten staat.

Henry sprak nu tegen zijn collega's op een onverschillige toon die ik nooit eerder had gehoord. 'Ik vraag me af of iemand me kan vertellen waarom ik bij deze patiënt geen chloroform gebruik.'

Stilte. Tom jammerde. Iemand zei: 'Te jong, meneer.'

'Precies. Het is heel moeilijk om zo'n klein kind een veilige dosis te geven. Goed. Zijn we er klaar voor?' Er hing spanning in de lucht toen Henry zijn hoofd optilde en om zich heen keek; ik voelde duidelijk zijn scherpe blik op mij en daarna op Rosa, en voordat ik mijn gezicht wegdraaide zag ik dat hij een wenkbrauw een klein stukje optrok.

'Start de klok,' zei hij en trok de handdoek weg. Hij legde twee vingers op de slagader in de lies van het kind, stak zijn hand uit waarin een glanzend instrument werd gelegd, wachtte even tot iemand met zijn voet een emmer dichter bij de tafel had geduwd, en verzonk toen in diepe concentratie. Ik werd draaierig en gleed tegen Rosa aan. Ik dacht aan de moeder van de jongen, die haar zoon erop uit had gestuurd om melk te halen. Toen ik weer keek stonden de assistenten van Henry over de jongen gebogen en kon ik niets zien, maar ik hoorde een geluid dat alle kracht uit mijn benen deed verdwijnen. Het kon alleen maar versplinterend bot zijn. En daarna een hoge doodskreet. Er viel een griezelige stilte, de mannen op de galerij kwamen nog dichter om ons heen staan en Henry zei emotieloos: 'Het belangrijkste is om zo snel mogelijk de ader af te binden, bloedverlies is het grootste gevaar...'

Naderhand werd ik door Rosa naar de gang gesleept, waar ze me tegen een muur zette en met haar arm de mijne ondersteunde.

Door een waas van duizeligheid hoorde ik Henry's stem: '...

deze twee vrouwen hier doen. Buitengewoon ongepast... concentratieverlies.'

Toen stond hij recht voor ons, een zwarte pilaar die naar bloed rook. Ik ging rechtop staan en werd me ervan bewust dat hij mijn hand had gepakt, hoewel zijn vingers nauwelijks de mijne raakten. Zijn stem was zo kil dat ik hem nauwelijks herkende. 'Mariella. Miss Barr. Ik was volkomen vergeten dat ik vanochtend een afspraak met jullie had. Vergeef me. Zoals jullie zien was er een noodgeval. Helaas zijn jullie op een verkeerd moment gekomen. Misschien kunnen we jullie op een andere dag een uitgebreidere rondleiding door het ziekenhuis geven.'

'Dank u wel,' zei Rosa, 'maar ik wil geen rondleiding. Ik wil me nuttig maken.'

'Dat herinner ik me nog. Nou, ik ben blij het te horen. Er zijn te weinig dames die zich betrokken voelen bij ons werk hier.'

Hij liep weg, maar haar stem riep hem na: 'Ik wil graag meer dan me betrokken voelen, dokter Thewell. Zoals ik al zei, wil ik hier werken. Zeg me wat ik daarvoor moet doen.'

'Juist,' zei Henry kortaf. 'De kapel is dichtbij. Daar is het koeler en ik zal wat water laten brengen voor miss Lingwood. Maar ik heb maar een paar minuten tijd.'

Gelukkig was de kapel leeg en hij zag eruit als een gewone kerk met een galerij en pilaren. Hij rook zelfs naar pleisterwerk en bloemen. Ik zonk neer op een kerkbank en deed net of ik een slokje nam – ik zou hier geen druppel van welke vloeistof dan ook tot me nemen. Op mijn witte handschoen zat een bruinige veeg. Ongetwijfeld bloed, afkomstig van Henry's hand.

'Wat gaat er met de jongen gebeuren?' vroeg Rosa.

'Waarschijnlijk overleeft hij het, maar dat staat nog geenszins vast. Shock, bloedverlies, een infectie, of misschien wel alle drie, kunnen hem fataal worden.'

'Het klinkt alsof het je niets kan schelen. Het leek zelfs alsof je meer bezig was met het verbreken van een record dan met het redden van de jongen. Is het eigenlijk niet zo dat je geen chloroform gebruikte omdat dat tijd zou kosten?'

Zelfs in mijn benevelde toestand merkte ik dat Henry nog lang niet zichzelf was. Hij was heel bleek en zijn ogen, die zo warm hadden geglimlacht naar de patiënt en diens moeder, waren nu leeg. 'Het is waar dat sommige onnadenkende dokters in dit geval misschien chloroform zouden hebben gebruikt, maar dat is nog niet zo vaak gedaan en de laatste op wie ik wil experimenteren is een jonge jongen die al in shock verkeert. Maar ik kan u verzekeren dat mijn collega's en ik bij alle beslissingen die we hebben genomen, het welzijn van de patiënt boven alles stelden.' Hij zweeg even. 'Maar ik moet zeggen dat ik verbijsterd was jullie in de zaal te zien.'

Van alles wat ik die ochtend had meegemaakt, vond ik het besef dat Henry boos op me was het ergst. Rosa daarentegen, was onverstoorbaar. 'Waarom? We zijn alleen maar achter je aan gelopen.'

'Jullie aanwezigheid leidde me af. Operaties zijn besloten aangelegenheden en studenten mogen alleen aanwezig zijn met toestemming van de chirurg.'

'Ik wilde zien of ik ertegen kon. Als ik hier een opleiding wil...'

'Ik dacht niet zozeer aan u, miss Barr, als wel aan de patiënt. En Mariella. Kijk dan, ze voelt zich niet goed, zoals mag worden verwacht van een dame. Het was wreed om haar hieraan bloot te stellen. Ik vraag me af wat uw motieven zijn.'

'Mijn motieven?'

'Weet u zeker dat u niet alleen uit was op sensatie?'

'Hoe durft u?' Ook zij was bleek en haar stem klonk laag en geëmotioneerd. 'Ik neem aan dat u boos bent omdat u niet wilt dat wij vrouwen getuige zijn van dingen die u al tientallen keren hebt gezien. Hoe had u geweten dat u dokter wilde worden, als u niet eerst andere dokters aan het werk had gezien?'

'Ik heb de aangewezen procedures doorlopen; ik heb jaren gestudeerd en mijn plaats in de operatiezaal verworven door mijn werk met patiënten en mijn kennis van anatomie.'

'En ik dan? Ik wil ook de aangewezen procedures doorlopen, maar voor vrouwen die geïnteresseerd zijn in geneeskunde zijn die er niet. Hoe zal ik ooit weten of het ziekenhuis mijn roeping is als ik het slechtste en het beste wat het werk te bieden heeft niet mag zien?'

Ze staarden elkaar aan. Het leek alsof geen van beiden zich gewonnen wilde geven door de blik af te wenden. 'Er is geen antwoord op wat u zegt,' zei Henry uiteindelijk, 'behalve twee dingen. Ten eerste kan ik me niet aan de indruk onttrekken dat u misbruik heeft gemaakt van het feit dat u mij kent. Toen ik u uitnodigde naar het ziekenhuis te komen, gaf ik u daarmee geenszins toestemming om de zalen binnen te gaan die voor het publiek gesloten zijn. Ten tweede werd de operatie uitgevoerd op een kind dat misschien zal sterven. In het beste geval gaat hij door het leven als een lamme. Ieders aandacht had op het kind gericht moeten zijn. Op dat moment draaide het niet om de vraag of u er wel of niet tegen kunt om een operatie bij te wonen, het ging om wat het beste was voor het kind. Daarom stel ik voor dat we uitgebreid bespreken hoe u stap voor stap kennis kunt maken met het werk in een ziekenhuis op een manier die voor alle partijen het beste is. Kom langs bij mijn kliniek, als u wilt, dan zal ik u uitleggen hoe u van nut kunt zijn. Maar alstublieft, alles op zijn tijd. Het is een kwestie van respect.'

Ze bleef hem aanstaren en ik verwachtte dat ze weer tegenwerpingen zou maken, maar ze zei niets meer.

'Goed, ik zal u naar de koets vergezellen,' zei hij terwijl hij de deur voor ons openhield.

In stilte liepen we door de akelige gangen, en alle drie waren we ver verwijderd van de anderen. Het gebouw boezemde me afkeer in met zijn echoënde kreten en haastige voeten. Bij iedere inademing leek mijn neus zich te vullen met de stank van ziekte. Ik kende Henry niet zoals hij hier was en toen hij zijn hand uitstak om me in de koets te helpen, raakte mijn handschoen nauwelijks zijn vingers.

13

Zwijgend zaten Rosa en ik in de koets, naast elkaar zodat we elkaars gezicht niet konden zien achter de rand van onze bonnets. De schok van wat er was gebeurd voelde eerst als iets wat van buitenaf kwam, als een klap in mijn maag, maar geleidelijk aan vulde het mijn hele lichaam. Ik werd misselijk en alles deed pijn. Alle hoop was vervlogen. Met onze aanwezigheid bij de operatie hadden we Henry vernederd in bijzijn van zijn collega's; hij zou worden uitgelachen omdat hij in het ziekenhuis was achtervolgd door een paar vrouwen. We hadden al zijn kansen op een promotie tenietgedaan. O, de schande, de schande. Ik drukte mijn hand tegen mijn mond en hield mijn ogen stijf dicht om het leed uit te wissen.

Op het moment dat we te midden van het verkeer op Clapham Road opnieuw tot stilstand kwamen, zei Rosa: 'Ik denk dat jouw Henry in feite geen vrouwen in zijn ziekenhuis wil. En ik begrijp wel waarom. Hij zou niet weten hoe hij zich tegenover een vrouw moet gedragen in dat mannenbolwerk. Alles zou anders worden.'

Buiten de koets begonnen twee honden een woest gevecht en al snel mengden hun bazen zich erin. De koets schommelde een beetje doordat het paard nerveus werd.

'Nou?' zei ze. 'Wat denk jij, Mariella? Is je Henry over te halen? Ik bedoel, als ik niet verder kom met iemand die ik ken, hoeveel kans maak ik dan om door te breken in de wereld van

de geneeskunde? Ik kan niet te lang meer wachten. Ik ben al vierentwintig. Misschien moet ik maar overwegen op de school van
Barbara te gaan werken, als ze me wil hebben. Maar is lesgeven
wel echt wat ik wil?'

Uiteindelijk zei ik zachtjes: 'Het zou natuurlijk dom zijn om
te beginnen aan iets wat je niet kunt afmaken. Waarschijnlijk ga
je snel terug naar huis.'

'Naar huis? Hoe bedoel je? Ik heb geen thuis, behalve bij jou.
Ik zou het niet kunnen verdragen om terug te gaan naar Stukeley. Bovendien weet ik tamelijk zeker dat Horatio niet van zins
is ons daar onderdak te verschaffen. Hij zou ons liever wegstop-
pen in een hutje op het platteland en ons daar laten verhongeren.'

Ik vroeg me af of ik het nog een halfuur met haar in de koets
zou kunnen uithouden. Was ze zo verblind door haar ambitie dat
ze mijn pijn niet zag? We stonden nog steeds stil en de zon brandde op het dak. Uiteindelijk zei ik: 'Ik houd het niet uit. Ik loop
naar huis.'

'Goed idee. Ik ga met je mee.'

'Nee. Alleen. Alsjeblieft.' Ik frunnikte aan het slot, maar ze
hield me tegen.

'Mariella.'

'Nee.' Ik sloeg haar hand van mijn arm.

'Mariella.'

'Alsjeblieft, praat niet tegen me.'

'Ik begrijp het niet. Zo heb ik je nog nooit gezien. Waarom
ben je boos?'

Op dat moment schoot de koets naar voren en viel ik terug
op de bank. Ik voelde zoveel woede en verdriet dat ik geen woorden meer kon vinden, dus reden we de rest van de weg in stilte
en toen we thuis waren, liep Rosa meteen naar haar eigen kamer – de kamer die oorspronkelijk voor haar was bedoeld – en
deed de deur achter zich dicht.

Ik wilde niets eten maar trok mijn kleren uit en vroeg Ruth
warm water te halen voor een bad. Daarna droeg ik haar op mijn
handschoenen te verbranden, mijn rokken te wassen, mijn laarzen te behandelen met carbolzeep, ook de zolen, en mijn onderkleding uit te koken en te bleken. Het maakte niet uit of al-

les kromp of verkleurde; dat was een risico dat ik moest aanvaarden. Vervolgens stapte ik in bad en schrobde me van top tot teen grondig schoon, hoewel de aanraking van mijn eigen lichaam me deed walgen. Ik zag mezelf als een rommelig bundeltje organen die op ieder moment ziek konden worden. De geur van het ziekenhuis zat nog in mijn neusgaten en ik stelde me voor dat hij zich als een inktvlek in mijn lichaam uitbreidde, tot hij iedere cel was binnengedrongen.

Mijn dijen waren zwaar van de herinnering aan het ontblote kruis van de jongen. Hij en de patiënten in de zaal deden me meer denken aan de karkassen van varkens die buiten de slagerswinkels hingen dan aan menselijke wezens.

Toen dacht ik aan de afstandelijkheid in Henry's aanraking toen hij ons de koets in hielp. Hij was een andere man dan degene die mijn lippen had gekust. Zo formeel, zo koud. Ik bond mijn natte haar in een strakke knot en trok een lichte jurk van mousseline aan, terwijl ik ervoor waakte in de spiegel een blik op te vangen van mijn geschrobde gezicht. Zo zal ik voortaan leven, dacht ik: onaangeraakt, onaanraakbaar.

Ik liep naar beneden en ging bij moeder en tante in de voorkamer zitten, waar de blinden omlaag waren getrokken om het zonlicht tegen te houden. Hoewel er een lichte tochtstroom van de deur naar het raam liep, was het heel warm. Er tikte een vlieg tegen het glas. Ik was bezig feesthoedjes te maken voor de gouvernantes; eind september zou het tehuis eindelijk worden geopend.

Natuurlijk toonde tante een morbide nieuwsgierigheid voor het ziekenhuis, dus ik vertelde haar dat ik onder de indruk was van de bouw en de waardige stilte in de kapel. Het weinige wat ik van de zalen had gezien, had mij gesterkt in mijn mening dat de mensen die daar werkten over een sterk gestel moesten beschikken. Om Rosa's afwezigheid te verklaren zei ik dat ze waarschijnlijk hoofdpijn had door de hitte.

'Ik hoop dat jij niet ook hoofdpijn krijgt, Mariella. Je ziet zo bleek,' zei moeder.

'Nou, misschien is Rosa er nu eindelijk van overtuigd dat een ziekenhuis geen plaats is voor een dame,' zei Isabella. 'Wat denk je, Mariella?'

Ik zei niets.

'Denk je dat ze er nog een keer naartoe wil?'

'Ik weet het niet, tante, maar het lijkt me niet verstandig om terug te gaan. Er ging een gerucht over cholera.'

Grote opschudding. Zelfs moeder legde haar pen neer, terwijl tante ophield met doen alsof ze aan het werk was en zichzelf driftig koelte toewuifde met haar waaier. 'Het komt door de Indiërs,' zei ze, 'we liepen nooit gevaar tot de Indiërs ons die afschuwelijke ziekte gaven.'

'Philip zei dat onze soldaten in Varna er ook mee te maken hebben,' zei moeder. 'Ik begrijp niet hoe die ziekte zowel hier als helemaal in Bulgarije terecht is gekomen. Hebben de mannen haar meegenomen? Is er geen geneesmiddel?'

'Dat weet ik niet,' zei ik. 'Henry vertelde me ooit dat een collega van hem ervan overtuigd is dat het iets te maken heeft met vervuild water.' Zo, ik had heel rustig zijn naam uitgesproken en op dat moment dacht ik echt dat ik hem weg kon laten stromen op de trage rivier van mijn nieuwe hopeloosheid.

'Onzin. Slecht eten, slechte lucht, vieze mensen – iedereen weet dat dat de oorzaken zijn van cholera. Eigenlijk alle redenen waarom ik niet wilde dat je in de buurt van dat ziekenhuis kwam,' zei Isabella. 'Dat is dan duidelijk. Van nu af aan verlies ik Rosa niet meer uit het oog. Ik zal niet meer luisteren naar haar argumenten. Lieve hemel, als zij doodgaat, wat moet ik dan?'

De hele eindeloze middag lang schoten herinneringen aan het ziekenhuis door mijn hoofd, hoezeer ik ook probeerde ze op afstand te houden door me volledig te concentreren op de kanten versiering van een kapje dat ik aan het naaien was, op de deinende schaduwen op het venster en op de manier waarop moeder tijdens haar werk met haar tanden knarste.

Vader was die avond naar een vergadering van de plaatselijke Vereniging ter Bevordering van de Kunsten, Industrie en Commercie, waarvan hij voorzitter was. Dat was jammer, want het betekende dat tijdens het diner het ziekenhuis het enige gespreksonderwerp was. Rosa kwam laat beneden in haar soberste zwarte jurk, haar haar losjes met een lint omwikkeld. Ze zag er slecht uit, haar lip trilde, ze at maar twee happen en liet zich niet overhalen te vertellen wat ze had gezien. Het enige wat ze zei was dat ze het bezoek aan de zieken precies zo aangrijpend had gevonden als ze had verwacht.

Het gevolg van haar gedrag was dat alle ogen op haar gericht waren. Tante Isabella herhaalde verschillende keren dat als er maar naar haar was geluisterd, het bezoek aan het ziekenhuis helemaal niet had plaatsgevonden, en dat de kans groot was dat Rosa binnen een week zou sterven aan cholera. 'Ik ben dit jaar al helemaal uitgewrongen door de dood van mijn arme echtgenoot en nu zal ik ook nog een dochter verliezen. Ik begrijp echt niet wat ik heb gedaan om zoveel ellende te verdienen.'

'Rosa is nog niet dood,' zei moeder.

'Het is afschuwelijk om je enige kind te overleven.'

Net als Rosa had ik geen honger, maar anders dan zij wilde ik voorkomen dat ik de aandacht op me zou vestigen dus nam ik de ene hap na de andere – het hadden net zo goed happen zand kunnen zijn.

Na het eten verkondigde tante dat ze te uitgeput was om aan werken te denken, dus doezelde ze weg op de sofa terwijl moeder nog een brief schreef waarin ze een ver familielid vroeg om financiële steun voor de vervanging van de gasleidingen in het tehuis. Rosa zat aan de piano en speelde de openingsmaten van Mozarts Sonate in A. Ze speelde zelden in gezelschap, maar als ze dat deed was het met passie en helderheid, hoewel ik haar nog nooit een stuk af had horen maken. Ik nam mijn naaiwerk mee naar het terras waar ik dacht alleen te kunnen zijn.

Het was al laat op de avond maar de lucht was nog steeds warm; lage zonnestralen trilden op het gazon, een wolk parfum rees op uit de rozen en vogelgezang klonk in de verstilde lucht. Ik pakte het ene na het andere slaapmutsje van de stapel en naaide er witte linten aan, maar mijn hoofd kwam niet tot rust; de gebeurtenissen in de kapel bleven maar door mijn hoofd malen.

Na een paar minuten stopte de muziek en kwam Rosa naar buiten. 'Vind je het goed? Ik zal mijn mond houden.'

Ik knikte onwillig en ze ging naast me zitten, staarde een paar minuten de tuin in en begon daarna aantekeningen te maken in een opschrijfboek dat ik haar nooit eerder had zien gebruiken. Haar zwijgzaamheid was zo ongebruikelijk dat de lucht tussen ons zwaarder was dan als ze me had lastiggevallen met onophoudelijk geklets. Ik was me bewust van het zachte geluid van haar hand die over het papier gleed en van haar haar dat als een sluier voor haar gezicht hing. .

De rijzende maan wierp een strook parelachtig licht op de populieren die onze tuin afbakenden.

Toen besefte ik dat ze, net als ik, met haar gedachten elders zat: we wachtten allebei op Henry. Ik wist zeker dat hij zou komen, ook al bracht hij ons nooit onverwacht een bezoek. Het besef dat hij onderweg was werd sterker en sterker tot ik onwillekeurig eens per minuut van mijn werk opkeek om te zien of hij er was.

We hoorden zachtjes de deurbel, daarna niets tot Henry tussen de openslaande deuren verscheen, gekleed in een zomervest dat ik nog nooit had gezien, zijn vochtige haar op zijn voorhoofd geplakt en zijn jasje over zijn schouder. Hij zag nog steeds heel bleek en ik kende de blik in zijn ogen van de eerste keer dat hij ons huis binnenliep: het was de angst dat iemand zijn privéleven zou binnendringen.

Rosa sprong overeind, met haar opschrijfboek tegen haar borst geklemd, en deed een paar stappen naar achteren terwijl ik Henry mijn hand aanreikte. Hij kneep er liefdevol in en glimlachte naar me. 'Gaat het weer beter met je, Ella? Ben je hersteld?' Ja, hij had me vergeven. Het was voorbij. Ik was zo opgelucht dat ik meteen moest gaan zitten om mijn tranen te verbergen. Ondertussen stak hij zijn hand uit naar Rosa. 'Miss Barr.'

Ze zei niets maar liet haar hand in de zijne glijden en ging vervolgens zo ver mogelijk bij ons vandaan zitten, waar ze half afgewend verderging met schrijven.

Henry wuifde zich met een van de slaapmutsjes koelte toe. 'Ik dacht dat je wel wilde weten dat de operatie een succes was, tot nu toe. De jongen leeft nog, al weet ik niet hoe lang. Hij heeft hoge koorts. We kunnen nu alleen maar hopen.' Hij was weer zichzelf en ik stond versteld van zijn edelmoedigheid, van het feit dat hij zo vriendelijk tegen ons deed terwijl we zijn wereld waren binnengedrongen.

'Denk je dan dat hij toch nog kan sterven?' vroeg ik.

'Ik vrees dat die kans groot is. Bij zo'n jong kind verspreiden infecties zich snel. Maar als hij gezond is, kan hij terugvechten. Er hangt veel af van zijn gemoedstoestand.'

'Wat afschuwelijk dat zo'n onbeduidend voorval hem misschien wel zijn leven kost. Is er geen andere methode om een gebroken arm of been te behandelen dan amputatie?'

'Nou, op dat punt verschil ik van mening met een deel van mijn collega's, die al bij een simpele kneuzing kiezen voor amputatie. Van mijn reizen naar het buitenland heb ik geleerd dat je ledematen kunt behouden als je het bot zorgvuldig zet en de wond goed verbindt, zolang er maar geen infectie ontstaat. Maar als het bot door het vlees naar buiten steekt, zoals bij Tom, is amputatie het enige middel. Maar Mariella, het is zo'n mooie avond en ik heb de hele dag opgesloten gezeten in het ziekenhuis. Willen jij en Rosa misschien met mij meelopen naar de wildernis?'

Ik stond op en we wachtten samen op Rosa. Ik dacht dat ze zou weigeren; ik wenste vurig dat ze door zou gaan met schrijven, maar uiteindelijk zuchtte ze en legde haar potlood tussen de bladzijden van haar opschrijfboek. 'Ik schrijf al mijn activiteiten op die je met wat goede wil als medisch zou kunnen beschouwen,' zei ze. 'Dat is mijn armzalige poging tot een vorm van georganiseerde studie.'

Ik nam Henry's arm terwijl Rosa voor ons uit liep, haar handen op haar rug en de zoom van haar rok slepend over het pad. Toen we uit de schaduw kwamen, kleurde het zonlicht haar haar, dat zich had losgemaakt uit het lint en tot op haar middel hing, goud. We doken onder de rozenboog door en staken het gazon over naar de wildernis waar de azalea's stonden, die hun beste tijd ver achter zich hadden gelaten en naar bederf roken. Rosa liep slingerend over het pad en streek met haar hand langs de laaghangende takken. Een losse bloem dwarrelde van een jasmijnstruik en bleef in haar haar steken.

'Miss Barr,' zei Henry, 'ik heb navraag gedaan. Het lijkt erop dat er inderdaad vrijwilligers nodig zullen zijn in het ziekenhuis als er een cholera-epidemie uitbreekt.'

Ze draaide zich niet om. 'Ik ben toch zeker niet geschikt voor dat werk. Ik heb geen enkele ervaring.'

'Je zou een opleiding kunnen krijgen. Maar ik moet je waarschuwen, het is gevaarlijk werk.'

'O, dus het is niet geschikt voor een vrouw.'

Ze sprak zo kortaf dat ik vond dat hij alle recht had om boos te zijn, maar hij zei rustig: 'Voor sommige vrouwen wel. Ik sta gedeeltelijk aan uw kant, miss Barr, geloof me. Hoewel ik van mening ben dat de geneeskunde, dat zo'n lang bestaand beroep is, waarschijnlijk beter een mannelijke aangelegenheid kan blijven, heb ik zelf gezien dat bij sommige vrouwen het verplegen in het bloed zit en dat we de verzorging van de patiënten aanzienlijk zouden kunnen verbeteren als er meer opgeleide vrouwen zouden zijn die de leiding hadden over de ziekenboegen. Een van die vrouwen is Mrs. Wardroper in het Sint-Thomas Hospitaal, die een fantastische ploeg verpleegsters leidt.'

'Hoe dan ook,' zei Rosa, 'er is geen sprake van dat ik mijn droom kan waarmaken. Mijn moeder zal nooit toestaan dat ik op een cholera-afdeling ga werken, of op welke afdeling dan ook.'

'Dat is begrijpelijk. Gezien de kans op een besmetting is het misschien het beste dat werk over te laten aan mensen die geen familiebanden hebben.'

'Is het dan zo,' vroeg ze verbitterd, 'dat geen van de dokters die deze patiënten behandelen, familiebanden hebben? Of vindt u dat het er niet echt toe doet of die verpleegsters besmet raken omdat ze uit zo'n lage klasse komen?'

'Dat vind ik zeker niet, miss Barr. Ik heb heel veel respect voor verpleegsters, zoals ik al zei.'

Plotseling draaide ze zich naar hem om. 'Maar voor mij kunt u geen enkel respect hebben.'

'Integendeel...'

In haar stem klonken nu tranen door. 'U zult me wel een egoïstisch heethoofd vinden.'

'Nee.'

'U had gelijk. Het was allemaal mijn schuld, want ik dacht alleen aan mezelf toen ik vandaag naar het ziekenhuis ging. Dat komt alleen maar omdat ik zo lang heb gewacht. Maar dat is geen excuus. Ik had me niet zo mogen gedragen.'

'Het was voor ons allemaal een moeilijk moment. In zulke omstandigheden kan niemand helder denken.'

Haar hoofd maakte een rukje naar achteren, op haar onderste ooglid vormde zich een traan en ze perste haar lippen op elkaar om zich goed te houden. 'Hoe het ook zij,' zei ze, 'neem het Mariella niet kwalijk. Ik heb haar gedwongen met mij mee te gaan.'

'Alsof ik Mariella ooit iets kwalijk zou kunnen nemen.' We lachten allemaal en toen we verder liepen stak Rosa haar arm door de mijne zodat ik aan beide kanten werd ondersteund. We moesten tegen elkaar aan lopen op het smalle pad, tot we weer op het gazon waren.

'Het punt is,' zei Henry, 'dat ik veel aan mijn hoofd heb. Bijvoorbeeld de lezing volgende week, waarvan ik weet dat ik er veel vijanden mee zal maken. Verder gaat het niet goed met het leger. De soldaten zitten al zo lang in Varna dat ook daar cholera is uitgebroken. Misschien komt er een epidemie en natuurlijk zijn we daar niet op voorbereid.'

'Hoe zou dat ook kunnen?' zei ik. 'Je werd daarheen gezonden om te onderzoeken hoe de situatie was voor gewonde soldaten, niet voor zieken.'

'En toch zijn er precedenten,' zei Henry. 'Nadien heb ik de boeken erop nageslagen. Er sterven veel soldaten aan tyfus en andere ziekten. We hebben het kortgeleden nog zien gebeuren in India. We weten dat cholera de plaag van deze eeuw is en dat de ziekte zich overal zal verspreiden waar grote groepen mensen zijn die dezelfde lucht inademen. Toch heb ik het gevaar niet voorzien omdat ik me gewoon niet kon voorstellen hoe het moet zijn als duizenden mannen met warm weer dicht op elkaar hun kamp opslaan. Misschien was ik daarom wel zo boos vandaag. Het kwam niet zozeer door jullie, als wel door bezorgdheid en frustratie omdat ik niet vooruit heb gedacht. Het spijt me ten zeerste dat jullie het onschuldige mikpunt waren van mijn woede op mezelf.'

'U bent te vriendelijk,' zei Rosa. In haar ogen blonken nog steeds tranen. Ze ging een eindje bij ons vandaan staan, haar kin opgeheven en haar gezicht half afgewend. 'De waarheid is dat Mariella de laatste is die ik wil kwetsen, en nu heb ik haar willens en wetens iets afschuwelijks laten doormaken.'

Ik was niet gewend om boos te zijn op iemand, laat staan op haar, en nu het voorbij was voelde het alsof zware ketenen van mijn hart waren weggevallen. Mijn lichaam vulde zich met warmte en licht toen ze mijn hand kuste en de palm tegen haar natte wang legde.

Henry's blik was op onze samengevouwen handen gericht. 'Misschien moeten we je medische scholing beginnen met kleine stappen, miss Barr. Mijn lezing over experimenten die dokter Semmelweiss in Pest uitvoert kan een begin zijn. Ik hoop dat u wilt komen.'

'Natuurlijk, als dat mag. Als Ella ook komt.'

'O, ik weet zeker dat ze dat zal doen. En ik hoop dat oom Philip er ook bij is. Volksgezondheid is een thema dat van groot belang is voor bouwers.'

Tegen de tijd dat we bij het huis kwamen, waren Rosa en hij zo druk aan het praten over de verspreiding van ziekte onder de armen, dat het leek alsof de gebeurtenissen van die ochtend nooit hadden plaatsgevonden. Of eigenlijk alsof het incident niet voor verwijdering had gezorgd, maar juist hun verstandhouding had verbeterd. Toen we in de salon kwamen, ging Henry naast me zitten terwijl Rosa zich opkrulde op de sofa en haar hoofd op de schouder van haar moeder legde.

'Ik hoop dat je geen kou hebt gevat in die vochtige tuin,' zei Isabella.

Rosa gaf haar een kus. 'Het is niet vochtig. Het is een prachtige avond.'

'Ga boven een sjaal halen, Rosa, je hand is steenkoud.'

'Ik heb het niet koud. Jóuw hand is heel warm. Maar als het je geruststelt, zal ik een sjaal omdoen.' Ze vloog de kamer uit en kwam terug met een vreemde doek van zijde en kant, die als een spinnenweb om haar schouders lag en zich vermengde met haar krullen.

Toen het voor Henry tijd was om te vertrekken, kuste hij alle dames de hand. Tegen Rosa zei hij: 'Miss Barr, sta me toe.' En hij tilde een van haar lokken op, plukte het witte bloemetje eruit dat daar was blijven steken en reikte het haar plechtig aan.

Ik liep met hem naar de deur waar hij met beide handen mijn hand pakte. Toen hield hij me in zijn armen en streek over mijn haar. Mijn gezicht nestelde zich in de warme ruimte onder zijn kin, mijn oor lag tegen zijn boord en de pijn in mijn hart vloeide weg. We lachten toen hij me eindelijk losliet, waarna hij me nog één keer tegen zich aan trok.

14

DE DAG NA HET INCIDENT IN HET ZIEKENHUIS WAS TANTE ISABELLA
te ziek om uit bed te komen en opnieuw werd de dokter gebeld.
Hij vertelde ons dat ze een ernstige terugval had met een onregelmatige hartslag en een mogelijk fatale slapte van de ledematen
tot gevolg. Haar enige hoop was bedrust en constante verzorging, dag en nacht. Blijkbaar was voor iemand met zo'n zwak
gestel de dreiging van cholera bijna even slopend als de ziekte
zelf.

We waakten bij toerbeurt bij de patiënt, zodat Nora, de Ierse
verpleegster, tijd had om te slapen of een frisse neus te halen. Zij
en ik praatten zelden omdat ze me een onbehaaglijk gevoel gaf,
met haar geur van muffe lakens, haar fletse, waakzame ogen en
haar houding, die uitstraalde dat er altijd meer in haar hoofd omging dan ze zei. Haar functie als privéverpleegster van tante Isabella verleende haar een andere status dan de andere bedienden,
en ik wist niet goed hoe ik me tegenover haar moest gedragen.
Moeder behandelde haar met bijna net zoveel eerbied als de dokter, terwijl Rosa haar meer leek te beschouwen als een familielid dan als personeel. Soms dronken ze zelfs samen thee.

'Ik ken Nora tenslotte al acht jaar,' zei ze. 'Ze was vaak de enige vriendin die ik in Stukeley had.'

'Vriendin?'

'Jazeker. Ze was altijd heel goed voor me. En volkomen loyaal aan ons gezin, ook al heeft ze daar geen reden toe; integen-

deel zelfs. Je hebt geen idee hoe afhankelijk we van haar waren. En ik respecteer haar als professioneel verpleegster, wat ik tenslotte ook wil worden.'

Op een middag nam Rosa deze Nora McCormack mee op een uitstapje naar het Crystal Palace in Sydenham, mij alleen achterlatend in de kamer van de zieken waar ik in het raam monogrammen zat te borduren in een stapel handdoeken. Ik durfde nauwelijks een losse draad af te knippen uit angst mijn tante te storen. De strook licht die door de halfdichte gordijnen viel, gaf de kamer een sombere aanblik, hoewel ik deze slaapkamer, met zijn karmozijnrode behang en luxueuze leunstoelen, altijd de stijlvolste van het huis had gevonden. Toen mijn patiënt om water vroeg, sprong ik overeind, als de dood dat ik iets verkeerd zou doen. Ik ondersteunde haar gloeiende rug, zodat ze kon drinken, trok de gordijnen iets verder open zodat er wat meer lucht naar binnen viel en depte haar gezicht met lavendelwater.

'Je hebt een zachte hand,' zuchtte ze. 'Soms is Rosa zo ongeduldig dat ze me nat spat. Iets lager, lieverd, mijn keel.'

Ik had nog nooit zulke grote stukken huid gezien of een reden gehad om een ander lichaam aan te raken. Terwijl ik haar tegen de kussens omhoogtrok, streken mijn knokkels langs haar borst en dat was meer lichamelijk contact dan ik ooit met iemand anders had gehad, op Rosa na.

Ik had een hekel aan de ziekenkamer. Tante gaf commentaar op ieder geluid in huis en iedere beweging die ik maakte. Er moest altijd iets worden gedaan: ze had last van een vlieg... Ze wilde wat suikerwater... Wist ik wanneer ze de dokter kon verwachten?... Misschien kon ik wat voorlezen uit Tennyson, als het niet te veel moeite was... In Stukeley was er altijd een voorraad ijskoud water maar in Londen was dat waarschijnlijk moeilijker te krijgen... Waar was Rosa?

'Ik weet zeker dat ze thuiskomt voor het diner. Ze is uit met Nora.'

'En waar is mijn zuster dan?'

'Moeder is naar Mrs. Hardcastle.'

'En als het nou slechter met me gaat? O, ik voel me zo ellendig en alleen.'

'Ik ben er toch.'

Ze draaide haar hoofd op het kussen. 'Ik zal proberen te slapen tot Rosa terugkeert. Wat is het afschuwelijk warm. Ik moet steeds aan mijn kamer in Stukeley denken, waar het altijd zo koel was... Als je me een paar minuten koelte zou willen toewuiven, Mariella, val ik misschien weer in slaap.'

We konden die zomer niet eens naar Broadstairs omdat tante Isabella te ziek was om te reizen, en we vonden het onaardig om haar en Rosa alleen te laten in Fosse House. Vader had het druk met een nieuwe commissie, de Verenigde Commissie voor de Riolering, die een hygiënischer, moderner rioolstelsel wilde aanleggen in Londen. Ondertussen was moeder de wanhoop nabij omdat de opening van het tehuis opnieuw was uitgesteld vanwege twee nieuwe rampen. De eerste was dat niemand met gezond verstand fragiele oude dametjes zou aanmoedigen samen te gaan wonen in een periode van cholera. De tweede was dat bij de installatie van de nieuwe gasleidingen was gebleken dat een van de oude afvoerpijpen onder het huis lekte en voor de reparatie moest nog meer geld worden ingezameld.

Om de misgelopen vakantie te compenseren, maakten Rosa en ik uitstapjes naar het nieuwe Battersea Park, het Palace of Westminster en het British Museum. Op een dag haalde ze me zelfs over om samen naar Highgate te gaan om De Iepen te bekijken.

'Ik wil zien waar jij later gaat wonen, zodat ik je in gedachten daar kan plaatsen.'

'Maar er is nog niets uitgesproken. Ik ben niet...'

'Ik wil er toch heen, want wat er ook gebeurt, dat huis is belangrijk voor jou.'

We legden de route door Londen af met de omnibus en te voet, ondanks de warmte. Toen we aankwamen stond de poort wijd open, hoewel er geen enkel teken was van activiteit in het huis of op de oprit. Het leek me ongepast om naar binnen te gaan als Henry er niet was, maar Rosa liep zonder aarzelen naar de voordeur en belde aan.

Er gebeurde niets, dus ze deed een paar stappen naar achteren en bewonderde de gevel. 'Het is veel groter dan ik dacht. Zes slaapkamers, zei je? Grote goedheid, Mariella. Kunnen we even in de tuin kijken? Wat een mooie bomen. Nu zie ik waarom het

De Iepen wordt genoemd. Ja, je hebt mijn officiële toestemming. Ik denk dat dit een heel geschikt huis is voor mijn lieve nicht.'

'Rosa, ik wil niet verder. Het voelt alsof we op verboden terrein zijn.'

'Waarom? Ook al heb je de ring nog niet echt om je vinger, Henry is een naast familielid, of niet soms? Natuurlijk mogen we hier zijn. Maar wat is het heet. Laten we even gaan zitten en fantaseren over je leven als getrouwde vrouw.'

Ze spreidde haar sjaal uit onder een iep en we gingen met onze rug tegen de stam zitten. De eetkamer had openslaande deuren naar het terras en mijn hart begon te bonzen omdat ik voor me zag dat ik binnen stond, de deuren openzwaaide en gearmd met Henry naar buiten liep om een wandeling te maken. Op zonnige winterochtenden zou de serre de ideale plaats zijn om te werken, aangenomen dat hij goed verwarmd was.

'Moeder heeft gisteren een brief gekregen van de advocaat van stiefvader,' zei Rosa. Haar ogen waren gesloten, ze had haar hoofd tegen de stam gelegd en haar handen rustten in haar schoot, waardoor ze er ongewoon berustend uitzag. 'Nu Max naar de Russische oorlog is vertrokken, hebben ze de nalatenschap van Sir Matthew geregeld. De strekking van de brief stond me helemaal niet aan. Het lijkt wel alsof Max al helemaal buiten beeld is.'

'Max komt veilig terug, dat weet ik zeker.'

'Dat maakt niets uit. Horatio wil moeder en mij hoe dan ook voorgoed uit zijn leven bannen, dus heeft hij ons allebei een jaartoelage toegekend – tweehonderd pond voor haar, honderd voor mij.'

'Dat lijkt me niet veel.'

'Dat zegt mama ook, maar ik vind het meer dan genoeg en ik hoop dat we tegen Kerstmis een eigen huis hebben. Je vader heeft me verteld dat we voor zeventig pond per jaar een prachtige villa kunnen huren in Putney of Wandsworth.'

'Maar je kunt hier niet weggaan. Hoe denk je ooit in je eentje voor je moeder te kunnen zorgen?'

'Nora zal wel bij ons blijven, Mariella. Ik móét deze stap nemen. Hoe langer ik in Fosse House blijf, hoe moeilijker het wordt om weg te gaan.'

'We willen niet dat je gaat, Rosa.'

'Je zult snel met Henry trouwen. Kijk maar, dit huis wacht op je. Zonder jou wil ik niet in Fosse House blijven wonen. Ik zou je te veel missen. Bovendien kunnen we jouw familie niet langer tot last zijn.'

'Wat een afschuwelijk vooruitzicht voor je. Hoe kun je het verdragen?'

'Ik wilde verpleegster worden, nou, nu kan dat. Moeder is mijn patiënt, mijn roeping.' Haar stem klonk te helder en ze sprong op, stak me haar hand toe en trok me overeind. 'Kom, denk je dat we iets kunnen zien als we door het raam gluren? Ik wil vooral even een blik werpen op de bijkeuken, je kunt veel zeggen over een huishouden...' ze rende weg en verdween om de hoek van het huis.

Ik liep langzaam achter haar aan, maar toen ik bij de hoek kwam, hoorde ik haar lachen, daarna de stem van een man, Henry, en daar stonden ze, dicht bij elkaar alsof ze tegen elkaar waren gebotst. Hij hield haar vast bij de ellebogen om haar te helpen haar evenwicht terug te vinden, en was zo van slag dat hij een paar seconden lang alleen maar kon staren en zijn hoofd schudden.

'Het spijt me zo,' riep ik. 'Je vindt het vast niet goed dat we hier zijn.'

Inmiddels had hij zich hersteld. Hij begroette ons vrolijker dan ik hem ooit eerder had gezien en bood ons beiden een arm aan als een verlegen jongen. 'Wat heerlijk dat jullie hier zijn. Wat een toeval – ik had hier om half drie een afspraak met de architect, anders ben ik hier nooit midden op de dag. Ik ben er zo aan gewend om hier alleen te zijn, dat ik helemaal niet meer van het huis geniet. Nu kunnen we het samen bekijken.'

Hij leidde ons naar het portiek, deed de deur van het slot en stapte naar achteren om ons binnen te laten. Het huis omhulde ons onmiddellijk met de geur van nieuwe verf en verschaalde lucht. We liepen van de ene kamer naar de andere en bewonderden de proporties, de glimmende houten vloeren en de lichtval door de openslaande ramen. Maar mijn geluk werd getemperd door het leed van Rosa, hoewel ze net zoveel vragen stelde en commentaar gaf als altijd. Dit was mijn toekomst; wat moest de hare er somber uitzien vergeleken bij die van mij.

Toen we op het punt stonden de trap op te gaan, zei ze: 'Weet je, ik heb het zo warm, ik denk dat ik buiten ga wachten onder de bomen. Gaan jullie maar verder.' Ze liep weg en verdween door de open voordeur.

Henry stond al met één voet op de vierde trede, maar nu aarzelde hij. 'Misschien is het al laat. De architect kan hier ieder moment zijn.' Hij leek gekwetst, en liep achter Rosa aan naar buiten. Ik hoopte dat ze hem niet had beledigd met haar plotselinge stemmingsomslag. Maar misschien was ik ondanks de eerste teleurstelling eigenlijk wel opgelucht dat ik niet weer samen met Henry door die onmogelijk intieme bovenkamers hoefde te lopen terwijl ik wist dat zij buiten zat.

Een paar minuten later arriveerde de architect en ik stond erop dat wij onmiddellijk zouden vertrekken. Hoewel Henry zich heel hoffelijk gedroeg, leek hij verstrooid en ik bloosde weer van schaamte over ons onaangekondigde bezoek. Waren we maar officieel verloofd, dan was er niets aan de hand.

Maar zijn laatste woorden stelden me gerust: 'Ik hoop jullie beiden snel weer te zien. Ik kan jullie niet vertellen, Mariella, miss Barr, hoe fijn ik het vond om jullie hier aan te treffen. Ik geloof dat dit huis nu een thuis voor me is geworden.' Toen we bij de poort kwamen en achteromkeken, stond hij nog in het portiek. Rosa wuifde en hij maakte een klein gebaar als antwoord.

15

Vanwege de cholera-epidemie was Henry's lezing, getiteld 'De dood of schone handen?' uitgesteld tot eind augustus. Toen we eindelijk een uitnodiging kregen voor Willis's Rooms in St James's, benadrukte vader hoe slim het van hem was geweest om een koets te kopen die ons laat in de avond snel en comfortabel door Londen kon vervoeren. Zijn stijve avondboord maakte een felrode schaafplek op zijn keel, maar hij was te diep onder de indruk van het evenement om te klagen.

Moeder bood aan thuis te blijven bij Isabella, die het afschuwelijk zou vinden om alleen gelaten te worden met Nora. Ze zei dat het voor haar geen offer was; ze wist hoe onverbloemd Henry kon spreken en achtte de kans groot dat de inhoud van zijn lezing onsmakelijk zou zijn. Ze vertrouwde erop dat wij alle informatie die van nut kon zijn voor het beheer van het tehuis voor de gouvernantes aan haar zouden doorgeven. Maar ik wist dat ze de lezing in werkelijkheid heel graag had bijgewoond. Haar vermogen tot zelfopoffering, zo realiseerde ik me, was veel groter dan dat van mij.

Rosa was in tien minuten klaar. Terwijl ik me aankleedde lag ze tussen de kussens naar me te kijken en haar zwarte zijden jurk gaf haar de sobere schoonheid van een heilige in een gebrandschilderd raam. Ik zou mijn ijsblauwe, laag uitgesneden avondjurk dragen, die een gewaagde hoeveelheid van mijn hals en schouders bloot liet.

'Dat zou ik mijn lichaam nooit aandoen,' zei ze terwijl ik de veters aan de voorkant van mijn korset aantrok. 'Waarom doe je dat?' Je hebt al zo'n smalle taille.' Ze sprong op, draaide me rond met haar handen en gaf kusjes op mijn schouder en kin. 'Prachtig, prachtig, Mariella. Ik wilde dat ik wat essence van Mariella op een zakdoek kon doen om de kwade dingen van het leven af te weren. Maar waarom martel je jezelf?' Ze duwde me van voor naar achter voor de spiegel.

'Ik vind dat het korset me een mooi silhouet geeft en zonder zou ik me onaangekleed voelen.' Ze was een paar centimeter langer dan ik, slank en met een ivoorkleurige huid, terwijl ik er klein en preuts uitzag, ondanks het diepe decolleté.

Ik probeerde een kanten stola om me heen te slaan, maar Rosa trok hem weg. 'Kin omhoog en ellebogen een beetje opgetrokken. Als je je schouders laat hangen, ben je verloren. Geen wonder dat Henry je onweerstaanbaar vindt.' Ze masseerde de bovenkant van mijn ruggengraat met haar duimen. 'Wat je nodig hebt is een ketting, iets blauws voor bij je ogen. Ik heb iets wat precies... Ik was toch al van plan het aan je te geven.' Ze reikte me een fluwelen doosje aan. 'Nu is het van jou.'

Zoals ik heel goed wist bevatte het doosje een hartvormig, gouden medaillon met een saffier, waarin een haarlok van haar vader zat. 'Dat kan ik niet aannemen,' zei ik.

'Ik wil het aan je geven. Echt waar. Hoe kan ik je anders ooit terugbetalen voor alles wat je hebt gedaan?'

'Dat is helemaal niet nodig, Rosa.'

'Het is wel nodig. Je moet niet denken dat ik niet doorheb wat een beproeving het soms moet zijn om ons in huis te hebben. Dus laat me je alsjeblieft dit geven. Doe het voor mij. Kijk er eens in.'

Ze had het krulletje grijzend mannenhaar vervangen door een bruin-gouden vlechtje dat tot de vorm van een springveer was gedraaid. 'Ik heb een pluk haar bij je afgeknipt toen je sliep. Jouw en mijn haar. Toe, niet huilen, Mariella.' Ze nam mijn gezicht in haar handen en kuste mijn voorhoofd, wangen en lippen.

'Maar dit is je zo dierbaar. Wat heb je met het haar van je vader gedaan?'

'Dat heb ik nog. Ik heb het medaillon niet nodig om aan hem te denken.'

'Ik kan het niet omdoen. Wat zal je moeder zeggen?'

'Ze hoeft het niet te weten.'

'Ik heb een hekel aan geheimen.'

'Het is aan mij om het medaillon te geven aan wie ik wil. Verpest mijn geschenk niet, Mariella. En waarom zou je het trouwens niet dragen? Iedereen weet dat we alles met elkaar delen. Als mama het merkt, kunnen we zeggen dat je het voor vanavond hebt geleend. Laat me het bij je omdoen.'

Ze ging achter me op het bed zitten en haar adem streek langs mijn nek terwijl ze aan het slotje frunnikte. Even leunden haar vingers op mij en liet ze haar voorhoofd op mijn blote schouder zakken. Toen we naar beneden renden zweefde ze voor me uit in haar glanzende zwarte jurk. Haar bonnet was half van haar hoofd gegleden en de linten wapperden achter haar aan.

De aula was intimiderend omdat de mannen een schijnbaar ondoordringbare kliek vormden en er maar weinig vrouwen waren. Zelfs Rosa was enigszins onder de indruk en keek terwijl de 'groten der aarde', zoals zij ze noemde, binnenkwamen. Vader schoot heen en weer tussen ons en de menigte om ons te vertellen wie er waren; niet alleen beroemdheden uit de medische wereld, onder wie dokter John Snow en Sir James Clark, van wie bekend was dat ze bij de koningin op bezoek waren geweest, maar ook een aristocraat, lord Ashburton, de auteur Mr. Carlyle en de politicus Richard Monckton Milnes, op wie Henry bijzonder was gesteld omdat ze beiden bewonderaars waren van John Keats.

Ik was zo zenuwachtig, het was zo warm in de zaal en mijn korset zat zo strak dat ik een tik in mijn voorhoofd voelde: de voorbode van een hoofdpijnaanval. Daar stond Henry in de gloed van een gaslamp, sober gekleed in een lange jas en een overhemd met een glanzend front. Hij hield zijn handen op zijn rug en keek nauwelijks in zijn aantekeningen tijdens de drie kwartier dat hij sprak over een theorie die, naar zijn zeggen, de chirurgie voorgoed zou kunnen veranderen. Ik probeerde door deze man met zijn keurig gekapte haar en dikke snor heen te kijken en de jongen te zien die altijd op de sofa in de salon zat, het ene been onder het andere gevouwen, geheel opgaand in een onbegrijpelijke tekst, en die tijdens het lezen zijn linkerarm om mijn achtjarige schouders sloeg en af en toe met een lok van mijn haar speelde, terwijl ik tegen hem aan geleund een merklap zat te borduren.

De schaduwen kwamen en gingen in de kuiltjes van Henry's wangen. Ik genoot van zijn stem die weliswaar krachtig klonk en gezag uitstraalde, maar tegelijkertijd beheerst was, zonder enige scherpte of hooghartigheid. Na een tijdje keek ik weg, omdat hij anders zou zien dat ik hem aandachtig opnam en dat ik, als hij zijn hoofd half wegdraaide om een ander deel van het publiek aan te spreken en het lamplicht op zijn lip viel, terugdacht aan hoe diezelfde lippen onder de ceder de mijne hadden gekust.

'Semmelweiss is min of meer verbannen uit Wenen,' zei hij, 'waar hij zijn baanbrekende onderzoekswerk heeft verricht, maar hij werkt nog steeds in het Sint-Rochushospitaal in Hongarije. Dit is wat hij daar constateerde: in een zaal met vrouwen die hadden gebaard met de hulp van een vroedvrouw, stierf minder dan drie procent aan kraamvrouwenkoorts, terwijl in een vergelijkbare zaal waar geneeskundestudenten het werk deden, het sterftecijfer op maar liefst dertien procent lag.

Net als alle anderen worstelde Semmelweiss met de vraag wat de oorzaak was, maar na zorgvuldige observatie ontdekte hij dat de studenten hun dag begonnen met autopsies en daarna rechtstreeks naar de kraamafdelingen gingen om zwangere vrouwen te onderzoeken en te verlossen. De vroedvrouwen voerden daarentegen nooit autopsies uit. Daaruit concludeerde Semmelweiss dat de jonge studenten geïnfecteerde stoffen van de dode lichamen overbrachten op de vrouwen. Dat was de oorzaak van het hoge sterftecijfer. Om verandering te brengen in deze situatie, drong hij erop aan dat de studenten hun handen wasten in een oplossing van chloorkalk voordat ze hielpen bij een bevalling, dat iedere nieuwe patiënt schone lakens kreeg en dat de kraamafdelingen regelmatig werden schoongemaakt. Het resultaat was dat het sterftecijfer bijna onmiddellijk daalde naar iets meer dan twee procent.

In onze ziekenhuizen gaan we van de ene patiënt naar de andere en van de ene operatie naar de andere zonder onze handen te wassen of onze instrumenten schoon te maken. De hypothese die ik aan u wil voorleggen, is dat als we dezelfde maatregelen zouden treffen als Semmelweiss, ook wij een sterke daling zouden zien van het aan chirurgie en bevallingen gerelateerde sterftecijfer.'

Hoewel ik met mijn volledige aandacht naar Henry luisterde, ontging me niet dat het onrustig was in het publiek. Er werd veel gehoest en gefluisterd en sommige mannen sloegen spottend hun armen over elkaar en legden hun hoofd in hun nek. De sluimerende pijn in mijn slaap was veranderd in onophoudelijke steken. Het was nooit bij me opgekomen dat iemand het niet eens zou kunnen zijn met Henry, maar toen hij klaar was, klonk er een mager applaus en een heer met een kaal hoofd en enorme snor sprong overeind: 'Welk bewijs is er dat geïnfecteerde stoffen op die manier van de doden op de levenden worden overgebracht?' vroeg hij dwingend.

'Geen enkel. Alleen de opvallende daling van het sterftecijfer vanaf het moment dat de geneeskundestudenten hun werkwijze veranderden.'

'Of misschien gingen ze alleen maar behoedzamer te werk, wetend dat ze werden geobserveerd. Het waren tenslotte maar studenten, terwijl de vroedvrouwen waarschijnlijk zeer ervaren waren. Wij hebben begrepen dat dokter Semmelweiss zijn onderzoek nooit heeft gepubliceerd. Doet dat u niet vermoeden dat hij iets te verbergen heeft, of op zijn minst enige twijfels heeft over zijn eigen bevindingen?'

'Dr Semmelweiss is niet het gemakkelijkste heerschap om mee om te gaan. Misschien heeft hij daar wel reden voor. Hij is bespot en tegengewerkt en heeft daarom geen vertrouwen in zijn collega's.'

Dr Snow stond op. 'Laat de aanwezigen gezegd zijn dat mijn onderzoek naar het ontstaan van cholera-epidemieën mij ervan heeft overtuigd dat infecties op de een of andere manier worden overgedragen via de mond en niet via de lucht. De medische beroepsgroep, met inbegrip van de eerwaarde dokter Thewell zelf, kan ik wel zeggen, heeft nooit geloof gehecht aan mijn ideeën en nog steeds sterven duizenden in ons land aan cholera. Blijkbaar geven we liever de schuld aan kwalijke geuren en afvalhopen dan te geloven dat voedsel, water of zelfs druppeltjes uit iemands mond de oorzaak kunnen zijn. Maar soms, zoals in deze kwestie van Dr Thewell, is de prijs die we moeten betalen als we geen maatregelen treffen terwijl we wel die mogelijkheid hebben, te hoog. We kunnen niet altijd wachten op statistieken en experimenten om een theorie onomstotelijk te bewijzen. Ook als de bevindingen van Semmelweiss niet bewezen kunnen worden, waarom zouden we dan niet zijn methoden overnemen?'

'Omdat ze niet zijn gebaseerd op modern wetenschappelijk onderzoek in de vorm van langdurige observatie en experimenten, maar op een vermoeden. Dr Thewell lijkt te suggereren dat er iets giftigs zit in het lichaam van een dode. Is dat niet wat ouderwets? De dagen dat lijken werden geassocieerd met kwade geesten zijn lang voorbij.'

'Ik beweer dat het líchaam de oorzaak van de infectie is, niet de geest,' zei Henry.

'Heeft u er wel eens bij stilgestaan hoeveel het zou kosten om deze veranderingen door te voeren, om iedere verpleegster, ziekenbroeder en dokter aan deze regels te onderwerpen, de zalen op deze manier te laten schoonmaken, alleen maar voor het geval dat de theorie van een of andere fanatieke Hongaar toevallig klopt? Hoeveel patiënten zouden we aan hun lot moeten overlaten als we de ideeën van Semmelweiss invoeren?'

'Het is mogelijk dat we weliswaar minder patiënten kunnen behandelen, maar toch meer levens kunnen redden.'

'Dr Thewell, de logische conclusie die we uit uw pleidooi kunnen trekken, is dat er talloze sterfgevallen zijn veroorzaakt door juist die mannen die jarenlang zijn opgeleid om chirurg of dokter te worden en zo levens te redden. U noemt onze collega's zelfs moordenaars. Ik ben verbijsterd dat u het waagt om zulke ongefundeerde en gevaarlijke ideeën onder het algemene publiek te verspreiden.'

Ik zweette, ondanks mijn lichte jurk, en de hoofdpijn was zo hevig dat het voelde alsof er een mes door mijn jukbeen en kaak werd gestoken. Waarom spreken ze zo vijandig tegen elkaar, vroeg ik me af; waar is hun medemenselijkheid en kameraadschap?'

Na de lezing viel het publiek uiteen in twee gescheiden groepen, degenen die voor Henry's pleidooi waren en degenen die ertegen waren, en mijn vader liep gespannen rond om naar hun meningen te vragen. 'Het mooie is,' mompelde hij, 'dat Henry een controverse heeft ontketend. Misschien staat wat hij zegt hun niet aan, maar ze zullen het zich wel herinneren. Op de korte termijn doet het hem misschien geen goed, maar op de lange termijn, als blijkt dat hij gelijk had...'

Ik greep Rosa bij de arm. 'Wat denk jij? Is dit schadelijk voor hem?'

'Welnee. Hij is in veel opzichten briljant en hij is dapper. Wat moet je trots op hem zijn dat hij het durft op te nemen tegen de gevestigde orde.'

Eindelijk kwam Henry naar ons toe en pakte hij mijn handen. Mijn hoofdpijn zakte een beetje bij zijn aanraking. 'Lieve Ella. Weet je, toen ik je zo streng naar me zag kijken, herinnerde ik me hoe je me als kind overhoorde als ik een tekst uit het hoofd moest leren. Ze was heel streng,' zei hij tegen Rosa. 'Ik mocht geen enkele fout maken, hoewel ze pas acht was, en ze moest haar vinger bij het priegelige schrift houden, waarvan een deel Latijn was. Ik keek altijd naar haar tong die naar buiten stak als ze zich concentreerde.'

'O, je bedoelt zo,' zei Rosa, terwijl ze het puntje van haar tong tussen haar tanden stak. Henry keek even naar haar mond en wendde zijn blik toen af. 'Dat doet ze nog steeds. Ik vond je lezing overigens heel interessant. Ik begrijp niet waarom je collega's zo stompzinnig zijn.'

'We hebben allemaal een hekel aan verandering. En het idee dat we op dit moment de patiënt eigenlijk kwaad doen, komt heel hard aan. Geen enkele dokter zou dat gemakkelijk kunnen verteren.'

Wat vind je van de bewering van Dr Snow dat deze achterlijke manier van denken ook van toepassing is op zijn werk op het gebied van cholera? Ik las weer een artikel in *The Times* over de grote verliezen onder onze soldaten als gevolg van cholera. Is er niets aan te doen?'

'Het beste geneesmiddel zou zijn om de troepen weg te halen uit deze blijkbaar ongezonde plek, maar die beslissing is aan de generaals. Hoe dan ook, ik geloof dat ze volgens de laatste berichten spoedig uit Varna zullen vertrekken.'

'Ze zeggen dat er al duizenden mannen gestorven zijn. Wat een verschrikkelijke verspilling van levens. Ik moet er niet aan denken dat mijn stiefbroer Max misschien nodeloos ten prooi valt aan een ziekte. Hij heeft tenslotte de Australische woestijn overleefd. Wat zou het zinloos zijn als hij nu veel dichter bij huis stierf aan een infectie.'

Waarom deed ze dat toch, vroeg ik me af. Ik had gehoopt dat ze nu goede vrienden waren, maar waarom bracht ze, op een avond waarop Henry vol was van zijn lezing, dan juist dat onderwerp te berde dat het vuur in zijn ogen zou doven?

'Het ministerie van Oorlog heeft niet nogmaals om mijn advies gevraagd,' zei hij, 'en als ze dat zouden doen...'

'Je hoeft toch niet op hen te wachten? Kun je er niet op aandringen dat ze naar je luisteren? Het is tenslotte algemeen bekend dat cholera wordt overgedragen door personen die zich dicht bij elkaar bevinden...'

'Algemene kennis geldt niet als medisch bewijs, zoals je vanavond hebt gehoord. Zelfs Snow is nog niet zeker genoeg van zijn zaak om een overtuigend rapport te schrijven over cholera. Ik vrees dat het niet mijn taak is om anderen te waarschuwen voor de gevaren die onze soldaten lopen.'

'Maar jij bent daar geweest. Jij bent verantwoordelijk.'

Het ergerde me dat ze zó luid sprak dat haar opmerkingen voor velen in de ruimte te horen waren. Henry was vuurrood. 'Ik geloof niet dat ik verantwoordelijk kan worden gehouden voor alle sterfgevallen in de Russische Oorlog,' zei hij rustig. Toen wendde hij zich tot mij. 'En jij, Ella, heb je van de lezing genoten?'

'Jazeker. Je verhaal was zo duidelijk dat ik niet begrijp dat iemand eraan kan twijfelen.'

Hij nam mijn hand en glimlachte liefdevol. 'Ik denk dat sommige van mijn collega's zouden zeggen dat je waarheid verwart met overtuiging.'

'Misschien. Maar soms hoor je iets en weet je meteen dat het klopt.'

Hij vouwde zijn handen om de mijne en wierp een snelle blik op mijn boezem. 'Ik heb je nog niet gezegd... Je ziet er... Wat een mooie ketting, Ella. Die heb ik je nog nooit zien dragen, geloof ik.' Hij pakte het medaillon zo voorzichtig vast dat zijn vingertoppen mijn huid nauwelijks raakten.

'Het is van Rosa,' zei ik. 'Ze heeft het me geleend.'

Hij bestudeerde het nog even, liet het toen plotseling los en draaide zich om naar een paar heren die stonden te wachten om met hem te praten.

Maar Rosa was nog steeds niet klaar met hem. 'Dokter Thewell, wat ik nog wilde vragen, hoe gaat het met de jonge Tom? De jongen die zijn been kwijtraakte in het ziekenhuis?'

Hij zei kortaf: 'Die is de volgende dag gestorven, zoals ik al vreesde.'

'Wat vreselijk dat hij zoveel pijn moest lijden om vervolgens te sterven.'

Ik wendde mijn hoofd een beetje af en glimlachte naar Henry, in de hoop dat hij zou begrijpen dat ik afstand nam van het impliciete verwijt dat Rosa maakte. Toen hij ons de rug toekeerde werd de pijn in mijn hoofd zo hevig dat ik wankelde en mijn hand tegen mijn voorhoofd legde. Rosa was een en al bezorgdheid. 'Wat is er, Mariella? Kom mee naar buiten. Het is hier te benauwd.'

Ze vond een stoel voor me in de hal en ik liet me erin zakken en sloot mijn ogen. 'Waarom ben je zo gemeen tegen Henry? Waarom val je hem aan?'

'Was ik gemeen? Volgens mij niet, Mariella, je moet je er niet te veel van aantrekken. Het is niet nodig om hem te beschermen. Zijn hele beroepsleven is gebaseerd op discussies en gedachtewisselingen. Dat is hoe dokters leren.'

'Maar vanavond hadden we hem in ieder geval moeten steunen.'

'We steunen hem door hier te zijn. We tonen hem respect door hem serieus te nemen, maar we hoeven het niet met hem eens te zijn.'

'We moeten aan zijn kant staan.'

'Mariella, ik sta altijd aan jouw kant, maar dat betekent niet dat ik vind dat je altijd gelijk hebt. Snap je het niet? Hoe meer we onze meningsverschillen overwinnen, hoe sterker onze liefde wordt.'

16

BEGIN SEPTEMBER WERD HET WEER ZO KOUD EN ONBESTENDIG DAT we de zomergordijnen vroeg afhaalden. Ondertussen kwamen er spannende berichten van het front, want onze soldaten waren eindelijk aan boord gegaan, waren de Zwarte Zee overgestoken en stonden op het punt Sebastopol, de haven waar de Russische marine gelegerd was, in te nemen. Ik had tien dagen op bed gelegen na mijn migraineaanval en was nog steeds te zwak voor zelfs maar het simpelste naaiklusje. Werken met papier, lijm en een schaar was minder inspannend, dus voegde ik nog een pagina toe aan mijn album, Ik tekende een kaart waarop te zien was hoe Varna in Bulgarije lag ten opzichte van Sebastopol, boven aan de Krim. Mijn Zwarte Zee was een rafelige ruit met Turkije in het zuiden, Bulgarije in het westen en de Krim, als een platgedrukte diamant onder Rusland, in het noorden. De reis van Varna naar Sebastopol zou met de stoomschepen relatief kort duren, misschien twee of drie dagen, en ik tekende dikke zwarte pijlen van de ene stad naar de andere. Het zag er allemaal zo eenvoudig uit dat ik niet begreep waarom de generaals zo lang hadden gewacht.

Rosa kwam naar beneden in een donkergroene, wollen jurk, met een dikke sjaal en haar stevigste laarzen, klaar om op zoek te gaan naar een huis in Battersea, dat volgens vader een uitstekende woonomgeving was, vanwege het nieuwe park en de nabijheid van de rivier. Rosa zou de hele dag weg zijn, want 's avonds had ze met Barbara Leigh Smith afgesproken in de Hanover Square Rooms, voor een uitvoering van de Mondscheinsonate van Beethoven. De koetsier had opdracht gekregen haar om tien uur op te halen. Ik was blij dat mijn recente ziekte mij een excuus gaf om niet mee te gaan, want ik had genoeg van Barbara, die maar bleef vragen of ik geen lerares wilde worden.

Rosa boog zich over de kaart en volgde met haar vinger de route over zee van Varna naar Sebastopol. 'Als de Russische marine in Sebastopol zijn hoofdkwartier heeft, zal het nog niet gemakkelijk worden om de stad in te nemen.'

'Hun marine haalt het niet bij de onze, zegt vader. De stoomschepen van de geallieerden zijn uitgerust met raketten. En na al die tijd verwachten de Russen misschien geen invasie meer.'

'Natuurlijk verwachten ze die wel. De hele wereld verwacht een invasie. Daarom is het zo dom dat er zo lang is getreuzeld. Inmiddels hebben de Russen hun verdedigingswerken op orde.'

'Onze generaals moeten daaraan gedacht hebben.'

'Daar zou ik maar niet van uitgaan. Je vader zegt dat ze geen enkel ontzag hebben voor de Russen, en hij vreest dat ze geen plan hebben voor als er echt verzet wordt geboden. Max vertelde me dat het leger van Napoleon tijdens de invasie van Rusland in 1812 in de pan werd gehakt, omdat zelfs hij, een groot generaal die onze arme oude lord Raglan in alle opzichten in zijn schaduw stelt, de omvang en de halsstarrigheid van het Russische leger onderschatte en bovendien geen idee had hoe ze een Russische winter moesten overleven.'

'Wat jammer dat het ministerie van Oorlog nooit advies heeft gevraagd aan Max.'

'Max zegt dat het ministerie van Oorlog alleen mannen om advies vraagt die tientallen jaren in het systeem zitten en daardoor geen idee hebben wat er speelt. Maar wens me geluk, Mariella, ik heb een lijst van vijf of zes huizen die ik moet bekijken en die ongetwijfeld geen van alle aan de eisen van moeder zullen voldoen. Ik wilde dat je je goed genoeg voelde om mee te gaan – jij hebt de gave om van een kamer meer te maken dan hij is.'

Ik kuste haar. 'Zoek niet te hard. Blijf in ieder geval in Fosse House tot het voorjaar. En als je echt de deur uit moet, neem dan een paraplu mee. Vader denkt dat het later weer gaat regenen.'

Toen ze weg was werkte ik nog een tijdje aan het boek over de Krim en daarna liep ik naar het raam en trok de vitrage weg. De lucht was kraakhelder en het vochtige plaveisel glinsterde in de zon, maar ik was bezorgd en had het koud. Misschien had ik mee moeten gaan met Rosa; het was niet aardig van me om haar in haar eentje zo'n vermoeiende tocht te laten ondernemen. Morgen zou ik zeker meegaan. Hoewel ik meer kolen op het vuur legde bleef het vuur loom en toen de zon onderging, werd het donker in de kamer.

Ik had naar boven moeten gaan om te zien of Isabella me nodig had, maar de gedachte dat ik die trappen op zou lopen en de deur op een kiertje zou openen om naar binnen te gluren en dan zou ontdekken dat ze wakker was en misschien wel een spelletje backgammon met me wilde doen, was te afschrikwekkend.

Toen de deurbel ging, bleef ik zitten omdat ik Ruth had laten weten dat ik niet thuis was voor bezoekers zolang ik nog herstellende was. Maar plotseling hoorde ik snelle voetstappen op de trap, de deur vloog open en daar stond Henry. Zijn haar zat in de war door de wind en hij rook naar herfst.

Mijn ogen waren zwaar omdat ik zo lang binnen had gezeten, mijn haar zat weliswaar netjes, maar was meer dan een week niet gewassen en ik droeg een oude jurk met een wijde hals waarin ik volgens Rosa niet ouder dan zestien leek. Toen ik opstond en mijn hand uitstak voelde ik in mijn slaap nog de naweeën van de hoofdpijn.

Henry weigerde te gaan zitten, hoewel hij wel een kopje thee wilde. Hij gedroeg zich zo vreemd dat ik zenuwachtig werd. Terwijl we op Ruth wachtten, hield ik mijn handen gevouwen op mijn schoot, en wenste ik dat er een naaiwerkje in de buurt lag zodat ik iets te doen had. Henry liep naar het raam en keek op straat. We praatten over de lezing en over het feit dat deze wel een felle discussie had ontketend, maar tot weinig veranderingen had geleid bij de dokters en studenten in Guy's Hospitaal, en toen Ruth eindelijk binnenkwam, volgden we haar bewegingen met bovenmatige interesse. Ze zette het blad op tafel, maakte een kleine knix en vertrok, maar niet dan nadat ze me een betekenisvolle blik had toegeworpen.

Ik schonk de thee in maar alles maakte te veel lawaai: de vloeistof die in het kopje stroomde, het gerinkel van het lepeltje, het raam dat rammelde door een sterke windvlaag. En toen ik Henry het kopje aanreikte, leek hij het niet te merken; hij keek weg en vroeg opeens waar iedereen was.

'Moeder is een selectie aan het maken uit de sollicitatiebrieven voor de functie van hoofdverpleegster in het tehuis en Rosa is op zoek naar een huis. Daarna gaat ze naar een concert.'

'Een concert? Alleen?'

'Met haar vriendin, miss Leigh Smith.'

'O ja, die rebelse vriendin, als ik me goed herinner. Maar, op zoek naar een huis, zeg je?'

'In Battersea.'

'Battersea. Weet je, ik kan me onmogelijk een voorstelling maken van miss Barr in Battersea. Ze lijkt mij een vrouw die veel ruimte nodig heeft, die niet moet worden opgesloten.' Hij kwam naar voren en pakte het kopje van me aan, maar zette het onmiddellijk weer neer en keerde terug naar het raam. 'Dus als ik het goed begrijp is ze de hele dag weg.' Hij en ik waren nu van elkaar gescheiden door de theetafel, de leunstoel van vader en een plantenstandaard met een aardewerken pot versierd in Chinese stijl, met een draak en een tempel, waaruit een weelderige varen oprees. Ik nam een slokje thee.

'Vind je het niet moeilijk voor te stellen dat er aan de andere kant van de wereld omwille van ons een oorlog wordt uitgevochten?' zei hij plotseling. 'Ik wel, zeker als ik in deze kamer ben, met jou.'

Deze laatste woorden werden zo onvast en teder uitgesproken dat het voelde alsof hij met zijn hand mijn borst streelde. Maar in werkelijkheid omklemde hij met zijn handen de vensterbank, zijn gezicht afgewend zodat ik alleen zijn profiel kon zien: zijn kin heel hoog opgeheven, een lichte haakneus, diep voorhoofd. 'Mariella, ik heb besloten weer naar Turkije te gaan. Zoals je weet zijn ze van plan Sebastopol te belegeren. Er zullen ongetwijfeld gewonden vallen en het grootste legerhospitaal is in de buurt van Constantinopel, een reis van driehonderd mijl over de Zwarte

Zee. Zoals ik al zei had ik de vorige keer dat ik daar was niet voorzien dat de oorlog zo laat in het jaar zou losbarsten, dus we hielden geen rekening met de stormen die in de herfst en de winter op de Zwarte Zee woeden en de onbetrouwbaarheid van de stoomschepen. Omdat deze beide factoren de verzorging van de gewonden zullen beïnvloeden, wil ik graag ter plaatse zijn om te helpen.'

'Maar het leger heeft toch zijn eigen dokters?'

'Dat is waar, en er hebben zich veel vrijwilligers aangemeld. Maar het is niet in te schatten hoeveel dokters er nodig zullen zijn. Er hangt zoveel af van informatie die we niet hebben. Bijvoorbeeld hoe lang de oorlog zal duren, hoeveel veldslagen er zullen zijn, hoeveel beter onze wapens zijn en hoeveel meer mankracht we hebben dan de vijand. Bovendien heb ik, zoals je weet, enige ervaring als chirurg. Ik vrees dat ik arrogant genoeg ben om het gevoel te hebben dat juist ik daar veel kan betekenen.'

'Vader zegt dat het Russische leger primitief en ongedisciplineerd is en dat er daarom maar weinig gewonden zullen vallen aan onze kant.'

'Laten we hopen dat hij gelijk heeft. Hoe dan ook, ik ben hier gekomen om je te vertellen dat ik ergens in de komende dagen zal vertrekken en een paar maanden weg zal blijven, misschien tot Kerstmis.'

Ik keek naar mijn handen en dacht: hij weet niet dat mijn hele leven stilstaat als ik niet bij hem ben.

Na een paar seconden besefte ik dat we allebei zo lang stil waren geweest dat het al snel onmogelijk zou worden om nog te spreken. Toen zei hij: 'Ik zie vijf, zes, zeven konijnen op het gazon. Wat zal je moeder zeggen als ze in haar groentetuin komen?'

Eerst begreep ik niet waarom we tijd moesten verspillen met praten over konijnen. Toen begreep ik dat hij me eigenlijk vroeg om naast hem bij het raam te komen staan, dus stond ik op en wrong me met mijn wijde onderrokken tussen de tafel en de plantenstandaard door en achter de leunstoel langs. We keken even naar de konijnen en daarna greep hij mijn hand.

Mijn eerste gedachte was: dus hij gaat echt een aanzoek doen. Toen merkte ik dat mijn vingers pijn deden omdat hij er zo hard in kneep, en ik rilde terwijl de warmte van mijn hand naar zijn koude hand stroomde. Hij bracht mijn hand naar zijn lippen, kuste mijn vingers en sprak kordaat, alsof hij een toespraak hield die hij uitvoerig had geoefend: 'Mariella, ik weet zeker dat je weet wat ik je ga vragen. Mijn mooiste herinneringen sinds de dood van mijn moeder zijn de momenten die ik met jou heb doorgebracht. Zoals je weet heb ik aan het begin van de zomer mijn besluit genomen. Op dat moment dacht ik dat er een rustige periode in mijn leven zou aanbreken. Maar nu ga ik weer weg en hoewel het waarschijnlijk heel egoïstisch is, kan ik niet vertrekken zonder te vertellen... zonder je te zeggen dat ik hoop dat je mijn vrouw wilt worden.'

Na een stilte zei ik: 'Het klinkt alsof je alleen een aanzoek doet omdat je weggaat.'

'Ik vraag je met me te trouwen omdat er plotseling veel onzekerheden in mijn leven zijn. De afgelopen paar weken waren erg verwarrend. Ik bedoel... voor de zomer wist ik precies welke kant ik op wilde met mijn loopbaan, maar toen ik die lezing gaf, realiseerde ik me dat mijn weg niet per se gemakkelijk zou zijn. En wie weet wat ik voor de kiezen krijg als ik bij onze soldaten in Rusland ben. Ik heb het gevoel dat ik jou wil zeker stellen als de enige constante in mijn leven. Ik wil er zeker van zijn dat je hier zult zijn als ik terugkom. Is dat heel egoïstisch van me?'

'Ik heb altijd hier op je gewacht en dat zal ik altijd blijven doen, of je met me wilt trouwen of niet.'

Hij knikte, maar de spanning week niet van zijn gezicht. 'Ja, dat weet ik, lieve Mariella.' Toen de wind weer opstak, schoten de konijnen weg, op zoek naar een schuilplaats. Henry en ik stonden als verstijfd naast elkaar en mijn hart kromp ineen. Liefde. Liefde was het woord dat ontbrak. Waarom zei hij niet net datgene wat me voor eeuwig gelukkig zou maken?

Ik leunde iets naar voren zodat de adem uit zijn mond naar de mijne stroomde. Hij legde zijn hand op mijn achterhoofd en drukte me tegen zich aan. 'Mijn schat,' zei hij, 'mijn lieve schat.' Toen drukte hij zijn lippen op mijn voorhoofd, bijna alsof hij me zegende, en kuste ten slotte mijn mond.

Ik hoorde de tik van het uurwerk in de klok dat zich opmaakte om het kwartier te slaan. Iedere spier in zijn lichaam was gespannen en ik hield mezelf voor dat dat kwam doordat we in de voorkamer van Fosse House waren, waar hij en ik als kind hadden gezeten. Uiteindelijk leunde ik nog wat verder naar voren en opende mijn mond onder de zijne, maar in plaats van de kus voort te zetten, zuchtte hij diep en drukte hij me stevig tegen zijn borst. 'Is dat een ja? Mag ik vanavond met je vader spreken?'

'Ja.'

'Maar je trilt helemaal, lieveling, wat heb ik je aangedaan?'

Hij bracht me naar de sofa en schonk nog wat thee in, hoewel mijn hand zo trilde dat de thee over de rand klotste. We zaten naast elkaar en lachten om het feit dat we dit veertien jaar geleden niet hadden kunnen dromen. Behalve dat ik het natuurlijk altijd had gedroomd.

Zoals beloofd, keerde hij die avond na het diner terug om vader om mijn hand te vragen. Terwijl zij in de studeerkamer waren, zat ik met moeder en tante in de salon en miste ik Rosa verschrikkelijk. Ik had het gevoel dat ik de rol speelde van de jongedame-die-op-haar-verloving-wacht; ik kon die minuten vol spanning simpelweg niet associëren met de vervulling van een levensdroom. De salon was hetzelfde als altijd – de koorden van de wintergordijnen, Richmonds portret van mijn vader, die er zachtaardig uitzag, met een pen in zijn hand en een bouwtekening uitgespreid voor zich, mijn moeder onder een lamp, ogenschijnlijk druk bezig met het schrijven van antwoordbrieven aan de kandidaten die niet waren geselecteerd, maar af en toe keek ze op en glimlachte ze vriendelijk naar me. Het enige verschil was dat tante me jaloerse blikken toewierp. Henry was weliswaar geenszins volmaakt als partner omdat hij lid was van de medische beroepsgroep en omdat zijn moeder tering had gehad, maar het was in ieder geval íéts. Zijn vooruitzichten waren goed en, het belangrijkste van alles, na vanavond was mijn toekomst geregeld. Isabella zou op haar oude dag echter afhankelijk zijn van Rosa, die zichzelf steeds meer uit de markt prees door Londen af te struinen met miss Leigh Smith, de verstotene.

Plotseling hoorden we een deur opengaan, mannelijke stappen in de hal, en daar was vader. Hij wreef zich in de handen en vroeg Ruth de madera te brengen terwijl Henry werd omhelsd door moeder en een betraande kus kreeg van tante. Daar stond ik, blozend en ingetogen, met een klein glaasje in mijn hand, glimlachend naar Henry, voor het eerst in het openbaar hand in hand met hem.

Er werd een toost uitgebracht op ons en ik gaf hem het portret dat Rosa van mij had gemaakt, ingepakt in waspapier en omwonden met een blauw lint. Hij pakte het voorzichtig uit en staarde er lang naar. 'Weet je zeker dat ik dit mag hebben?'

'Natuurlijk. Rosa heeft het mij gegeven. Ze zou verrukt zijn als ze wist dat jij het met je meeneemt.'

'Jammer dat we het haar niet eerst kunnen vragen. Dus ze is er nog steeds niet?'

'Je kunt best op haar wachten.'

'Nee, nee, ik moet pakken. Ik heb zoveel te doen. Ik ben al te lang hier gebleven.'

Nu we verloofd waren mocht ik mijn sjaal omslaan en in het donker met hem naar het tuinhek lopen. Hij legde een arm om mijn middel en pakte met zijn andere hand de mijne. Het waaide hard en de lucht was zo donker dat ik zijn gezicht nauwelijks kon onderscheiden. Hij sprak in mijn haar, boven mijn oor. 'Ik wil je deze ring geven; hij was van mijn moeder. Als ik terugkom kopen we een nieuwe voor je, als je wilt, maar ik hoop dat je tot die tijd deze voor me wilt dragen.'

Een koude ring gleed om mijn vinger en toen ik hem voor mijn ogen hield, zag ik de drie fonkelende steentjes die ooit de enige opsmuk van tante Eppie waren geweest. Henry kuste de ring, trok mijn hand door zijn arm en liep verder.

De tuin was gevuld met herinneringen aan alles wat hij en ik ooit voor elkaar waren geweest. Ik kon de ontwikkeling van onze liefde volgen, het gespannen wachten tot hij kwam, de verlegen glimlachjes en blosjes, en, als hij vertrokken was, mijn eenzame bezoekjes aan de plaatsen waar we samen hadden gezeten. In de wildernis hoorde ik Rosa's woorden van die keer dat ze met over elkaar geslagen armen en tranen in haar ogen tegenover hem stond: *Maar voor mij kunt u geen enkel respect hebben...* en daarna het gedrag op het pad toen we met zijn drieën zij aan zij liepen, de vreugde van de verzoening.

Tegen de tijd dat we het poortje in de muur bereikten, huilde ik zo hard dat ik het niet meer voor hem kon verbergen. 'Ik geloof niet dat ik het kan verdragen als je weggaat. Je weet niet... je weet niet...'

'Wat weet ik niet?' Hij kuste mijn gezicht en hield me in zijn armen. Het was prachtig en heerlijk om zo vol vuur door iemand bezeten te worden, maar de pijn van wat er ging gebeuren maakte me bedroefd. 'Sst, sst, mijn lieve kind. Je moet je vermannen.'

'Maar we hebben maar een paar minuten gehad, na al die tijd. Ik heb het gevoel dat ik al die jaren heb verspild, omdat ik niet kon laten zien, niet kon vertellen... en nu ga je weg.'

'Ik ga alleen maar weg zoals ik al die andere keren ben weggegaan. Ik wil dat je me iedere week schrijft, en zodra ik terugkom zullen we trouwen. Maar alsjeblieft, Mariella, geen tranen meer. Zo ken ik je niet.' Hij stapte naar achteren en pakte me stevig bij mijn bovenarmen. 'Het duurt op zijn hoogst drie maanden. Liefste, we moeten beter worden in afscheid nemen, anders zullen we het nooit kunnen verdragen.' Hij kuste mijn hand, maakte mijn vingers die de sleutel omklemden los, nam de sleutel uit mijn hand en opende het poortje. 'Doe miss Barr de groeten. Zeg haar dat ik het jammer vind dat ik haar heb gemist maar dat ik niet kon blijven. Vaarwel, Mariella. Vaarwel.'

'Henry,' riep ik, maar hij was verdwenen. Zijn snelle stappen klonken steeds zachter terwijl het poortje door een windvlaag werd gegrepen en piepte in zijn scharnieren. 'Henry.' Hij kwam niet terug. Ik wachtte en wachtte maar ik hoorde alleen het geluid van de wind die door het laantje blies, dus trok ik de deur dicht, zonk neer op mijn hurken, sloeg mijn armen om mijn knieën en probeerde te begrijpen waarom, op deze avond van groot geluk, mijn hart werd verscheurd.

Toen Rosa thuiskwam, lag ik al in bed. 'Moeder vertelde me het nieuws toen ik haar goedenacht wenste. O, lieverd, wat zul je gelukkig zijn. Ik ben zo blij voor je. Maar waarom huil je?'

'Hij is op weg naar de oorlog. Eindelijk heeft hij een aanzoek gedaan, na al die tijd, en nu gaat hij weg.'

'Maar er zal hem niets overkomen. Hij gaat tenslotte niet vechten.'

'Je hebt geen idee hoe het voelt. Ik zal altijd weer afscheid van hem moeten nemen. Jij bent niet verliefd, dus je weet niet hoe het voelt om die ene persoon in de wereld die je echt gelukkig maakt te moeten missen...'

Ze liet me los en stond op. 'Nee misschien niet. Maar Mariella, probeer in ieder geval vanavond gelukkig te zijn. Dit is wat je je hele leven al wilde, of niet soms? Er zijn er niet veel die dat bereiken.' Ze keek een poosje op me neer. 'Zal ik je dan maar met rust laten? Ik neem aan dat je vanavond alleen wilt zijn.'

17

In *The Times* lazen we dat het geallieerde leger minder dan twee weken na de landing op de Krim een grote overwinning had behaald in een dorp met de naam Alma en dat Sebastopol was gevallen. Er waren meer dan tweeduizend soldaten gesneuveld of gewond geraakt, maar we waren het er allemaal over eens dat een korte, felle strijd nodig was om de Russen onze tanden te laten zien en een snelle overwinning zeker te stellen.

Hoewel Henry onmogelijk al op 20 september de Krim kon hebben bereikt, las en herlas ik de oorlogsverslagen in de krant op zoek naar mededelingen over het functioneren van de medische diensten. Een paar dagen na de Slag bij Alma vond ik een verontrustend bericht dat erop wees dat het niet zo soepel was verlopen als gehoopt:

> *Toen ik ging kijken bij de gewonde mannen die vandaag zouden worden afgevoerd, zag ik geen Engelse ambulances. Onze mannen werden naar de zee drie mijl verderop gebracht met hobbelende araba's en eenvoudige draagbaren. De Fransen – ik heb genoeg van deze schandelijke antithese – hadden goed uitgeruste, overdekte hospitaalwagens voor tien tot twaalf man, getrokken door sterke ezels.*

Wat jammer, zei moeder, dat Henry niet op tijd was gekomen om alle voorzieningen te treffen voor de gewonden. Maar in ieder geval kon de oorlog nu ieder moment afgelopen zijn. Henry zou snel weer zijn gezicht laten zien in de salon, alsof hij een reisje had gemaakt naar Edinburgh of Oxford in plaats van Turkije.

Ik begon een uitzet te naaien. Na mijn verloving was mijn toelage verhoogd en ik kocht meters batist om ondergoed en nachtjaponnen te naaien die pasten bij De Iepen. Mappen met papieren patronen lagen opgestapeld in de voorkamer en als ik 's avonds in bed mijn ogen sloot, zag ik niets anders dan versieringen van kant en *broderie anglaise*. Rosa pakte altijd mijn laatste creatie uit, hield hem op tegen het licht, bewonderde de plooitjes en ruches en drukte haar gezicht in de stof, omdat ze zo hield van de geur van stof die vers van de rol kwam.

Maar later bleek dat de nieuwsverslagen zeer misleidend waren, dat de geallieerden weliswaar een slag hadden gewonnen, maar dat Sebastopol nog lang niet in onze handen was en dat onze legers zich nu aan het ingraven waren voor een lange belegering die waarschijnlijk de hele winter zou duren. Ik had mijn album trouw gevuld met knipsels uit *The Times* en op 10 oktober, toen ik de krant van de vorige dag uit vaders studeerkamer haalde, las ik de volgende woorden:

Onze triomf was glorieus… maar er was een groot tekort aan de juiste medische verzorging; de gewonden werden achtergelaten op het veld… soms twee nachten lang. Het aantal doden als gevolg van een gebrek aan de juiste voorzieningen en verzorging moet aanzienlijk zijn.

'…*een gebrek aan de juiste voorzieningen*…' Hoewel ik de krant snel weglegde en mijn naaiwerk oppakte hingen de woorden om me heen als een natte mantel. Natuurlijk viel Henry niets te verwijten. Hij had altijd gelijk dus het was onmogelijk dat hij op dit punt ongelijk had. Iemand anders moest hiervoor verantwoordelijk zijn; waarschijnlijk de militairen die, volgens Rosa, nauwelijks vooruitkeken en pas reageerden als de crisis een feit was. Uiteindelijk knipte ik het artikel uit, maar ik plakte het niet in, omdat ik wilde wachten op beter nieuws, zodat de onaangename woorden van 9 oktober het album niet zouden bezoedelen.

Maar een paar dagen later, op de twaalfde, kwam vader binnen op het moment dat we naar bed wilden gaan. *The Times* lag opgevouwen op het blaadje op hem te wachten, maar hij wist al wat erin stond. 'Dit is zeer ernstig,' zei hij meteen. 'Heeft iemand jullie het nieuws al verteld? Ik vrees dat ik jullie niet kan sparen,' en hij las het recentste artikel voor:

Het publiek zal met gevoelens van verbazing en woede vernemen dat er onvoldoende voorbereidingen zijn getroffen om de gewonden de benodigde verzorging te kunnen bieden. Niet alleen zijn er te weinig chirurgen — dat, zo kan worden aangevoerd, was onvermijdelijk — niet alleen zijn er geen verbinders en verpleegsters — dat zou een tekortkoming van het systeem kunnen zijn waarvoor niemand verantwoordelijk is — maar wat valt er nog te zeggen als bekend is dat er niet eens genoeg linnen is om verbanden te maken voor de gewonden? Diep medelijden overheerst voor het leed van de ongelukkige patiënten van Skutari... Niet alleen blijven de mannen liggen, in sommige gevallen wel een week, zonder dat de hand van een geneesheer ook maar in de buurt van de verwondingen komt... maar nu ze naar ruime gebouwen worden gebracht, waar, zoals ons werd verteld, alles klaar zou staan om hun pijn te verlichten en hun herstel te bespoedigen, blijkt dat zelfs de eenvoudigste middelen van een standaardziekenzaal in een werkhuis hier ontbreekt en dat de mannen sterven omdat de medische staf van het Britse leger is vergeten dat er oude lappen nodig zijn om wonden te verbinden.

Moeder greep haar pen alsof ze onmiddellijk een protestbrief ging schrijven; tante Isabella kwam omhoog uit haar kussens en staarde de kamer in; Rosa zat met het hoofd in de handen, haar gezicht verscholen achter haar haar.

Uiteindelijk zei Isabella: 'Maar dit kan niet waar zijn. Ik dacht dat jullie dokter Thewell juist daarheen ging om voorbereidingen te treffen.'

Het ziet er slecht uit,' zei vader. 'Het hele land zal het merken en de regering zal moeten worstelen om te overleven. Het probleem is dat een natie die ten strijde trekt dat altijd doet in de veronderstelling dat ze zal winnen.'

'Ik dacht dat we ook aan de winnende hand waren,' zei Isabella.

'Het gaat niet alleen om de fysieke strijd, maar ook om de morele. Het is moeilijk voor een natie om een dergelijke schok te verwerken. Het volk zal een afschuw krijgen van oorlog. Het zelfvertrouwen wordt ondermijnd en de economie zal eronder lijden. We zullen het allemaal merken.'

Weer een stilte. 'Maar hoe zit het met Henry?' vroeg ik.

Rosa hief haar hoofd op en keek me aan met een vreemde, treurige blik. 'Hij kon het niet weten, hij was nog nooit op een slagveld geweest, dus hij kon zich niet voorstellen hoe het zou zijn met duizenden gewonden.'

'Maar de andere legerdokters dan? Zij weten toch wat oorlog is.'

'Ik betwijfel het. Misschien zijn een of twee van hen bij een paar schermutselingen in India geweest.'

Maar u zei dat er geen gewonden zouden vallen, vader,' riep ik.

'Weinig! Weinig. Ik dacht weinig gewonden. Het is niet aan mij om te voorspellen wat er in een oorlog gaat gebeuren. Geen zorgen, in hemelsnaam, de Russen zullen het niet lang uithouden tegen de samengevoegde legers van de Britten, de Fransen en de Turken. En wat de medische kwesties betreft, nu de autoriteiten op het probleem zijn gewezen, kan het maar een paar dagen duren voordat alles is opgelost. Het moderne vervoer is razendsnel en onze industrie kent zijn gelijke niet. Voor we het weten zullen die ziekenhuizen beter bevoorraad zijn dan welke ook ter wereld. Ik zal eens praten met een paar collega's om te zien of we de raderen in gang kunnen zetten.'

Moeder legde haar pen neer en droogde haar werk met vloeipapier. 'Wij kunnen helpen. Ik zal met Mrs. Hardcastle praten. We kunnen verband knippen. Ik heb stapels lakens boven die we nooit gebruiken. Samen kunnen we het oplossen.'

18

Maandag 16 oktober had zich een naaikransje verzameld in de zitkamer van Fosse House. Zelfs Isabella deed mee; het lot van de gewonde soldaten in Rusland leek meer goed te doen dan alle bedrust bij elkaar en ze bleek over een aardige zoomsteek te beschikken en ongeveer dertig linnen armsteunen per dag te kunnen produceren. Mrs. Hardcastle, een van de leidsters van de groep, zat in haar groene satijnen jurk driehoekig verband te knippen met haar wenkbrauwen hoog opgetrokken onder haar kapje, alsof ze verbaasd was. Zoals ze ons regelmatig in herinnering bracht, hadden zij en haar man een dubbel offer gebracht aan de troepen, ten eerste met hun werk (behalve het naaiwerk dat zij verrichtte, leidde Mr. Hardcastle een bank die transacties uitvoerde die te maken hadden met de financiering van de militaire operatie), ten tweede door hun welverdiende reis naar Europa uit te stellen.

Alleen Rosa ontbrak. Ze was hopeloos slecht in naaien en nu Isabella eindelijk gezond was en een bezigheid had, kon haar dochter vaker het huis verlaten dan gewoonlijk.

Rosa was geobsedeerd door de oorlog. Omdat ze er altijd tegen was geweest, voelde ze zich schuldig dat ze haar protest niet in het openbaar had geuit, en ze veranderde haar slaapkamer in een kantoor waar ze in haar eentje een campagne begon tegen de onrechtvaardige regering die eerst onze soldaten in een oneigenlijk conflict had gestort, en ze vervolgens liet sterven aan cholera of verwaarloosde oorlogswonden. De kussens, de kanten kleedjes en de potpourri waarmee ik voor haar komst de kamer had opgeluisterd, hadden plaatsgemaakt voor een rechte stoel en een vurenhouten tafel die ze uit een ongebruikte slaapkamer op zolder had gehaald. Naast haar bed lag een album met knipsels uit *The Times*, veel zakelijker dan wat ik had gemaakt, stuk voor stuk voorzien van commentaren en verwijzingen naar papieren vol aantekeningen. Iedere nacht schreef ze brieven aan ambtenaren waarin ze protesteerde tegen de omstandigheden waarin de soldaten moesten leven en het feit dat er ook vrouwen en kinderen gevangenzaten in Sebastopol. *'En wat is de reden van al deze ellende? Oorlog zou toch een laatste toevlucht moeten zijn, niet iets waar we in zijn gerold bij gebrek aan een beter idee...'* Overdag had ze ontmoetingen met miss Leigh Smith en haar vriendinnen in de hoop bondgenoten te vinden in haar verzet tegen de oorlog.

Laat op die maandagmiddag stormde ze de zitkamer binnen, net op het moment dat het naaikransje een theepauze hield, wierp één blik op Mrs. Hardcastle en verdween weer, een verleidelijke geur van gevallen bladeren en een vage herinnering aan haar warrige haar en donkerblauwe jurk achterlatend.

Toen het tijd was om te vertrekken stonden de dames een paar minuten in de hal om hun ruisende rokken recht te trekken, hun bonnets vast te binden voor de spiegel en een afspraak te maken voor de volgende bijeenkomst, die gewijd zou zijn aan het inpakken van de lakens en verbanden die klaar waren voor transport. Ik merkte dat Mrs. Hardcastle steeds naar de trap keek, alsof ze verwachtte dat Rosa daar zou verschijnen om haar verontschuldigingen aan te bieden voor haar onfatsoenlijke gedrag. Toen ze eindelijk allemaal weg waren, verkondigde Isabella dat ze uitgeput was en boven wat zou gaan rusten. Moeder en ik bleven alleen achter.

Ik was voor moeder een blouse met sierstiksel aan het maken voor het openingsgala van het tehuis, dat nu op 3 januari zou plaatsvinden. Moeder was uitgeput van het verzamelen van de dames voor de naaikrans, een taak waarvoor een uiterst nauwgezette balans tussen onderdanigheid en gezag vereist was en zat met het hoofd in haar handen aan haar schrijftafel. Na een paar minuten kwam Rosa stilletjes binnen. Ze sloot de deur en knielde neer bij de haard. Ze had haar sjaal afgedaan, haar haar geborsteld en in een knotje samengebonden in haar nek, hoewel zich al een pluk had losgewerkt, die nu op haar rug hing.

Ze draaide haar handen rond in de warmte van het vuur en zei met een lage, dringende stem: 'Ze zoeken verpleegsters die naar de Krim willen; dat hoorde ik van Barbara. Ze moeten over drie dagen vertrekken. Haar nicht, miss Nightingale, leidt de groep. De sollicitatiegesprekken worden gehouden in een huis aan Belgrave Square.' Moeder keek op. Ik stak mijn naald in een laagje batist en nam mijn vingerhoedje af. 'Het voelt alsof ik me mijn hele leven heb voorbereid op dit moment. De gedachte dat ik jullie moet achterlaten is onverdraaglijk, ik weet dat het veel gevraagd is, maar ik moet gaan.'

Het gas plofte in de lamp. Rosa pakte de losse lok en wikkelde hem om haar vinger.

Na een lange stilte zei moeder: 'Ik begrijp echt niet waar je het over hebt.'

'De oorlog. Onze soldaten sterven aan verwaarloosde wonden. Er zijn vrouwen nodig om ze te verzorgen.'

Moeder sprak met het geknepen stemmetje dat me als kind altijd zo bang maakte, omdat dat de enige manier was waarop ze haar boosheid uitte. 'Geen sprake van. Ik snap niet eens dat je jezelf hebt wijsgemaakt dat je zou kunnen gaan, Rosa. Weet je zeker dat je het goed hebt gehoord? Het lijkt me onwaarschijnlijk dat er plotseling dames nodig zijn op de Krim. Bovendien vraag ik me af hoe je kunt denken dat je daar op wat voor manier dan ook geschikt voor bent. Je bent veel te jong en onervaren.' Ze zweeg even. 'En dan hebben we het nog niet eens over je moeder gehad.'

Ik zette de vingerhoed weer op zijn plaats en hield mijn werk tegen het licht. Voor ajourwerk moest je de draden heel zorgvuldig tellen, en ik wenste dat ik iets minder ingewikkelds omhanden had.

Rosa, die niet gewend was aan tegenwerking, zeker niet van moeder, was even sprakeloos. 'Het zou maar voor korte tijd zijn,' zei ze uiteindelijk. 'Ik hoopte dat u en Mariella voor moeder konden zorgen. Gezien het doel.' Haar stem bleef even hangen op het laatste zinnetje.

'Maar jullie zouden volgende maand verhuizen. Ik dacht dat je al bijna een huurcontract had getekend voor een huis in Battersea?'

'Ja, inderdaad. Als ik naar Rusland zou gaan moet ik dat annuleren, maar er zullen heus wel andere huizen komen. Misschien is een huis voor moeder en mij minder belangrijk dan onze zieke soldaten in Rusland. Weet u niet meer dat ik dat artikel uit *The Times* voorlas waarin stond: "De behandeling van de zieken en gewonden is niet beter dan de manier waarop de wilden van Dahomey behandeld worden..."? Tante, het spijt me zo dat ik dit van u moet vragen, maar ik heb geen keus. Het is voorbestemd. Dit is meer dan een wens, het is een roeping. Als ik terugkijk op mijn leven tot nu toe, lijkt het wel alsof alles was bedoeld om me voor te bereiden op dit moment. Jaar in jaar uit bezocht ik als ik kon de hutjes rondom Stukeley om de zieken te helpen. En toen stiefvader ziek werd, kon niemand anders het verdragen om bij hem in de kamer te zijn. Ik kan niet beschrijven hoe mensonterend zijn toestand soms was, maar ik vond het nooit erg omdat ik niet bang ben voor ziekte en alles wat daarmee te maken heeft. Ik weet zeker dat ik er net zo geschikt voor ben als iedere andere vrouw in Groot-Brittannië, net zo geschikt als miss Nightingale zelf.

Ik ken haar, weet u nog? Ik heb haar in Derbyshire ontmoet. Begrijpt u? Het is geen keuze; ik ben voor dit moment geboren. O, ik geloof niet echt in voorbestemming, maar nu wéét ik dat dit is wat ik moet doen. Ik kan me er niet tegen verzetten.'

Al die tijd dat ze aan het woord was, zat ik aan mijn verlovingsring te draaien, me bewust van de hitte van het vuur op mijn knieën en het afschuwelijke gewicht van Isabella in bed boven ons.

Plotseling vloog Rosa overeind, zette haar handen op haar heupen en staarde in de vlammen. 'Maar wat mijn moeder betreft, ja, ik begrijp dat het een last is die u onmogelijk kunt dragen. Ja, natuurlijk. Misschien teken ik toch wel het contract voor het huis in Battersea. Nora is er ook nog, samen redden ze het wel...' Maar zelfs Rosa wist dat ze Nora en haar moeder niet kon achterlaten in een ongemeubileerd huis in Battersea. Ze begroef haar hoofd in haar handen en begon te huilen.

Ik had Rosa vaak zien huilen in een hartstochtelijke uitbarsting van vreugde of verdriet, maar ik had haar nooit wanhopig gezien. Natuurlijk huilde ze prachtig; haar haar gleed uit de spelden, haar neusje was even sierlijk als altijd, de tranen druppelden tussen haar vingers door. 'Tante, ik ben verschrikkelijk egoïstisch, ik weet het. En toch, hoe kan het egoïstisch zijn om leed te willen verlichten? Ik weet dat mijn moeder ziek is, maar heeft ze mij echt net zo hard nodig als die honderden soldaten?'

'Isabella is je eerste verantwoordelijkheid en je bent haar enige dochter. Ik heb geleerd dat het altijd gemakkelijker is om mensen te helpen met wie we geen verwantschap hebben. Bovendien moeten er duizenden ongelukkige vrouwen zijn zonder familie of andere banden, die wel naar Rusland kunnen gaan.'

'Maar als er een mogelijkheid is – als ze hier kan blijven, als u voor haar kunt zorgen – doen we dan niet allemaal onze plicht? Ik kan de jaartoelage van moeder gebruiken om nog een verpleegster aan te nemen die Nora kan helpen. U en Mariella hoeven zich niet veel met haar bezig te houden.'

'Henry is weg,' zei ik en ze schrokken allebei nu ik eindelijk mijn mond opendeed. 'We hebben Henry al gegeven. Is dat niet genoeg?'

'Ik weet het, Mariella. Voor jou is het een te groot offer. Daar heb ik over nagedacht. Maar Henry is vertrokken om zijn eigen redenen. Daar heb ik niets mee te maken. Ik wil alleen maar op mijn knieën gaan liggen om vloeren te schrobben en onze mannen warme bedden en schoon water te geven. Er zit niets nobels in de dingen die ik kan doen. En toch moet ik het doen. Ik moet jullie achterlaten, en dat voelt alsof ik de helft van mezelf achterlaat. Maar ik heb geen keuze.'

Rosa, de ontembare, ging naar boven om haar moeder te vertellen dat ze naar Turkije wilde gaan als dat mogelijk was en een uur later verscheen tante Isabella aan het diner met verwarde haren en een doodsbleek gezicht. Ze slaagde erin twee happen soep te nemen voordat ze in tranen uitbarstte. 'Ik heb haar verteld dat ik zal sterven terwijl zij in Turkije zit, maar ze is nog steeds vastbesloten om te gaan. Geloof me, mijn hart zal breken.' Ze gooide haar servet neer, duwde haar stoel naar achteren en liep naar de sofa, waar ze de rest van de avond haar tranen zat weg te slikken en de aangeboden thee afsloeg.

Zelfs vader was terneergeslagen. Hij betreurde het dat Rosa zichzelf in een gevaarlijke en onhygiënische situatie wilde brengen. Hij vond dat verplegen het best kon worden overgelaten aan oudere, minder verfijnde vrouwen, maar hij was tenslotte een patriot en aangezien miss Nightingale uit een van de hoogste families van het land stamde, meende hij dat Rosa er alleen maar baat bij zou hebben als ze met haar zou optrekken. Hij dacht geen moment aan Isabella, omdat haar aanwezigheid in het huis voor hem weinig gevolgen had.

Ikzelf was verdoofd door de schok. Dat Rosa zelfs maar overwoog mij achter te laten, en dan ook nog met haar moeder, voelde als een verraad dat erger was dan die keer dat we van Stukeley werden verbannen. Hoe kon ze dat doen? En zonder er eerst met mij over te praten.

Die nacht lagen we op onze rug naast elkaar, als een ridder met zijn dame op een tombe.

'Je vindt me heel egoïstisch, is het niet?' zei ze.

Ik gaf geen antwoord.

'Ik weet dat je dat vindt. Ik weet dat ik egoïstisch ben. Het probleem is dat ik geen keuze heb. Het is alsof het doel van mijn leven eindelijk helder is. Ik sukkelde maar voort op mijn reis en nu zie ik eindelijk welke richting ik uit ging. Ik kan het niet verdragen dat er een mens lijdt terwijl ik er iets aan kan doen. En nu kan ik wel iets doen, en jij ook. Zie je het dan niet? Als ik niet wist dat jij hier bent om voor moeder te zorgen, was het onmogelijk. Jij hebt het mogelijk gemaakt.'

'Maar je hebt het me niet eerst gevraagd. Je hebt me geen kans gegeven om nee te zeggen.'

'Dan had ik je in een onmogelijke positie gebracht. Je zou gedwongen zijn om ja te zeggen en alle verantwoordelijkheid zou op jouw schouders liggen. Nu is het tenminste je moeder die moet beslissen. Maar ja, ik ben egoïstisch, ik weet het. Maar ik kan niet anders. Deze kans komt nooit weer. Nooit.' Ze steunde op haar onderarm en draaide met haar andere hand mijn kin naar zich toe. 'Zeg iets. Wat dan ook. Alsjeblieft.'

'Goed dan. Ik vind... Het was al erg genoeg dat Henry vertrok. Als jij ook weggaat weet ik me geen raad.'

'Maar snap je het dan niet? Jij hebt Henry. Voor jou is hij het belangrijkste. Je trouwt met hem zodra hij thuiskomt. En wat rest mij dan nog? O, alsjeblieft, Mariella, probeer het alsjeblieft te begrijpen.'

Er brak iets in mij. Ik wist dat ik haar moest laten gaan en met het einde van het verzet kwam een soort opluchting. 'Ga. Ga. Ga maar.' En we lagen wang tegen wang, in elkaar verstrengeld.

's Ochtends ging ik naar beneden voor het ontbijt, vouwde mijn servet uit en legde het netjes op mijn schoot. 'Ik zal graag voor Isabella zorgen, als ze ermee instemt,' zei ik tegen moeder. 'Ik vind dat Rosa zich moet aanmelden als verpleegster van miss Nightingale. Vandaag gaan we haar samen aanmelden.'

19

Rosa leende een kleine ronde bonnet, een eenvoudige boord en mijn nieuwe paardenharen onderrok om haar rokken wijder te maken. De geplooide voering van haar hoed vormde een volmaakt contrast met haar lichte huid en ik had haar nog nooit zo ingetogen en damesachtig gezien. Voor ons vertrek brachten we een bezoek aan Isabella, die in haar kamer lag. Ik trok het gordijn open en Rosa ging in het licht staan om zich door haar moeder en Nora te laten inspecteren.

'Je ziet er verschrikkelijk uit,' zei Isabella. 'Als een non. Nu ga je zeker je haar afknippen en rooms-katholiek worden.'

'Waarom zou ik dat doen, moeder?'

'Omdat het er alle schijn van heeft dat je al het mogelijke doet om mij dwars te zitten.'

'Wat vind jij ervan, Nora?' vroeg Rosa.

Nora haalde haar schouders op. 'Ik vind zijde in welke kleur dan ook niet echt geschikt voor een verpleegster.'

Het huis in Belgrave Square, de woning van Mr. Sidney Herbert, staatssecretaris van Oorlog, was heel statig, met een witmarmeren bordes en een hal met een hoog plafond en een indrukwekkende kroonluchter. Een hooghartige lakei bracht ons naar een rij stoelen waar al twee vrouwen zaten te wachten; de ene had een enorm valies in haar handen, de andere was nauwelijks zestien en had de kenmerkende rode handen van een wasmeid.

'Ik dacht dat er hier honderden dames zouden zijn,' zei Rosa hardop en ze stelde zich voor aan de anderen, die kortaf reageerden. Natuurlijk gaf Rosa niet op; ik wist dat ze hen zag als haar toekomstige metgezellen en daarom vastbesloten was het goede in beide vrouwen te zien.

Er ging een deur open en er kwam een slordig uitziende vrouw naar buiten met ongekamd haar en op beide wangen een felrode vlek, die duidelijk geen bemoedigende ontvangst had gehad. De vrouw met het valies werd nu binnengelaten, de deurbel klonk weer en twee broze, oudere dames met duidelijk zichtbare crucifixen op hun boezem gingen naast ons zitten.

Rosa zei met zachte stem: 'Ik geloof dat je maar beter met me mee kunt gaan, Mariella. Ik zal uitleggen dat je mee bent gekomen om mij bij te staan voor het geval er vragen zijn over mijn familiesituatie.' Een van de katholieke oude vrijsters pakte een klein zwart gebedenboek. De keukenmeid pulkte aan een velletje op haar wijsvinger.

De vrouw met het valies kwam tevoorschijn met een uiterst tevreden uitdrukking op haar gezicht, en de wasmeid ging naar binnen. Rosa begon een gesprek met de oudere dames, die hun leven hadden gewijd aan de verpleging van particulieren en die zelfs die lieve Mrs. Fry hadden ontmoet – 'Heeft u over haar gehoord?' – maar nooit in een ziekenhuis waren geweest. Ik merkte dat Rosa heen en weer werd geslingerd tussen bezorgdheid omdat ze samen over zo'n zeventig jaar ervaring beschikten en opluchting omdat ze toch zeker te oud waren voor het ziekenhuis in Skutari.

Maar toen we eindelijk de formele spreekkamer binnen werden gelaten, waar vier dames, allemaal gekleed in een sobere jurk en een eenvoudig kapje, aan een ronde tafel zaten waarop een groen kleed lag, begreep ik dat we voor het eerst in een situatie waren waar sociale contacten, jeugdigheid, enthousiasme en schoonheid niets waard waren, en dat alle pijn van de vorige avond overbodig was geweest omdat Rosa gedoemd was teleurgesteld te worden. Er hing onmiskenbaar een sfeer van onderdrukt ongeduld en ik voelde dat de dames na één korte blik op ons, hun belangstelling verloren.

Lady Canning, die ik bij verschillende liefdadigheidsbijeenkomsten had ontmoet, zei: 'Miss Lingwood, wat een fijne verrassing. Hoe gaat het met uw lieve moeder? U komt toch zeker niet uw diensten aanbieden?'

'Nee. Maar mijn nicht, miss Barr, wil zich graag aansluiten bij de verpleegsters van miss Nightingale.'

De dunne wenkbrauwen schoten omhoog tot onder de rand van haar kapje. Een van de andere dames zuchtte.

Rosa ging op de lege stoel bij de tafel zitten en een dame die zich voorstelde als lady Cranworth schreef haar gegevens in een boek. 'Hoe oud bent u?'

'Vierentwintig.'

'Dan bent u te jong,' zei ene miss Stanley onmiddellijk. Ze was de jongste van het stel, misschien in de dertig, en had een prominente neus en uitpuilende ogen.

'Een jonge leeftijd is toch een vereiste om de ontberingen daar te kunnen verdragen. Ik weet dat we lange uren zullen moeten maken en dat alle comfort die we hier gewend zijn zal ontbreken. Dat maakt mij niets uit en ik ben nog nooit in mijn leven een dag ziek geweest. De dokter van Stukeley kan voor me instaan, en ik kan u zeggen dat...'

'U bent te jong en te aantrekkelijk, lieve kind,' zei lady Cranworth. 'Heeft u enig idee van de gevaren waaraan u blootstaat te midden van zo'n grote groep eenvoudige mannen, van wie de meesten het maanden achtereen hebben moeten stellen zonder vrouwelijk gezelschap? Bent u ooit in een ziekenzaal geweest?'

'Ja, ik...'

'U zou met huid en haar worden opgevreten, miss Barr. Wij sturen voor veel geld een verpleegstersploeg om het leed van duizenden zieke mannen te verlichten. Voor de reputatie van miss Nightingale en voor de gewonde soldaten is het essentieel dat deze expeditie een succes wordt. Zelfs als u ervaring had als hoofdverpleegster in een van de grote opleidingsziekenhuizen, en ik betwijfel dat dat het geval is, zou u ongeschikt zijn vanwege uw mooie gezicht en uw jonge leeftijd. Miss Nightingale is heel stellig over het type vrouw dat ze mee wil nemen. U zou binnen een week worden verleid en dan zouden wij voor u moeten zorgen en uw terugreis regelen en betalen. Het spijt me dat ik het zo onomwonden zeg, maar er zijn natuurlijk andere manieren waarop u en uw nicht ons kunnen steunen. We hebben veel geld nodig en beddengoed...'

'Alstublieft,' zei Rosa. 'U zegt me dat ik te jong en te mooi ben. Maar ik weet hoe ik me moet gedragen bij mannen, want ik ben opgegroeid met twee stiefbroers. Kan ik niet zelf met miss Nightingale spreken? Ze is een vriendin van de familie en ik weet dat zij zelf heel aantrekkelijk is.'

Nu had ze een grote fout gemaakt. 'Miss Nightingale is vierendertig en geniet de steun van het ministerie van Buitenlandse Zaken zelf. Miss Barr, er is geen sprake van dat u mee kunt naar de Krim.'

Er werden geen aantekeningen meer gemaakt. Miss Stanley sprong op en deed de deur open. 'Veel geluk, welke richting u uiteindelijk dan ook kiest. Ik weet zeker dat u met uw levenslust heel veel zult bereiken.'

Nu waren er zes of zeven vrouwen in de hal die ons met gretige blikken volgden terwijl wij met opgeheven hoofd langs hen door de deur het plein op liepen.

20

Balaklava,
1 oktober

Lieve Mariella

Een kort briefje om te vertellen dat ik veilig ben aangekomen in
de haven van Balaklava, het hoofdkwartier van het Britse leger.
De reis verliep rustig op een relatief kalme zee. Er is hier zeker
meer dan genoeg te doen voor mij. Ik moet gewonde soldaten
begeleiden op de tocht over de Zwarte Zee naar ons ziekenhuis
in Skutari. Zoals ik in het voorjaar al vertelde is het ziekenhuis
daar heel groot, maar ik vrees dat er nog meer ruimte nodig is,
gezien het aantal gewonden.
Mariella, ons afscheid was nogal koeltjes. Jij was verdrietig en
niet jezelf. Ik geloof niet dat je helemaal begrijpt hoe slecht ik
ben in afscheid nemen; eerlijk gezegd heb ik er een hekel aan.
Die laatste paar minuten waren voor ons allebei een kwelling en
achteraf gezien had ik je in de salon moeten achterlaten, bij je
familie. Mijn herinneringen aan jou in die tuin zijn de mooiste
en de verdrietigste die ik heb. Ik weet nog hoe eenzaam ik me
voelde na de dood van moeder en iedere middag als ik jou zag,
zoals je op me stond te wachten bij het tuinpoortje, was dat
zowel een pijnlijke herinnering aan het feit dat zij me nooit meer
thuis zou verwelkomen, als het eerste sprankje hoop dat er

anderen in de wereld waren die misschien van me zouden houden.

Kun je het begrijpen als ik je vertel dat hoe verder ik van je verwijderd ben in tijd en afstand, hoe meer ik van je houd? Lieveling, ik was er die avond niet bij met mijn gedachten. Onze toekomst samen moet daar niet door worden besmet. Lieve Mariella, bid voor me. Schrijf me snel. Als je tijd hebt kunnen jij en je nicht misschien nog eens langsgaan bij mijn – ons – huis om te zien hoe het daar gaat en om je voor te stellen hoe we daar met z'n allen in de zomertuin zitten. Ik wil graag denken dat je daar bent.

Ik heb weinig vrije tijd, maar ik zal mijn best doen regelmatig te schrijven. Omdat ik niet erg onder de indruk ben van de manier waarop het leger hier alles organiseert, heb ik ook weinig vertrouwen in de postdiensten.

Je toegenegen,
Henry

21

Londen, 1854

ER WERDEN NOG TWEE VELDSLAGEN UITGEVOCHTEN. BALAKLAVA
en Inkerman. De namen keerden regelmatig terug in onze dagelijkse gesprekken en riepen gevoelens op van zowel trots als afschuw. Wij wilden een glorieus, duidelijk einde aan de oorlog,
net als bij Waterloo, maar in plaats daarvan boekten we nauwelijks vooruitgang, hoewel de kranten ons herhaaldelijk verzeker-
den dat we bij beide veldslagen de vijand op heroïsche wijze hadden verjaagd. De Russen zaten nog steeds diep ingegraven in
Sebastopol en hoewel onze legers buiten de stad hun kamp hadden opgeslagen, zaten er gaten in de belegering: wapen- en voedselvoorraden konden er nog steeds doorheen. Henry zou zeker
niet met Kerstmis terug zijn.

Het enige sprankje hoop was de verpleegstersploeg van miss
Nightingale, en hun reis door Frankrijk werd stap voor stap op-
getekend door de gefascineerde pers. De arme Rosa spelde alle
artikelen, alsof ze zichzelf bewust kwelde. Op die verpleegsters
rustte een grote verantwoordelijkheid. Zij waren het enige flin-
tertje romantiek in het steeds grimmiger verhaal van de oorlog en
vormden een onuitputtelijk gespreksonderwerp voor ons naaikransje. Mrs. Hardcastle was van mening dat de deelname van
rooms-katholieke verpleegsters een ramp was voor alle betrokke-
nen. 'Welke rechtgeaarde Engelsman wil zich laten verzorgen door
rooms-katholieken?' vroeg ze verontwaardigd. 'Waarschijnlijk zijn
het nog Ierse vrouwen ook. Als ze die naam al verdienen.'

'Misschien zijn het de best gekwalificeerde verpleegsters die we hebben,' zei moeder op het zogenaamd joviale toontje dat ze gebruikte als ze gevaar liep in een discussie verzeild te raken met Mrs. Hardcastle. 'Onze eigen Nora McCormack, de Ierse verpleegster van Isabella, doet haar werk uitstekend.'

'De uitzondering bevestigt de regel. Je mag van geluk spreken als ze niet stiekem drinkt. Toen Mr. Hardcastle deze winter weer jicht kreeg, heb ik een goede verpleegster laten komen, zoals je weet. Uit Devon. Dronk niet en goudeerlijk. Ze had naar de oorlog kunnen gaan. Ik vraag me af of ze daarover heeft nagedacht.'

'De nonnen zijn in ieder geval goed opgeleid en gehoorzaam.'

'Ze gehoorzamen alleen hun eigen soort,' zei Mrs. Hardcastle. 'De paus in Rome, die gehoorzamen ze. En wat hij wil is zieltjes winnen. Het verbaast me dat miss Nightingale zo'n doorzichtig plan niet doorziet. Die katholieken zijn tot alles bereid om iedereen die ze in handen krijgen te bekeren.'

Rosa deed nooit mee aan ons naaikransje omdat ze bezig was met een missie waarvan alleen ik op de hoogte was. Ze verdubbelde haar inspanningen om aangenomen te worden als verpleegster en met de stroom brieven die ze verstuurde stak ze zelfs mijn moeder naar de kroon. Ze schreef aan het ministerie van Oorlog, aan de familie van miss Nightingale, aan ons parlementslid en onze plaatselijke predikant, en mat alles wat ze op Stukeley had gedaan op het gebied van verpleging breed uit. Aan de dames van de commissie die haar had afgewezen schreef ze: *Uw grootste bezwaar tegen mij was dat ik te jong ben. Ik ben misschien jong maar ik ben vastbesloten. Dit was geen gril van mijn kant. Ik weet wat ik doe. Ik heb een lijst opgesteld met mijn verrichtingen als verpleegster en ik geloof dat er weinig vrouwen zijn die meer hebben gedaan...*

Op een avond kwam ze mijn kamer binnen met een bundel kleren. Ze deed de deur dicht en keek me aan met een felle blik.

'Mariella! Je zult het niet geloven. Ik heb nieuws. O, Mariella, kijk.' Ze rukte met trillende vingers de knopen van haar jurk los, trok hem uit en stond voor me in haar hemd en nauwe onderrokken. Toen trok ze een afschuwelijke jurk aan van gestippelde grijze tweed, die veel te wijd was bij haar middel en schouders en tien centimeter boven haar enkels eindigde. Op haar hoofd zette ze een eenvoudig wit kapje. Het ensemble, waarin ik eruit zou hebben gezien als een wasvrouw, maakte van haar een schattig dienstmeisje uit een Hollands schilderij.

'Dit is het verpleegstersuniform dat ik moet dragen als ik naar Constantinopel ga. Ik vertrek op 1 december. Het is me gelukt. Vanwege het enthousiasme van de natie over miss Nightingale en haar verpleegsters heeft het ministerie van Oorlog besloten om meer vrouwen te sturen. Miss Stanley zal de groep leiden. Zij is de beste vriendin van miss Nightingale en ze zei dat ze zich mij herinnerde vanwege mijn 'enorme levenslust', wat dat dan ook moge betekenen. Ik ben vandaag naar Belgrave Square gegaan waar ik deze kleren kreeg, begeleid door een preek van Mr. Sidney Herbert. Hij zei: 'Als u zich goed gedraagt, zult u worden beloond. Zo niet, dan wordt het uw ondergang.' Ze lachte verrukt. 'Ondergang. Ik zou maar al te graag mijn ondergang tegemoet gaan in het ziekenhuis van Skutari. Denk je dat het zal lukken? O, Ella, wees alsjeblieft gelukkig voor me.'

'Ik probeerde te glimlachen en mompelde dat ik natuurlijk blij voor haar was. Maar eigenlijk deed het me nu meer verdriet dan als ze een maand geleden met miss Nightingale was vertrokken. Ik had me gestaald voor haar vertrek, ik had mezelf gedwongen dapper te zijn, maar toen het gevaar afgewend leek te zijn waande ik me veilig.

De dagen die volgden waren gevuld met tranen, vooral die van Isabella. De rest van ons had weinig tijd voor haar eigen verdriet. De regering had grote haast om meer verpleegsters naar Turkije te sturen, omdat er berichten kwamen dat de soldaten in de ziekenhuizen met honderden tegelijk stierven door gebrek aan personeel. De voorraadschepen in de haven van Balaklava waren getroffen door een verwoestende orkaan, en duizenden winterjassen, laarzen en voedselvoorraden waren verloren gegaan, wat tot gevolg had dat onze soldaten nu de hospitalen binnenkwamen met bevroren lichaamsdelen en ziekten die voortkwamen uit slechte voeding en vervuild water.

We waren als dollen aan het pakken, hoewel Rosa maar weinig bagage mee mocht nemen en verplicht was op reis haar uniform te dragen om iedereen aan boord te laten zien dat ze bij de groep van miss Stanley hoorde. We moesten overschoenen kopen en een dikke mantel en ik naaide tot diep in de nacht extra voeringen voor haar lijfjes, ondermouwen en halve mouwen van mousseline, donkere onderrokken, wollen blouses en eenvoudige, hooggesloten nachtjaponnen, zodat ze als het nodig was verschillende kledinglagen kon dragen om zich tegen de kou te beschermen.

Ik probeerde niet stil te staan bij hoe mijn leven eruit zou zien zonder haar, maar bij elke vertrouwde handeling – als ik zag hoe ze haar gezicht in het bekken met warm water dompelde, met haar bijna doorschijnende handen een handdoek tegen haar huid drukte of haar haar krachtig borstelde en invlocht, als we samen de trap afrenden om te ontbijten – dacht ik: dit is de laatste keer, morgen is ze weg en ik kan dit niet vasthouden. Ik kan het niet bottelen of naaien en inlijsten. Morgen is er geen Rosa meer.

Vader, moeder en ik brachten haar naar London Bridge waar ze de trein zou nemen naar Folkestone. Tante Isabella, kapot van verdriet over het aanstaande vertrek van haar dochter, was niet in staat haar hoofd van het kussen te tillen.

Rosa's haar zat in een strakke scheiding en was in haar nek in een netje samengebonden, onder een donkere bonnet met een witte plissévoering. Onder haar kleding zat het medaillon met de saffieren, waarin nu zowel het haar van haar vader als dat van haarzelf zat. Na een felle discussie waren we het erover eens geworden dat zij het als talisman bij zich moest dragen zolang ze weg was.

Ze liep meteen miss Stanley tegen het lijf, die er erg bezorgd uitzag en een stapel papieren in haar hand had. Nu al hoorde Rosa niet meer bij ons, maar praatte ze over de aankomsttijd in Boulogne, over wie hen in Parijs zou afhalen en over het feit dat hun metgezellin, een kleine vrouw met zandkleurig haar, die naar ik vreesde een zware tijd tegemoet ging in de Turkse ziekenhuizen, veel te veel bagage had meegebracht.

Toen Rosa zich naar ons omdraaide, zag ik in haar ogen heel even een afstandelijke blik, maar al snel keerde de oude uitdrukking van diepe genegenheid terug. 'Vaarwel, mijn liefste, liefste tante Maria. Pas op mijn moeder voor mij... Maar ik weet wel dat u dat zult doen. Natuurlijk doet u dat.' Toen omhelsde ze vader, voor wie ze geen woorden had, alleen een betraande blik en een lange kus op iedere wang.

En toen was ik aan de beurt. Ze hield me van zich af en keek me in de ogen. 'Ik zal schrijven. Ik vertel je alles. Het is bijna ondraaglijk. Ik weet wat ik van je vraag. Ik weet het. Maar ik zal altijd aan je denken.' Ze overlaadde me met kussen en door de stank van roet en stoom heen rook ik haar parfum.

Ik kuste haar gladde, hoge jukbeenderen. 'Misschien kom je Henry tegen. O, Rosa, als je hem ziet, vertel hem dan dat ik aan hem denk.'

Het krioelde van de reizigers op het station, de trein pufte en stoomde, er waren veel functionarissen, mannen met hoge zijden hoeden op en zwarte jassen aan, een groep nonnen, een paar oudere vrouwen met een grof uiterlijk en rondrennende kinderen.

Rosa sloeg haar armen nog één keer om mijn nek en ik omhelsde haar dierbare, warme, lange gestalte. Toen maakte ze zich los en pakte met een snelle beweging haar lichte reistassen op. 'Mariella,' huilde ze, en toen kon ze niets meer uitbrengen. Ze voegde zich snel bij haar metgezellen en stapte de trein in met hen in haar kielzog. Daarna zagen we haar in de wagon, staand bij het raam. 'Met haar lippen vormde ze de woorden 'Ga dan,' en ze lachte door haar tranen heen. 'Ga alsjeblieft.' Maar we bleven tot de fluit klonk en de trein eindelijk, begeleid door veel rook en stank, hortend en stotend in beweging kwam en Rosa's gezicht bij het raam steeds vager werd. Toen draaide ik me om en pakte vaders arm.

Deel drie

I

Italië, 1855

Ik raadde Henry af om te gaan picknicken, omdat de bewolkte hemel deed vermoeden dat het zou gaan regenen, maar hij was er niet van af te brengen. Hij huurde een koets en met ons drieën reden we door de beboste vallei ten zuiden van Narni, waarna we langzaam omhoogklommen door de heuvels boven de vlakten van Lazio. Het versterkte middeleeuwse dorpje Otricoli lag hoog op een top en bood vanaf de borstwering een panoramisch uitzicht op de omgeving. Onze koets wrong zich door de poort, door een absurd kronkelig straatje en toen omlaag naar de vallei van de Tiber, waar ooit rijke Romeinen hun zomervilla's hadden gebouwd.

Henry en ik zaten schouder aan schouder op de achterbank en Nora zat tegenover ons. Ik kon mijn ogen niet van zijn handen afhouden. De herinnering aan hoe zijn vingers hadden geworsteld met de knopen van mijn jurk liet me niet los en ik brandde van verlangen en achterdocht. Hadden die handen Rosa's borsten gestreeld en waren die vingers door haar zijdezachte haar gegleden?

Uiteindelijk kwam de koets tot stilstand tussen een groepje bomen. Nora zei dat ze zou blijven zitten, dat het veel te benauwd was om de ruïnes te bekijken. Ze had haar breiwerk meegenomen en zat daar, doodnormaal alsof ze naast het bed van mijn tante in Engeland zat.

Henry en ik kwamen in slakkengang vooruit, omdat hij vaak

moest stilstaan om op adem te komen. Wat van afstand een gewoon weiland had geleken, veranderde geleidelijk in een opgegraven Romeinse stad. Een rij heuvels bleek een amfitheater te zijn met zuilen en bogen die ooit rijen zitplaatsen hadden ondersteund. We rustten uit op een bankje waar de Romeinen zich hadden verzameld om naar toneelstukken te kijken of naar atleten die met elkaar wedijverden. Nu was het volkomen stil, op de wind in het gras en het gefladder van een klein bruin vogeltje na.

Henry ging liggen, steunde op zijn ellebogen en zoog de vochtige lucht naar binnen alsof hij een mijl had gelopen. Op zijn voorhoofd lag een geconcentreerde frons en zijn wangen waren ingevallen.

'We moeten terug,' zei ik met mijn nieuwe, koele stem. 'Misschien gaat het regenen en nat worden is het laatste wat je wilt.'

Hij deed zijn ogen open en streek met de knokkel van zijn wijsvinger over mijn elleboog. Het bloed trilde in mijn aderen. 'Het laatste wat ik wil is een bezorgde Mariella.'

'Voel je je vandaag echt beter?'

'Ik voel me alweer zo sterk dat ik me soms afvraag wat ik hier doe. Als ik aan het werk was, zou ik geen tijd hebben om aan mijn gezondheid te denken en zou ik onmiddellijk beter worden. Ik wil graag terug naar de oorlog.'

'Ja, ik begrijp heel goed hoe moeilijk het is om stil te moeten zitten als er zoveel te doen is. Ik heb in de kranten gelezen dat de zomer heel zwaar is voor onze soldaten.'

'Ik houd van de hitte. Het was de kou die mij de das omdeed. Ik moet terug naar de Krim. Is gezondheid nou echt het belangrijkste? Ik moet me nuttig maken. Als ik niet kan werken, vraag ik me af wat mijn leven voor zin heeft.'

'Blijkbaar vinden sommigen van ons het nodig om altijd de spanning op te zoeken, in welke vorm dan ook, terwijl anderen zich tevreden moeten stellen met thuisblijven en stilzitten.'

'Lieveling, wat klink je verbitterd. Ik veracht degenen die thuisblijven niet. Integendeel. Iedereen heeft zijn eigen roeping. Maar ik kan mezelf alleen in de ogen kijken als ik mijn best doe om dingen – mensen – beter te maken. Het is mijn levensdoel om iets goeds te doen in de wereld.'

'Je klinkt net als Rosa.'

Na een korte stilte stak hij zijn hand uit. 'Ik geloof dat je gelijk hebt, het gaat inderdaad regenen.'

Ik deed alsof ik zijn hulp nodig had bij het opstaan, maar als ik echt op hem had gesteund, zou hij zijn omgevallen. We liepen dwars door een kudde geiten met boze ogen, doorkruisten een gaard met jonge bomen en kwamen bij een laantje dat, zo zei Henry, duidelijk was aangelegd in de tijd van het oude Ocriculum, kijk maar hoe ver het is weggezakt ten opzichte van de berm aan weerszijden. We zagen een bron en de resten van de oude Via Flaminia waar de Romeinse wagens hun wielsporen hadden achtergelaten. Op de andere oever van de Tiber waren rijke Romeinen uit hun barken gestapt op zoek naar schaduw en verkoeling na hun warme tocht over de rivier.

'Ik probeer ze te zien, zei Henry, 'maar het lukt niet. Het verbaast me dat er zelfs op zo'n ongerepte plaats geen geesten zijn. Ik kan me voorstellen hoe ze uit hun boten stappen, het geluid, het gedrang van de slaven en lagere bedienden, het gekrijs van vermoeide kinderen – maar ze zijn er niet, hè, in welke zin dan ook.'

'Als we omringd waren door geesten, zou er voor ons geen ruimte zijn.'

'Maar toch denk ik dat we door een onzichtbare nevel van doden lopen.'

'Had je dat gevoel ook op het slagveld?'

Maar weer gaf hij geen antwoord.

De arena waar bloedige gevechten waren geleverd, met bogen waardoorheen de gladiatoren vanuit de donkere krochten naar binnen waren gerend, was het best bewaard gebleven. Henry zei: 'Ik vermoed dat hier hele horden dokters kwamen om de zwakke, verwende Romeinen die hier vakantie vierden te behandelen.'

'Ik neem aan dat dat een steek onder water is voor je collega's thuis.'

'Natuurlijk. Maar ik heb zelf tenslotte ook geprofiteerd van rijke patiënten. Kijk maar naar het huis dat ik nu kan bouwen met het fortuin dat ik heb vergaard als dokter.'

'Ik dacht dat je blij was met je huis – dat eigenlijk óns huis had moeten zijn. En je zei altijd dat als je de rijken niet behandelde, je ook de armen niet kon genezen.'

'Heb ik dat woord gebruikt, 'genezen'? Ik geloof nu dat ik nooit iemand echt heb genezen.'

'Ik weet zeker dat je honderden levens hebt gered.'

'Ik heb lichaamsdelen afgehakt en dat noemde ik chirurgie. Mijn god, ik had in mijn tijd zoveel patiënten pijn kunnen besparen als ik een pistool had gehad waarmee ik ze door het hoofd had kunnen schieten. Dan waren ze overal vanaf geweest.'

Ik keek naar zijn gezicht omdat ik dacht dat hij van mij een ongelovige glimlach verwachtte, maar hij was bloedserieus. We liepen door een indrukwekkend staaltje Romeinse bouwkunst: een onafzienbare rij bogen leidde naar de labyrintische cellen en gangetjes aan de achterkant van het theater. Er klonken onheilspellende geluiden van vallende steentjes en het rook naar bedompte aarde en geitenkeutels. Hoog in de muren groeiden varens. De spookachtige groene bladeren wezen op vocht, schaduw en een gebrek aan zonlicht.

'Zullen we verdergaan?' vroeg ik. 'Ik heb het zo koud.'

'Wat vreemd. Ik vind het juist te warm.' Hij nam mijn arm en we liepen naar het gelige licht waar de fijne motregen onmiddellijk een nevel van druppeltjes vormde op zijn jasje. Na nog een paar stappen zonk hij neer op de resten van een muur en begroef zijn gezicht in zijn handen. 'Ella, ik kan niet meer doen alsof. Ik heb nooit iets voor je kunnen verbergen.'

Ja, dacht ik. Het is veel beter als alles bekend is. Ik moet de waarheid weten

Hij duwde zijn handen in zijn zakken en staarde naar de grond. Zijn te lange haar viel voor zijn ogen. 'Ik zal nooit meer als dokter kunnen werken. Ze dachten dat ik was gestopt omdat ik ziek was. Maar de waarheid is dat ik mezelf er niet meer toe kon zetten anderen pijn te doen. Ik kon geen bloed meer zien. Ik kon geen incisie maken omdat ik daar nog meer vlees mee beschadigde. Daarom was ik niet in staat om te werken.'

Ik ging naast hem in de regen zitten, met mijn handen gevouwen in mijn schoot. Het vocht zou ongetwijfeld vlekken achterlaten op mijn zijden jurk. 'Je bent ziek,' zei ik mat, 'te zwak om zo'n beslissing te nemen. Als je je weer goed voelt, als we weer in Engeland zijn...'

Hij greep mijn pols vast. 'Mariella, ik wil niet dat je aan mij gebonden bent. Ik ben nutteloos, erger dan nutteloos. Schuldig.'

'Waaraan?'

We staarden elkaar aan. Zijn ogen waren roodomrand, zijn neusvleugels blauwig; hij hief zijn koude hand op en legde hem tegen mijn gezicht. 'Mariella, houd niet van me. Ik ben het niet waard. En ik zal niet naar huis komen. Kijk dan naar me, ik ben een wrak. Mijn god, een wrak.' Hij pakte mijn hand, kuste hem en boog zijn hoofd diep. 'Mariella, ik kan mijn belofte niet nakomen. Vergeef me.'

'Wat bedoel je?'

'O, god. O, god.'

'Wat moet ik je vergeven? Zeg het me, Henry, je schreef dat je Rosa had ontmoet. Wat is er gebeurd?'

'Mariella.'

'Ik denk dat je verliefd op haar bent? Is dat waar?'

'Mariella.'

'Alsjeblieft, Henry, vertel het me. Ben je verliefd op Rosa?'

Maar er kwam geen antwoord omdat hij tegen me aan was gezakt.

2

Londen, 1854

FOSSE HOUSE. ZONDER ROSA. ZONDER BEZOEKJES VAN HENRY.
Fosse, oftewel 'greppel' of 'geul'. Een grapje van vader. 'Dat
is mijn werk,' zei hij. 'Greppels graven, pijpleidingen aanleggen,
fundamenten bouwen. Elk gebouw begint met een greppel. Is er
soms een betere naam voor het huis van een bouwer?'

Hij had het huis zelf ontworpen; de grote ramen, de kantelen
boven het portiek en de brede witte trap naar de voordeur, waar
hij mij op vrijdag 1 december om half tien 's ochtends achterliet,
nadat we Rosa hadden uitgewuifd en een lange omweg hadden
gemaakt om moeder af te zetten bij het tehuis van de gouvernantes. Vader was op weg naar een bouwterrein in Putney, dus
toen de koets wegreed, was er niemand thuis behalve de bedienden, tante Isabella en ik.

Ik keek de keurig groen-zwart geschilderde koets na tot hij
langs de rand van het gazon de poort uit reed. De ochtend was
helder en fris begonnen, maar inmiddels hadden zich in het noorden bolle, witte wolken gevormd. Ruth kwam naar de deur en
pakte mijn hoed en handschoenen aan, maar ik zei dat ik mijn
sjaal om wilde houden omdat ik het koud had.

De hal was gevuld met geluiden: het getik van de hangklok
op de overloop, het geratel van een kar op straat, het gerinkel
van bestek uit de keuken, een traptrede die kraakte hoewel er
niemand naar beneden kwam. Ik wist dat er veel dingen waren
die om mijn aandacht vroegen: in de zitkamer lag de onafgemaak-

te blouse van moeder; ik had de inktpot en het vloeiblok uit mijn schrijfdoosje gehaald om Henry een brief te schrijven; ik had moeder beloofd dat ik een paar kerstliedjes zou instuderen als verrassing voor de gouvernantes bij de opening van het tehuis; en in de keuken stond het ontbijt van mijn tante dat ik om tien uur boven moest brengen. Waarschijnlijk was ze wakker en wachtte ze met betraande wangen op nieuws over Rosa's vertrek. Aan The Pavement, aan de andere kant van de meent, stond het huis van Mrs. Hardcastle, waar ik die middag langs zou gaan voor overleg over het vervolg van ons naaiproject dat het ziekenhuis in Skutari moest voorzien van materiaal voor onze gewonde soldaten.

Rosa moest nu bijna bij Folkestone zijn. Misschien staarde ze over de zompige groene velden uit en dacht ze aan mij. Of ging ze te veel op in het gesprek met haar reisgenoten?

Boven aan de trap was Nora verschenen. 'Is ze vertrokken?'

'Ze heeft de trein gehaald, ja.'

'Nou, je tante zal haar ontbijt wel willen.' Ze leunde op de balustrade die langs de overloop liep en staarde naar me met haar kin op haar borst. Er staken een paar losse haren onder haar kapje uit en haar huid had de grauwe tint van iemand die bijna de hele nacht op is geweest. 'Ze was heel onrustig. Heeft nauwelijks geslapen vanwege het verdriet om haar dochter.'

Terwijl we naar elkaar staarden besefte ik plotseling dat mijn eigen huis vol was met vreemden, en zij was er een van. Haar ogen hadden bijna geen wimpers, ze knipperden niet en zagen er wat slijmerig uit waardoor het moeilijk was om de iris van de pupil te onderscheiden.

'In ieder geval ga ik nu naar bed,' zei ze.

Er luidde een bel; die van mijn tante. En nog een keer, nu met meer nadruk.

Ik duwde de deur van de keuken open en zag dat de vissen waren gebracht en dat de kokkin ze stond te fileren bij de gootsteen. Op tafel lag een rij treurige koppen.

Ik pakte een theepothouder, zette thee voor tante, sneed brood om toast te maken, verwijderde de korsten, smeerde er boter op en schonk melk in een kruik. Toen liep ik met het dienblad de diensttrap op en klopte op haar deur. Het was heel donker in de kamer en het rook er naar muf linnen. Ik wilde de gordijnen opentrekken maar Isabella riep vanuit het bed: 'Een kiertje maar. Ik kan vandaag niet zoveel licht verdragen. Ik dacht dat jullie me allemaal hadden verlaten. Mijn arme meisje. Ze kwam de kamer in om afscheid te nemen, maar ik was nauwelijks bij bewustzijn. Heb je de trein echt het station uit zien rijden? Heeft ze een boodschap voor me achtergelaten?'

Ik schoof mijn arm onder haar schouders, hielp haar rechtop te gaan zitten, zette het blad op haar schoot en spreidde een servet uit over haar boezem. Ze nam een klein slokje thee. Ruth was achter mij aan naar binnen gelopen en veegde nu de as in de haard op. 'Deze thee smaakt naar vis,' zei Isabella. 'Ik ruík zelfs vis.' Ze rook aan haar toast en duwde het dienblad van zich af. 'Dit kan ik niet eten.'

'Ik zal u een nieuwe kop thee brengen.'

'Doe geen moeite. Hoe kan ik theedrinken nu mijn dochter naar Rusland gaat? Hoe kan ik dit verdragen?'

'Wat jammer dat u niet op het station was. Ik weet zeker dat ze blij was geweest als u was gekomen om haar uit te wuiven.'

'Ik wilde dat ik erbij had kunnen zijn. Wat is het toch afschuwelijk om geplaagd te worden door een slechte gezondheid. Je voelt je zo hulpeloos.'

Ik ging naar het raam en trok met een ruk de gordijnen een voor een opzij. Een mager zonnetje scheen over de kale bomen de kamer in. Isabella hief haar hand op en knipperde tegen het plotselinge licht. Ruth keek om. 'Wees dan niet zo hulpeloos,' zei ik.

Isabella draaide haar gezicht in het kussen. 'O, o. Ik weet niet wat je bedoelt. O, doe die gordijnen dicht. Haal Nora. Ik voel me zo beroerd.'

'Waarom ligt u hier dag in dag uit? Stap uit bed en leid een gewoon leven, net als iedereen. Ik heb er genoeg van dat u zich gedraagt alsof u halfdood bent.'

De kachelpook van Ruth sloeg tegen de haard en tante legde haar handen over haar ogen. Ik was doodsbang, want ik had geen idee waar mijn woede vandaan kwam maar kon niet ophouden. 'U denkt alleen maar aan uzelf. Denkt u dat Rosa echt naar de oorlog wilde? Misschien werd ze ertoe gedreven omdat het haar enige hoop was om aan u te ontsnappen. Als u niet zo egoïstisch was en haar leven draaglijker was geweest, was ze misschien wel gebleven. Maar nu is ze vertrokken en heeft ze mij achtergelaten om voor u te zorgen. Nou, ik ben niet van plan uw slaaf te worden. U kunt zoveel met die bel rinkelen als u wilt, maar er komt niemand. Nora slaapt. Moeder is weg. De andere bedienden hebben het te druk om voor u te zorgen. Als u iets wilt eten of drinken, sta dan op, ga aan tafel zitten en eet als een normaal mens.'

Ik trilde zo hevig dat de woorden als knikkers uit mijn mond stuiterden. Ruth pakte met haar blote hand het ene stukje houtskool na het andere en legde ze voorzichtig in de haard. Tante rolde haar hoofd van rechts naar links over het kussen en greep naar haar keel.

'Zo, nu weet u hoe de zaken ervoor staan. Ik ben aan het werk in de voorkamer als u me nodig heeft,' zei ik. 'Ruth, ik geloof dat lady Stukeley vandaag geen vuur nodig heeft. En aangezien ze geen ontbijt wil, wil je misschien dat blad naar beneden brengen.'

Ik wikkelde mijn sjaal strak om mijn schouders en liep met ferme tred de kamer uit, de hoofdtrap af, de hal door, naar het gangetje van de keuken, waar ik een sleutel pakte, en door de achterdeur de tuin in. De ochtendlucht voelde als een plens koud water; een kale rozenstruik klampte zich vast aan de boog en op de azalea's in de wildernis zaten bevroren knopjes die nooit waren uitgekomen. Mijn voeten kletsten over de natte paden en de wind die door de troosteloze begroeiing waaide, zoog de warmte uit mijn huid. Doordat de clematis was verschrompeld, was het tuinpoortje zichtbaar. Ik draaide het slot open, stapte het laantje in en liep op en neer. Al snel waren mijn voeten bedekt met modder en zat mijn onbedekte haar in de war. Ik mompelde fluisterend: 'Wat heb je gedaan? Je hebt haar vermoord.' Ik zag voor me hoe ik Rosa een brief schreef met het nieuws en ontdekte dat het me niets kon schelen. Mooi, mooi, ik ben blij dat ze dood is. Bovendien was Ruth de hele tijd in de kamer. Ze weet dat ik haar met geen vinger heb aangeraakt. Er is geen wet tegen woedeaanvallen.

Toen kwam ik bij zinnen. Ik zag de boog in de muur waar ik

altijd op Henry had gewacht, en nu drong tot me door hoe ik eruitzag en hoe kwalijk ik me had gedragen: tekeergaan tegen mijn tante op de ochtend dat haar dochter is vertrokken. Ik had nu al mijn belofte aan Rosa gebroken. En mijn arme moeder? Hoe zou zij zich voelen als ze thuiskwam en ontdekte dat tante dood was, of erger, allerlei beschuldigingen uitkraamde aan het adres van haar verderfelijke nicht? En dan hadden we nog Henry, die dacht dat hij een vriendelijk, stil meisje trouwde. Hij zou ongetwijfeld de verloving verbreken als hij erachter kwam dat ik in staat was tot zulke wreedheid jegens een zieke vrouw.

Ik deed het deurtje op slot, liep langzaam terug naar het huis, trok andere schoenen aan en ging naar de zitkamer waar een vuur brandde. Ik opende mijn naaimand en pakte een klosje roze katoen en een schaar.

Toen ik de naald in de stof stak, hoorde ik diep gekreun. Mijn handen gingen naar mijn ogen en ik begon heen en weer te wiegen, maar er kwamen geen tranen. De gedachte dat Rosa in een trein zat die zich met hoge snelheid van mij verwijderde, deed zo'n pijn dat het leek alsof er een stalen band om mijn hart zat die nu gaatje voor gaatje strakker werd getrokken.

3

16 november 1854

Lieve Mariella,

Ik schrijf je weer vanaf een schip, deze keer de Jason. Ik dacht dat je misschien had vernomen van de orkaan die hier twee dagen geleden toesloeg, en wilde je laten weten dat ik veilig ben, hoewel ik van geluk mag spreken dat ik nog leef. De schepen die buiten de haven lagen zijn volledig verwoest en er zijn veel levens verloren gegaan. Zelfs op deze beschutte plaats kolkte het water en van achter de kaap zagen we het water opspatten van de golven die aan de andere zijde tegen de klippen sloegen. Op een gegeven moment werd het schip zo wild heen en weer geslingerd dat we overwogen naar de kade te gaan door van het ene dek naar het andere te klimmen, maar waarschijnlijk zouden we dan zijn geplet of verdronken. Een van onze voorraadschepen is verloren gegaan, wat heel slecht nieuws is voor onze mannen. Ik heb nog nooit zulk veranderlijk weer gezien als op de Krim. De eerste keer dat ik schreef, genoten we geloof ik van heerlijk nazomerweer. Sindsdien hebben we alleen maar natte dagen gehad, gevolgd door vrieskou, en dan nog meer nattigheid. Misschien heb je gehoord dat er vanuit Engeland een groep vrouwen naar het ziekenhuis in Skutari is gestuurd. We zijn allemaal verbijsterd dat ze in oorlogstijd zo'n experiment aandurven, hoewel het schijnt dat zowel de Russische als de Franse legers vrouwelijke verpleegsters tolereren. Het is vreemd dat we nu een voorbeeld lijken te nemen aan onze vijanden – voormalige vijand, moet ik zeggen, waar het de Fransen betreft. Ik vrees dat die arme zielen hier geen warm welkom wacht. Onze legerartsen schrikken, net als hun civiele tegenhangers, terug voor alles wat riekt naar verandering. Wat leven we toch in een vreemde, woelige periode in de geschiedenis, een botsing van grote en kleine conflicterende belangen.

Ik kreeg een brief van je met de krul aan de M die ik overal ter wereld zou herkennen, en met de ietwat timide begroetingen aan het begin en het einde. Lieveling, wees niet bang dat ik zal schrikken van woorden van genegenheid.

Als je tijd hebt, Mariella, schrijf me dan weer snel. Ik wil weten of het tehuis voor de gouvernantes eindelijk open is. En hoe gaat het met je familie? Ik denk vaak aan jullie. Ik heb zelfs een herinnering aan jullie allemaal die ik 's nachts meeneem, om me gezelschap te houden.

Het is een herinnering aan de voorkamer in Fosse House. Ik was net terug van mijn reis naar Hongarije en een beetje geïrriteerd, weet ik nog, omdat jij me in de tuin tegemoet was gekomen en me had verteld dat er bezoekers waren. Bezoekers, dacht ik, maar ik wil de Lingwoods zien zoals ik ze altijd heb gekend, met maar één lege plaats in de kring van hun gezin, een plaats die ik moest vullen. Ik volgde je door de glazen deuren en naar de zitkamer, en jij ging op je vaste stoel zitten en pakte je naaiwerk op. Ik geloof dat ik me tot dat moment, toen er twee personen aan jullie kring waren toegevoegd, niet had gerealiseerd hoezeer ik de rust van die woonkamer had gekoesterd en hoe egoïstisch ik was geweest. Het was bijna alsof ik van jou verwachtte dat je al je tijd zou besteden aan wachten op mij. Omdat je nicht Rosa je aan het tekenen was, zag ik je voor het eerst door de ogen van een ander, je gebogen hoofd, je zachte haar, de zachte, bedachtzame blik in je ogen als je naar me keek. Die afbeelding heb ik nu bij me, een zeer dierbaar bezit, en ik haal het vaak tevoorschijn.

Dat moment in de woonkamer houd ik vast in mijn gedachten, vooral de lange, dromerige blik die je me schonk toen ik achter je

*nicht Rosa ging staan. Ik had het gevoel dat je met je ziel tegen
me sprak.*
Goedenacht, mijn lieve Mariella.
Je toegenegen,
Henry Thewell

4

Londen, 1854

TANTE ISABELLA STIERF NIET VAN DE SCHRIK OP DE OCHTEND DAT
Rosa vertrok met de verpleegsters van miss Nightingale, maar de
relatie tussen ons was enige tijd bekoeld. Als ik een kamer binnenkwam kromp ze ineen en ze sprak me nooit rechtstreeks aan.
Als ik binnen gehoorsafstand was, herhaalde ze keer op keer de
zin: 'Ik wil jullie niet nog meer last bezorgen.'

Maar ze stond iedere ochtend op een acceptabel tijdstip op,
sleepte zich naar het ontbijt beneden en deed verder de hele dag
niets, behalve zo nu en dan een oude kussensloop zomen, haar
ogen deppen met een kanten zakdoek en zuchten. Ik werd dubbel en dwars gestraft voor mijn uitbarsting omdat ik degene was
die haar gezelschap het langst moest verdragen. Niemand behalve ikzelf merkte haar slachtoffergedrag op, omdat we te veel in
beslag werden genomen door het afschuwelijke nieuws over de
oorlog. Onze regering vond het niet voldoende om onze soldaten te laten sterven aan cholera en onbehandelde wonden en had
nu besloten ze in de loopgraven dood te laten vriezen.

Op kerstdag stond in het hoofdcommentaar van *The Times* het
volgende:

Als we één aspect van Engeland naar de Krim hebben gebracht,
is dat niet de Engelse menselijkheid, voorzichtigheid, mechanische
kennis en het ruime aanbod van voorzieningen. Wie zal geloven
dat de gezagsdragers op de Krim zelf niet goed zorgen voor de

zieken en gewonden en ook anderen niet toestaan om het voor
hen te doen? Het is de aalmoezeniers, die eerst van harte de
hulpgoederen uitdeelden die geleverd werden door het fonds dat
ons ter beschikking staat, ten strengste verboden daarmee door te
gaan, en blijkbaar acht men het meer in overeenstemming met de
militaire discipline dat een Engelse soldaat omkomt van honger of
kou dan dat hij gekleed en gevoed wordt door particulieren.

We begrepen er niets van. Onze vriendenkring, onze gouvernantes, de dames van de kerk en de bedienden hadden verwoed
zitten breien aan wanten, kousen, mutsen en vesten tot onze handen pijn deden; ik had de toelage voor mijn uitzet aan het fonds
van *The Times* geschonken; de neef van Mrs. Hardcastle in Oxford had drie vesten en een overjas gestuurd en toch stierven de
soldaten nog met honderden tegelijk in de loopgraven boven Sebastopol omdat er niet genoeg te eten was en hun tenen afvro-
ren.

Mrs. Hardcastle, wier reis naar Europa nu was uitgesteld tot
laat in het voorjaar, zei: 'Maar met de stoomschepen en spoorwegen en de telegraaf en de fabrieken kan het toch niet zo ingewikkeld zijn om wat sokken in Rusland te krijgen en ze via
de juiste kanalen te distribueren. Ik heb gehoord dat de Franse
soldaten barakken hebben terwijl al onze Britse soldaten in tenten moeten slapen, waarvan de meeste zijn gescheurd of weggeblazen tijdens de orkaan. Iedereen weet toch dat je in december
niet kunt kamperen.'

Vader woonde talloze bijeenkomsten bij in Westminster om
orde op zaken te stellen. Volgens hem produceerden onze fabrieken in een ongekend hoog tempo ziekenhuisbedden, spijkers
voor barakken, draagstellen voor brancards, rails voor spoorwegen en een onafzienbare hoeveelheid granaten en kogels (waarschijnlijk met dank aan het lood van Horatio Stukeley), dus het
was onbegrijpelijk dat onze mannen de Russen nog niet de zee
in hadden gedreven.

Maar hoewel onze soldaten tot nu toe bijzonder onsuccesvol
waren geweest boven Sebastopol, hadden ze thuis een ontzag-
wekkende overwinning behaald: de wonderbaarlijke genezing
van tante Isabella zette zich voort. Iedere ochtend was ze om half-

tien aangekleed – in een van haar talloze zwarte zijden jurken – en voegde ze zich bij het naaikransje dat om het vuur zat of ging ze apart zitten om brieven te schrijven. Naar nu bleek had ze naast ons nog meer kennissen in Londen, relaties van de gegoede families uit Derbyshire die ze had leren kennen tijdens de vele diners en theekransjes, en nu kwam ze in actie om alle banden, hoe breekbaar ook, aan te halen.

Nog voordat er een week voorbij was, werd het ene na het andere visitekaartje afgegeven en stormde Ruth keer op keer de woonkamer binnen om allerlei bezoeksters aan te kondigen. Binnen twee weken moest Isabella de koets lenen om tegenbezoeken af te leggen; tegen het einde van de derde week had ze een uitnodiging binnen voor een diner in een huis op Fitzroy Square, en enkele dagen later hoorden we dat er een heer was gearriveerd voor lady Stukeley.

5

Constantinopel,
17 december

Lieve Mariella,

Ik schrijf deze brief aan boord van het schip Egyptus en moet tot
mijn spijt melden dat we al dagen stilliggen op een zeer woelige
Bosporus, in het zicht van het Kazernehospitaal, waar miss
Nightingale verblijft, samen met haar verpleegstersploeg en
duizend of meer gewonde soldaten die ongetwijfeld snakken naar
een beetje aandacht van ons. Iedere dag arriveert een nieuw schip
uit de Krim waarvan we weten dat het dodelijk zieke soldaten
vervoert, maar we kunnen niet in de buurt komen. We wachten,
min of meer geduldig en bij wijze van spreken met opgerolde
mouwen, maar er schijnt een probleem te zijn.
Het probleem is eenvoudig.
We zijn niet welkom. We zijn hiernaartoe gereisd in de
veronderstelling dat we deel zouden uitmaken van de ploeg van
miss Nightingale, maar nu blijkt dat ze niet om ons heeft
gevraagd, dat ze zelfs expliciet heeft gezegd dat ze geen
verpleegsters meer wilde, dus nu we hier zijn wil ze niets met
ons te maken hebben. Miss Stanley roept ons af en toe in
groepjes bijeen om te vertellen dat ze niet begrijpt wat er aan de
hand is met miss Nightingale, haar beste vriendin, en dat het

misverstand elk moment zal worden opgelost. Maar ik heb
gemerkt dat het haar van miss Stanley minder keurig gekapt is
dan voorheen en dat haar glimlach verstard is. Ik zie haar
eigenlijk zelden zonder glimlach en dat baart me zorgen.
Sommigen van ons zijn verontwaardigd en verwijten miss S. en
Sidney Herbert dat ze miss N. niet van onze komst op de
hoogte hebben gesteld. Anderen verwijten miss N. dat ze
ondankbaar is. Weer anderen (vertel Mrs. Hardcastle alsjeblieft
niet dat er een grote groep rooms-katholieke nonnen aan boord is)
hebben zich teruggetrokken op een droog gedeelte van het schip
om hun rozenkrans te bidden.
Soms zijn we boos, soms huilen we, soms maken we grappen,
sommigen van ons drinken, anderen maken uitstapjes. Ik niet,
uit angst dat ik er dan niet ben op het moment dat ze me nodig
hebben.
Miss Nightingale wil ons niet en naar mijn mening is dat een
slecht voorteken. Ik herinner me nu heel levendig mijn
ontmoetingen met miss N. bij de theekransjes op Lea Hurst. De
andere vrouwen vragen aan mij: 'Hoe was ze?' Dan zeg ik:
'Heel charmant. Heel rijk. Heel beheerst.' Ik voeg er niet aan
toe: 'Maar je kreeg geen contact met haar.' Ik herinner me dat ik
probeerde haar belangstelling te wekken voor mijn eigen
bemoeienissen met de dorpelingen, maar het was onmogelijk haar
te betrekken bij een zaak die niet de hare was.
Ik ben geschrokken van een gerucht dat hier nu de ronde doet,
namelijk dat ze ons misschien een stapel hemden stuurt om te
verstellen. Toen ik me aanmeldde, heeft niemand me gevraagd of
ik kan naaien.
Verder is ons geld verdwenen. Waarheen?
Klinkt deze brief wanhopig? Ik ben bijna wanhopig. Maar nog
niet echt.
Weet je wat ik doe, lieveling? Ik stel me voor hoe jij thuis in
Clapham zit. Ik zie je heel duidelijk in de bocht van de trap,
met een lamp in je handen die je schaduw heel ver uitrekt en
licht werpt op je kin en voorhoofd. Je draagt de lamp naar je
kamer en zet hem neer op de kaptafel. Dan maak je je haar los
zodat het steil naar beneden valt, op een manier die jij
verafschuwt, maar die voor mij een wonder is, en je pakt je

borstel en begint aan je honderd halen. Al snel zijn we allebei in trance, jij bent bedwelmd door de routine, want dit doe je iedere avond van je leven, maar ik ben in de ban van de schoonheid van je hand en de manier waarop het licht door je haar valt en twee plukken zich van elkaar scheiden en aan de borstel blijven plakken. Dat beeld van jou maakt me bijna gelukkig, omdat ik weet dat je, als je in mijn schoenen stond, een rustig plekje zou zoeken, je naald tevoorschijn zou halen en een verfijnd, nuttig voorwerp zou maken, en de gedachte aan jouw kalme acceptatie maakt mij rustiger.

Overigens, als het niet al te laat is, mag ik je smeken om alsjeblieft, alsjeblieft niet aan dokter Thewell te vertellen dat ik me heb aangesloten bij de groep van miss Stanley en dat ik nu hier ben. Misschien voelt hij zich verplicht om me op te zoeken en ik zou me geen raad weten als hij ontdekt dat ik gevangenzit op dit stinkende schip op de Bosporus. Hij zal deze hele onderneming veroordelen en nog meer veroordeling kan ik niet verdragen, van niemand.

Maar schrijf snel, Ella, het maakt niet uit wat.

Vrolijk kerstfeest, lief meisje.

Je nicht

Rosa

6

Londen, 1855

HET TEHUIS VOOR DE GOUVERNANTES ZOU EIND JANUARI EINDELIJK worden geopend door lady Furlong, een vriendin van Mrs. Hardcastle. Onze kokkin maakte taart en moeder vroeg me de bovenkant te versieren met rozetjes en een paar toepasselijke woorden in glazuur.

De dag voor de opening ging ik op het afgesproken tijdstip naar de keuken waar de kokkin de taarten op een rooster had gezet om af te koelen, terwijl zij haar middagdutje deed. Het probleem was dat het enige wat me bezighield de vraag was wanneer ik weer van Henry en Rosa zou horen. Iedere minuut wilde ik weten wat ze aan het doen waren en of ze veilig waren, en mijn gedachten daarover waren voor mij veel boeiender dan alles wat er in Fosse House gebeurde. Gewoonlijk kon ik erop vertrouwen dat mijn handen vaardig alle lichte huishoudelijke taken verrichtten, maar nu stoof de poedersuiker uit de zeef, waardoor ik moest niezen, en nadat ik glycerine en citroensap had toegevoegd, voegde ik er veel te veel geklopt eiwit aan toe, waardoor het glazuur een natte brij werd. Hoe meer suiker ik erbij deed, hoe vloeibaarder het werd. In mijn wanhoop zette ik alle voorzichtigheid overboord, lepelde de witte siroop op de taart en keek toe terwijl ze langs de zijkant omlaag droop. Toen ik het er met de spatel probeerde af te schrapen, brokkelden er stukjes van de taart die zich mengden met het glazuur.

Toen de kokkin wakker werd trof ze mij huilend aan boven

het natte mengsel. 'Nou, ik ga niet nog een taart maken,' zei ze, 'en dat kunnen we niet opdienen.'

De volgende middag knipte lady Furlong in het tehuis een roze lint door en schreeuwde ze in de overgevoelige oren van de dankbare bewoonsters die in de drukke ontvangkamer aan de thee met scones zaten. Er was geen taart.

Die dag rapporteerde *The Times* dat het parlement had gestemd voor een commissie die de oorlogvoering op de Krim zou onderzoeken. De premier nam als gevolg daarvan zijn ontslag en begin februari werd lord Palmerston gevraagd om een nieuwe regering te vormen, hoewel hij de derde keuze was van de koningin en Mrs. Hardcastle het er niet meer eens was: 'Ik geloof dat ik na die lieve gouvernantes en de eenarmige lord Raglan op de Krim en nu lord Palmerston geen zeventigers meer kan zien. Ik vraag me af hoe die arme oude mensen het zo lang uithouden, zeker in deze strenge winter...'

Ook vader had gemengde gevoelens over lord Palmerston, die hij een opportunist noemde ('Wat je zegt ben je zelf,' voegde hij eraan toe), maar iedereen was het erover eens dat Palmerston in ieder geval orde op zaken zou stellen. Bovendien stond in de kranten dat de pas geopende spoorweg tussen de haven van Balaklava en de Britse kampen boven Sebastopol zou zorgen voor efficiënt vervoer van voedsel, warme kleding en brandstof. Er waren jassen van schaapsvacht aangekomen, weliswaar zo laat dat het zweet de mannen uitbrak zodra ze ze aantrokken, maar de nachten in de loopgraven waren waarschijnlijk veel draaglijker. En het weer was blijkbaar zoveel beter dat de soldaten plotseling wilde bloemen zagen opkomen, waaronder krokussen en hyacinten, net als in de tuinen bij de Engelse huisjes, en er werd gezegd dat de mannen beter te eten kregen dan thuis en vet en lui werden.

De zaken van vader liepen nu zo goed dat we een lakei in dienst konden nemen die de formele taken van Ruth overnam. Zijn naam was James Featherbridge. ('Waarschijnlijk heet hij gewoon Jim Bridges,' zei tante Isabella. 'Dat trucje ken ik.') Arme Ruth mopperde omdat ze de deur niet meer mocht opendoen. We hadden ook een echte tuinman voor de moestuin, die moeder beloofde dat we spoedig grote hoeveelheden aardbeien en asperges zouden eten, en de kokkin nam nog een keukenmeid aan om te helpen met de diners die nu regelmatig werden gehouden voor de belangrijke collega's van vader. Hij was zelden thuis, behalve voor deze gelegenheden, en bracht veel tijd door in de koets, die hem met hoge snelheid heen en weer reed van commissie naar bouwplaats. Henry's collega dokter Snow had in het parlement verklaard dat cholera werd verspreid door vervuild drinkwater en niet door onwelriekende luchtjes, en als dat idee postvatte, zo zei vader, zou dat grote gevolgen hebben voor de bouwers omdat er snel een nieuw reglement zou worden opgesteld voor afvoerpijpen en waterpompen. Hoewel iedereen in een hygiënische stad wilde wonen, was het beter om de nieuwe projecten zo snel mogelijk te voltooien, voordat deze kostbare wetten van kracht werden.

We kregen regelmatig brieven van Henry, maar nog maar een van Rosa, een snel geschreven briefje uit het Koulali-Hospitaal in de buurt van Skutari, gedateerd 2 februari:

Dankzij jou, Mariella, heb ik mijn hartenwens vervuld en ben ik nu in een ziekenhuis waar ik soldaten verzorg. Je zou denken dat ik gelukkig was, maar het grootste deel van de tijd ben ik verstijfd van angst. Stel je een gebouw voor dat zo groot is als jullie nieuwe treinstation in Londen, net zo leeg maar honderd keer viezer en ouder, met als enige voorzieningen een handjevol bedden, een paar zakken en tien flessen port. Stel je voor dat buiten een paar stoomschepen proestend en puffend aanleggen bij de gammele steiger en driehonderd gewonde mannen naar buiten spuwen, die allemaal behoefte hebben aan warmte en voedsel en een vakkundige verpleegster. Stel je voor dat ze in plaats daarvan een paar Rosa's en een paar nonnen vinden, allemaal min of meer met lege handen en in shock. Dat is het Koulali-Hospitaal. Ik hoop alleen maar dat ik hier niet lang hoef te blijven. Er zal een groep verpleegsters naar de Krim worden gestuurd, op speciaal verzoek van lord Raglan zelf, en daar ga ik me voor aanmelden. Ik heb het gevoel dat ik naar het hart van deze oorlog moet, waar of wat dat dan ook is, anders zal ik nooit tevreden zijn. Miss Stanley heeft de leiding in dit ziekenhuis. Ze loopt rond met een opschrijfblok en een gefronst voorhoofd en ze huilt veel,

maar dat is het wel zo'n beetje. Aan de nonnen heb je veel
meer. Ze hebben me geleerd hoe ik wonden moet verbinden en
zieken moet voeden door een gat in hun verband.
Miss N. in het Kazernehospitaal heeft haar zaken beter op orde,
maar ze is niet bereid haar verpleegster aan ons uit te lenen of
ons te helpen om de dingen efficiënter te regelen, hoewel miss N.
overigens net als wij niet veel meer is dan een tussenstation
tussen de slagvelden en de begraafplaatsen. Voor beide
ziekenhuizen geldt dat maar weinig mannen ze levend verlaten.
Eerlijk gezegd kan miss Stanley haar werk niet aan. Als het
haar te veel wordt, glimlacht ze alleen maar, heft ze haar armen
op, als een predikant die een opstandige gemeente probeert te
kalmeren, en zegt: 'Dit is niet waarvoor ik gekomen ben. Ik had
geen idee dat ik de leiding zou krijgen over een ziekenhuis. Ik
dacht dat ik hier goed kon doen, maar als zíj niet wil
meewerken...'
Schrijf me alsjeblieft snel weer op dit adres, in de hoop dat je
brief mij bereikt voordat ik vertrek. Vertel me wat de kleur van je
nieuwste lint is, welke hymnen je afgelopen zondag in de kerk
hebt gezongen en of Ruth al een jongeman heeft gevonden, en ik
zal alles lezen met een onstilbaar verlangen om alles over jou te
weten.
Mijn bed hier is hard en vies en vol vlooien (vertel dat alsjeblieft
niet aan mama). Ik geef mezelf maar vijf minuten per avond de
tijd om aan jou in Fosse House te denken. Ik verlang er zo naar
je te zien, je aan te raken, ik verlang zo naar je geur, de klank
van je stem, je trage, diepe lach, dat ik me oprol tot een bal en
in mijn luizige kussen bijt.
Denk je aan me?
Je Rosa

7

Balaklava,
6 maart 1855

Mijn lieve Mariella,
Ik zit midden in een conflict met de autoriteiten hier, die me
naar huis willen sturen. Ik heb een longinfectie opgelopen, zoals
zij het noemen, en ze zijn ervan overtuigd dat mijn gezondheid
ernstig gevaar loopt. Ik werp tegen dat iedereen ziek is en dat ik
zeker niet zieker ben dan de meesten, minder ziek zelfs dan
velen. Scheurbuik, cholera, dysenterie, bevriezing, onderkoeling;
dat zijn de aandoeningen die ons allemaal in meer of mindere
mate treffen. Maar een longinfectie is niets anders dan een chique
naam voor verkoudheid en thuis zou ik niet eens in bed gaan
liggen met zoiets triviaals. Ik hoop dan ook dat ze tot inkeer
komen en mij laten blijven.
Ik heb ontdekt dat ik het liefst buiten ben, wat voor weer het ook
is. Eigenlijk heb ik een hekel aan de ziekenhuisbarak en kan ik
niet ademen in die muffe ruimte. Ik heb een jas van schaapsvacht
gekregen die tot de vloer reikt en als ik hem goed dichtdoe en
jouw muts en handschoenen aantrek, voel ik niets van de natte
wind.
Vorige week is het weer zo opgeknapt dat de mannen
paardenrennen hielden op een terrein in het zicht van de Russen.
Ze hadden een voor een door scherpschutters neergeschoten

kunnen worden op het moment dat ze hun paarden bestegen.
Alsof de oorlog niet gevaarlijk genoeg is, vinden ze het nodig
zich in een dolle wedstrijd te storten. Is dat wat ze onder
vermaak verstaan? Ik ben naar een van de kapiteins gegaan,
Stukeley, aangetrouwde familie van je tante, realiseerde ik me
toen ik de naam herkende. Ik zei: 'Weet u, wij zijn bijna
familie. Ik ga trouwen met de nicht van uw stiefmoeder. Ik
smeek u dan ook uw eigen leven en dat van uw mannen niet op
het spel te zetten.'
Hij zat op zijn paard, een groot kastanjebruin beest dat er
gezonder uitzag dan de meeste armzalige knollen die de winter
hadden overleefd, hoewel hij littekens had op zijn flank en hals.
Maar goed, deze Stukeley grijnsde op me neer door een
inktzwarte baard en in zijn ogen zag ik een vuur, een soort
fanatiek plezier in de rennen dat zo sterk was dat ik hem niet
kon bereiken. 'U bent dokter Henry Thewell, nietwaar? Wat
zegt u daar over mijn stiefmoeder?'
'Haar nicht is miss Mariella Lingwood, met wie ik binnenkort
zal trouwen.'
'Is dat zo? Mariella Lingwood. Mijn stiefmoeder en stiefzuster
Rosa gingen bij de Lingwoods wonen toen mijn vader stierf.
Heeft u ze daar ooit ontmoet?'
'Jazeker. Maar dat is nu niet van belang. Waar het om gaat, is
dat ik wil dat u ophoudt met deze wedstrijden. Anders breken er
wellicht nog meer benen...'
'Als u ooit terugkeert, groet Rosa dan van mij. Vertel haar dat
ik aan haar denk. En dank u wel voor de waarschuwing, dokter.
U bent een goede man. Ik heb veel over u gehoord.' Hij grijnsde
weer, gaf zijn paard de sporen en was vertrokken. Later zag ik
hem over de vlakte jagen, aan kop van een handjevol andere
mannen, zijn longen uit zijn lijf schreeuwend.
Dus zo gaat het er hier aan toe. Iedereen is vastbesloten hetzij
elkaar hetzij zichzelf over de kling te jagen. Niemand luistert
naar mij.
Het vreemde is dat deze bizarre oorlogswereld voor mij nu reëler
is dan welke wereld ook. Engeland, de goed geplaveide Londense
straten, het vooruitzicht van een comfortabel bed, dat is allemaal
tot bijna niets vervaagd. In gedachten zie ik jou, Mariella, en je

nicht op De Iepen om de hoek van het huis komen rennen. Heel
klein en heel scherp, alsof ik door het verkeerde uiteinde van een
telescoop kijk.
Lief meisje. Wacht je echt nog steeds op me?
Henry

8

Londen, 1855

Toen Rosa niet meer schreef, waren we niet meteen overmatig ongerust. De postbezorging vanuit de Krim was zo onbetrouwbaar dat velen naar de krant schreven om te klagen dat het in onze moderne tijd van stoomschepen en telegraafverbindingen toch ongehoord was dat families soms wel een maand op nieuws moesten wachten. Maar toen de dagen voorbijgingen en er nog steeds geen brief kwam, begonnen we ons zorgen te maken. Moeder schreef naar iedereen die we konden bedenken – onder meer de Engelse ambassadeur in Turkije, het ministerie van Oorlog, miss Nightingale – en vervolgens alle contacten op de Krim, van lord Raglan tot kapitein Max Stukeley. We negeerden zelfs Rosa's instructies en schreven Henry dat ze misschien als verpleegster in Balaklava werkte en of hij naar haar kon zoeken.

Uiteindelijk ontdekte vader dat miss Stanley weer in Londen was en hij ging onmiddellijk bij haar langs, maar kreeg alleen haar broer te spreken, die in een kort, verdrietig gesprek zei dat miss Stanley te ziek was om te praten.

Drie dagen later kwam er een brief geschreven in een bibberig vrouwenhandschrift.

Vraag mij niet naar de verblijfplaats van die beste miss Barr, die zich zo heldhaftig wijdde aan de verpleging van de zieken, ondanks alle tegenslagen. Ze besloot ons te verlaten en ging uit

vrije wil naar Balaklava. Ik had er niets mee te maken. Lord Raglan gaf opdracht een paar verpleegsters naar het brandpunt van de oorlog in Balaklava te sturen, en ze vroeg of zij mocht gaan. Ik kan u niet ontvangen, ik ben te ziek en heb te veel pijn.
Uw nederige dienaar in Christus,
Mary Stanley

We hielden onszelf voor dat geen nieuws goed nieuws was en dat Rosa, haar kennende, midden in een bijzonder avontuur zat, maar door de spanning werd mijn naaiwerk slordig, ik lette niet meer op of de achterzijde van mijn borduurwerk wel net zo netjes werd als de voorkant en de wirwar van losse draadje irriteerde me zo dat ik op een keer het werk van een hele middag aan stukken knipte met het kleine schaartje van tante Eppie. Het kon me niet schelen dat mijn haar nodig gewassen en mijn handschoenen versteld moesten worden en als ik met moeder naar het tehuis voor de gouvernantes ging, vond ik de geur van oude lichamen zo verstikkend dat ik buiten in de koets moest wachten.

Vader maakte zich grote zorgen over mijn sombere stemming en maakte op een ochtend tijd vrij om met mij naar De Iepen aan de andere kant van Londen te rijden, maar helaas was het hek gesloten en was hij de sleutel vergeten. Ik gluurde door de spijlen naar de lege ramen en zag dat op het gazon groepjes narcissen waren verschenen waarvan sommige al bruin waren. Bij terugkomst in Fosse House vertelde Featherbridge ons dat lady Stukeley thee serveerde aan een heer in de salon.

In de maanden sinds Kerstmis had Isabella haar rouwkleding stukje bij beetje aangepast zodat er nu stroken kant van haar hals en polsen omlaag hingen en juwelen (gered uit de klauwen van Horatio Stukeley) aan haar vingers en op haar borst fonkelden. Ook haar golvende haar, dat nu het was bevrijd uit het weduwekapje een lichte grijsblonde tint bleek te hebben, werd bekroond door een creatie van kant, en haar huid was zacht en roze gepoederd. Ze zag er vriendelijk en vrouwelijk uit en haar forse boezem was rijp van belofte.

Ze stelde Mr. Shackleton voor als een ver familielid van Mr. Hardcastle. 'Mr. Shackleton en ik kwamen al snel tot de ontdekking dat we allebei geïnteresseerd zijn in de natuur,' zei ze onschuldig glimlachend vanuit haar nest van sjaals en kussens. Om haar zogenaamde heimwee naar de rijke flora en fauna op haar landgoed in Derbyshire te verlichten, had Shackleton zich vandaag naar haar toe gehaast om haar een deel van zijn mottenverzameling te laten zien, twaalf diertjes in totaal, vastgespeld onder een glasplaat.

De bezoeker was zo klein dat, toen hij opstond om mij de hand te schudden, de bovenkant van zijn hoofd zich op dezelfde hoogte bevond als mijn neus, en zo iel en mager dat zijn jas mij zou hebben gepast. Zijn rode baard stak naar voren als het blad van een spade. Zodra de beleefdheid het toeliet, ging hij weer naast Isabella zitten, leunde bijna tegen haar schouder aan en liet zijn hand in de buurt van haar borst zweven terwijl hij de tekening aanwees van wat volgens hem een uitzonderlijk mooie sint-jansvlinder was.

Ik zag dat Isabella het beste theeservies had laten brengen en het feit dat ze zich zo schaamteloos het gekoesterde porselein van moeder toeëigende was de laatste druppel. 'Is er al een brief van Rosa?' vroeg ik.

Natuurlijk begon haar lip te trillen en vulden haar ogen zich met tranen. Mr. Shackleton nam het kopje uit haar bevende vingers. 'Geen brief. Geen woord van Rosa. O, Mr. Shackleton, vergeef me. Ik weet niet hoe het verder moet.'

9

Op de ochtend van 2 mei bracht Featherbridge me een brief op zijn presenteerblaadje. De envelop was beschreven in een onbekend handschrift en een week geleden in Italië gestempeld. Ik nam hem mee naar mijn kamer, sloot de deur en ging aan de kaptafel zitten.

Natuurlijk wist ik dat de brief alleen maar slecht nieuws kon bevatten. Iets anders verwachten zou dwaas zijn. Al de hele winter hing er slecht nieuws in de lucht, waar we ook gingen, als een giftige damp. Iedereen was bang erdoor besmet te raken. Toen ik een blik wierp op mijn gezicht in de spiegel, zag ik dat ik doodsbleek was.

Het eerste velletje, dat om de andere velletjes heen was gewikkeld, was beschreven door een onbekende.

Huis van Signora Critelli
Via del Monte
Narni
24 april 1855

Miss Lingwood,
Ik schrijf u om u het slechte nieuws te vertellen dat dokter
Thewell op dit moment ernstig ziek is. Toen hij hier kwam was
hij op sterven na dood, en hoewel hij er nu iets beter aan toe is,
is zijn gezondheid nog zeer zwak. Een collega die wist dat ik

hier in Italië ben en dat dit soort gevallen mijn specialiteit zijn,
schreef mij om te vragen of ik zijn behandeling op me wilde
nemen.
Tussen zijn bezittingen vond ik de ingesloten, aan u
geadresseerde brief, samen met de andere fragmenten. Gezien de
omstandigheden nam ik aan dat u wilde weten waar hij is en
daarom heb ik besloten u te schrijven.
U kunt er zeker van zijn dat ik mijn patiënt alle nodige
aandacht zal blijven geven.
Mijn verontschuldigingen voor deze voor u ongetwijfeld vreemde
en verontrustende interventie.
Uw dienaar,
Dr R. Lyall.

Vervolgens een envelop zonder postzegel, met mijn adres in het
handschrift van Henry.

April

Mijn lieve Mariella,
Ik bevind me weer op een schip, op een kalme zee.
Het was niet mijn beslissing. Bijna zonder dat ik het merkte
werd ik aan boord gebracht en weggevoerd. Ik heb het gevoel dat
ik niet hier op de Middellandse Zee zou moeten zijn, zo ver
van de oorlog, maar op de Zwarte Zee.
Waarom noemen ze de Zwarte Zee zwart, terwijl ik hem grijs,
blauw en bruin heb gezien, maar nooit zwart? Piraten, zo werd
mij verteld; in vroeger tijden was er altijd de angst voor de piraten.
Terwijl ik dit schrijf is een kleine groep soldaten onder
Canrobert's Hill een nieuwe greppel aan het graven voor de
doden van vannacht en een chirurg uit het Castle-Hospitaal is
bezig een voet af te zetten bij een man die is geraakt door een
Russische kogel. En ik lig onder een blauw-wit gestreept dekzeil
op dit schip vol rijke officieren die vanwege hun verwondingen
naar huis mogen, plezierreizigers en zakenlieden die naar huis
terugkeren. Ik kijk naar een losse reep canvas die heen en weer
wappert in de wind. Er is één wolk aan de horizon, onbeweeglijk
en heel plat aan de onderkant.

Een collega van mij beval Italië aan en daar brengt deze boot me
nu naartoe. Ik word afgehaald door een Engelse dokter die daar
onderdak voor me zal regelen. Ik zal je mijn nieuwe adres
sturen.
Henry.

Overigens heb ik Rosa gezien, je nicht Rosa.
Vreemde zaak. Schokkend, eigenlijk. Het is alweer een tijdje
geleden, toen ik nog in de loopgraven mocht werken. Misschien
heb ik het in een vorige brief al vermeld, ik weet het niet meer.
Op een ochtend, tegen zonsopkomst, rende ik zoals gewoonlijk
het slagveld op na zware beschietingen door de Russen,
heviger dan we gewend waren van de dagen daarvoor. Ik
vermoed dat de Russische handen hun wapens sneller konden
laden nu de kou zijn greep had laten varen. Hetzelfde gold
voor ons.
Tijdens een staakt-het-vuren rennen we naar voren om de
gewonden te halen. We vermengen ons met de Russen bij het
sorteren van de lichamen. Twee voor jou, één voor mij. Er
kronkelt iemand. Ik buk. Het is een Rus. Hij heeft alleen een
arm verloren. Hij kan het halen. Ik wuif naar de Russische
ziekenbroeders en ze komen en plukken hem van het veld.
Ik ga verder. Het is heel nat – er valt een gestage motregen. Ik
zie iets lichts hangen boven een van onze gewonde mannen. Het
is het blonde haar van een vrouw. Ze draagt een soldatenjas en
het grootste deel van haar haar is opgebonden in een blauwe
gebreide sjaal die ze om haar nek heeft gewikkeld. Ze zit
gehurkt naast het lichaam van een soldaat wiens hoofd in een
poel bloed en weefsel ligt. Zijn ogen zijn strak op haar gezicht
gericht. Ze weet ongetwijfeld dat hij niet zal blijven leven, maar
ze neemt zijn hand en streelt hem. Dan wordt ze zich bewust
van mijn aanwezigheid en kijkt ze op. Het is niemand minder
dan je nicht Rosa. Ik begrijp niet wat ze daar doet. Dit kan niet
waar zijn. Nee. Misschien is ze een soort fantasie of
luchtspiegeling. De regen slaat haar in het gezicht. Ze is mager
en haar neus is rood van de kou. Haar handen zijn onbedekt en
ik zie dat ze winterhanden heeft. Twee van haar vingertoppen
zijn helemaal geel. Ze moet beter op zichzelf passen. Echt waar.

Als het een of twee graden kouder was, zou ze last kunnen krijgen van bevriezingsverschijnselen.
'Dr Thewell,' zegt ze heel langzaam, alsof de naam stukje bij beetje terugkomt. Dan schudt ze haar hoofd. 'Uw diensten zijn hier niet nodig.'
We kijken allebei naar de jongen, die de afwezige blik heeft van een stervende. Rosa brengt haar gezicht dicht bij het zijne. Ik hoor haar troostende woorden fluisteren.
Dan roept iemand mijn naam. Twintig meter verderop hebben ze me nodig; misschien is er hoop voor een gewonde, als ik er snel genoeg bij ben. Ik ga verder.
Als ik haar zoek, is ze verdwenen.

En tot slot een paar strookjes papier die als confetti op mijn schoot vallen.

Liefste, lief meisje,
Kan je niet zien. Kan je niet aanraken.
Schrijf alsjeblieft.

Gewoon om mezelf ervan te overtuigen dat je echt bestaat. Ik weet het niet. Ik kan me niet herinneren wat echt is.

Geen woord van jou. Ik was er zeker van dat je me zou schrijven. Als je niet schrijft, zal ik sterven. Als je niet snel schrijft is het misschien te laat.
Het enige wat ik heb zijn de boeken van Keats. Jij bent daar, in al zijn gedichten. Dat had ik nog niet eerder gezien.

Kon ik maar terug naar jou. Naar de tuin van Clapham. Of binnen waar het lamplicht op je haar valt.
Soms jaagt je onwankelbare trouw me angst aan. Ik voel me nederig bij jou. Ik weet diep vanbinnen dat je trouw zult zijn tot je dood.

... En, luisterend naar haar tere ademtocht,
Steeds leven – of in dood verzinken mocht.*

* uit: John Keats *Gedichten*, uitgegeven bij Ambi 1991, vert. Paul Claes

Schrijf me. Ik denk dat het misschien al te laat is.

De rest van de dag bleef ik in mijn kamer waar ik de inhoud van de envelop las en herlas tot de woorden van Henry's laatste briefje net zozeer deel van mij waren geworden als mijn vlees en bloed. Ik bladerde door de boeken van Keats tot ik het sonnet 'Bright Star' vond waaruit hij had geciteerd en tegen de middag kende ik het uit mijn hoofd. Toen ging ik in het raam zitten en keek naar de meizon die hoger en hoger steeg, naar de schaduwen die korter werden, naar de ceder met zijn nieuwe bladeren die glinsterden en rimpelden, naar het veranderende licht in mijn kamer.

Precies om vier uur hoorde ik de deurbel. Daarna klonken de stemmen van Mr. Shackleton en mijn tante op het terras onder mijn raam en vervolgens het gerinkel van theekopjes.

Naarmate de middag vorderde werd het licht warmer en veranderde de tuin in een waas van voorjaarsbloesem en nieuw groen. Alles werd anders in het gouden licht van de hemel. Vanuit mijn raam kon ik niet ver voorbij de ceder kijken. Ik zag alleen het begin van de wildernis en de rand van de moestuin waar de nieuwe tuinier zich keer op keer bukte.

Vroeg in de avond kleedde ik me voor het diner. Toen ik mijn deur opendeed merkte ik onmiddellijk dat alle oren in huis gespitst waren. Nora verscheen boven aan de trap. 'Je hebt nieuws,' zei ze.

'Ik knikte.

'Rosa?'

'Dokter Thewell. Hij is heel ziek.'

'Heeft hij het over haar?'

'Ja. Hij heeft haar gezien, maar een tijd geleden.'

Ze zette een stap dichterbij en diep in haar oog zag ik een vonkje. 'Ik hoop dat we nu iets zullen ondernemen,' zei ze.

Tijdens het eten nam ik geen deel aan het gesprek. Vader was eindelijk een keer thuis en tante was nog op, hoewel ze bijna in tranen was vanwege Rosa. Moeder vulde de stilte met het nieuws dat er in Fulham een lap grond was gevonden voor een tweede tehuis voor gouvernantes; het kostte maar zevenhonderd pond, maar Mrs. Hardcastle vroeg zich af of dit wel een goed moment was om aan zo'n project te beginnen, aangezien zij zelf op het punt stond naar Europa te vertrekken.

Zodra we van tafel gingen voegde vader zich bij ons in de salon. Tante had te veel aan haar hoofd om te werken en ging op de sofa liggen met haar handen ineengevouwen onder haar boezem, draaiend met haar duimen. Er stond een raam open en de ruches van haar kapje wapperden in de tochtstroom. De hangklok begon zich hijgend en puffend voor te bereiden om negen uur te slaan. De pen van moeder kraste over het papier. Vader sloeg een bladzijde van *The Times* om maar zei niets over de oorlog. Ik was bezig met een eenvoudige lappendeken voor een van de gouvernantes omdat het naaien van rechte lijnen en simpele zomen het enige was waartoe ik in staat was.

Hoewel de kilte tussen tante en mij uit de lucht was, had ze haar gewoonte om over mij te praten in plaats van tegen mij nog niet opgegeven. 'Ik zie dat Mariella toch gestreept flanel gebruikt,' zei ze. 'Maria, blijkbaar slaat je dochter je waarschuwing dat flanel niet lang goed blijft, in de wind. Dat oude hemd van Philip is te vaak gewassen.'

De pen van moeder stond even stil en ze glimlachte aandachtig maar ik zag dat ze niet luisterde.

'Ik ben al verbaasd dat er genoeg stof is voor acht kleine lapjes. Nou ja, ik hoop dat ze meer dan een halve centimeter rekent voor de zomen. Mr. Shackleton draagt...'

Ik stond op en de deken rolde langs mijn rok op de vloer. Later merkte ik dat ik de naald nog steeds tussen de duim en wijsvinger van mijn rechterhand geklemd hield. 'Ik ga naar Henry,' zei ik, maar mijn stem was niet meer dan een fluistering en op dat moment kwam Featherbridge binnen met het theeblad dat hij voor moeder op tafel zette. 'Ik zal wat geld nodig hebben,' voegde ik eraan toe toen hij weer weg was. 'Ik zal de Hardcastles vragen of ik met ze mee kan naar Italië.'

Ik beefde zo dat mijn knieën tegen elkaar knikten. Tante zei: 'Roer even in de thee voordat hij bitter wordt, zuster. Ik weet niet waar ze het over heeft. Maria, begrijp jij wat je dochter...'

Vader liet de krant op zijn schoot zakken en moeder legde haar pen neer omdat ik nog bij de theetafel stond en op verongelijkte toon zei: 'Dus, vader, ik vroeg me af of u me een paar pond kunt geven voor de reis.'

'Reis?' zei moeder. 'Waar ga je naartoe?'

'Naar Henry. Ik moet Henry zien.'

'Ah, kijk eens aan,' zei Isabella. 'Nog een die de benen wil nemen.'

'Kom mee,' zei vader, en hij nam me mee naar zijn studeerkamer, waar ik tegenwoordig bijna nooit meer kwam, maar waar hij me als kind binnenliet om een van zijn dikke gummen te lenen voor mijn tekening of om te kijken naar de kaarsrechte potloodlijnen van de bouwplannen die uitgespreid op de tekentafel lagen. Ik plofte neer in de enige leunstoel en begon te huilen terwijl hij door de kamer ijsbeerde. 'Wat is er aan de hand, Ella? Waar heb je het over?'

'Henry is ziek. Hij zit in Italië. Misschien is hij stervende. Ik moet naar hem toe.' Ik reikte hem de brieven aan en bedekte mijn gezicht.

Lange tijd zei hij niets, maar ik hoorde iedere keer zacht geritsel als hij een velletje papier op zijn bureau legde. Ten slotte zei hij: 'Mijn lieve kind, ik weet niet wat ik moet zeggen. Dit klinkt helemaal niet als Henry. Ik had niet gedacht dat hij in staat zou zijn tot zoiets…'

'Ik kan niet anders dan naar hem toe gaan, vader.'

Hij staarde me aan. Toen kuchte hij, vouwde alle velletjes in vieren en gaf ze aan me terug. 'En blijkbaar heeft hij Rosa ontmoet, maar zo lang geleden dat we er niet veel aan hebben. Hij had het ons eerder kunnen laten weten. Mariella, wat moeten we denken van al die onzekerheid over Rosa? En dan is er nog de vraag wie met je mee kan gaan als chaperonne.'

Mijn mond viel open, mijn neus liep en van mijn kin dropen tranen op mijn boezem, want er was iets bijzonder gebeurd: vader besprak de obstakels in plaats van me te verbieden nog verder over dit plan na te denken.

Ik had het geen seconde voor mogelijk gehouden dat ik toestemming zou krijgen om te gaan.

Deel vier

I

Italië, 1855

DE VOLGENDE OCHTEND GINGEN NORA EN IK WEER NAAR HENRY'S pension. Het was warm, maar het regende nog steeds en de straat was glad van de modder.

Signora Critelli stond in de deur en zodra we binnen gehoorsafstand waren, riep ze tegen me: '*Il medico... inglese... Roma*' en ze spoorde me aan snel naar boven te gaan. Uit de kamer van Henry kwam een gestalte tevoorschijn die weinig vertrouwen inboezemde en naar ons omlaag keek. Zijn rode teint was, getuige de geur die hij uitwasemde, te danken aan een liefde voor wijn. Dit was de Engelse dokter, Lyall, eindelijk terug uit Rome.

'Bent u degene die hem gisteren heeft aangemoedigd naar buiten te gaan?'

'Er was geen aanmoediging nodig. Hij wilde het zelf.'

'Waanzin. Wat heeft al mijn harde werk voor zin als het in een paar uur teniet wordt gedaan? Als je een patiënt met tering meeneemt de regen in, teken je in feite zijn doodvonnis.'

'Tering?'

'Twijfelde u daaraan? U moet het toch geweten hebben. Mijn god, geen wonder dat ik niet in Engeland wil wonen. Niemand wil daar de waarheid zien.'

'Gaat het slechter met hem?'

'Het verbaast me dat hij de ochtend heeft gehaald. Goed, ga maar naar binnen. Ik neem aan dat u de vrouw bent over wie hij het steeds heeft. Hij pijnigt zichzelf. Meer kwaad kunt u toch niet meer aanrichten.'

'Hoe bedoelt u, hij pijnigt zichzelf.'

'Het zal u ongetwijfeld plezier doen dat hij volledig in uw ban is. Is dat niet de droom van alle vrouwen?'

Henry lag net zo in bed als de eerste keer dat ik bij hem binnenkwam, behalve dat hij niet eens zijn hoofd optilde maar het heen en weer schudde alsof hij probeerde zich van het kussen te bevrijden. De luiken waren gesloten en er was geen daglicht, slechts de gloed van één kaars.

Toen ik bij het bed neerknielde en zijn ijskoude handen pakte, staarde hij naar me zonder iets te zien, alsof hij in een droom leefde. 'Henry, ik ben het, Mariella.'

Hij leek me niet te kennen, maar greep plotseling mijn hand. 'Mariella.'

Zijn schoonheid benam me de adem; de dikke pluk haar op zijn voorhoofd, de gebeeldhouwde kromming van zijn neusvleugels, zijn volle lippen. Ik wilde mijn mond op zijn borstbeen drukken, dat zichtbaar was door zijn doorschijnende huid. Nu hij mij met zijn brandende ogen strak aankeek, werd de knoop van pijn losser. Ik dacht: hij is stervende en ik moet hem alles vergeven, er is geen tijd voor verwijten. 'Ik houd van je,' zei ik en kuste zijn voorhoofd.

Hij legde zijn hand op mijn achterhoofd en duwde mijn mond naar zijn oor. 'Help me. Vind Rosa.' Het was alsof hij me een klap in het gezicht gaf. 'Mariella. Alsjeblieft. Vind haar alsjeblieft.'

Ik ging kaarsrecht zitten.

'Mariella. Ik smeek je. Er zijn zoveel doden. Duizenden ongemarkeerde graven. Je moet haar vinden.'

'Ik zal haar een brief schrijven,' zei ik ten slotte.

'Nee. Vind haar. Zeg haar dat ze naar me toe moet komen. Ik denk dat ze dat wel zal doen, ze móét komen. Ik zie haar. Ik hoor haar stem, maar ik kan haar niet bereiken. Ik had mijn ogen niet dicht moeten doen.' Hij omklemde mijn hand zo stevig dat mijn vingers pijn deden. 'Vind Rosa.'

Ik was steenkoud vanbinnen, hoewel hij zich naar me toe boog en de tranen over zijn wangen stroomden. 'Mariella. Vind Rosa.'

'Waar moet ik zoeken, Henry?' Hij liet zich terugvallen in het kussen. 'Wat is er gebeurd? Vertel het me alsjeblieft.'

Hij duwde mijn hand weg. 'Vind Rosa. Haast je.'

Nora en ik liepen zonder een woord te zeggen naar Hotel Fina. Mijn kamer was zo donker dat ik op de tast de weg naar het bed moest vinden. Nora opende de ramen, ontgrendelde de luiken en gooide ze open zodat vochtig, grijs licht naar binnen stroomde. 'En?'

'Ik wil alleen zijn.'

'En daarna?'

'Morgen gaan we naar huis.'

'Je bent toch niet van plan hem achter te laten?'

'Ik ben hier niet gewenst.'

'Dus je laat hem alleen?'

'Zoals ik zei, hij wil me niet. Hij denkt alleen maar aan Rosa.'

'Dus het is waar. Die vrouw beneden hield vol dat hij haar naam zei, keer op keer.'

Ik maakte mijn bonnet los, liet me in de kussens vallen en legde mijn onderarm over mijn ogen.

'Ze zijn elkaar tegengekomen in de oorlog,' zei ze. 'Dat is alles, en hij wil weten of ze veilig is.'

'Hij is geobsedeerd door haar.'

'Nou, ik vind dat hij gelijk heeft. Er moet inderdaad iemand naar Rosa gaan zoeken. Het is niets voor haar om niets te laten horen.'

Ik ging zitten en staarde haar aan. 'Nora, ze is op de Krim, in Rusland, midden in de oorlog. Hoe wil je dat ik daarheen ga?'

'We vinden wel een manier.'

'Ik ben alleen. De Hardcastles...'

'Ik ga met je mee. Voor Rosa.'

'Ik wil niet dat je meegaat. We gaan naar huis.'

'Dan ga ik alleen.'

'Laat je mij achter?'

'Jij hebt toch dokter Thewell om voor te zorgen.'

'Ik wil dat je zijn naam niet meer noemt. Hij is verliefd op Rosa. Ik kan de gedachte aan hen beiden niet verdragen. Laat me alleen.'

'Ik wil niet dat je kwaad over haar denkt. Ze hakt nog liever haar hand af dan jou ook maar een haar te krenken.'

Ze beende de kamer uit en liet mij wanhopig achter op het bed. Maar ongeveer een uur later kwam ze terug met een kop thee. 'Ik neem aan dat je de voorbereidingen wilt treffen voor de reis. We kunnen niet zomaar bij de deur gaan staan en verwachten dat er een koets komt die ons meeneemt,' zei ze.

Ik meed haar blik. 'We gaan naar de Hardcastles in Rome, zoals afgesproken. Mr. Hardcastle zal de rest wel regelen.'

'Ik heb inlichtingen ingewonnen bij de receptie en bij dokter Lyall. We kunnen een koets naar de kust nemen, naar Pescara, en daarvandaan met een stoomschip naar Turkije. Of naar Civitavecchia en dan om de punt van Italië heen. Het is te doen.'

Ik rolde me op mijn zij, begroef mijn hoofd in het kussen en voelde de bekende slang van pijn in mijn slaap: hoofdpijn, ongetwijfeld opgewekt door mijn verdriet. Ik wist dat er drie mogelijkheden waren, de ene nog onvoorstelbaarder dan de andere. De eerste was de lange reis naar huis, beginnend met een ondervraging door Mrs. Hardcastle in Rome, dan de aankomst in Fosse House, de trap oplopen naar mijn kamer en mijn mantel en bonnet uittrekken. En wat dan?

Of ik kon in Narni blijven en Henry's wanhoop omdat ik Rosa niet was over me heen laten komen.

Of ik kon mijn spullen pakken, door Europa trekken en Rosa zoeken om haar te vragen mij de waarheid te vertellen.

2

De volgende morgen bracht Lyall ons geld. Hij was gestuurd door Henry. De pijn bonkte onder mijn bonnet en zijn
gezicht was een waas. Toen werd ik in een koets gezet en reden
we in volle vaart de helling af over de meedogenloze keitjes van
Narni. Tijdens de tocht door Terni en de heuvels werd het ondraaglijk warm, mijn hoofd rolde op mijn nek en de pijn achter
mijn ogen was zo hevig dat mijn mond open zakte. Ik was te
misselijk om te eten maar Nora drukte me tegen haar borst en
druppelde water tussen mijn lippen. Die nacht deelden we een
kamer in een klein, donker herbergje, waar ik lag te kronkelen
in het smalle bed en zij op de vloer sliep. Tegen de dageraad viel
ik in slaap en toen ik wakker werd, had ze het luik op een kiertje gezet en zat ze rechtop met gesloten ogen en een snoer met
groene kralen tussen haar vingers.

In de haven van Pescara vonden we een stoomschip dat op
weg was naar Constantinopel en daarvandaan konden we naar
Balaklava varen. 's Nachts, toen we nog in het dok lagen, opende Nora de patrijspoort van onze snikhete hut en ik rook de zee.
In de ochtend nam mijn hoofdpijn af en ik voelde een sprankje
geluk toen ze me een kop thee bracht, want hoewel hij lauw was
en er geen melk in zat, kon ik hem drinken zonder dat ik misselijk werd.

Die hele dag, terwijl de motoren tot leven kwamen en het kabaal van schoepen, pistons en voortgestuwd water begon, lag ik

met mijn ogen dicht in een kooi. Ik omklemde het laken en vroeg me af hoe het zover had kunnen komen dat ik op weg was naar Turkije en de oorlog. Nora kwam af en toe binnen, maar we zeiden niets. Het kon me ook niet schelen waar ik heen ging. Nu mijn hoofdpijn was verdwenen en de opwinding van het vertrek was geluwd, kon ik niet meer weglopen voor het feit dat Henry verliefd was geworden op Rosa en dat mijn grote levensdroom daarmee in duigen was gevallen.

Het leven op het schip begon me geleidelijk aan te benauwen. De eerste onwennige dagen van de reis luisterde ik naar de mensen die boven, naast en onder me bewogen of tegen de muur van mijn hut botsten als het schip overhelde, naar de voeten die een paar centimeter van mijn gezicht over de planken liepen, tot ik er niet meer tegen kon om opgesloten te zitten. Ik moest weg van die anonieme, krioelende lichamen. Dus kwam ik uit mijn kooi, wikkelde me in een sjaal, bedekte mijn steile haar met een bonnet en strompelde het dek op.

Buiten zag ik een blauwe wereld die fonkelde en stroomde; hemel en water vormden één deinend, rimpelend, flitsend blauw geheel. Ik was te ziek om in de eetzaal te gaan dineren, dus bracht Nora me in mijn stoel een maaltijd die bestond uit brood en soep. Toen ik een hap nam, ontdekte ik dat ik uitgehongerd was.

Ik vond het prettig dat het schip zo efficiënt en keurig was ingericht. De badkamer had koperen kranen, een ruime voorraad handdoeken en een adequaat watercloset. Na de derde dag trok ik een paar onderrokken uit omdat het te warm was en de gangetjes en de hut te krap. Het schip voer stampend en stinkend de Egeïsche Zee op, tussen tientallen kleine eilandjes door. Aan de ene kant lag Griekenland, aan de andere kant Turkije, en ik realiseerde me dat ik nu ín de kaart zat die ik in mijn Russische oorlogsalbum had geplakt.

Kleine rituelen boden mij enige troost, zoals het uittrekken van mijn kleren voordat ik ging slapen, het borstelen van mijn haar, hoewel dat laatste me deed denken aan Rosa die geobsedeerd naar me zat te kijken. 'Ik luister naar het geknetter,' zei ze altijd. 'Ik geloof dat er meer Mariella zit in haar haar dan in al haar andere delen.' De rest van de tijd werd ik verteerd door paniek, als ik niet lag te rillen van emotionele uitputting en wanhoop. Als ik 's nachts ging slapen sloeg mijn hart op hol en bonkte het tegen mijn zij.

Overdag zat ik op het dek met de brieven van Henry in mijn hand, de brieven die hij me had geschreven en de laatste, verwarde zinnen die voor Rosa bedoeld moesten zijn. Wie zou tenslotte niet Rosa nemen als hij kon kiezen tussen die opwindende vrouw en haar popperige nicht? Nu zag ik alles anders. Terwijl we langs de kust van Griekenland voeren, terwijl ik de eindeloze blauwe hemel boven mijn hoofd voorbij zag glijden, terwijl er mannen langs me liepen met enorme snorren en militaire uniformen en vrouwen met jurken van soepele mousseline en met parasols waarvan de schaduw over het dek achter hen aan huppelde, dacht ik alleen aan Henry en Rosa en aan het feit dat hij, ondanks die keer dat hij als kind huilend zijn hoofd in mijn schoot legde, ondanks de uren die ik had besteed aan het verstellen van mijn jurken, het kappen van mijn haar en het bevochtigen van mijn lippen als ik hem verwachtte, ondanks die keer dat hij en ik in het torentje van zijn nieuwe huis hadden gestaan en samen naar de toekomst hadden gekeken, toch voor de oogverblindende glimlach van Rosa was gevallen, net zoals ik ervoor was gevallen op het moment dat ze, boven op het hek van Stukeley, haar volle aandacht op mij richtte.

3

WE KWAMEN AAN IN CONSTANTINOPEL OP HET MOMENT DAT DE purperen schemer over het water rolde en de stad bijna volledig aan het zicht onttrok. We wankelden toen de motoren plotseling stilvielen en renden meteen naar het dek. Er hing een griezelige stilte die zich plotseling vulde met duizenden andere geluiden: stemmen, voeten, karrenwielen, honden en de indringende oproep tot het gebed van de moslims. Het leek wel alsof dit tijdstip van aankomst bewust zo gekozen was. 'Je bent in een onbekende omgeving,' jammerden de valse stemmen. 'Mar-i-ell-aaaaaa, jij hebt hier niets te zoeken.' Naaldvormige zuilen met vreemde kleine uitstulpingen aan de bovenkant, koepels, torens en schoorstenen boorden zich in de steeds donker wordende hemel. In de stad stonk het naar rook en rioolwater en terwijl we naar onze ankerplaats gleden, krioelde voor ons een menigte in verkeerde kleren die de verkeerde taal spraken. In een panisch moment van verstandsverbijstering zocht ik naar Rosa. Ik hoopte haar te zien, zich met haar ellebogen tussen de mensen door dringend, opspringend om me beter te kunnen zien, haar ogen stralend van geluk.

Maar er kwam niemand om me te redden. Nora viel echter in de smaak bij de Italiaanse bemanning, waarschijnlijk vanwege haar katholieke gezindheid, en de eerste matroos vond een stoomschip voor ons, de *Royal Albert*, dat de volgende avond naar Balaklava zou varen met soldaten die van de overkant van de Zwarte Zee naar de Engelse hospitalen in Skutari waren gestuurd en nu gezond genoeg waren om terug te keren naar het front.

De overstap van het ene schip op het andere ging zo soepel dat we nauwelijks een voet op Turkse bodem hoefden te zetten, afgezien van een stukje schuifelen over de kade achter een bediende die erin slaagde al onze bagage – twee koffers en vijf of zes tassen – op zijn rug en hoofd en onder zijn armen te dragen. Het nieuwe schip zag er heel schoon uit, maar er was veel lawaai doordat het net was volgeladen met kippen en ganzen. Er stonden ook kisten uit Engeland, waarvan sommige misschien wel de wanten bevatten die tante Isabella had gebreid ten koste van haar en mijn zenuwen.

Ik was van plan om een brief te sturen naar lady Stratford in de ambassade en naar miss Nightingale in het hospitaal van Skutari om te vragen of ze iets van Rosa wisten, maar Nora had, zonder met mij te overleggen, al een boot geregeld die ons vroeg in de ochtend naar het hospitaal zou brengen. Ze zei dat ze uit ervaring wist dat brieven gemakkelijk in verkeerde handen vielen of werden genegeerd. We moesten er zelf naartoe en bij verschillende mensen aankloppen.

Na wat ik over miss Nightingale had gehoord, vermoedde ik dat ze hoogst geërgerd zou zijn bij het zien van mijn roze reisjapon, dus ik pakte mijn soberste blouse die veel te warm was (acht verticale plooitjes aan weerszijden van de knoopsgaten en een kraag met drie lagen ruches), een zomersjaal en mijn bonnet met de brede rand. Mijn nieuwe hut beschikte over een klein spiegeltje en ik zag dat ik niet zou overtuigen als vrouw van de wereld; ik was niets meer dan een verwaterde versie van Mariella Lingwood, de diepbedroefde dochter van een bouwer.

Die nacht sliep ik nauwelijks. Het was heel warm, ik had bij het diner bijna niets gegeten – het vlees was taai en het brood zuur – en in het donker werd duidelijk dat ik mijn bed deelde met insecten. Vlooien. Ik lag in de duisternis terwijl de tranen op mijn kussen stroomden en mijn handen pijnlijk prikten. Wat ik bijna erger vond dan het lichamelijk ongemak was het gevoel dat ik de afgrond in gleed. De vlooien, het oneetbare voedsel en mijn nauwe band met een rooms-katholiek wezen er allemaal op dat ik afscheid had genomen van de bekende wereld.

De volgende ochtend begeleidde een van Nora's Italiaanse matrozen ons naar de pier waar we een boot naar Skutari zouden nemen. Ik greep Nora's arm toen we tussen een groep Turken belandden en hield mijn ogen strak op de grond gericht, of eigenlijk op de grote stenen die doorgingen voor plaveisel en waarover mens, dier en wagen zich hotsend en botsend voortbewogen. Ik hoorde luide stemmen in verschillende talen, ik zag een waas van kleding die op een vreemde manier om lichamen hing en van blote voeten, een flits van goudborduursel en toen waren we bij een gammele steiger waar een Turkse roeier stond te wachten om ons in zijn felgekleurde boot over de Bosporus te varen.

Tot mijn schrik zou de Italiaan, die nu onze laatste vriend leek, ons niet vergezellen op onze reis, dus nu zaten we in een krakkemikkig bootje, bestuurd door een breedgeschouderde Turk met een constante glimlach en parelwitte tanden. Ik maakte me klein in het achterschip, terwijl Nora een gesprek begon dat voornamelijk bestond uit geknik en glimlachjes van beide partijen omdat hij te dom was om Engels te spreken, hoewel hij vaak *buono* zei, alsof dat alles dekte.

Na een paar minuten drong tot me door dat hij een goede roeier was, dat hij probeerde het ons naar de zin te maken en dat hij ons niet ontvoerde maar gewoon naar een gebouw bracht dat het Kazernehospitaal moest zijn, een kolossaal gebouw dat duizend keer zo groot was als de huisjes die op een kluitje tegen de muur stonden. Ik had nog nooit een gebouw met zoveel ramen gezien en vroeg me af wat vader ervan zou hebben gevonden. Het moest lastig zijn om in zo'n kolos de pijpleidingen goed te onderhouden.

De roeier reikte mij zijn warme, ruwe hand aan en ik klom aan wal, me ervan bewust dat deze brede steiger van nieuw hout en het goed aangelegde pad omhoog naar het hospitaal in niets leken op het nachtmerrieachtige beeld dat werd geschetst door de kranten thuis. De zon scheen, de bodem was stevig, uit de Bosporus steeg de geur van zeewier op en het water leek tamelijk schoon ondanks een sliert drijvend afval.

Op het pad passeerden we bewoners en soldaten die een stap achteruit deden en vol eerbied hun hoed afnamen. De Turkse vrouwen hadden schelle stemmen en waren van top tot teen gekleed in felle kleuren, maar voor hun gezicht hingen zware sluiers. Ik benijdde ze om hun onzichtbaarheid. Mijn eigen gezicht leek wel een witte maan in de donkere omlijsting van mijn bonnet.

Toen we door de poort van het ziekenhuis liepen, stonden we plotseling in de schaduw. De geluiden waren hier geconcentreerder en functioneler: stromend water, haastige voetstappen, de trappelende hoeven van een ezel, een raspende zaag. Er was een grote binnenplaats, groot genoeg voor tien paradeterreinen, met verspreide barakken, groepen rondhangende mannen met gescheurde uniformen en honden die languit in de schaduw lagen. Twee mannen die gekleed waren in een hemd en een broek en met ieder één blote voet, zaten te luieren op een bankje tegen een zonbeschenen muur. Ze namen hun hoed af toen Nora vroeg waar het kantoor van miss Nightingale was en de kleinste ging gretig rechtop zitten. 'We kunnen u naar haar vertrekken brengen, maar ze is er niet. Ze is naar de Krim gegaan. En daar is ze heel ziek geworden. Dat heeft u vast wel gehoord.'

Mijn stemming daalde nog verder. Afgezien van het feit dat haar afwezigheid ons heel slecht uitkwam, schoot door mijn hoofd dat als zelfs de taaie miss Nightingale hier ziek kon worden, er voor mij weinig hoop was. Ondertussen hadden de mannen hun slordige haar bedekt, waren ze overeind gekomen op hun krukken en stonden ze klaar om ons te begeleiden.

Het hospitaal omringde ons met een bedomptheid die uniek is voor stenen gebouwen in warme landen. We liepen de trap op en kwamen in een lange gang. Ik herinnerde me dat Rosa het Koulali-Hospitaal had vergeleken met een treinstation en deze gang had inderdaad hooggewelfde plafonds, diep in de muur verzonken ramen met panelen, een eindeloze hoeveelheid deuren en langs de muur aan de kant van de binnenplaats een lange rij bedden, waarin zieke mannen lagen. Ik dankte God dat ik in ieder geval een glimp had opgevangen van het ziekenhuis in Londen, zodat ik niet al te erg schrok van de aanblik en geluiden van zoveel ziekte. We zagen alleen mannen – patiënten die van bed naar bed schuifelden, ziekenbroeders met emmers en schalen, een paar functionarissen in legeruniformen, een man met een overjas. Iedereen die bij bewustzijn was staarde ons aan en een of twee patiënten wenkten ons om bij hun bed te komen.

Toen zag ik in de verte een jurk in dezelfde modderige kleur als de jurk die Rosa had gekregen en mijn hart ging sneller slaan. Maar nee, deze vrouw was minstens drie keer zo dik als Rosa en dankzij de slakkengang van onze begeleiders was ze verdwenen toen we eindelijk het einde van de gang bereikten.

Uiteindelijk zagen we een non die gehuld was in meters zwarte stof en een slappe hoofdkap droeg die alles bedekte behalve haar pafferige wangen en kraaloogjes. Ze rook eerst naar kamfer, maar toen ze bewoog stegen uit haar rokken andere, minder aangename ziekenhuisgeuren op. 'Ja?' zei ze met een vlakke stem en een Iers accent. 'Kan ik u helpen?'

Hoe kon ik zien of ze katholiek of anglicaans was? Ze droeg een grote crucifix waarop een afbeelding van het hoofd van Christus was geplakt, wat er misschien op wees dat ze paaps was. 'Ik ben op zoek naar mijn nicht die een tijdje hier in Skutari als verpleegster heeft gewerkt, Rosa Barr,' zei ik.

Van het voorhoofd van de non was maar weinig te zien, maar één wenkbrauw ging omhoog en ze knipperde. 'Rosa Barr. Ik ken die naam. Hier is ze niet.'

De zaal spatte uiteen in duizend scherven, die zich snel weer aan elkaar hechtten. Rosa Barr. Ik ken die naam.

'We denken dat ze naar Balaklava is gegaan. We hebben niets meer van haar vernomen.'

'En u bent helemaal hiernaartoe gekomen om haar te zoeken? Onvoorstelbaar! Ik hoop dat u niet voor niets komt. Gaat u maar zitten en als ik klaar ben met mijn werk zal ik eens kijken wat ik voor u kan doen.'

Het duurde lang. De non, die een zware tred had, liep eerst de hele gang door en verdween door een van de deuren. Na een paar minuten kwam ze terug, stond onderweg stil bij een paar bedden en verdween in het trapgat achter ons. Ondertussen ging alles in de zaal zijn gewone gang. Er werd een soort maaltijd geserveerd; aan het einde van de gang werd een enorme ketel neergezet, een paar patiënten drukten zich vol verwachting op hun ellebogen omhoog en de geur van bouillon dreef naar ons toe. Dus ze verhongeren niet en ze sterven niet bij bosjes, dacht ik;

misschien waren al dat breien en die zelfopoffering thuis helemaal niet nodig geweest.

Ondertussen waren onze begeleiders aan weerszijden van Nora gaan staan. 'En wat is jullie overkomen?' vroeg ze op haar nieuwe, directe manier.

'Ach, u weet wel. Gewoon, dysenterie en daarna bevriezing.'

'Bevriezing? Met dit weer? Dat kan ik me nauwelijks voorstellen.'

'Het weer is omgeslagen.'

'Hebben jullie allebei je voet verloren door bevriezing?'

De spraakzaamste had een tanig lichaam en een weerzinwekkend litteken op zijn wang, waar het vlees was weggerukt en
stukje voor stukje teruggegroeid. 'Eigenlijk geef ik Halford hier
de schuld en hij mij. We lagen samen op wacht in de loopgraven, rustige nacht, vielen in slaap, wat we natuurlijk niet hadden
moeten doen. De kou maakt je slaperig. Werden wakker en onze voetzolen zaten met ijs aan elkaar vast. In die tijd vonden we
laarzen te veel gedoe – ze waren kapot, volkomen nutteloos, en
het was een hels karwei om ze aan en uit te doen. We waren allebei verkild tot op het bot dus we gingen tegen elkaar aan liggen, we konden onze voeten niet los krijgen. Ze moesten ons in
een kar naar het ziekenhuis rijden en we huilden en schreeuwden allebei tot ze een emmer rum in onze kelen goten. Het volgende dat ik weet is dat we samen op een hoopje liggen en dat
er een dokter over ons heen hangt die zijn hand op mijn been
legt, steeds hoger tot ik hem voel knijpen, en hij zegt: 'Ik moet
bij jullie allebei een voet afzetten, want ik neem aan dat jullie er
geen van beiden drie willen, waarvan er twee dood zijn. Dus,
wie is de eerste?' Uiteindelijk lagen we naast elkaar en hielden
we elkaars hand vast als baby's. We gooiden een muntje op en
Halford hier verloor. Sindsdien zijn we onafscheidelijk en we zijn
van plan om naar huis te gaan en rijk te worden door onszelf ten-
toon te stellen.'

Halford, die een onnozel, rood gezicht had, knikte instemmend
maar zei niets. Nora vroeg waarom de soldaten in hemelsnaam
geen fatsoenlijke laarzen kregen. De mannen antwoordden dat
hun regiment ervan uitging dat je met één paar laarzen voort kon
en alle extra's werden ingehouden van de soldij.

Eindelijk kwam de non terug met een boek. Ze deed opeens koeltjes en bleef op een afstand. 'Zo,' zei ze bits, 'we hebben de naam van uw nicht gevonden. Ze hoorde bij de groep van miss Stanley en werd niet hier geplaatst, maar ging eerst naar het Kou-lali-Hospitaal, ongeveer een mijl hiervandaan. Eind januari heeft ze besloten naar Balaklava te gaan. Sindsdien hebben we haar niet meer gezien.'

'Heeft u haar ooit ontmoet?'

'Kan zijn. Ik kan het me niet herinneren. Er kwamen hier een paar vrouwen uit de groep van miss Stanley die miss Nightingale wilden spreken, maar we waren hier nogal overbelast en hadden geen tijd om onervaren verpleegsters onder onze hoede te nemen.'

'En hoe kunnen we haar vinden?'

Haar bleke ogen gleden over mijn gezicht. 'U zou een brief-je kunnen sturen naar het Algemeen Ziekenhuis of het Castle-Hospitaal in Balaklava. Maar ik heb met mijn zusters gesproken. Zij denken dat miss Barr een van die vrouwen is die het niet lang uithouden in een ziekenhuis. Ze blijven niet allemaal.'

'Waar kan ze dan naartoe zijn gegaan?'

'Wie zal het zeggen? Ziet u, dat is het probleem. Met die jonge vrouwen weet je nooit wat hun ware reden is om hier te komen.'

'Rosa Barr kwam hier omdat ze verpleegster wilde zijn,' zei Nora.

'Dat kan zijn. Ik kan niet over haar oordelen, maar er zijn voorbeelden van vrouwen die weigeren onze regels te accepteren. Een van hen vertrok bijvoorbeeld met een Highland-regiment. We denken dat ze nog steeds bij die mannen is. Onze reputatie wordt door dat soort onnadenkendheid aangetast. Ik hoop dat uw nicht zich niet in vergelijkbare omstandigheden bevindt.'

'Is er misschien iemand anders die meer over haar weet?'

'Miss Nightingale zou de aangewezen persoon zijn om het te vragen, maar ze is ziek en kan niemand spreken. Bovendien is ze nog in Balaklava. U had geen slechter moment kunnen kiezen.'

'Wat raadt u ons dan aan?' riep ik.

'Maar, lieve hemel, had u daar niet beter eerder over na kunnen denken, voordat u op reis ging? Ik begrijp niet wat u zo ver van huis doet. En nu is de kans groot dat u ziek wordt, dat worden ze allemaal, iedereen die hier langskomt uit Engeland, en dan moeten we ook nog voor u zorgen.'

Nu ze onze aandacht erop had gevestigd, konden we niet meer ontkennen dat het ziekenhuis naar ziekte rook. Ik kon de ziekte bijna in de lucht zien hangen; groenig met tentakels die zich in mijn poriën boorden.

'En de andere ziekenhuizen hier? Kan het zijn dat ze is teruggekeerd naar Constantinopel? Moeten we navraag doen?'

'Dat kunt u doen, maar het is tijdverspilling. We weten precies wie er werkzaam zijn in de hospitalen van Turkije. Op de Krim kunnen we alles minder goed in de gaten houden.' Ze maakte een non-achtige buiging, keek met een scherpe blik naar iets wat achter mij gebeurde en liep weg, met het boek onder haar arm.

Terug op het schip vonden we een briefje van lady Stratford, die schreef dat ze Rosa's naam op een lijst had gezien en haar misschien zelfs had ontmoet bij de kerstfeestelijkheden, maar niet wist waar ze nu was. Ze nodigde me uit komende dinsdag in de ambassade thee te komen drinken, maar ik antwoordde dat de *Royal Albert* tot mijn spijt die avond zou afvaren. Thee in de ambassade klonk als een heel veilig tijdverdrijf vergeleken met onze reis naar de Krim.

4

De Zwarte Zee werd onstuimig en op het nieuwe schip, veel kleiner dan het vorige en gevaarlijk volgeladen, rook het na een uur of twee heel onaangenaam: onderdeks naar rioolwater, bovendeks naar roet, olie en pluimvee. Er waren zoveel passagiers dat we in ploegen moesten eten in de kleine eetzaal, maar het eten was slecht en ik voelde me zo ziek dat ik me er de hele reis nauwelijks vertoonde. Het grootste deel van de tweedaagse reis over de Bosporus en de Zwarte Zee bracht ik door in mijn kooi of op het dek, waar mijn bonnet in mijn nek werd geblazen, mijn gehavende huid blootstond aan het felle zonlicht en het onophoudelijke gebonk van de schoepen en de wolken zwarte rook me kwelden, terwijl ik me nerveus inspande om een glimp te zien van de beruchte Krim.

Ik meed de soldaten, van wie sommige zo jong waren dat hun huid vet was en er nog geen spoor te zien was van een snor, en andere ouder waren dan vader. Nora zocht natuurlijk de Ieren op en al snel stond ze midden in een luidruchtige groep, uitbundiger dan ik haar ooit had gezien. Ze pakte steeds een man bij de arm en vroeg hem waar hij vandaan kwam, wanneer hij was overgestoken vanuit Ierland, wat er met de rest van zijn familie was gebeurd en of ze misschien gemeenschappelijke kennissen hadden, hetzij in de oorlog, hetzij thuis. Er kwamen allerlei namen voorbij, van Mc-nog-wat tot O'huppeldepup, en families werden ontleed om te zien wie er verwant was aan wie en of er na 1846 nog iets was vernomen van de een of andere Paddy of Cathy of Jim of Shelagh.

Een paar mannen vroegen me wiens echtgenote ik was en of ik op weg was om verpleegster te worden, zoals die andere 'goede vrouwen' van miss Nightingale. Ik vroeg Nora rond te vertellen dat ik verloofd was met een dokter.

'Je moet zelf met ze praten,' zei ze. 'Hoe moeten we Rosa ooit vinden als je geen vragen stelt?'

'Ik ben nog nooit in mijn leven op een vreemde man afgestapt.'

'Mijn hemel, je hoeft helemaal niet op vreemde mannen af te stappen. Eén glimlach en ze verdringen zich als bijen rondom een honingpot. En bovendien, in welk opzicht zijn ze vreemd? Je weet precies wie ze zijn. Het zijn dappere mannen die op weg zijn naar een nieuwe slag in deze ellendige oorlog. Je zou ze een dienst bewijzen als je hun gedachten even afleidt van wat hun te wachten staat.'

'Ik zou niet weten wat ik tegen zulke mensen moet zeggen.'

'Hoezo 'zulke mensen'? Nou, ik heb er geen moeite mee. Ik praat wel met ze.' Ik keek haar na terwijl ze wegliep over het dek en voelde me vreemd genoeg gekwetst dat ze hun gezelschap verkoos boven het mijne.

Toen ik haar later vroeg wat de soldaten hadden gezegd, zei ze kortaf: 'Ik heb niets gehoord wat uitsluitsel geeft.'

'Hoe bedoel je?'

'Een van hen denkt dat hij in het Algemeen Ziekenhuis in Balaklava, toen hij halfdood was als gevolg van een longontsteking en bevriezingsverschijnselen, mogelijk is verpleegd door een vrouw die aan de beschrijving voldoet, maar hij was te ziek om het zeker te weten.'

'En dokter Thewell? Kennen ze hem?'

Ze snoof en haalde haar schouders op. 'Dat moet je ze zelf vragen. Het lijkt erop dat de oorlog onaangename geruchten voedt. Meer zeg ik niet.'

Ik had verwacht dat Rusland er heel anders uit zou zien dan Engeland, exotisch, met verraderlijke klippen, kale vlakten, maar het eerste stukje dat ik van de Krim zag, was net zo groen en lieflijk als de Engelse bossen en lag koel en rustig aan de oever van het blauwe water. In het westen zagen we echter een wolk die volgens een van de soldaten afkomstig was van kanonvuur boven Sebastopol. Toen we dichterbij kwamen hoorden we het gedreun van het geschut. De soldaten vielen stil en toen ik vanuit mijn ooghoek naar degene keek die het dichtst bij me stond, zag ik in zijn ogen dezelfde doodse blik die ik ook bij Nora zag als ze na een lange nacht uit de kamer van tante Isabella kwam.

Ik ging naar mijn hut en huilde tot Nora me vond.

'Mijn god,' zei ze, 'wat is er aan de hand?'

'O, niets.'

'Nou, dat is een hele hoop drukte om niets.'

'Laat me met rust.' Het probleem met Nora was dat ze dat soort bevelen heel letterlijk nam, terwijl alleen zijn het laatste was wat ik wilde. Ze bond haar bonnet weer vast en liep naar de deur.

'We zullen sterven als we daar zijn,' zei ik.

'Ik ben geenszins van plan om te sterven.'

'Iedereen sterft aan cholera. Het staat in *The Times*. Of we worden doodgeschoten. We komen terecht op een slagveld, zonder enige bescherming. We hebben geen idee wat we moeten doen als we er zijn.'

'Rosa zoeken, natuurlijk.'

'Hoe dan precies? We hebben nooit besproken hoe we het moeten aanpakken. We hebben geen plan.'

'We maken wel een plan als we weten hoe de toestand daar is.'

'Heb je niet gemerkt hoe vreemd die non in het ziekenhuis naar ons keek? Wat als er iets verschrikkelijks met Rosa is gebeurd? Wat als ze dood is?'

We staarden elkaar gespannen aan. 'Dan zoeken we haar graf, het arme kind, in ieder geval wordt er dan om haar gerouwd.'

'We spreken geen van beiden een woord Russisch.'

'Nou, ik hoop dat we niet veel Russen tegen zullen komen. Als dat wel gebeurt, betekent dat dat de oorlog voorbij is en zij hebben gewonnen, of dat we een verschrikkelijke blunder hebben begaan en aan de verkeerde kant van de linie terecht zijn gekomen.'

'Ben je niet bang, Nora?'

'Bang? Mijn god, miss Lingwood, waarom zou ik bang zijn? Wat kan mij in deze tijd kwaad berokkenen?'

Uiteindelijk bleek dat we nog een nacht voor anker moesten liggen buiten Balaklava. Terwijl we wachtten tot een functionaris naar ons toe zou komen varen, wiegde de boot misselijkmakend op de golven, kraakten en schuurden de planken en beten de vlooien. Vroeg in de ochtend werd ik wakker van het verre gerommel van kanonvuur en ik was als de dood dat bataljons Kozakken ons vanaf de klippen zouden aanvallen, dat we zodra we voet aan land zetten, zouden worden doodgeschoten of gevangengenomen en mijn leven zou eindigen in chaos en een bloedbad.

Ik vroeg me af hoe dit droeve nieuws thuis zou worden ontvangen. Arme vader zou zijn bedrijf achter moeten laten en me achterna moeten reizen om vragen te stellen en een fatsoenlijke steen te laten plaatsen. De gedachten aan hem, zoekend in een berg lijken onder de brandende zon, zijn op een na mooiste hoge hoed balancerend op de rand van het graf, deed tranen opwellen in mijn ogen. Misschien zou moeder, als het bericht bevestigd was, naar mijn kamer gaan en haar vingers langs mijn geborduurde kussenslopen laten glijden. Zouden de gouvernantes een zwarte band van crêpe dragen? En natuurlijk zou de situatie worden verergerd door het feit dat ik het 'zelf over me had afgeroepen', een favoriete uitspraak van Mrs. Hardcastle. Sterker nog, in zulke omstandigheden het leven laten, kon worden omschreven als verwendheid.

Eindelijk, een uur na zonsopkomst, klonk het geluid van een motor en toen een stoomschip langszij aanlegde, zette het pluimvee in paniek een keel op. Al snel schudde de boot van de stampende voetstappen van de beambten. Ik kleedde me aan, greep mijn bonnet, sjaal en een reticule met onze documenten en geld en ging het dek op, waar een lichte dauw de planken glad had gemaakt. De kust van de Krim zag er onschuldig uit onder de melkachtige hemel. De havenmeester, die een dikke baard had maar er verder beschaafd uitzag, was aan boord gekomen met een stapel papieren.

Na een paar uur waarin veel aan snorren werd gedraaid, rondgeparadeerd en in kisten gegluurd, kregen we eindelijk toestemming om verder te gaan. Het leek wel of we recht op de klippen afstevenden, maar plotseling zag ik een ruimte tussen de rotsen die zo smal was dat we moesten wachten tot een andere boot, een jacht dat ons voorzichtig tegemoet voer en waarschijnlijk op weg was naar Constantinopel, gepasseerd was. Daarna trokken twee sleepboten de slaphangende touwen aan en gleden we tussen de rotswanden door de haven van Balaklava in.

'Mijn hemel,' zei Nora, 'wat een plek. Het is niet groter dan je achtertuin in Clapham.'

We bevonden ons op een wateroppervlak half zo breed als de Theems, dat aan drie zijden werd afgebakend door steile heuvels en aan de vierde door een groepje gebouwen en dat zo vol lag met schepen dat de masten niet meer van elkaar te onderscheiden waren. Ik had nog nooit een plek gezien waar het zo vol was, behalve misschien de Strand om negen uur op een werkdag. We waren vanuit het felle zonlicht de schaduw in gevaren en er klonk kabaal van stemmen, honden, paarden, wielen, machines en weer, in de verte, het bloedstollende gedonder van het geschut.

Ik reageerde net als mijn moeder in dergelijke omstandigheden: ik was bijna verlamd van angst en had geen idee wat er nu moest gebeuren. Samen met Nora ging ik in de hut zitten en pakte een opschrijfboek en een pen. Toen schreef ik het volgende op in mijn mooiste en sierlijkste handschrift: *3 juni 1855. De* Royal Albert. *Haven van Balaklava. Tien uur 's ochtends.*

En daaronder het woord *Plan.*

'Nou?' vroeg ik aan Nora. 'Wat zal ik schrijven?'

'We moeten vragen stellen over Rosa.'

'Aan wie?'

'Iedereen. Overal waar mensen komen. En natuurlijk in de hospitalen.'

'Maar het ziet ernaar uit dat ze daar niet meer is.'

'Ik kan me niet voorstellen dat een dame alleen, met Rosa's haarkleur hier of waar dan ook lang onopgemerkt kan blijven.'

Dus ik schreef:

Stap één: Vragen naar Rosa in winkels en openbare gebouwen in Balaklava.
Stap twee: In ziekenhuizen vragen naar Rosa.
Stap drie:

'De non in Skutari zei dat ze misschien is meegegaan met de soldaten,' zei ik. 'En Henry zag haar meteen na een veldslag.'
   'Dan moeten wij ook meegaan met de soldaten.'

Stap drie: Meegaan met de soldaten.

'En we hebben ook nog Max Stukeley,' zei Nora. 'Misschien
weet hij waar ze is.'
   'Moeder heeft hem geschreven. Hij heeft nooit gereageerd.'
   'Desalniettemin.'
   'Ik ken hem niet goed genoeg om op hem af te stappen.'
   'Ik wel. Je hoeft me niet zo aan te kijken; ik heb acht jaar op
Stukeley gewoond, weet je nog?'

Stap vier: Contact zoeken met Kapitein Maximilian Stukeley.

5

AANGEZIEN DE *ROYAL ALBERT* ONGEVEER EEN WEEK LATER PAS TE-
rug zou varen naar Constantinopel, konden we op de boot overnachten. De bedoeling was dat we Rosa snel zouden vinden zodat we met ons schip konden vertrekken.

Ik trok mijn op twee na beste jurk aan, hing mijn reticule aan
een arm en hield met mijn andere een parasol op om me te beschermen tegen de verzengende zon. Zelfs Nora, die een vor-
meloze bonnet droeg met een brede rand, vond dat een goed
idee. Ze zei dat we zo weinig gewend waren aan deze omstandigheden dat de kans op een zonnesteek groot was als we niet
oppasten.

Het eerste waaraan ik dacht op het moment dat ik voet zette
op Russische bodem was Henry, die op deze zelfde keien had
gestaan en vanuit ditzelfde kleine haventje was uitgevaren met
scheepsladingen vol gewonde mannen. Maar het was moeilijk om
in deze bruisende plaats het modderige pesthol te zien dat hij in
zijn brieven beschreef, en juist de gedachte aan Henry, die onvermijdelijk dat afschuwelijke voorval in de slaapkamer in Narni in mijn herinnering terugbracht, maakte me diep ongelukkig.

Ondertussen besefte ik dat ik veel ongewenste aandacht trok.
Niemand anders had een parasol of droeg crèmekleurige, met
stroken en linten afgezette mousseline over vijf of zes lagen onderrokken; voor zover ik kon zien was er op Nora na zelfs geen
enkele andere vrouw. Gelukkig had de kapitein ons een bege-

leider toegewezen die ons naar een hooggeplaatste beambte zou brengen, maar hoewel de mannen aan weerszijden ruimte maakten als we voorbij kwamen, staarden ze me brutaal aan, vooral de buitenlanders, wier vieze voeten en knieën ik vanonder mijn met ruches afgezette parasol kon zien.

Uiteindelijk kwamen we bij een gebouw dat misschien ooit het huis van een welgestelde stedeling was geweest, maar later was vervallen tot een soort ruïne en daarna min of meer herbouwd. De luiken ontbraken, het pleisterwerk was afgebladderd en het dak was slordig gerepareerd. In de hal hingen soldaten rond en er kwam een officier naar beneden gerend die ons even aanstaarde en ons vervolgens naar een wachtkamer bracht, waar papieren alle oppervlakken bedekten en uit archiefkasten en dozen staken. Na een tijdje kreeg ik het zo warm dat ik tegen een kast leunde en mijn parasol liet ronddraaien. Nora liep naar het raam maar er was niets te zien behalve een tuin vol rommel en viezigheid. Voeten stampten de trap op en neer, mannenstemmen riepen, de meeste schertsend en welbespraakt, andere humeurig of grof, en buiten klonk het gerammel en gekletter van de bedrijvigheid in de haven.

Eindelijk werden we een klein kantoortje binnengelaten met een scheef bureau en prikborden die vol hingen met kaarten waarop aantekeningen waren gekrabbeld, lijsten en informatie over schepen, gezagvoerders, regimenten en leveranciers. De stank van verstopte riolen was afschuwelijk maar verder was het een geruststellende ruimte omdat hij me deed denken aan de studeerkamer van vader. De functionaris achter het bureau was lang en dun met een langgerekt gezicht en treurige ogen, als een goedmoedige bastaardhond, hoewel zijn huid een ongezonde, grijze tint had en zijn snor aan beide zijden droevig omlaag hing. Na één blik op mij mompelde hij binnensmonds, maar zo duidelijk dat ik het kon verstaan: 'O, jezus christus, waar zadelen ze me nu weer mee op!'

Ik was zo beledigd dat ik me liet neervallen op een gammele stoel, terwijl hij zuchtte, een schoon vel papier pakte, zijn pen in de inkt doopte en klaar ging zitten om te schrijven. 'Ik ben luitenant Barnabus. Ik ben verantwoordelijk voor de nieuwkomers. Uw naam, mevrouw?'

Ik noemde mijn naam en die van Nora.

'Hoe bent u hier gekomen?'

'Met de *Royal Albert*.'

Hij maakte een aantekening. 'Ik zal uw kapitein een reprimande geven. Ik neem aan dat u hem een enorm bedrag heeft betaald. Dat kan ik niet toestaan. We kunnen niet zomaar iedereen van en naar Balaklava laten varen alsof we in Broadstairs zijn.'

'Ik ben op zoek naar mijn nicht, Rosa Barr. Ze is hiernaartoe gekomen als verpleegster en nu is ze vermist.'

Barnabus veranderde niet van houding, maar ik wist zeker dat zijn ogen iets verder opengingen. 'Rosa Barr, zegt u?'

'Miss Rosa Barr. Heeft u van haar gehoord?'

'Sinds wanneer denkt u dat ze vermist is?'

'Begin februari hebben we voor het laatst iets van haar vernomen.'

Hij schreef energiek in zijn opschrijfboek. 'Nou, ik kan u er niets over vertellen; ik ben hier nieuw.'

'Dus u weet niets van haar?'

'Ik ben hier in april gekomen. Maar een simpel telegram uit Londen was toch afdoende geweest om inlichtingen in te winnen? Waarom bent u helemaal hierheen gekomen met alle gevaren van dien? Wie is uw vader? Het verbaast me dat hij dit toestaat.' Hij keek me scherp aan. 'Ik neem aan dat uw vader weet waar u bent?'

'Natuurlijk wist ik niet zeker waar ik precies naartoe zou gaan...'

'Maar dit is te gek. Hier wil ik niets mee te maken hebben. Iedereen komt maar hierheen wanneer hij wil. Jongedames met paraplu's. Heeft u enig idee hoe gevaarlijk het hier is? Zelfs miss Nightingale kon er niet tegen. Stak de Zwarte Zee over en kreeg al na vijf minuten de Krimkoorts. Kunt u zich de ophef voorstellen als ze zou sterven? We hebben hier al genoeg ziekte zonder jullie.'

'Ik ben niet ziek.'

'Dat komt nog wel. Kijk eens naar uzelf. Eén windvlaag is genoeg om u te vellen, laat staan een plens badwater. We kunnen u nergens onderbrengen en er is ook geen vervoer voor u. We zouden al onze energie op de Russen moeten richten maar in plaats daarvan speel ik oppasser voor horden vrouwen die van alle kanten toestromen. Ik raad u aan rechtsomkeert te maken naar uw schip en daar rustig te wachten tot het vertrekt. Weet u, ik zal u persoonlijk op het schip zetten dat als eerste vertrekt. Wat denkt u daarvan? Zo snel mogelijk terug naar Constantinopel of een andere veilige haven. Dan sturen we een beleefd telegram naar uw moeder om haar te laten weten waar u bent en voor u het weet zit u weer thuis. Zeg eens, wat is uw adres in Engeland?'

Op dat moment zei Nora met haar vlakke stem: 'Max Stukeley.'

Barnabus duwde zijn stoel naar achteren. 'Pardon?'

'We zijn hier ook op verzoek van kapitein Maximilian Stukeley. Ik neem aan dat u hem kent.'

'Natuurlijk. Waar heeft hij u in godsnaam voor nodig?'

'Hoe kunnen wij dat weten als we hem niet te zien krijgen? Ziet u, hij is de neef van miss Lingwood, en Rosa Barr, de vrouw naar wie we op zoek zijn, is zijn stiefzuster.'

'Stiefzuster. Ik begrijp het. Ja, natuurlijk. Maar de officieren, zelfs Stukeley, kunnen niet zomaar mensen vragen hiernaartoe te komen. Waarom zou hij dat doen?' Hij staarde me weer aan. 'Weet u zeker dat u familie van hem bent? Is het niet een soort... er is toch geen sprake van een soort liaison...'

Ik was nog te verbluft over de domme leugen van Nora om antwoord te kunnen geven. Op verzoek van Max Stukeley. Hoe verzon ze het!

Nora zei: 'Genoeg. Misschien kunt u hem laten halen zodat we met hem kunnen spreken.'

'Waarom zei u niet meteen dat u verwant bent aan Stukeley?'

'Miss Lingwood is natuurlijk vooral bezorgd om haar nicht, Rosa, en dat is nu het enige wat haar bezighoudt.'

'Ach, misschien kan ik een boodschap naar Stukeley laten brengen als u dat wenst, hoewel het heen en terug meer dan een dag kost.'

'En in de tussentijd,' zei Nora, 'kunnen we misschien een bezoek brengen aan een van de hospitalen.'

'Onder geen beding. Geen sprake van. Nee. Ik heb een verbod uitgevaardigd. Geen bezoekers meer. Zonder uitzondering.

Na wat er met miss Nightingale is gebeurd laten we daar geen nieuwkomers meer toe.'

'Is miss Nightingale nu in Balaklava? Kunnen we haar misschien spreken?'

'Haar schip is vanochtend vertrokken.' Hij keek iets te triomfantelijk naar mijn zin. 'Ik geloof dat ze teruggaat naar een oord in de heuvels boven Constantinopel waar ze kan herstellen. Nu laat ik u terugbrengen naar het schip, waar u geacht wordt te wachten op bericht van mij. En ondertussen zal ik zo snel mogelijk de terugreis voor u regelen. Ik heb alles genoteerd.'

Binnen enkele minuten zaten Nora en ik weer in onze hut, waar een envelop op me lag te wachten, geadresseerd aan 'Miss Lingwood, de passagiere van de *Royal Albert*'. De envelop bevatte een uitnodiging om langs te komen bij ene lady Mendlesham-Connors, op het jacht *Principle*. Ondanks de tirades van luitenant Barnabus was ik niet de enige vrouw in de haven Balaklava, of misschien was dat juist de verklaring voor zijn woede. Toch besloot ik niet in te gaan op het gastvrije aanbod van de onbekende dame, want het laatste waarop ik zat te wachten waren lastige vragen.

Nora was het niet met me eens. 'Ik heb je al gezegd dat je je onder de mensen moet mengen en met ze moet praten als je Rosa wilt vinden. Ondertussen zou ik de meid kunnen uithoren; die weet ongetwijfeld veel meer dan haar meesteres.'

'Misschien kent lady Mendlesham-Connors Mrs. Hardcastle wel. Ze zal het heel vreemd vinden dat ik hier ben. Het is al erg genoeg dat Barnabus inmiddels wel een telegram zal hebben gestuurd naar Londen. En, trouwens, Nora, ik heb liever dat je mij de gesprekken laat voeren...'

'Je moet naar huis schrijven, per exprespost. Vertel ze dat het goed met je gaat en dat je snel terug thuiskomt. Je wilt toch niet dat ze achter je aan komen?'

'Alleen vader zou komen. Moeder kan tante Isabella niet alleen laten.'

'Ik zie lady Isabella Stukeley er wel voor aan dat ze per se mee wil. Ze zou zeggen dat de zeelucht heel goed zou zijn voor haar hart.'

Het kon zijn dat Nora een grapje maakte, gezien de twinkeling in haar ogen. 'Dan moet jij weer terug naar je oude baan als verzorgster, Nora. Hoe zou je dat vinden?'

'Ik geloof dat ik nog liever mijn hoofd in de mond van een kanon stop.'

Die avond schreef ik een brief aan mijn ouders waarin ik mijn oprechte excuses aanbood voor het feit dat ik zo'n grote stap had genomen zonder hun toestemming en hun smeekte zich geen zorgen te maken. Henry was te ziek en had zo sterk aangedrongen dat ik niet kon weigeren; het zag er zelfs naar uit dat het de wens was van een stervende man die ik inwilligde en zijn radeloze ongerustheid over Rosa, die we allemaal herkenden, was een extra aansporing.

Het was een brief waarvoor veel kladversies nodig waren en toen hij klaar was, ging ik in mijn kooi liggen, in de stijve, ongemakkelijke houding die inmiddels zo vertrouwd was, en luisterde ik naar het gekletter van de masten en de stemmen op de kade. Ik stond Nora niet toe de patrijspoort te openen, omdat zo'n hete en benauwde omgeving als Balaklava ongetwijfeld een broedplaats was voor cholera. In de verte klonk het kaboemboem van het kanonvuur en soms het geratel van kleiner geschut, misschien de Minié-geweren die ik in mijn album had beschreven. Soms schommelde het schip en stootte het tegen zijn buurman, soms klonk dronken geschreeuw. Alsof we in Broadstairs zijn, had Barnabus gezegd. Was het maar waar. Zon op het zand, vochtige onderrokken, een handvol zeeschelpen. De gestrekte benen van vader, die achter een krant zat te soezen, moeder met een sluier over haar bonnet om haar huid tegen de zon te beschermen, de enige keer dat ik haar een boek zag lezen.

Mijn grootste zorg was de aanstaande ontmoeting met Max Stukeley. Wat zou hij zeggen als hij hoorde dat Mariella Lingwood en Nora McCormack in Balaklava waren om hem op te zoeken? Zou hij het schip op komen stormen, net zoals hij die keer de salon binnendrong, en mij een onbetamelijke handkus geven? Zou hij vol verwijt of vol lof zijn en wat zou hij ons kunnen vertellen over Rosa?

Toen begon ik me af te vragen hoe lang Rosa in Balaklava was geweest. Misschien had ook zij naar de zeevogels geluisterd en was ze gewend geraakt aan het constante gebonk van het ene schip tegen het andere. Een paar woorden van haar zouden alles goed maken. Mijn lieve, fantastische Mariella, ik kan niet geloven dat je helemaal hierheen bent gekomen om mij te zoeken... Ik wist zeker dat ze met een paar smalende woorden Henry's gedrag zou verklaren... verbeelding... delirium... koorts.

Waar was ze? Misschien heel dichtbij. De Krim was toch niet zo groot dat we allebei hier konden zijn zonder dat haar fatale magnetische kracht ons naar elkaar toetrok.

6

In afwachting van het bezoek van Max kleedde ik me de volgende dag met zorg. De japon van gisteren had Barnabus er duidelijk niet van overtuigd dat mijn expeditie naar de Krim meer
was dan een plezierreisje, dus koos ik uiteindelijk een gestippelde mousselinen blouse waar ik alle turkooizen linten van afknip-
te, op een strik bij het boord na, en een relatief smalle groene
rok. Toen ging ik op het dek zitten en zette ik me aan de pijnlijke taak om een brief aan Henry te schrijven.

Het was een korte brief, gereserveerd van toon. Schreef ik aan
een zieke, geobsedeerde Henry, of aan mijn verloofde, de ratio-
nele dokter Thewell? Uiteindelijk schreef ik alleen dat ik in Balaklava was aangekomen en al het mogelijke deed om Rosa te
vinden.

Ik werd in mijn werk gestoord door de drukke geluiden van
de haven. Het was alsof ik opgesloten zat in een open kooi op
King's Cross Station of een van de andere bouwplaatsen van vader. Ergens in de verte klonk het kabaal van zware kisten die
werden ingeladen. Begeleid door geschreeuwde bevelen en begroetingen voer een nieuw stoomschip binnen, karren ratelden
langs de kade en laadborden werden over en weer gegooid. Op
een gegeven moment zag ik een rij wagens die niet vol lagen met
bagage maar met gewonde mannen. Nadat ik een glimp had opgevangen van een bebloede deken, een bewusteloze gestalte die
op de bodem van een kar heen en weer rolde, gaf ik mijn po-

ging tot schrijven op en pakte ik mijn naaiwerk. Ik besloot van nog twee jurken de kanten stroken en ruches te verwijderen zodat ik in deze onbekende wereld minder zou opvallen. Zelfs met mijn trillende vingers kon ik de steken wel uithalen.

Rond het middaguur klonk hoefgetrappel en een boomlange officier met een rode jas en strakke broek steeg soepel af, wierp de teugels over een paal die naast hem stond, keek om zich heen terwijl hij zijn boord dichtknoopte, vroeg iets aan passerende matrozen, rende de loopplank van de *Royal Albert* op en schreeuwde zo hard dat boven de reling van het naastgelegen schip nieuwsgierige hoofden verschenen: 'Miss Mariella Lingwood. Is zij hier?'

Nerveuze opwinding maakte snel plaats voor een mengeling van teleurstelling en opluchting dat mijn bezoeker niet Max Stukeley was.

'Luitenant George Newman, mevrouw.'

Ik vouwde mijn naaiwerk op, stond op en maakte een knix, waarbij mijn blik op de glanzend gepoetste laarzen en knopen van Newman viel. 'Ik ben miss Lingwood. Dit is mijn dienstmeid, Nora McCormack.'

'Ik ben gestuurd om u te vertellen dat kapitein Stukeley niet in het kampement is. Hij is weg op een missie.'

'Wanneer verwacht u hem terug?' vroeg Nora.

'Daar kan ik geen antwoord op geven, mevrouw. Hij is al bijna twee weken weg, dat is alles wat ik u mag vertellen. We verwachten hem pas over een paar dagen terug.'

'Misschien is hij in Kertsj,' zei Nora op geheimzinnige toon.

De officier draaide zijn hoed een slag.

Ik zei: 'Heb je geen idee wanneer hij terug zal zijn? We kunnen hier niet eindeloos wachten. We zullen zelfs spoedig vertrekken.'

Hij keek me ongelukkig aan en ik schatte dat hij niet ouder was dan achttien, negentien. Nora zei: 'Misschien wilt u een lekker kopje thee na uw rit, luitenant Newman?'

'Graag, dank u.' Toen Newman en ik alleen waren ging hij zitten, met één been gestrekt in een ontwapenende poging zich als een volwassen militair te gedragen. Hij probeerde verschillende plaatsen om zijn hoed te laten rusten: zijn knie, de vloer en de stoel naast hem.

'En hoe vindt u het hier op de Krim?' Zelfs in mijn eigen oren klonk ik net zo intimiderend als Mrs. Hardcastle in haar gesprekken met de gouvernantes.

'Het is niet bepaald waarop ik had gehoopt. Het is anders dan ik me had voorgesteld.'

'Wat had je je voorgesteld?'

'India. Daar moet je zijn. Ik dacht dat ik daar terecht zou komen. Mama en papa dachten aan India toen ze vorig jaar een aanstelling voor me kochten. Maar ik mag niet klagen.'

Hij leunde voorover en zette zijn hoed tussen zijn benen alsof hij me aanspoorde verder te praten, maar de bewonderende blik in zijn ogen gaf me zo'n onbehaaglijk gevoel, dat ik niet verder door wilde vragen.

Nora kwam terug met de thee en ik schonk in, lichtelijk geamuseerd vanwege het feit dat ik een theekransje hield in de haven van Balaklava. De manier waarop de jonge luitenant Newman zijn kopje optilde, verraadde zijn adellijke opvoeding. Een straaltje zonlicht bescheen zijn blote voorhoofd, precies op de plaats waar het gewicht van zijn hoed een rij felrode pukkeltjes had doen ontstaan.

Ik zei: 'Stond in het briefje van Barnabus dat ik op zoek ben naar mijn nicht die hier als verpleegster naartoe is gekomen? Rosa Barr.'

De thee van Newman klotste over het schoteltje en er verscheen een blos in zijn nek en op zijn wangen. Hij keek weg en trok onbewust zijn lippen opzij waardoor het puntje van zijn neus vervormde. 'Rosa... miss Barr. Was zij uw nicht? Is zij uw nicht?'

'Ja, onze moeders zijn zussen.'

'Juist. Ah, Rosa Barr.'

'Dus u hebt over haar gehoord?'

'Jazeker. Ik heb over haar gehoord. Nou en of.'

Ik haalde diep adem. 'Waar heeft u over haar gehoord?'

'In het kamp, natuurlijk.' Weer een stilte. 'Daar woonde ze.'

Nora kwam wat dichter bij me. 'Aha. Woont ze nog steeds bij jullie?'

'Nee, nee. Was het maar waar. Maar nee. Verdomde... Helaas is ze er niet meer.... Ik heb haar nooit echt ontmoet. Een paar weken voordat ik kwam was ze al verdwenen.'

'Ik begrijp het. En toch kent u haar naam, luitenant Newman?'

'Omdat iedereen het over haar heeft. Ze woonde in een kleine barak die vastzat aan onze ziekenhuistenten. Het was ongebruikelijk, maar wel toegestaan, omdat ze een soort zus van Stukeley was.' Hij keek ongelukkig omlaag naar zijn hoed die nu tussen zijn knieën werd geplet.

'Het verbaast me dat ze bij uw regiment was. Wij hadden begrepen dat ze in een van de hospitalen hier werkte. Daarom had ze Skutari verlaten, dachten we, om in een ziekenhuis in Balaklava te gaan werken.'

'Ik zou het niet kunnen zeggen, ik ken niet het hele verhaal. Alleen dat ze een barak deelde met een paar van de vrouwen die zijn gebleven... hoewel hun echtgenoten zijn gesneuveld, willen ze niet naar huis. Ze had geen tijd voor de officieren; ze zei dat die al van alle kanten genoeg aandacht kregen. Maar mijn mannen vertellen dat zij degene was naar wie ze toe gingen als ze ziek of gewond waren. Als ze er zelf iets over te zeggen hebben, blijven ze zo ver mogelijk uit de buurt van het ziekenhuis. Ik kan het ze niet kwalijk nemen. Er gaan allerlei geruchten over mannen die naar binnen gaan met een wond aan hun teen en de volgende dag dood naar buiten worden gedragen. Ze zeiden dat Rosa Stukeley altijd het bloed onder de nagels vandaan haalde. De meesten van ons zitten hem liever niet dwars, maar zij was niet bang. Als hij terugkwam met een koppel eenden, liet zij ze bereiden voor de mannen.

'Maar tegen de tijd dat jij hier kwam, was ze vertrokken? Waarnaartoe?'

'O, geen idee. Geen flauw idee.' Maar ik merkte dat Newman mijn blik meed. 'Ze zeggen dat ze in rook is opgegaan. Ze heeft al haar bezittingen achtergelaten in een kist. Stukeley wil haar naam niet meer horen.'

'Wat denk je dat er met haar is gebeurd?' vroeg Nora.

'Ik weet het niet.' Maar Nora keek hem met haar strakke blik net zo lang aan tot hij stamelend weer begon te praten. 'Je hoort wel eens... de waarheid is dat er soms mensen verdwijnen. Cholera kan een man in een paar uur vellen. Er wordt gepraat over plunderende benden, Tartaren of Grieken. En sommige mannen kunnen het onophoudelijke kanonvuur niet verdragen. Uiteindelijk gaan ze zich vreemd gedragen en lopen ze weg.' Inmiddels was hij weggezakt in een soort verdoving van ellende.

Ik pakte mijn naaiwerk op. Nora zei kordaat: 'Goed, genoeg over miss Barr. Vertel ons eens iets over jezelf. Hoe heb je het hier tot nu toe gehad?'

'Niet zo best. Vooral saai. Nacht na nacht tussen de artillerie.'

'En hoe is dat?'

'Ach, weet u, er is niet veel aan. Je probeert wakker te blijven; stuurt de mannen naar de barricades die beschadigd zijn; ontwijkt de kogels die over je hoofd vliegen; probeert heelhuids terug te komen. Ons regiment heeft in de winter door verschillende oorzaken zware verliezen geleden, dus een groot aantal soldaten is hier nieuw. Je ligt de halve dag maar wat in het gras, 's avonds eet je met je vrienden, eigenlijk net als vroeger, tijdens je studietijd, en 's nachts ga je op weg naar de loopgraven en de volgende ochtend zijn er drie of vier mannen minder. Ik kan er niet echt aan wennen, weet u.' Mijn naaiwerk hing slap in mijn handen en ik zag dat zijn ogen zich met tranen hadden gevuld.

Nora schonk nog wat thee in. 'Ik neem aan dat u niet veel tijd hebt om thee te drinken met de dames dus moet u er nu maar van genieten. Ik wilde dat we u een plak cake konden aanbieden. En vertel ons ondertussen over Max Stukeley. Het lijkt erop dat hij het er een jaar of langer zonder kleerscheuren heeft afgebracht. Maar die jongen heeft dan ook altijd duivels geluk.'

'Inderdaad.' Newman wreef met de rug van zijn hand langs zijn neus. 'Hij leidt, wij volgen, dat gaat vanzelf. Hij sleurt ons mee alsof we tikkertje aan het spelen zijn. En hup, we zitten er middenin. Maar sommigen van de nieuwste rekruten zijn zo onervaren dat zelfs Max moeite met ze heeft. Ze lopen overal rond. Stellen te veel vragen voordat ze een bevel gehoorzamen. Ik ben er zelf niet aan gewend, zoals ik al zei, maar ik probeer ze bij te spijkeren als hij weg is. Het is een moeizaam karwei.'

'De jongedame,' zei Nora, terwijl ze met haar hoofd in mijn richting knikte, 'is verloofd met een van de dokters die hier waren, dokter Thewell. U hebt zeker wel van hem gehoord?'

Newman rechtte zijn rug, staarde haar even aan en concentreerde zich toen weer op zijn kopje.

'Of misschien bent u hem ook misgelopen,' zei Nora. 'Hij

werd ziek en moest worden weggestuurd. We hebben hem net in Italië gezien. Blijkbaar heeft hij het hier zwaar gehad. We vroegen ons af of Rosa en hij elkaar misschien hebben ontmoet.'

Het was onverdraaglijk dat Nora een volslagen onbekende over mijn privéleven vertelde. Toen ik opstond, vloog Newman overeind. 'Heel vriendelijk van u dat u de moeite heeft genomen om hier te komen, luitenant.'

'Is er nog iets wat ik voor u kan doen, miss Lingwood?'

'Nee, dank u.'

'Wat zou u ervan vinden als ik u de volgende keer dat ik een uurtje vrij heb meenam op een kleine excursie? Misschien zou ik een pony voor u kunnen lenen en dan kunnen we naar de ruïne, met Mrs. McCormack, als ze zin heeft. Daarvandaan heeft u prachtig uitzicht op de haven, en het is er volkomen veilig.'

'De ruïne?'

'Het oude Genuese fort – daar op de klippen. Ziet u het? – heeft een tweelingbroer, in Therapia. Misschien heeft u het gezien toen u in Constantinopel was. Nee? Nou, ik zou het u graag laten zien. Ik hield thuis altijd erg van oude gebouwen. Ik geloof dat sommigen van de andere dames er wel eens zijn geweest om te picknicken en te genieten van het uitzicht.'

'Ik ben niet zo dol op hoogten, helaas,' zei ik kortaf, me afvragend wat Barnabus zou zeggen als hij me zou zien op een uitstapje op de klippen met een jonge officier.

'Ik zou graag gaan,' zei Nora, 'als u mij wilt meenemen.'

'Ik kan je niet missen, Nora. Hoe haal je het in je hoofd?' zei ik bits. 'Het spijt me, luitenant, er is geen sprake van dat een van ons met u mee kan gaan.'

De teleurstelling was duidelijk in Newmans ogen te lezen en hij bleef nog even staan, ons om beurten aankijkend, maar we spraken geen van beiden. 'Goed dan,' zei hij, 'geen probleem. Maakt u zich geen zorgen. En als Stukeley terugkomt, zal ik hem uiteraard zeggen dat ik u heb gezien.'

Nora liep met hem mee naar de kade. 'Hoe gaat het met kapitein Stukeley zelf?' hoorde ik haar vragen.

Ik kon het lange antwoord niet verstaan. Ondertussen ijsbeerde ik door de hut, woedend op Nora omdat ze me voor aap had gezet in de kwestie over de expeditie naar het fort. Mrs. Hardcastle zou me vast aanraden Nora weg te sturen, maar dat was eigenlijk onmogelijk, omdat ik in een omtrek van duizend mijl geen andere metgezel had. Uiteindelijk besloot ik haar alleen te vertellen dat als ze me bleef dwarszitten, ik naar huis zou moeten schrijven met het voorstel haar situatie te heroverwegen bij onze terugkeer in Engeland.

Na een tijdje kwam Nora naar beneden en keek me aan. Toen ik geen aandacht aan haar schonk, deed ze de deur dicht en zette haar handen op haar heupen. Ten slotte riep ze uit: 'In godsnaam!'

'Pardon?'

'Wat doe je in godsnaam hier?'

'Ik wens niet op die manier te worden toegesproken...'

'O, nee, wens je dat niet, wens je dat niet? En wie houdt me tegen?'

'Genoeg, Nora.' Ik rukte de rimpeldraad uit een strook ruches en begon de stof om mijn vingers te wikkelen. Ondertussen was zij tot bedaren gekomen en stond ze met haar rug tegen de deur. Vanuit mijn ooghoek zag ik haar borst op en neer gaan onder haar bruine sergen blouse. Ze keek me strak aan.

'Ik laat me niet tegenhouden,' zei ze, met een veel sterker accent dan normaal. 'Nu ik eenmaal zover ben gekomen, zeg ik waar het op staat. Wil je Rosa vinden of niet?'

'Natuurlijk wil ik haar vinden.'

'Waarom heb je die jongen dan afgewimpeld? We hadden heel veel van hem te weten kunnen komen.'

'Ik wil niet dat je over mijn verloofde praat met...'

'Waarom niet? Wat heb je te verliezen? Wil je niet achter de waarheid komen?'

'Natuurlijk wel. Maar niet tegen elke prijs.'

'Dus het komt erop neer dat je het niet zo heel erg belangrijk vindt om te weten wat er met je nicht is gebeurd. Laat me je wat vertellen. Ik ben hier niet gekomen om maar wat rond te hangen tot jij hebt besloten met wie je wel en niet wilt praten. Ik denk erover om mijn diensten aan te bieden aan het ziekenhuis. Ze hebben daar vast geen overvloed aan verpleegsters. Ik vind dat ik zolang ik weg ben uit Engeland de kans te baat moet nemen om wat met mijn leven te doen en hier bij jou blijven en altijd maar voor je klaar te staan, is niet bepaald wat ik me daarbij voorstel.'

'Ik heb er weinig van gemerkt dat je voor me klaarstaat. Voor mij maakt het weinig verschil of je er bent of niet.'

'Des te beter.' Ze begon door haar bezittingen te rommelen. 'Ik stuur later wel iemand voor de belangrijke spullen in mijn bagage. Het meeste ligt in het ruim. Ik voelde me een beetje verantwoordelijk voor je omdat we samen zo ver hebben gereisd, maar zelfs de heiligen in de hemel zouden hun geduld met jou verliezen. Ik kan er niet meer tegen.'

'Dit was je zeker al die tijd al van plan, of niet soms? Toen we Italië verlieten had je al bedacht dat je in een ziekenhuis wilde werken, net als Rosa. O ja. Ik snap het al. Ik begrijp niet waarom je je niet meteen hebt aangesloten bij de verpleegsters van miss Nightingale toen ze mensen zochten, als dat was wat je eigenlijk al die tijd wilde.'

'Dat zou ik ook hebben gedaan als je tante er niet was geweest. Maar vreemd genoeg had ik het gevoel dat ik een band met haar had en wilde ik haar niet in de steek laten. Ik had medelijden met haar vanwege haar ziekte. Voor jou is dat misschien moeilijk te begrijpen.'

'Als ik had geweten dat je dit soort gevoelens koesterde, had ik je allang weggestuurd. Het is betreurenswaardig dat je zo oneerlijk bent geweest om mij onder valse voorwendselen je overtocht hebt laten betalen.'

'Goed, nu weet je dan de waarheid over mij. Dus je zult me niet missen.'

'Natuurlijk zal ik je niet missen. Maar ik verbied je mij zomaar alleen te laten. Als je weggaat, zie ik me gedwongen om moeder en tante hierover te schrijven en zullen ze je zonder referenties de laan uit sturen.'

'Wat heb ik hier aan hun referenties? Snap je het dan niet? We zijn in een andere wereld, waar we anders moeten denken en een nieuwe manier van leven moeten vinden.'

'Je vergist je. We kunnen onze normen niet laten vervagen. Daar heb ik me de hele tijd tegen verzet. We moeten blijven wat we altijd zijn geweest, anders zijn we verloren.'

'Jouw normen, zoals je het zegt, gelden hier niet. Gebruik je hersens, miss Mariella. Denk eens na. Maar nee, je kunt niet nadenken omdat je de babykamer in jouw Clapham nooit echt hebt verlaten. In de afgelopen weken ben je geen steek veranderd en heb je overal je ogen voor gesloten. Hoe wil je Rosa vinden als je zo doorgaat? Het lijkt me duidelijk dat ze zich verschrikkelijk in de nesten heeft gewerkt en het wordt een hels karwei om haar te vinden, zeker nu we weten dat Max het tevergeefs heeft geprobeerd.'

Inmiddels zat ik te huilen. Ze leek het echt te menen, zoals ze haar nachtjapon opvouwde, de overgebleven haarspelden in een blikje liet vallen, de kist met onze voorraden opende en er pakjes thee en koffie uit haalde. 'Ik begrijp het niet. Waarom praat je zo tegen me? Het is niet mijn schuld dat niemand ons wil helpen.'

'Wiens schuld is het dan? Kijk nou eens naar jezelf: je zit een rok te naaien terwijl de wereld oorlog voert. Geef je eigenlijk wel om je nicht Rosa of om wie dan ook behalve jezelf?'

'Natuurlijk wel. Heus. Het enige wat ik wil is Rosa vinden en zo snel mogelijk teruggaan naar Henry voordat het te laat is. Hij is de reden waarom ik dit allemaal doe. En toch wist ik al die tijd dat we hier niet hadden moeten komen. We zijn niet gewenst. Niemand wil ons helpen Rosa te vinden.'

'Nee. Ik zal je vertellen wat ik denk, wat ik écht denk. Je wilt Rosa niet vinden. Je wilt het niet eens proberen omdat je te bang bent om te ontdekken waarom ze écht hiernaartoe is gegaan en wat er met haar is gebeurd. Nou, ik zal je vertellen waarom ze hiernaartoe ging. Jij hebt haar weggejaagd door je relatie met die verwaande dokter van je. Je kon haar niet geven wat ze nodig had, je kon die verschrikkelijke blik van haar die ik zo vaak heb gezien, die blik van hoop vermengd met angst, niet wegnemen. Nou, ik heb helemaal geen zin om te doen wat jij wilt. Waarom zou ik? Ik blijf geen minuut langer op dit schip om te wachten tot jij of wie dan ook me vertelt wat ik moet doen. Ik heb mijn kans gezien en ik grijp hem.'

Ik zat nu voluit te snikken en veegde de tranen weg met mijn manchet. 'Hoe bedoel je, weggejaagd? Waar heb je het over? En als jij het zo belangrijk vindt, waarom ga je dan naar het ziekenhuis? Wat bereik je daarmee?'

'O, ik weet zeker dat ik heel veel te weten zal komen als ik tussen de verpleegsters zit.'

'Ga dan maar, als dat is wat je wilt. Laat mij alleen. Denk maar niet dat het me wat kan schelen.'

Dat was een fatale fout, want natuurlijk ging ze. En daar zat ik, in mijn eentje aan boord van de *Royal Albert* waar waarschijnlijk een heleboel nieuwsgierige oren de ruzie woordelijk hadden gevolgd. Ik had het warm, was hongerig, huilerig, verward en had geen idee hoe ik aan mijn middageten moest komen.

7

Nora was nog steeds niet terug toen ik de volgende ochtend wakker werd, dus waste ik mijn gezicht in het verschaalde
water, dronk een kop koffie, en at een stukje brood dat de bediende – of scheepsjongen, hij kon niet ouder zijn dan dertien –
me had gebracht. Het begon er nu op te lijken dat Nora niet
meteen terug zou komen, dat ik gisteren gelijk had toen ik sug-
gereerde dat ze al lang van tevoren had besloten me in de steek
te laten.

Mijn oog viel op het visitekaartje dat de vorige dag was gebracht. Blijkbaar kon ik niet anders doen dan mezelf overleveren
aan de genade van deze lady Mendlesham-Connors.

De *Principle* was een privéjacht, schitterend opgetuigd met opgerolde bruine zeilen en glanzend gepoetste koperen armaturen.
Aangezien het schip midden in de haven lag, ver weg van de een-
voudigere vaartuigen, moest ik een astronomisch bedrag betalen
om me ernaartoe te laten roeien. Ik droeg mijn mooiste roze jurk
en had eindelijk weer eens een goede keuze gemaakt; lady Mendlesham-Connors, of lady Mendlesham, zoals ik haar mocht noemen, een grote vrouw, ongeveer tien jaar ouder dan ik, met sta-
rende ogen, een zwaar verweerde huid en diepe plooien in haar
jurk, sloeg mij goedkeurend gade toen ik naderde.

Ze schonk thee voor me in onder een luifel en stelde zich voor
als de vrouw van een van de naaste assistenten van lord Raglan
en een vriendin van lady George Paget, wier man zo'n heldhaf-

tige rol had gespeeld in de charge van de Lichte Brigade tijdens de Slag van Balaklava. Ik vertelde haar dat ik tijdens een reis in Italië had gehoord dat mijn nicht, een van de verpleegsters van miss Nightingale, haar post in het ziekenhuis had verlaten. Mijn pogingen om haar te vinden waren gestrand op de bureaucratie en ik kon maar een paar dagen in Balaklava blijven.

'Och, van de bureaucratie trek je je toch niets aan,' bulderde lady Mendlesham, 'niemand is echt geïnteresseerd in de bezigheden van anderen. Waar wil je naartoe? Ik kan je de weg wijzen.'

'Maar is het niet onvoorzichtig om in mijn eentje Balaklava te verlaten als ik geen kaart heb en geen idee heb waar ik naartoe moet?'

'Alleen? Je ouders hebben je toch niet zonder escorte laten gaan? Iemand vertelde me dat hij je had gezien met een dienstmeid. Hoe heette je nicht? Misschien heb ik iets over haar gehoord.'

'Miss Barr. Rosa Barr. De dochter van lady Isabella Stukeley.'

Een vonk van gretige belangstelling verscheen in haar ogen. Was zij niet degene die meeging met een van de Derbyshire-regimenten, die verdween in...? Nou ja, ik leef met u mee, miss Lingwood, u zult wel worden verteerd door angst.' Ze trok haar stoel wat dichter bij de mijne en leek op een tijgerin die klaarstond om haar prooi te bespringen. 'Had u een hechte band met haar? Mijn arme kind. Wanneer heeft u voor het laatst iets van haar vernomen?'

'U maakt me bang. U praat alsof ze dood is.'

'Maar, lieve kind, u moet u op het ergste voorbereiden. Het is heel waarschijnlijk dat ze dood is. Iedereen heeft het over haar. Ze zeggen dat ze in het begin van het voorjaar voor het laatst is gezien. Toen was ze op weg naar Inkerman.'

'Maar dat hoeft toch niet te betekenen dat ze dood is?'

'Ach, niet huilen. O, wat tactloos van mij. Ik sta bekend om mijn onverbloemde manier van spreken, dat zal iedereen beamen. Natuurlijk is het mogelijk dat ze het heeft overleefd. Ze kan overal zijn. Maar je moet niet te veel hoop koesteren.'

'Vertel me alstublieft wat u weet. Ik heb gehoord dat ze zich heeft aangesloten bij het regiment van haar stiefbroer, maar wat weet u nog meer?'

'Dat is alles. Ze vertrok uit het hospitaal en ging mee met het Derbyshire-regiment. Zo gaat het helaas maar al te vaak. Neem nu die lieve Martha Clough. Zij was ooit verloofd met die arme kolonel Lauderdale Maule, die vrijwel meteen nadat hij afgelopen zomer voet aan land had gezet in Varna stierf aan cholera. Iedereen denkt dat Martha half gek is geworden van verdriet. Ze kwam hier met de groep van miss Stanley en binnen een oogwenk was ze vertrokken en nu leeft ze bij de soldaten. Miss Nightingale is heel streng voor verpleegsters die niet in het gareel blijven. En terecht, naar mijn mening. Wij dineren twee keer per jaar bij de familie Nightingale; het is van groot belang dat de familienaam niet wordt bezoedeld door al dat gedoe met die verpleegsters. Maar wat jouw Rosa Barr betreft, niemand weet precies wat er met haar is gebeurd, hoewel er allerlei geruchten de ronde doen.'

'Wat voor geruchten?'

'Ik roddel niet graag, maar er wordt gezegd dat ze hier een liaison heeft gehad. Precies waar miss Nightingale zo bang voor was. Het schijnt dat ze naar de grotten boven Inkerman ging omdat ze daar een rendez-vous had.'

'Een rendez-vous... met...'

'Ik kan geen naam noemen. In mijn positie leer je voorzichtig zijn. En zoals ik al zei, het zijn allemaal vermoedens, maar het is een feit dat niemand haar ooit nog heeft gezien. Het is allemaal heel akelig.'

Henry. O, God, ze kan alleen maar Henry bedoelen. 'Lady Mendlesham, wat moet ik doen? Ik ben hier maar een paar dagen, ik moet proberen erachter te komen wat er met Rosa is gebeurd. Ik zou op zijn minst langs willen gaan bij het Derbyshire-regiment. Zou u mij misschien een begeleider ter beschikking kunnen stellen?'

Ze leek af te wegen hoeveel status het haar zou opleveren als ze meer te weten kwam over dit heerlijke schandaal, want plotseling zei ze: 'Weet u, het lijkt me heel aangenaam om even uit de haven weg te zijn en die situatie met uw ongrijpbare miss Barr intrigeert me. Er is aan het front de laatste weken weinig gebeurd, maar mijn echtgenoot houdt me strak aan de teugel. Maar ik heb er genoeg van. Ik zie niet waarom ik niet met je mee zou kunnen gaan naar de hoogvlakte. Daarvandaan kun je in ieder geval Sebastopol zien liggen. We zullen morgen laat in de middag vertrekken als de zon iets van zijn hitte heeft verloren. En ondertussen zal ik de mannen inlichten voor het geval er nieuws is over uw arme nicht.'

Het kostte me grote moeite om me tijdens het afscheid en het korte boottochtje naar de *Royal Albert* goed te houden. Had Rosa me verraden? Was ze net zo schuldig als Henry? Dat kon ik niet geloven. En toch was er een rendez-vous geweest.

Maar als ze van me hield, hoe kon ze hem dan van me afpakken? Lady Mendlesham zou er ongetwijfeld achter komen dat ik verloofd was met Henry Thewell. En dan? Hoe zou ik haar gezelschap morgen kunnen verdragen? En toch moest ik gaan. Nu ik een tipje van de sluier had opgelicht, moest ik meer weten.

Toen drong tot me door dat er andere, praktische problemen waren die de expeditie in de weg zaten, niet in de laatste plaats het feit dat ik sinds mijn verblijf in Stukeley met Rosa, meer dan tien jaar geleden, nooit meer op een paard in galop had gezeten. Het tweede probleem was dat ik geen rijkleding had en zelfs ik wist dat ik niet op een paard kon zitten in een mousselinen jurk. Het derde was dat ik van Barnabus het bevel had gekregen om aan boord te blijven.

Uiteindelijk besloot ik het enige probleem dat ik zelf kon oplossen aan te pakken. De enige kleren die ik bezat die enigszins geschikt zouden zijn om paard te rijden, waren het tweedjasje dat ik had gedragen op de reis van Londen naar Italië, en een paar vrij stevige laarzen. Nu Nora zomaar was vertrokken, voelde ik geen bezwaar haar kleren te gebruiken, dus liet ik haar kist halen en trok een donker hemd en een stevige katoenen blouse tevoorschijn. Nu had ik nog eenvoudige onderrokken nodig, maar toen ik dieper in de kist groef, stuitte ik op verontrustende voorwerpen die haar ware aard verrieden: een in versleten leer gebonden boek met flinterdun, beduimeld papier, getiteld *Het dagelijks misboek*; een rozenkrans van groene, glazen kralen, een klein houten kistje met een haakslotje waarin zo te zien een handje aarde zat – ongetwijfeld een of ander gruwelijk reliek – en, het meest verrassende, een schets van Nora, gesigneerd door Rosa.

Deze laatste vondst schokte me omdat ik niet naar de zwijgzame Nora staarde die ik in Clapham had leren kennen, maar naar het uitdagende schepsel dat zich had geopenbaard na ons vertrek uit Italië. In het portret van Rosa zat Nora op een laag krukje en leunde ze naar voren met haar kin in beide handen en haar ellebogen op haar knieën, onwrikbaar en lichtelijk geamuseerd.

Deze plotselinge ontdekking van Rosa's werk bracht haar in één klap heel dichtbij. Rosa's slanke vingers hadden de schets gemaakt, háár hand had het papier gladgestreken, háár blauwe ogen hadden naar de geportretteerde gelachen.

Wie ben je, Rosa? Ken ik je wel?

8

Het rijkostuum dat ik maakte was zonder meer creatief te noemen. Mijn schaar gleed achteloos door de zwarte rok van Nora tot ik het middel ongeveer dertig centimeter had ingenomen. Ik haalde het plooisel aan de voorkant los en gebruikte de extra stof voor een brede volant compleet met sleep.

Mijn naald vloog door de zomen en ieder keer dat ik de draad straktrok, iedere keer dat ik in de stof stak, dacht ik aan Henry: 'Bright Star...' of Rosa: 'Maar voor mij kunt u geen enkel respect hebben...' En terwijl de schaar knip-knip door het middel van Nora's onderrok ging, maalden mijn gedachten door. Henry. Rosa. 'Haar haar is opgebonden met een blauwe gebreide sjaal...'

Rosa. Henry.

Ik peinsde over hoe ik mijn eigen jasje als patroon kon gebruiken om een van Nora's blouses om te toveren tot een ruiterjasje met brede revers en koperen knopen, maar nog steeds zag ik hun gezichten voor me. 'Ik heb Rosa gezien. Vreemde toestand...'

'Je onwankelbare trouw jaagt me angst aan.'

Het was na middernacht toen ik de rok af had en Nora was nog steeds niet terug. Morgenochtend, dacht ik, zal ik haar vertellen wat ik heb bereikt. Ze zal met ons mee willen naar de kampementen, maar dat verbied ik. Ze heeft het voorgoed verbruid.

Tegen de tijd dat lady Mendlesham de volgende middag verscheen, had ik knallende hoofdpijn, veroorzaakt door een slapeloze nacht en een ochtend onder de luifel waar ik aan mijn bon-net en jasje had gewerkt, maar ik zei er niets van omdat ik niet wilde dat mijn begeleidster onze rit naar de kampementen zou annuleren. Ze droeg een op maat gesneden rijkostuum, dat strak om haar boezem zat en was afgezet met een bies en knopen in militaire stijl, en aan de hand had ze een kleine pony met de on-heilspellende naam Schicht. Hij had schonkige flanken, een vacht vol vliegeneitjes, enkele kale plekken met diepe littekens en een nerveus karakter. Hij keek me aan, toen hij mijn bevende hand aan zijn teugel voelde, wierp zijn hoofd in de lucht en stampte met zijn zwarte benen.

'Ik kon niets beters vinden,' zei lady Mendlesham, die op een grote, gevlekte merrie zat. 'Ik heb hem geleend van een van de assistenten van mijn man, die me verzekerde dat hij zich als een engel zal gedragen, zolang je hem goed behandelt. Let goed op hem, want paarden zijn hier net zo in trek als goudstof. Verlies hem niet uit het oog want voordat je het weet grist iemand hem weg om hem naar een markt in Kamiesh te brengen.'

We zochten onze weg door de stapels kisten langs de kade, het drukke verkeer van wagens, paarden, muilezels, Turken, solda-ten, Grieken, arbeiders en bedelaars. Ik had al mijn aandacht no-dig om Schicht rustig te houden en hoopte dat Barnabus me niet zou herkennen als hij toevallig door zijn vieze raam keek. 'Kijk, dat, daar, is de werf,' zei lady Mendlesham. 'Heeft u ooit zoveel munitie bij elkaar gezien?'

Ik had helemaal nog nooit munitie gezien, op een paar af-beeldingen van de beroemde Minié-geweren en de kanonnen in de middeleeuwse wapenzaal van Stukeley na, maar nu zag ik kanonskogels, opgestapeld als sinaasappels, duizenden en nog eens duizenden. 'Hoe krijgen ze er zoveel bij elkaar?'

'Hoe bedoel je? Het is oorlog! Hoewel er in de afgelopen maanden zo weinig is gebeurd dat je je kunt afvragen of het wel de moeite waard is om hier te zijn, of je je energie, laat staan die van je man, misschien niet beter elders zou kunnen besteden. Ik heb drie kleine kinderen achtergelaten in Gloucestershire; sinds januari heb ik ze niet gezien.'

'Ik heb de hele nacht kanonvuur gehoord, dus er gebeurt toch wel iets?'

'O, ze worden altijd afgevuurd, maar het levert niets op. Er wordt een bres geslagen, er wordt een bres hersteld. Er verschijnt een hoofd boven de barricades van de vijand, dus wij beginnen te schieten en vice versa. Maar nu we Kertsj hebben ingenomen weet ik zeker dat het veel gemakkelijker zal zijn om ze uit te hongeren. Mijn echtgenoot zegt dat het gaat om het moreel.'

'Wat is Kertsj? Ik heb erover horen praten...'

'Maar je hebt toch wel gehoord van onze grote overwinning in Kertsj? We hebben een grote bevoorradingsroute naar Sebastopol geblokkeerd en heersen nu over de Zee van Azov. De vijand sidderde toen ze onze schepen zagen. Gaven zich over zonder noemenswaardig verzet. Een belangrijke Britse overwinning, ondanks de tegenwerking van de Fransen, zoals gewoonlijk. Het was al maanden geleden gelukt als de Fransen er niet waren geweest, maar ik kan je natuurlijk geen gedetailleerde informatie geven. In mijn positie moet je discreet zijn.'

We reden het dorp uit en begonnen aan een langzame klim over de verharde weg, met de nieuwe spoorweg aan onze linkerhand. 'Paard-en-wagens,' zei lady Mendlesham. 'Zoals ik zei, gebruiken we overal paarden en daarom is het zo'n ramp dat we er in de winter zoveel zijn kwijtgeraakt.'

Boven aan de weg naar de haven lagen enkele kapotgeschoten stenen huisjes en een kamp met nieuwe barakken. 'Kadikoi.' Lady Mendlesham wees met haar rijzweep. 'Een van onze hospitalen staat daar.' Ze ging op zachtere toon verder. 'Dat grote gebouw op de heuvel is het British Hotel. Het wordt bestierd door een negerin. Ze heet Mrs. Seacole.' Het hotel was een barak met twee verdiepingen, gevelspitsen en glazen vensters. In de tuin stonden geiten en schapen vastgebonden, rondom de deur pikten kippen in de aarde en een groep gasten zat te eten aan een tafel onder een luifel. 'Misschien ben je te jong om te horen wat zich daarbinnen afspeelt. Er zijn hier zoveel mensen naartoe gekomen om onze mannen uit te buiten,' voegde ze er met stemverheffing aan toe. 'Helaas kunnen sommige mensen de verleiding niet weerstaan als ze de kans ruiken om snel geld te verdienen. Armeniërs, Joden, iedereen probeert een graantje mee te pikken.'

Hoe verder we van de haven kwamen, hoe voller het werd

met tenten en barakken. De lucht was gevuld met het gedempte gekletter van pannen en geroezemoes van het soort dat je hoort op dorpsfeesten. Gezien de huiveringwekkende verslagen in *The Times*, verwachtte ik chaos en misère. In plaats daarvan rook ik vers brood, reden we langs bergen groenten die buiten de keukenbarakken lagen, en aan alle kanten waren doelgerichte activiteiten gaande: er werden laarzen gepoetst, er werd geparadeerd en er werden wapens geïnspecteerd. Het was heel warm en mijn zwarte rijkostuum absorbeerde het zonlicht. Af en toe nam lady Mendlesham een slok uit een fles water. Ze leek zich er niet van bewust dat ik niets bij me had en ik was te verlegen om te vragen of ik wat van haar mocht. De hoofdpijn boorde zich dieper in de zijkant van mijn gezicht.

Met iedere stap van onze paarden werd het sporadische kanonvuur luider, maar omdat mijn metgezellin geen spoor van angst vertoonde, probeerde ik mijn zenuwen te verbergen. Ondertussen kon ik bijna niet geloven dat ik echt op de Krim was en dat de lucht toch blauw was, het gras bezaaid was met bloemen en de mannen floten. Het enige echte ongemak was het gebrek aan schaduw, hoewel de mannen achter hun barakken en tenten beschutting konden zoeken. Hier en daar zag ik op het terrein de littekens van uitgetrokken boomwortels en stammen die aan de basis ruw waren omgehakt.

'In de winter,' zei lady Mendlesham, 'trokken de mannen alle bomen omver omdat ze goed konden dienen als brandstof. Ze dachten niet vooruit. Hoeveel verder wil je eigenlijk nog gaan? Het Engelse kamp strekt zich uit zover het oog kan zien; we zouden de hele middag door kunnen rijden zonder het einde te bereiken.' Ze nam zo achteloos een slok uit haar fles dat er druppels in haar boord vielen.

'Zo ver als u me wilt brengen, in ieder geval naar de Derbyshire-regimenten,' riep ik dapper, hoewel het gebulder van de kanonnen onaangenaam luid was geworden, de pijn kronkelend naar mijn oor trok en mijn ledematen begonnen te protesteren. Het amazonezadel had een hoge zadelboog, waardoor mijn rechterdij in een vreemde houding lag en er iedere keer dat het paard zich verstapte een scherpe pijn door mijn spieren schoot.

Het kamp van het zevenennegentigste Derbyshire-regiment lag

aan de overzijde van de vlakte, en ook dit kamp zag er onrustbarend permanent uit: barakken en tenten, waslijnen en zelfs
moestuinen. Uit een van de tenten klonk ruw gezang. 'O then
Polly Oliver, she burst into tears / And told the good captain her
hopes and her fears.'

'Ik vermoed dat de mannen een van hun ontelbare voorstel-
lingen aan het repeteren zijn,' zei lady Mendlesham. 'Onvoorstelbaar saai, maar de arme jongens moeten op de een of andere
manier vermaakt worden. Van ons wordt verwacht dat we af en
toe komen kijken en lachen.'

We passeerden Newman, die over zijn geweer gebogen op een
laag bankje buiten een zestienmanstent zat, zijn hemd bijna tot
zijn middel open. Hij keek ons aan, schoot overeind, groette en
wendde zich even af om zich te fatsoeneren. Toen hij weer naar
ons keek, bloosde hij diep. 'U had me moeten waarschuwen, miss
Lingwood. Dan had ik thee laten komen.'

'U zei dat Rosa Barr hier een kist heeft achtergelaten.'

Hij keek verschrikt. 'O nee, wat vervelend dat u helemaal hiernaartoe bent gekomen. Waarschijnlijk heeft kapitein Stukeley
hem, maar hij is nog niet terug. O, miss Lingwood...'

'Nou ja, dat is dan dat,' zei lady Mendlesham. 'We hebben het
in ieder geval geprobeerd...'

'Maar als u wilt kan ik u de barak laten zien waar ze sliep.'

'Graag.'

Lady Mendlesham zei dat ze niet wilde afstijgen, maar misschien wilde een van de jongens haar wat limonade brengen, op
voorwaarde dat hij kon garanderen dat deze van gekookt water
was gemaakt. We lieten haar achter terwijl ze aan een groep mannen die zich bij een veldkeuken hadden verzameld, instructies gaf
over hoe je bieten moest koken.

Newman wilde me maar al te graag over de scheerlijnen helpen terwijl we tussen de tenten door naar Rosa's barak liepen,
die een beetje apart stond in een rij van vijf. Dichtbij zaten een
paar vrouwen in de schaduw met een berg verstelwerk tussen hen
in. Ze hadden een grove huid en hun haar was in Turkse stijl bedekt met een doek. Toen Newman mij voorstelde als de nicht
van miss Barr verstomde het gesprek onmiddellijk.

Newman klopte op de deur van de laatste barak en toen er

geen antwoord kwam duwde hij hem open. Binnen was het warm en benauwd, hoewel er maar twee veldbedden stonden en een stapel pakkisten. De geur van ruw hout bracht me onmiddellijk terug naar een tuinschuurtje op Stukeley, een van de verstopplaatsen van Rosa waar zij en ik soms naartoe gingen als het regende om te luisteren naar de druppels op het dunne dak en door de halfopen deur naar het druipende groen te turen.

Ik werd wat onrustig van Newmans ogen die heen en weer flitsten tussen mijn boezem en mijn handen.

'Kan ik misschien wat water krijgen?' vroeg ik. 'Ik heb erge dorst van de rit.'

Hij keek me geschrokken aan. 'Ach, natuurlijk. Neem me niet kwalijk. Daar had ik aan moeten denken. Zo terug.' Hij boog zijn hoofd en liep achteruit de deur door, zodat ik alleen achterbleef in Rosa's barak. De lucht daalde als een zachte deken op me neer en door de kwastgaten vielen zonnestralen op de legplanken die op schouderhoogte langs de muren liepen en vol lagen met aftandse bezittingen: schoenen, hoeden, dozen en blikken met etiketten. Ik ging op een bed zitten, deed mijn ogen half dicht en probeerde me Rosa hier voor te stellen. Ja. Ze moet ervan genoten hebben: hier zat ze tussen de soldaten, maar wel op enige afstand. Tussen het gerommel van de kanonnen door hoorde ik vogelgezang, vrouwenstemmen en de plotselinge lach van een man.

Toen drong tot me door dat de etiketten op de blikken – NAAIWERK, KOEKJES, THEE, MEDISCH – door Rosa waren geschreven. Het leek me niet waarschijnlijk dat de vrouwen van de soldaten konden schrijven en bovendien was haar kordate handschrift duidelijk herkenbaar.

Ik pakte het blik waar NAAIWERK op stond en haalde het deksel eraf. Een paar mieren krioelden over de keurige inhoud: klosjes met zwart en wit garen, een schaar, knopen, een kaartje met spelden, een vingerhoed en Rosa's naaldenboekje, het exemplaar dat zij en ik in Stukeley hadden gemaakt. Het was haar eerste poging; een gevouwen lapje canvas gevoerd (door mij) met zijde, waaraan met onregelmatige, rode, rechte steken langs de vouwen een vierkant stukje flanel was vastgezet om de naalden in te steken – er waren nog drie, zwaar verroeste naalden over. Op de voorkant stonden in kruissteek de initialen RB, en was in elke hoek een decoratief groen kruisje aangebracht. Het karweitje zou mij tien minuten hebben gekost, maar Rosa was er twee middagen mee bezig omdat ze daarvoor nauwelijks een naald had aangeraakt. Ik herinnerde me de buxushaag waarin we zaten, de rups die over mijn schoen liep, de schaduwvlekken op Rosa's haar, de frons op haar voorhoofd terwijl ze aan het eindje van de draad zoog en probeerde hem door het oog van de naald te duwen ('Nee, Rosa, doe het zoals ik je heb geleerd: vouw de draad over de naald, druk hem plat tussen duim en wijsvinger en duw de lus door het oog van de naald'), haar frustratie toen ik haar vertelde dat haar borduurwerk uitgehaald moest worden omdat niet alle kruissteken recht stonden. 'Wie let er nou op hoe die kruisen eruitzien? Ik niet. Wat maakt het uit?'

'Het maakt uit omdat bij naaiwerk wat je ziet alles zegt over de kwaliteit en duurzaamheid,' zei ik, met de woorden van tante Eppie.

'Maar ik vind dat mijn kruissteek er zo prachtig uitziet.'

'Keer het eens om. Zie je hoe slordig de achterkant is?'

'Maar als we het hebben gevoerd ziet niemand het.'

'Ja, maar jij en ik zullen altijd weten dat de binnenkant niet goed is.'

Ze pakte de schaar op. 'Dat klinkt mooi,' zei ze. 'Ik vind het mooi zoals je zegt "Jij en ik zullen het altijd weten"... Want dat is waar. We zullen het altijd weten en we zullen altijd samen zijn.'

'Je moet de steken niet doorknippen, Rosa. Haal ze uit met het botte uiteinde van de naald zodat je dezelfde draad nog een keer kunt gebruiken. Borduurzijde is kostbaar.'

Ze zuchtte demonstratief. 'Wat een gedoe.' En haar hoofd schoot snel naar voren om me een zoen te geven. 'Je mag nooit veranderen. Laat me je er nooit van overtuigen dat deze kleine dingen niet belangrijk zijn, want dat zijn ze wel.'

Ik vroeg me af of ik het naaldenboekje mee moest nemen, maar ik kon het niet over mijn hart verkrijgen om het weg te nemen, dus zette ik het blik weer op de plank en keek in een paar andere, waar ik alleen wat onpersoonlijke spullen vond. Toen ging ik op het bed zitten en zag voor me hoe Rosa daar met haar armen onder haar hoofd had gelegen, haar losse haar uitgespreid op het kussen, lachend omdat ze zo blij was me te zien. Maar met een schok herinnerde ik me dat Rosa's glimlach misschien onoprecht was geweest en dat ze misschien, toen ze in deze kleine barak sliep, al plannen maakte om Henry te verleiden.

Was híj hier geweest? Hadden ze hier samen gelegen op een van deze smalle bedden? Had hij hier geleerd de contouren van haar borst te strelen?

Ik duwde de deur open en liep het felle zonlicht in. Newman kwam aanlopen met een dienblad waarop een karaf en een glas stonden, maar ik rende struikelend de andere kant op, maakte Schicht los, klom weinig elegant op zijn rug en vroeg waar we nu naartoe zouden gaan.

Lady Mendlesham ging er met zo'n vaart vandoor dat ik haar bijna uit het zicht verloor. We reden in noordelijke richting een glooiende helling op tot het kamp zich als een kinderbouwdoos voor ons uitstrekte.

'Kijk,' zei ze, 'daar werd de Slag bij Balaklava gestreden. Je hebt er ongetwijfeld verhalen over gehoord.'

Toen ik mijn hoofd draaide, verschoof de pijn alsof er een steen door mijn schedel rolde. Ik kon deze brede vallei met de lage heuvels eromheen niet koppelen aan het beeld dat de correspondent van *The Times* schetste van de overhaaste aanval onder vijandelijk vuur van de Lichte Brigade.

'Mijn vriend, de echtgenoot van die lieve lady Paget, was de onbezongen held van die dag,' zei mijn gids. 'Toen alle andere hoofdofficieren waren gesneuveld of ertussenuit waren geknepen, bleef hij als enige over om de mannen te verzamelen en door de vallei terug te brengen. Kijk nu eens naar de andere kant.' Ze draaide haar paard, draafde een klein eindje verder omhoog en wees vooruit. 'Sebastopol.'

De naam van de stad deed mijn bloed sneller stromen vanwege de mystiek en het gevaar die ermee waren verbonden. Daar voor ons lag de bron van alle ellende, het brandpunt van de aandacht van de wereld, de belegerde stad. Sebastopol was tegelijkertijd de Heilige Graal en een vijandelijke hel; we wilden de stad hebben maar we haatten haar ook, en daar lag ze, aan mijn voeten, met op de achtergrond de glinsterende blauwe zee. Wat ik daar zag liggen, was zo ordelijk en ver weg dat het leek of ik naar een reuzenschaakbord keek, behalve dat er van een van de velden echte wolken rook omhoogrezen.

Sebastopol – Henry schreef altijd 'Sevastopol' en sprak het uit als Sebastópol – was een uitgestrekte haven, grotendeels gebouwd op de zuidelijke oever van een brede riviermond en op enkele kleine schiereilandjes. Dat was de reden dat de geallieerden, in een vergeefse poging om de stad te omringen, zo ver moesten uitwaaieren. Voor de stad lagen Russische verdedigingswerken, kunstmatige heuveltjes waarop zware versterkingen waren gebouwd, met elkaar verbonden door wat er van waar wij stonden uitzag als lage wallen of greppels. Tussen onze heuvel en het Russische geschut strekten zich wallen van zandzakken uit, die de kronkelende loopgraven markeerden van de geallieerde machten, vooral van de Fransen, zei lady Mendlesham; de Britten zaten ingeklemd in het midden en lagen het zwaarst onder vuur. De Turken, het ondankbare volk waarvoor we vochten, waren volgens haar een ongedisciplineerde en onbetrouwbare bende, en de Sardijnen hadden zich ergens daar verderop ingegraven – ze wuifde met haar linkerhand naar een paar heuvels achter ons – maar waren beter in muziek maken dan in vechten.

Ze overzag het geheel alsof ze de echtgenote was van een landheer die over haar bezit uitkeek. Uit haar zak haalde ze een kleine verrekijker. 'Je went wel aan de namen van de Russische bastions, de Mamelon, de Grote Redan, de Malakov enzovoort. Zij zijn de vloek van ons leger en de Russen zijn onvermoeibaar bezig met het onderhoud ervan, als bevers. Zodra we erin slagen een klein gat te slaan, sluipen ze naar buiten om de schade te herstellen. Als je goed naar het noorden kijkt zie je een rij palen dwars door de haven lopen. Dat zijn masten van oorlogsschepen die door de Rusky's tot zinken zijn gebracht om een invasie van ons onmogelijk te maken. En daarachter ligt onze marine. Zie je?'

De verrekijker bracht plotseling de beelden dichterbij in twee cirkels, als een rarekiek. Toen ik de lens scherp had gesteld, zag ik in Sebastopol witte kerken en sierlijke openbare gebouwen met dikke muren en hoge ramen. Het leek verkeerd om een stad met koepels, appartementen en parken te bombarderen, een beetje alsof je een vrouw met onderrokken en gesteven mouwomslagen belaagt. De haven zag eruit als alle andere havens, met een wirwar van grote en kleine boten die het binnenland in voeren of aanmeerden aan de kades, behalve dat niets de spookachtige barricade van masten in de mond van de haven passeerde. En aan alle kanten lagen muren en barricaden van steen, aarde en hout, als de wormhoopjes die bij eb in het zand verschijnen, sommige meters hoog, allemaal bezaaid met zwarte stippen waarvan ik aannam dat het kanonnen waren, hoewel de stippen op een bepaald deel blauw, geel en wit waren en boven de wallen leken te zweven.

'Wat zijn die kleuren boven de verdedigingswerken van de Russen?' vroeg ik aan lady Mendlesham.

Ze nam de verrekijker over, draaide aan de lens en snoof. 'De brutaliteit. De Russische vrouwen vliegeren graag op de barricades. Dat is provocerend bedoeld, maar mij houden ze niet voor de gek. De Russische verdediging stort in waar we bij staan, ze hebben nog geen kwart van het aantal kanonnen dat wij hebben en wát ze hebben komt uit het jaar nul. Bovendien is hun moreel op een dieptepunt. Ze hadden geen rekening gehouden met de Britse vitaliteit.'

'Maar het ziet er allemaal zo georganiseerd uit.' Ik schermde mijn ogen af met mijn hand en kneep ze tot spleetjes terwijl ik naar de zwevende gekleurde vlekjes keek. 'Hoe blijven ze in leven nu de stad belegerd is?'

'Ze zullen niet lang in leven blijven als we hun bevoorradingsroutes hebben afgesneden. Zoals ik al zei, nu Kertsj is gevallen zullen ze de druk pas echt voelen.'

De aarde beefde en beneden ons, tussen de geallieerde en de Russische linies, klonk een salvo van kanonvuur, dat onmiddellijk werd beantwoord door de Franse artillerie.

'Wat gebeurt er?' riep ik.

'Ze schieten voortdurend. De Russen zijn gemene, kleine vechters. Maar ze moeten uitkijken. We wachten allemaal op het laatste bombardement. Je zult het zien. Een dezer dagen klimmen we over die muren en dan jagen we de Russen naar buiten als ratten uit het riool.'

'Wanneer begint het bombardement?'

'We wachten op bevelen van hogerhand. En het probleem van

ons bondgenootschap met de Fransen is dat er steeds op het moment dat we denken dat onze generaals eindelijk in actie zullen komen, een telegram komt van Napoleon die het hele plan wil omgooien. De Fransen kunnen nooit iets doorzetten.'

De laagstaande zon brandde op mijn bonnet, een leeuwerik maakte een duikvlucht boven mijn hoofd en de zachte wind nam zeelucht, kruitpoeder en etensgeuren mee. Mijn rechterbeen, dat om de zadelknop lag, was verdoofd en de migraine vulde mijn hele hoofd.

De hemel kleurde dieper blauw en de zon daalde een stukje. Plotseling klonk er een verwoestende explosie in de loopgraven en vlogen knetterende vuurballen noordwaarts over de Russische bastions.

'En Inkerman,' zei ik ten slotte, hoewel ik merkte dat ik de naam nauwelijks over mijn lippen kon krijgen. 'Waar ligt Inkerman?'

'Inkerman?'

'Mijn nicht Rosa...'

'Aha, Inkerman. Daar, in het noorden. Zie je het? Achter de rivier. Achter die lage heuvels ligt een volkomen ander landschap, een verraderlijk gebied met diepe groeven, ravijnen en grotten, sommige gemaakt door mensen. Daar heeft de bloedigste slag van de oorlog plaatsgevonden – dat was voor mijn tijd. Inkerman ligt net buiten de laatste Russische verdedigingswerken.'

'Kunnen we ernaartoe?'

'Geen sprake van. Veel te ver. En gevaarlijk dicht bij de vijandelijke linies.' Opnieuw klonk een enorme explosie, en nog een, die tot gevolg had dat honderd meter verderop de aarde opspoot. 'We moeten gaan,' zei lady Mendlesham en ze draaide het hoofd van haar paard. 'Als de avond valt gaat het er altijd stevig aan toe en ik heb een diner met mijn...' Een oorverdovend bombardement barstte los boven de Russische barricades, mijn pony sprong achter het paard van lady Mendlesham aan en mijn hoofd vulde zich met lichtflitsen.

Hoewel we nog maar een halfuur geleden weggereden waren uit het kamp, was alles anders toen we terugkwamen. De mannen waren nu in volledige wapenuitrusting en haastten zich om colonnes te vormen – bataljons, zei lady Mendlesham. Alles straalde beheerste haast uit en overal klonken bevelen. Iedereen rende door elkaar tussen de barakken door; het was alsof een mierenhoop was verstoord en een hele kolonie zich voorbereidde op een mars. Het hoofd van lady Mendlesham draaide van links naar rechts. 'Wat is er aan de hand? Is er een aanval geweest? Is er nieuws? Wacht even, mijn man...' Maar niemand stopte, zelfs niet voor haar.

De kanonnen in Sebastopol rommelden gestaag en de junihemel ging schuil achter felle lichtflitsen en een trage stroom rookwolken. Mijn oren tuitten en mijn ellendige pony begon onrustig te draaien en zijn hoofd heen en weer te schudden, hij maakte sprongen op de plaats en schopte met zijn achterbenen, waardoor de pijn in mijn hoofd overging in gebonk. 'Lady Mendlesham,' gilde ik. 'Help! Ik geloof niet dat ik hem kan...'

'We moeten onmiddellijk terug naar de haven,' riep ze, terwijl ze haar paard hard op de flank sloeg. 'Waarom hebben ze me niet verteld dat er een bombardement zou komen?' Ze verdween in een stofwolk en ik probeerde haar te volgen, maar mijn pony had andere plannen of was te zeer van streek door het kabaal om bevelen te gehoorzamen. Hij bokte en rende struikelend over de tuien tussen de tenten door. Het ritmische gebonk van de marcherende voeten achter ons en een verwoestende kannonade aan onze rechterkant brachten hem pas echt in paniek.

Ik schreeuwde tegen hem dat hij moest stilstaan en trok verwoed aan de teugels, terwijl hij zijn hoofd wild op en neer gooide. Plotseling verslapten de teugels maar voordat ik ze kon aanhalen, dook hij naar voren zodat ik de macht over hem verloor. Nu kon hij zijn razernij de vrije loop laten. Hij verliet het pad en galoppeerde recht op de kanonnen af, behalve dat hij iedere keer als er een explosie klonk even zigzagde. Ik stuiterde op en neer op zijn rug en iedere ademteug bleef met een snik steken in mijn keel, mijn handen omklemden de teugels, mijn dijspieren verkrampten in een poging in het zadel te blijven en mijn lichaam werd iedere keer dat ik op het harde leer landde genadeloos door elkaar gerammeld. Ik gleed steeds verder opzij, tot ik helemaal niet meer kon blijven zitten en me met beide handen aan het zadel vastklampte. Vaag zag ik dat het gras bezaaid was met kartetsen en dat er kanonskogels over de grond rolden alsof het overblijfselen waren van een bizarre kegelwedstrijd, dat we een colonne soldaten naderden en dat er voor ons een soort barricade opdoemde waaruit dikke rookwolken opstegen en waar vuurspuwende kanonnen stonden. Eindelijk zag de pony zijn vergissing in en verlegde hij zijn koers richting Balaklava. Een paar minuten spurtte hij verder tot we bijna bij de tenten waren, maar ik kon me niet meer vasthouden. Het zadel trok zich los uit mijn vingers, ik gleed omlaag, werd gelanceerd door de sprongen van de pony en landde met zo'n klap op mijn stuitje en mijn ellebogen dat de adem uit mijn lichaam werd geslagen.

De tijd stond stil. Het leek alsof mijn ruggengraat tegen mijn ribben was gestoten en ik kon alleen maar kreunen, terwijl de hemel in splinters uiteenviel en de grond schudde door het kanonvuur en de geweerschoten. Mijn rug kromde zich, de hemel werd zwart, ik kon geen adem halen en uit mijn luchtpijp kwam alleen een raspend geluid. Plotseling gleden mijn ellebogen weg en kon ik weer ademen. De avondhemel kreeg zijn diepblauwe kleur terug en op ooghoogte zag ik graspollen en blauwe druifjes.

Ik bleef een paar minuten roerloos liggen, zo bang dat ik iets had gebroken dat ik mijn ledematen nauwelijks durfde te bewegen. Het verbazingwekkende was dat niemand mijn val leek te hebben opgemerkt – tot mijn opluchting, want mijn rok had zich tot mijn middel omhooggewerkt. Uiteindelijk draaide ik me op mijn buik, werkte me omhoog op mijn knieën en inspecteerde mijn lichaam. Alles was heel. Toen ging ik rechtop staan op de ongelijkmatige grond, wendde mijn blik af van de verschrikkingen die in de loopgraven en daarachter aan de gang waren en begon aan de wandeling richting Balaklava. Van mijn pony was geen spoor te bekennen.

Bij de eerste stap verzamelde de pijn zich in mijn hoofd en begon daar te bonzen, maar nu schoten er tentakels naar mijn maag, waar ze rond roerden tot ik kokhalzend en wankelend in de berm belandde en in het gras braakte. Ik zakte neer en begroef mijn verhitte gezicht in mijn handen. Was ik misselijk geworden van de val? Van angst? Tyfus? Nee. Cholera. Dat moest wel. Eindelijk leek alles op zijn plaats te vallen. De hoofdpijn, de verzengende dorst, de misselijkheid, het delirium. Cholera. Henry had me verteld wat de symptomen waren. En op de Krim, zo hadden we gehoord, was de cholera nog agressiever: het kon gebeuren dat iemand die om acht uur 's ochtends nog aan het ontbijt zat tegen lunchtijd dood was.

Het vreemde was dat ik opluchting voelde. Ik hoefde tenminste niet terug naar Narni waar ik Henry onder ogen zou moeten komen of terug naar huis om de verwijten van mijn ouders over me heen te laten komen. Maar ik kon natuurlijk ook niet zomaar hier sterven, midden in het beleg van Sebastopol, dus ik strompelde verder. Een lok haar hing irritant in mijn ogen, mijn bonnet was opzij gegleden, maar ik had geen kracht om hem los te maken en mijn beenspieren waren zo uitgerekt door het zadel dat ze mijn lichaam nauwelijks konden dragen. Na ongeveer een halfuur bereikte ik Kadikoi en begon ik aan de steile klim naar de top van de heuvel, waarna ik afdaalde naar de haven van Balaklava.

Eenmaal in het stadje sloop ik langs het kantoor van Barnabus, biddend dat hij die avond niet laat werkte, en toen ik eindelijk bij de *Royal Albert* kwam, was ik blij om dat van ongedierte vergeven schip te zien, alsof het mijn eigen geliefde Fosse House was. Ik legde mijn hand op de reling, klom aan boord en stommelde naar mijn hut onder het dek, waar het pikdonker was. Met een waspit haalde ik vuur bij de olielamp in de gang, ik stak de lantaarn in mijn hut aan, pakte de kruik met verschaald water van die ochtend en dronk met volle teugen. Hoewel mijn bed onopgemaakt was en vol vlooien zat, ging ik met mijn kleren aan liggen, maar zodra ik mijn hoofd neerlegde begon de hut te draaien en werd de inhoud van mijn maag weer losgeschud.

Ik greep naar de waskom en strompelde naar het dek om hem te legen. Die ellendige Nora. De hoofdpijn dreef spiesen in de zijkant van mijn gezicht. Hoe lang was ik al ziek? Een, twee uur? Dus ik had nog maximaal vier uur te leven en in die uren zou mijn maag alles uitstoten; daarna zouden de kwellende krampen en de hevige zweetaanvallen beginnen. Toen ik in de spiegel een glimp opving van mijn gezicht, was ik verbaasd dat het weliswaar vol vieze vegen zat en bleek was, maar nog niet de asgrauwe tint had van een cholerapatiënt.

Toen zag ik achter mijn spiegelbeeld drie papiertjes die aan de muur van mijn hut hingen.

Het eerste was een transcriptie van een telegram.

Kom naar huis. Ogenblikkelijk. Je moet komen. Alles is geregeld.
P. Lingwood

Het tweede, in een keurig formeel handschrift, was van Barnabus.

6 juni. Ingesloten het telegram van je vader. Zijn overeengekomen dat u met het eerste beschikbare schip vertrekt. De Wellington vertrekt morgen om 9 uur naar Gallipoli. Heb de reis voor u en uw dienstmeid geregeld. Wees zo vriendelijk om ruim op tijd aan boord te zijn.

Het derde was geschreven in het keurige rondschrift van een vrouw.

Beste miss Lingwood,
Uw reisgezellin, Mrs. McCormack ligt in een van onze hospitaalbarakken. Helaas is zij ernstig ziek, waarschijnlijk haalt ze de ochtend niet. Zij vraagt of u zo vriendelijk wilt zijn haar bezittingen te brengen, die ze graag om zich heen wil hebben.
God zegene u, miss Lingwood.
Zuster Doyle van het Castle-Hospitaal.

Ik liet me achterover op het bed vallen en greep mijn hoofd vast. Het was te veel voor een cholerapatiënt om te worden geconfronteerd met drie noodoproepen tegelijk, waarvan er twee niet met elkaar te verenigen waren.

Het enige wat ik kon doen in reactie op deze dwingende bevelen, was mijn hoofd zijwaarts draaien op het kussen vol ongedierte, en proberen te slapen.

9

Derbyshire, 1844

ONDANKS — OF DANKZIJ — HET FEIT DAT HET ONS NA HET INCIDENT met de hoofdluizen was verboden nog in de buurt te komen van de dorpskinderen, stond Rosa erop dat we nog een keer bij ze langs zouden gaan.

'Je hoeft niet mee als je niet wilt, Ella. Maar ik heb die arme Mrs. Fairbrother beloofd dat ik voor haar zou zorgen. Er is niemand anders die dat doet.'

'Maar je stiefvader... je moeder zei...'

'Wat is het hogere goed: klakkeloos je stiefvader gehoorzamen of proberen een vrouw te helpen die door iedereen is verlaten? Haar man is vorig jaar overleden. Ze heeft niets meer.'

'Ik zal moeder vragen wat zij ervan vindt.'

'Mariella, je moet beslissen aan welke kant je staat. Jij bent tenslotte de secretaris van onze vereniging. Wat als je moeder zegt dat je niet mag gaan? Miss Nightingale gaat langs bij de huizen in haar dorp en mijn moeder beschouwt het als een sociale triomf als de Nightingales komen dineren. Als miss Nightingale zieke baby's mag verzorgen, ook al hebben ze roodvonk, waarom zouden wij dat dan niet mogen?'

'Heerst er roodvonk in de hutjes van Stukeley?'

'Dat lijkt me niet.'

'Maar wat kunnen we dan voor deze familie doen?'

'Nou, ten eerste kunnen we ze laten zien dat we ze niet vergeten zijn. En verder... kijk, ik heb een paar spullen uit de keuken gehaald. De kokkin denkt dat we gaan picknicken. En we hebben bijna drie shilling om aan ze te geven. Daar kunnen de Fairbrothers lang mee vooruit.'

Ik hield me altijd aan de regels en wilde helemaal niet naar de huisjes. Afgezien van de hoofdluizen, waren de jonge Fairbrothers bijzonder onaangenaam gezelschap vergeleken met de levendige leerlingen van de zondagsschool in Clapham waar ik na de kerkdienst assisteerde. We moesten zelfs een omweg maken door de Italiaanse tuin, afdalen door de watertuin met zijn fonteinen, trappen en watervallen, het draaihekje door en langs het riviertje door het bos, opdat niemand zou raden waar we heen gingen.

We kwamen uit boven aan de vallei, ter hoogte van de loodsmelterij van Sir Matthew, en daalden af langs stapelmuren en door velden met schapen, tot de lucht smerig werd van de fabrieksrook en we onder ons een paar hutjes zagen liggen.

Vanuit de verte zagen ze er schilderachtig uit, gehuld in een mist van bruine rook, gebouwd van stenen uit de omgeving en diep in de vallei naast de rivier genesteld, maar toen we dichterbij kwamen zag ik dat de daken waren doorgezakt en dat er geen glas in de ramen zat. Door de prikkende stank van de loodfabriek heen rook ik de duidelijk herkenbare geur van armoede – ik herkende die geur van de bedelaars die in het portaal van de kerk zaten en op natte zondagen de achterbanken bezet hielden.

Het leek wel of het terrein moedwillig was verwaarloosd. Overal lag afval en de kinderen die naar ons stonden te kijken hadden vuile gezichten, zweren rond hun mond en ongekamd haar. Ik popelde om hun kleren te verzamelen, ze te laten uitkoken in een washuis en een dag te besteden aan verstelwerk. Niemand leek blij te zijn om ons te zien.

Rosa klopte op de deur van het dichtstbijzijnde hutje en na een paar tellen werd er opengedaan. Buiten was het licht bruinig; binnen, achter Mrs. Fairbrother, was het bijna pikdonker. Ze was een klein vrouwtje met een gebogen rug, een bijna kaal hoofd en dezelfde lege blik als haar kinderen.

'Goedemiddag, Mrs. Fairbrother. We komen even kijken hoe het met Petey gaat. Dit is mijn nicht Mariella, uit Londen.'

Toen Mrs. Fairbrother opzij stapte om ons binnen te laten leek het me niet gepast om haar hand te schudden, dus ik dook langs haar zonder haar blik te ontmoeten. Het eerste wat me opviel was de daling in de temperatuur, ook al brandde er een vuur in de haard. Toen sloeg de stank me in het gezicht, zo erg dat ik mijn neus en mond bedekte. Het rook naar oude, vieze dingen, ongeleegde urinalen, rotte aardappelen. Nee, o nee, dacht ik. We horen hier niet te zijn. Dit is niet goed. We kunnen hier niets betekenen.

'Hoe gaat het met uw zoon, Mrs. Fairbrother?' vroeg Rosa, en haar tinkelende stem was het enige wat schoon en mooi was in het hutje.

'Heel slecht.'

Een hoopje lompen in een hoek bleek haar zoon te zijn die op zijn rug lag met zijn hoofd in zijn nek. Zijn moeder stond bij de haard en keek naar Rosa, alsof ze de volledige verantwoordelijkheid voor haar zoon overdroeg. Ik voelde me moedeloos omdat ik wist dat we niets anders te bieden hadden dan drie shilling en een pakje koek.

Rosa knielde neer bij het bed. 'Petey, Petey.'

'Hij kan je niet horen. Hij is al een week niet meer wakker geworden. Soms eet hij iets, maar ik krijg hem niet wakker.'

'Is de dokter weer langs geweest?'

'Hij zegt dat hij niets kan doen.'

'Mariella, waarom kom je niet even met Petey praten. Misschien is hij blij als hij een nieuw gezicht ziet,' zei Rosa.

Ik liep in drie stappen naar de hoek en keek neer op het ingevallen gezichtje. De ogen van het kind waren zichtbaar onder half geloken oogleden en zijn lange haar lag in natte plukken op zijn voorhoofd. Op zijn kin zat een opgedroogd stroompje braaksel en iedere ademhaling kostte hem moeite.

Toen Rosa zijn hand streelde, bewogen zijn oogleden een beetje. Heel zacht zei ze zijn naam, keer op keer.

'Probeer jij het eens, Mariella,' zei ze.

De hand van het kind was slap en koud als een stuk dode vis. 'Petey,' zei ik met bevende stem. Hij zoog een diepe, snurkende, met slijm gevulde ademteug naar binnen en toen hij uitademde liep er een stroompje gele troep uit zijn mond.

Ik werd zo misselijk van zijn aanblik dat ik opstond, naar de

deur liep en naar buiten stormde waar ik de ranzige lucht inademde. Het kleine meisje dat ons hoofdluis had gegeven hing
rond in de buurt.

Ik schaamde me zo voor mijn gedrag in het hutje dat ik mijn
haar in een strak knotje wond, diep onder mijn zonnehoedje stak
en aanbood haar zak te herstellen. Ze kwam stap voor stap dichterbij terwijl ik mijn naald en draad tevoorschijn haalde en begon te naaien. Het arme kind stonk zo dat ik mijn hoofd iets
wegdraaide. 'Herinner je je nog dat je met ons hebt gespeeld?'
zei ik.

Ze staarde me aan.

'We zongen een liedje. Zullen we dat nog eens proberen? *Baa
baa...*'

Ze bleef me uitdrukkingsloos aankijken. Ik gaf het op en ging
door met naaien. Tegen de tijd dat Rosa naar buiten kwam, had
ik een flink publiek verzameld van kinderen die met open mond
naar me staarden.

'Ik wist niet waar je was gebleven,' zei Rosa terwijl we weg-
liepen. Ze draaide zich om om naar de kinderen te zwaaien, maar
geen van hen reageerde.

'Ik dacht dat ik buiten meer kon betekenen. Ik kon er niet tegen, het spijt me.'

'Nu weet je waarom ik ernaartoe moet. Iémand moet iets
doen.'

'Het voelde verkeerd. Het enige wat we konden doen, was
toekijken.'

'Ik keek niet alleen maar toe. Ik probeerde me nuttig te maken.'

'En je stiefvader? Kan hij niet helpen?'

'Hun vader werkte in de loodfabriek, maar hij is dood. Mijn
stiefvader zegt dat hij zorgt dat ze een dak boven hun hoofd hebben en als de kinderen oud genoeg zijn zal hij ze een baan in de
fabriek bezorgen. Mrs. Fairbrother weigert naar het werkhuis te
gaan en dat kun je haar niet kwalijk nemen.'

'Wat is er met haar zoontje aan de hand?'

Ze liep zo snel de heuvel op dat ik haar niet kon bijhouden.
Hoe hoger we kwamen, hoe zoeter de lucht werd, tot we aan
de rand van de bossen van Stukeley stonden en de hutjes geheel

uit het zicht waren verdwenen. In plaats daarvan zagen we de vallei die als een geschilderd landschap in de middagschaduw lag.

'Rosa?'

'Ik kan je niet vertellen wat er met hem aan de hand is.'

'Waarom niet?'

'Ik wil niet dat je het weet.'

'Waarom heb je me dan meegenomen?'

'Omdat dit mijn leven is. Nu heb je alles gezien – mijn oppervlakkige leven en mijn leven onder de oppervlakte.'

10

Balaklava, 1855

Toen ik wakker werd, was het nog donker, en hoewel mijn maag en hoofd pijn deden en mijn botten bijna aan diggelen waren geschud, was er verder niet veel mis, wat mij geen andere keus liet dan de nieuwe dag het hoofd te bieden. Ik belde de scheepsjongen om schoon water, maar het duurde een paar minuten voordat hij kwam en nog langer voordat hij de kruik had gebracht. Hij vertelde stuurs dat het pas drie uur 's ochtends was. Arme jongen, ik had hem uit zijn slaap gerukt.

'De kanonnen zijn nog steeds bezig, hoor ik. Zelfs om deze tijd,' zei ik.

'We denken dat er een aanval komt. We zijn nog steeds bezig met de bestorming van de Russische bastions. Met onze kanonnen proberen we ze te verzwakken.'

'Hoe lang denk je dat het bombardement doorgaat?'

'Dat kan dagen duren. Wie zal het zeggen? Ik wilde dat ik erbij was. Wat zou ik daar niet voor overhebben.' Hij staarde me met vochtige ogen aan, alsof ik het gezag had om hem toestemming te geven zich aan te sluiten bij de troepen.'

Ik zei hem dat hij terug kon gaan naar zijn kooi, nam de drie briefjes van de muur, ging liggen en keek naar de lamp, die trilde door de lichte deining van het water in de haven. Het leek erop dat Nora's spullen naar het Castle-Hospitaal moesten en mijn eigen spullen naar de *Wellington* moesten worden gebracht. Ik kon de toon van vaders telegram niet negeren. Hoewel hij op mij nooit boos was geweest, had ik hem wel eens woedend gezien, namelijk die keer dat een van zijn leveranciers hem voor een groot bedrag had opgelicht en nog een keer toen moeder en ik terugkeerden in Fosse House nadat we waren verbannen van Stukeley. Zijn gezicht was paars geworden en zijn ogen schoten vuur. 'Nu is het genoeg. Ik wil dat jullie niets meer met hem te maken hebben. Sir Mátthew Stukeley. Ik laat mijn vrouw en dochter niet zo behandelen. Het liefst zou ik morgen zelf naar hem toe gaan en zijn tanden uit zijn mond slaan. En je zuster is ook niet veel beter dan een...' De deur van de studeerkamer sloeg dicht, maar de stemmen van mijn ouders – die van mijn vader razend, die van mijn moeder verzoenend – klonken bijna een uur lang, dan weer hard, dan weer zacht.

Na de verschrikkelijke rit en de misselijkheid 's nachts, voelde ik me als een schelp die door het tij was schoongespoeld. Maar het lawaai was om gek van te worden; onophoudelijke, onregelmatige explosies met op de achtergrond het gerommel van het grote geschut. Slapen was dan ook onmogelijk. Het lamplicht flikkerde, de kanonnen dreunden en mijn hut lag tot kniehoogte vol met half ingepakte koffers en lapjes stof die waren overgebleven toen ik mijn rijkleding maakte.

Uiteindelijk besloot ik op te staan en te beginnen met pakken. Ik durfde de scheepsjongen niet weer te storen, maar toen ik het dek op ging om een kruier te vinden, zag ik dat de haven om vier uur 's ochtends net zo bedrijvig was als midden op de dag. De lucht knetterde nog steeds en achter het witte licht van de kanonnen ging de hemel over van donkerpaars naar bleekgrijs. Op de militaire werf was het een drukte van belang: zwaaiende lampen, kanonskogels die op wagens werden geladen, kletterend metaal. Ik besefte dat iedereen zo druk bezig was, dat ik de spullen van Nora zelf naar het ziekenhuis moest brengen. Op aanwijzing van een paar oudere mannen in versleten uniforms volgde ik een steil, smal pad dat zich tussen de zwaar gehavende woningen omhoogslingerde, maar ik was zo slap dat ik om de paar meter moest pauzeren en de tassen neerzetten om op adem te komen. Hoe verder ik van de haven kwam, hoe ordelijker het eruitzag als ik achteromkeek – de schepen die netjes zij aan zij aangemeerd lagen, de rechte streep van de spoorlijn, het groepje wagens op de weg.

Eenmaal bij het hospitaal, dat niet veel meer bleek te zijn dan een rij barakken, liep ik een tijdje rond. Daarna opende ik op goed geluk de deur van een van de barakken en stond ik aan het korte einde van een lange ziekenzaal. De lucht was gevuld met de onmiskenbare geur van zieke mannen, dus ik bleef op de drempel staan en tuurde de duisternis in. Na een paar minuten ontwaarde ik achterin een lantaarn die naar me toe kwam. Het bleek een eenvoudige lamp te zijn met een geplooide, papieren kap om de vlam te beschermen, gedragen door een non. Ze had vele lagen kleding aan en een grote witte kap waaruit een gemoedelijk gezicht opdoemde met een dikke neus.

Ze vertelde me dat de verpleegsters en nonnen apart in kleine barakken sliepen, dus ik vertrok weer onder de nu zilver-gouden lucht en kwam bij een groepje kleine schuurtjes, die leken op het hutje van Rosa. De eerste drie waren leeg, maar in het volgende zag ik twee slapende vrouwen. De deur van het laatste schuurtje was dicht, maar toen ik hem opendeed, hoorde ik gekrabbel en geschuifel. Ik duwde de deur verder open en wat ik zag in de strook bleek ochtendlicht was zo onverwacht en indringend, dat het, naar later bleek, in mijn geheugen gegrift stond als een daguerreotype.

De hut was bijna hetzelfde ingericht als die van Rosa, met aan beide zijden een bed waartussen een smalle ruimte overbleef. Een van de bedden was leeg, op het andere lag Nora. Haar hoofd was slordig kaalgeschoren; boven haar oren stonden nog een paar plukjes haar rechtovereind. Haar gezicht was afgewend en ze lag half gedraaid met een knie opgetrokken. Haar dikke keel en bovenarm waren bloot en op haar borst lag een vreemde, donkere vorm. Eerst dacht ik dat het een ineengedoken kat was, maar toen zag ik dat het kleine, gemene oogjes had en een weerzinwekkende, kale staart. Op Nora's borst had zich een veertig centimeter lange rat genesteld, alsof zij zijn eigendom was.

Het beest draaide zijn monsterlijke kop om en keek me schaamteloos aan. Ondertussen prikte een afschuwelijke stank achter in mijn keel. Nora hief een slappe hand op alsof ze het beest wilde slaan en eindelijk kwam ik tot mezelf, gaf een schreeuw en gooide de stoffen tas met Nora's bezittingen naar het bed. Gelukkig was ik zo slap en mikte ik zo slecht dat de tas niet bij Nora in de buurt kwam, maar de plotselinge beweging en het lawaai waren genoeg om de rat te laten schrikken. Hij schoot van het bed af, de schaduw in, waar als laatste zijn staart met een zwiep uit het zicht verdween.

Nora zonk weer weg in haar apathie en ik deed voorzichtig een stap dichterbij. Haar gezicht was ingevallen, haar huid grijs en haar ademhaling zo zwaar dat ik er niet aan twijfelde dat ze stervende was. Nog maar twee dagen geleden, toen ze in de scheepshut tegen me had geschreeuwd was ze niet te stuiten; nu had de ziekte haar zo aangetast, dat er van de oude Nora niets over was dan dit lege omhulsel. Ik dacht terug aan de avond ervoor, toen ik me zo ziek had gevoeld dat ik in een waskom had gebraakt, en ik schaamde me; ik had walging gevoeld en was bang geweest, maar nu ik dit zag vond ik dat ik me had aangesteld. Ik liep wankelend naar buiten waar ik op een non stuitte die met gebogen hoofd op weg was naar het ziekenhuis. 'Er ligt een zieke vrouw in deze barak,' riep ik. 'Het is duidelijk dat ze pijn lijdt en ze heeft schoon linnengoed nodig.'

De non keek me uitdrukkingsloos aan. 'Pardon?'

'Mijn naam is miss Lingwood. De vrouw daarbinnen is mijn dienstmeid. Ze mag niet zo aan haar lot worden overgelaten.'

'Ik neem aan dat u de jongedame van de boot bent. Hebt u haar spullen gebracht? Goed, ik zal u laten zien waar u het linnengoed kunt vinden, áls er nog iets over is, en schoon water, dan kunt u haar wassen. Als u de po moet legen, kunt u naar de loopgraven achter de laatste hospitaalbarakken. Denk eraan dat u uw handen wast. We staan erop dat de hygiëneregels strikt in acht worden genomen. Als u meekomt, zal ik het u laten zien.'

Ik probeerde haar te vertellen dat ik hier helaas niet was om te helpen, dat ik met het eerstvolgende schip zou vertrekken, maar ze bracht me terug naar de barak van Nora, voelde aan haar hand en haar keel, mompelde dat het mooi was dat ze nog steeds in leven was, en vroeg me weer haar te volgen.

'Ik kan niet blijven,' zei ik weer. 'Mijn schip vertrekt om negen uur. Ik ben geen verpleegster. Ik kan niets voor Nora doen.'

Ze leidde me naar buiten waar het steeds lichter werd. 'We hebben haar gewaarschuwd dat ze waarschijnlijk ziek zou worden, maar ze hield vol dat ze zich bij ons wilde aansluiten en ze bleek een uitstekende verpleegster te zijn – die korte tijd dat ze gezond was. Maar nu is ze ziek en er is niemand over om voor haar te zorgen. We hebben gehoord dat er gevochten gaat worden en er is veel te doen. Mijn zusters moeten slapen om zich voor te bereiden op de problemen die ongetwijfeld zullen komen. Het ziet ernaar uit dat uw dienstmeid binnen een paar uur zal sterven, en dan bent u vrij. Als ze in leven blijft, kan ze u nog tot nut zijn. Hoe dan ook, u moet uw plicht doen.'

'Maar als ik zelf ook ziek ben?'

Ze bracht haar pokdalige gezicht dicht bij het mijne. 'Heeft u die arme vrouw hierheen gebracht?'

'Zij wilde hiernaartoe. Ze drong er zelf op aan. Ik had er niets mee te maken. Ik zou hier niet zijn als zij...'

'Met wiens geld is de reis betaald? Als het uw geld was, lijkt mij dat u verantwoordelijk bent.'

'Maar mijn vader heeft mijn terugreis al geregeld. Ik moet gaan.'

'Ga dan maar. Maar ik zou het niet graag op mijn geweten hebben als ze sterft.'

Ik pakte een kom warm water uit de veldkeuken, zoals mij was opgedragen. Toen trok ik de ruche van een van mijn onderrokken en bond de stof voor mijn mond en neus in de hoop dat ik zo beschermd was tegen besmetting. Ik had geen idee hoe ik een stervende vrouw moest verzorgen en de handeling van het wassen stond me zo tegen dat ik op een gegeven moment de barak moest verlaten. Toen ik terugkeerde leek Nora klaarwakker te zijn en probeerde ze uit bed te komen. Maar haar ogen zagen niets, haar hele lichaam gloeide en ze verzette zich fel tot ik op haar schouders leunde om haar op het bed te houden.

'We moeten gaan,' zei ze steeds weer. 'Het heeft geen zin om te blijven. We hebben veel te lang gewacht. Nu moeten we vertrekken...'

'We gaan zodra je je goed voelt,' zei ik, maar ze klauwde naar mijn handen om me weg te duwen.

'Ik luister niet meer naar je. We kunnen ze dragen. Ik ben sterk. Ik neem ze allebei. Als jij de wagen meeneemt...'

'Maak je geen zorgen, Nora. Samen redden we het wel. Als je je weer goed voelt, regel ik...'

'... een op mijn rug. Een in mijn armen.'

'Ja, zo doen we het. We redden het wel.'

'We moeten hier weg. Kom.' Iedere keer dat ze probeerde op te staan, duwde ik met mijn hand tegen haar borst zodat ze terugviel op het bed. Ze trok krachteloos aan mijn armen. 'Geef ze aan mij,' kreunde ze. 'Ik kan ze de hele weg dragen. Dat beloof ik, ze zijn niet zwaar.' Haar verzet werd steeds zwakker maar ze bleef vechten tot mijn oog op de tassen viel die ik had meegenomen en de spullen die erin zaten een voor een in haar handen legde. Ze gooide alles weg, de rozenkrans, het misboek, Rosa's portret, tot ze bij het kleine doosje aarde kwam. Ze hield het tegen haar wang. Ik gebruikte het moment van rust om haar nek en voorhoofd af te spoelen met een azijnachtige oplossing die bij haar bed stond, en om wat water tussen haar gebarsten lippen te druppelen. Ze staarde me aan zonder iets te zien, greep toen het doosje stevig vast en begon weer te ijlen. 'Geef ze aan mij. Laat mij ze meenemen. Ze zijn zo licht als een veertje...' En weer moest ik mijn hand tegen haar borst zetten om haar terug te duwen. Ik stopte haar in onder de lakens, waste haar gezicht en pakte haar graaiende vingers vast. Dit proces van afwisselend sussen en vechten ging maar door tot ik razend werd van frustratie en hulpeloosheid. Ik dacht aan tante Isabella, die jaren had doorgebracht in een schoon bed en in gedachten las ik haar de les: je deed alsof. Dit is echt ziek zijn, dit is een echt gevecht met de dood. Hoe durft u ons het leven zuur te maken met uw zogenaamde zwakte?'

De aanblik van deze sterke vrouw die aan het bed was gekluisterd door koorts en het onophoudelijke getril van de aarde door het bombardement van Sebastopol, dat maar doorging, vervulden me met afschuw. Ik kon er niet meer tegen. Bovendien was ik doodsbang omdat mijn schip zonder mij was vertrokken en iedereen woedend zou zijn, en alles omdat die sluwe rooms-katholieken me alleen hadden gelaten met een stervende vrouw. Breng haar spullen, hadden ze geschreven, daarmee hadden ze me gelokt; ze hadden me onder valse voorwendselen hiernaartoe laten komen.

Buiten was de dag nu echt aangebroken. De deur stond nog op een kier en in het zonlicht dat naar binnen viel zag ik dat de houten vloer van de barak zo snel was aangelegd, dat er gras door de barsten heen groeide. Op legplanken aan de muur stonden allerlei soorten proviand: jam, augurken, blikjes, flessen en zakken met koffie. Hoewel het al ochtend was, schuifelden de ratten nog steeds rond onder de vloer en ik hoorde hun klauwen krassen als ze plotseling van de ene kant van de barak naar de andere schoten. Ik had nog nooit zulke grote en zulke hongerige ratten gezien, zelfs niet bij de Theems, en ik trok mijn rokken op om te voorkomen dat ze langs mijn benen omhoogkropen.

Nora kreunde en jammerde en ik probeerde haar te sussen met troostende woorden. 'Je bent nu veilig. Je hoeft je geen zorgen te maken. Ik ben bij je,' hoewel ik wist dat ik waarschijnlijk de minst geschikte persoon op de Krim was om voor haar te zorgen. Na een paar uur werden mijn pogingen eindelijk beloond: ze zuchtte diep en viel zo plotseling in slaap dat ik de rug van mijn hand even bij haar lippen hield om me ervan te verzekeren dat ze nog leefde.

Ik durfde niet te lopen uit angst haar wakker te maken. Daarom ging ik op het bed tegenover het hare zitten met mijn voeten van de vloer. Een windvlaag sloeg tegen het dak en het leek wel alsof we weer op het schip zaten en ik voelde me afschuwelijk eenzaam. Was Rosa er maar. Wat ze ook had gedaan, hoezeer ze me ook had verraden, ik zou alles geven wat ik had om haar in de deuropening te zien verschijnen, krachtig en met stralende ogen.

Maar toen de deur open werd geduwd, kwam een onbekende binnen, die weliswaar dezelfde peper-en-zoutkleurige jurk aanhad als Rosa op het London Bridge Station. Ze leek niet verbaasd mij te zien, maar wachtte geduldig tot ik opstond van het bed, liet zich er toen op neervallen en zonk meteen weg in een diepe slaap.

Aan het eind van de middag was de wind aangewakkerd, maar Nora en de mysterieuze vrouw sliepen urenlang, terwijl ik op het voeteneinde van Nora's bed zat. Het idee dat ik met de *Welling-ton* had zullen vertrekken was nu een vage droom geworden. Ondertussen was ik uitgehongerd; ik had na mijn tocht te paard met lady Mendlesham niet meer gegeten, dus ik sloop naar een van de planken, pakte op goed geluk een pot, draaide het deksel eraf en stak mijn vinger erin.

Frambozenjam.

Ik begon te watertanden en mijn maag voelde aan als een grote, lege holte. De jammaakster, volgens het etiket ene Mrs. Prior uit Morpeth, had hele stukken fruit in de dikke siroop laten zitten en mijn tanden sloten zich om een sappig stukje zoet. Plotseling stond ik tussen de frambozenstruiken in de tuin van Fosse House, met sap op mijn lippen en mijn schort, beschermd tegen het felle zonlicht door de schaduw van Henry. Ik keek toe terwijl zijn hand zich voorzichtig tussen de bladeren door bewoog om de doorns te vermijden en zijn vingers doelgericht de ene vrucht na de andere plukten.

Ik nam nog een flinke hap en nu herinnerde ik me Mrs. Hardcastle en haar verkoopdagen in de parochiezaal. De dames liepen heen en weer tussen kraampjes met taart, borduurwerk, boeken en gebreide beddenspreien, en inspecteerden alle koopwaar nauwkeurig alsof ze er een klein fortuin voor moesten betalen in plaats van een paar centen. De potten jam, meestal gemaakt door de vakkundige handen van de kokkinnen van de dames, stonden in rijen opgesteld in het stalletje met zelfgekweekte groenten en vruchten. Door de geur van frambozen heen rook ik boenwas, oude thee en mottenballen van de winterrokken van de vrouwen.

Nog een hap. Rosa: haar roze, vochtige lippen, haar witte tanden die kleine hapjes van het fruit namen, haar kinderlijke kussen toen we een bed deelden op Stukeley, de geur van haar adem.

Ik gebruikte het deksel als een soort lepel en smeerde wat jam tussen Nora's lippen. Haar tong kwam naar buiten en likte dankbaar dus ik gaf haar nog wat, ervan overtuigd dat een laatste hapje volmaaktheid geen kwaad kon zo vlak voor ze zou sterven.

Door die plotselinge dosis zoetigheid voelde ik me zo moe en verzadigd dat ik mijn laarzen uittrok, naast Nora ging liggen, met mijn hoofd bij haar voeten, mijn lichaam zo vouwde dat het paste in de ruimte die zij overliet en in slaap viel.

Toen ik wakker werd, hoorde ik in de verte gerammel, alsof iemand met een doosje met dobbelstenen schudde, en plotseling zwegen de kanonnen. Het was pikdonker in de barak en de ratten hadden het drukker dan ooit. De jampot drukte tegen mijn borst en ik lag ingeklemd in de krappe ruimte tussen Nora's lichaam en de muur van de barak.

Ik realiseerde me dat de nacht, of de avond, of de vroege ochtend, wat het dan ook was, gevuld was met andere geluiden dan alleen maar dat van de ratten: het geratel van karrenwielen, mannenstemmen, gesnurk vanuit de volgende barak. Ik zweefde ongeveer een uur tussen slapen en waken, tot ik niet meer wist wat echt was en wat niet. In ieder geval begon het dag te worden. Gedempt licht scheen door de kwastgaten van de barak en ik was alleen met Nora want de andere vrouw was weggeglipt. Ik droomde dat ik in bed lag in Fosse House waar de witte gordijnen wapperden in de wind en mijn naaikistje zo dicht bij me lag dat ik het pakje met nieuwe borduurzijde dat ik voor mijn verjaardag van moeder had gekregen zo kon aanraken. Er zaten klosjes in in alle roodtinten, van koraal tot bordeaux, allemaal met een naam die zo tot de verbeelding sprak dat ik ernaar verlangde een draad door mijn naald te steken en de kleur over te brengen op fris, wit linnen: kardinaal, cornelisch, dageraad, Etruskisch, garnet, Marokkaans, vuur, framboos. Framboos, die zou het worden. Framboos. Maar voordat ik het eindje te pakken had, voorzichtig een stukje garen van achttien centimeter kon afrollen en afknippen en drie draadjes kon splitsen zonder dat de andere vijf in de knoop raakten, besefte ik dat Henry in de deur van de slaapkamer stond met zijn handen tegen de stijlen, zijn gezicht zacht verlicht, doordat hij een lantaarn bij zijn voeten op de vloer had gezet. Het volgende moment zou hij zijn arm uitstrekken, kalm zijn warme hand tegen mijn wang leggen en hem zachtjes omlaag laten glijden langs mijn gezicht en hals.

De man zwaaide een beetje heen en weer maar bewoog verder niet. Toen ik mijn hand uitstak, als een uitnodiging, begon hij te spreken. 'Wel heb ik ooit, nu kan niets me meer verbazen.'

Dit was niet Henry, maar zo'n onverwacht gezicht dat ik overeind schoot, mijn blouse nog los, mijn haar in slierten voor mijn gezicht en mijn mond droog en met een vieze smaak. Ik herkende die gerekte klinkers maar al te goed, de nasale, lijzige spreekstijl van de legerofficier, gelardeerd met een licht accent dat duidelijk maakte dat hij uit Derbyshire kwam. Deze man, die steeds helderder in beeld kwam, was langer dan Henry, de jas van zijn uniform hing over zijn schouder, zijn baard was onverzorgd en zijn haar ongekamd. Max.

'Zo meteen ga je me zeker vertellen dat je hier bent gekomen voor een plezierreisje met je hele huishouden en dat mijn geachte stiefmoeder een jacht in de haven aan het decoreren is.'

Ik zwaaide mijn benen van het bed, stond trillend op, schudde mijn rokken uit en trok mijn blouse dicht. Gelukkig bewoog op dat moment ook Nora, dus hield ik om mijn schaamte te verbergen een kom water bij haar lippen.

'Wat is er met haar aan de hand?' vroeg Max.

'Ik weet het niet. Dat is me niet verteld. Misschien is het cholera.'

'Cholera? Als Nora cholera heeft, ben ik een Kozak. Ik weet hoe cholera eruitziet, miss Mariella, en geloof me, cholera slaapt niet zo rustig in een bed.'

'Misschien moeten we naar buiten gaan. Ik wil haar niet storen.'

'Maar ik ben gekomen voor Nora McCormack. Bij mijn terugkeer uit Kertsj werd ik aangeklampt door de jonge Newman die me vertelde dat hij opdracht had gekregen naar de haven te gaan om een bezoek te brengen aan een dame met de naam miss Lingwood en mijn lieve oude vriendin Nora. Ik kon mijn oren niet geloven. Als ik niet betrokken was geraakt bij een klein meningsverschil, was ik eerder gekomen. Hoe is het met haar?'

'Ik weet het niet. Ze hebben me een boodschap gestuurd waarin stond dat ze stervende was, maar het lijkt nu wat beter te gaan. Ik ben hier al bijna een etmaal en niemand heeft enige aandacht aan ons besteed. Ik heb gedaan wat ik kon.'

'Mooi, dan is het goed. Als je maar hebt gedaan wat je kon.'

Hij deed een stap opzij zodat ik door de deur kon en eindelijk stond ik buiten de barak, waar een koude ochtendwind waaide die naar zee rook. Toen ik omkeek zag ik in het lamplicht dat hij zich over het bed van Nora boog, over haar geschoren hoofd streelde en zich bukte om haar een zoen op de wang te geven. Toen pakte hij het misboek, de rozenkrans en het kleine kistje met aarde dat ik had meegenomen van de *Royal Albert*, en legde ze op een rijtje naast het kussen, zodat ze ze zou zien als ze wakker werd.

I I

IK LEUNDE TEGEN DE DUNNE MUUR VAN DE BARAK EN VROEG ME AF wat er nu zou gebeuren. Zoals onze laatste ontmoeting in de salon van Fosse House had aangetoond, kon je er zelfs in de beste omstandigheden niet op rekenen dat Max zich fatsoenlijk zou gedragen, en ik had gemerkt dat er achter zijn bezorgdheid over Nora een vonkje vijandigheid jegens mij schuilging. Verder besefte ik dat zijn komst me een stapje dichter bij Rosa bracht. Ze had tenslotte een paar weken in zijn kamp verbleven; hij moest toch op zijn minst weten wat er door haar hoofd had gespeeld.

Aan mijn linkerhand lag de steile heuvel boven de haven, aan mijn rechterhand, iets hoger, het pad dat voor de ongeveer twintig hutten langsliep die samen het Castle-Hospitaal vormden. Vreemd genoeg zwegen de kanonnen nog steeds, maar op de weg, waar een stoet karren op weg was naar het hospitaal, was het een drukte van belang. Voor het eerst was ik me ervan bewust dat ik heel dicht in de buurt was van een heleboel andere mensen, sommige ziek en hulpeloos, andere radertjes in het systeem dat ze zou moeten genezen. Het verschil tussen alle anderen en mij was dat ik hier niet thuishoorde; alleen mijn ongelukkige relatie met Nora gaf mij het recht om zelfs maar op die heuvel te zijn.

Max kwam naar buiten, knikte met zijn hoofd in de richting van het hospitaal en beende weg; ik volgde hem, met mijn hart in de keel. Blijkbaar kenden de groepen mannen die buiten de barakken zaten te luieren hem goed, want degenen die daartoe in staat waren, sprongen in de houding, salueerden en staarden mij belangstellend, maar met vermoeide ogen na. Ik probeerde niet al te veel te zien van de bloedvlekken op hun uniformen, het verband om de hoofden en handen en de groenige tint van hun gezicht. Ook keek ik niet naar wat er uit de wagens werd geladen en deed ik mijn best om in de geluiden die uit de barakken kwamen geen geschreeuw en gekreun te herkennen. Twee vrouwen die samen een volle wasmand droegen, stapten glimlachend en blozend opzij om Max en mij te laten passeren.

We kwamen bij een vierkante barak met een scheve schoorsteen waaruit de bedwelmende geur van koffie kwam. Max ging naar binnen en kwam een paar minuten later tevoorschijn met een handvol brood en twee kroezen, waarvan één voor mij. Daarna liep hij zo snel weg dat toen ik hem volgde de koffie over de rand klokte en mijn vingers brandde. Toch slaagde ik erin snel een paar slokken te nemen die, net als de jam van Mrs. Prior gisteren, een spectaculair effect hadden op mijn lichaam en geest.

Max stopte pas toen we voorbij de laatste barak waren en op een open terrein stonden waarachter het verwoeste fort lag waar Newman met me had willen picknicken. Daar liet hij zich op het bedauwde gras vallen en legde zijn armen over zijn ogen.

Ik wist niet wat ik moest doen. Hoger op de heuvel stond de gehavende toren van het Genuese fort en aan mijn linkerhand, ver onder me, lag de kalme zee onder de nevelige lucht. Vogels doken van de klippen en er klonk een heel zacht geruis van de golven die op de rotsen sloegen. Achter me hoorde ik de gedempte geluiden van het ziekenhuis, en de masten in de haven van Balaklava rechts onder mij stonden zo dicht op elkaar dat ze een handje mikadostokjes leken. Het gras onder mijn voeten veerde en overal stonden vrolijke blauwe bloemetjes. Ik begreep maar al te goed waarom Newman deze plek de ideale bestemming vond voor een excursie.

Ik nipte van de koffie, zette een paar stappen naar voren, pakte het brood dat Max had laten vallen, brak een stukje af en at het op.

Misschien was het de smaak van goed brood en koffie, de geur van de zee, het gevoel dat ik een beproeving had doorstaan, dat ik Nora niet in de steek had gelaten en dat ze was blijven leven – wat de oorzaak ook was, ik voelde plotseling een opwelling van geluk, waarschijnlijk de eerste sinds ik in Hotel Fina in Henry's armen lag, voordat hij Rosa's naam zei.

Ik ging zitten en raakte na een tijdje zo gehypnotiseerd door het glinsterende water en de voorbijflitsende witte vogels, de milde warmte van de zon op mijn oogleden, de geluiden uit het ziekenhuis in de verte, dat ik schrok toen ik zag dat Max zijn arm iets had opgetild en naar me keek.

'In Kertsj heb ik een vrouw gezien die me aan jou deed denken,' zei hij.

Het verbaasde me dat hij aan me had gedacht. Na een stilte waarin hij weer leek in te dommelen, vroeg ik: 'Waarom zijn de kanonnen stil?'

'O, maak je geen zorgen, het duurt niet lang voordat ze weer beginnen. Zoals ik al zei, is er gisteren gevochten en hebben de Fransen de Mamelon ingenomen, een van de belangrijkste bastions van de Russen ten oosten van de stad, en wij hebben de steengroeven veroverd. Zoals altijd veel doden en gewonden aan beide zijden, maar we hebben tenminste vooruitgang geboekt.'

'Dat is goed, toch?'

'Heel goed. O ja, geweldig nieuws. Iets waar de kranten over naar huis kunnen schrijven.'

Ik hoorde zoveel spot in zijn stem, dat ik opstond en bij hem vandaan liep. De wind sloeg mijn haar in mijn gezicht en ik probeerde de losse plukken weer vast te zetten. Max leunde op een elleboog en keek met samengeknepen ogen naar me op. 'Wat doe je op de Krim, miss Lingwood?'

'Nora en ik zijn op zoek naar Rosa.'

'Rosa. Ja. Ik begrijp het.'

'Zoals je weet is ze verdwenen. We maken ons zorgen om haar.'

'Wat ontroerend. Dus daar sta je dan, met de haven van Balaklava aan je voeten en het hele Britse kamp als speeltuin. Je volgt haar waar ze ook gaat.'

Ik zweeg.

'Vanzelfsprekend heb je het verkeerde ziekenhuis gekozen. Ze zat in het Algemeen Ziekenhuis in Kadikoi. Het Castle-Hospitaal was in het voorjaar nog niet eens voltooid. Ze hebben gewacht met het bouwen van een nieuw hospitaal tot de crisis voorbij was en er maar een paar gewonden per dag waren.'

'Waarom denk je dat ze niet in het Algemeen Ziekenhuis is gebleven?'

'Ach, eens kijken. De regels, voornamelijk. Anderen die haar vertelden wat ze moest doen. Te vaak bandages moeten tellen, te weinig wonden mogen wassen en voorhoofden mogen deppen.'

'Maar als ze in het Algemeen Ziekenhuis was, waarom heeft ze mij dan niet geschreven?'

'Misschien heeft ze dat wel gedaan. De postdienst is een ramp, heb ik me laten vertellen. Of misschien had ze geen woorden meer, miss Lingwood. We kunnen allemaal wel eens geen woorden vinden.'

'En mijn moeder heeft jou geschreven, meen ik, met de vraag of je iets over haar wist. Als je had geantwoord had je ons misschien de moeite van de reis hiernaartoe kunnen besparen.'

'Ik was me er niet van bewust dat jou moeite besparen een van mijn taken was op de Krim.'

'Zoals je je kunt voorstellen is mijn tante, en eigenlijk onze hele familie, ziek van ongerustheid. Ik begrijp van luitenant Newman dat Rosa in jouw kamp is geweest. Een brief van jou zou erg hebben geholpen.' Ik wendde mijn gezicht af en probeerde mijn stem in bedwang te houden. 'Maar natuurlijk ken je de andere kant van het verhaal niet. Voordat we hier kwamen zijn Nora en ik in Italië langs geweest bij mijn verloofde, dokter Henry Thewell, die ernstig ziek is. Hij wilde ook dat ik Rosa zou gaan zoeken. Ik denk dat zij hebben geprobeerd er samen vandoor te gaan.'

Hij schaterde het uit. 'Ervandoor gaan. Denk je met je kleine Claphamhoofdje echt dat dat is wat er met Rosa is gebeurd? Dat lijkt me toch niet.'

'Sinds ik hier ben, heb ik allerlei geruchten gehoord dat ze voor het laatst is gezien toen ze op weg was naar een afspraak met een man in een of andere grot...'

'Als je geruchten hebt gehoord moeten die wel waar zijn.'

Ik probeerde beleefd te blijven en mijn stem rustig te houden.

'Jij moet toch enig idee hebben wat er met haar is gebeurd, kapitein Stukeley.'

Ze kwam naar ons kamp en vroeg of ze een tijdje kon blijven. Ze had genoeg van het ziekenhuis, zei ze, omdat ze daar te veel in een keurslijf zat en omdat de vrouwen te veel kibbelden. Hoewel ze hier heel gelukkig leek en de mannen dol op haar waren, is ze op een dag verdwenen.'

'Maar je bent haar toen toch zeker gaan zoeken?'

'Natuurlijk, maar ik heb haar niet gevonden. Denk je dat ik Rosa ergens verborgen houd? Wat is dit, miss Lingwood? Ik ben hier om oorlog te voeren, niet om chaperonne te spelen voor mijn stiefzuster.'

'Maar denk je dat ze op de een of andere manier contact had met dokter Thewell?'

'Natuurlijk had ze contact met hem. We hebben allemaal contact met elkaar, God beware ons. Weet je, miss Lingwood, een van mijn redenen om bij het leger te gaan was dat ik dan kon ontsnappen aan mijn familie. En kijk nu eens, ik word meer lastiggevallen door mijn familie dan welke man dan ook op de Krim. Ja, Thewell heeft haar een paar keer in dit kamp bezocht. En ja, toen hij een beetje vreemd werd en zijn intrek nam in een grot boven Inkerman, hoorde ze dat hij heel ziek was en dus is ze naar hem toe gegaan om hem te vragen terug te komen. Het kan best zijn dat ze daar nooit is aangekomen. Wat er ook is gebeurd, hij keerde terug naar het kamp, zij niet. Ik ben naar Inkerman gereden, maar er was geen spoor van haar te bekennen. Toen ben ik naar Thewell gegaan, die op dat moment halfdood in het Algemeen Ziekenhuis lag. Hij spuwde bloed en had hoge koorts. Hij herhaalde steeds haar naam, maar wilde of kon verder niets zeggen. Wekenlang heb ik mijn mannen verwaarloosd en mijn leven gewaagd om haar te vinden. Ik ging naar stadjes en dorpen en markten om naar haar te vragen. Geen Rosa. Dus, zo zit het, miss Mariella, ik heb mijn best gedaan en ik zal niet ophouden met zoeken, maar ik kan je hier niet gebruiken. Ik vrees dat je reis zinloos was. Dus pak je spullen maar en keer terug naar huis.'

'Later.'

'Niet later. Ik heb bevel gekregen om je te vertellen dat je nu moet vertrekken.'

'Wie heeft dat bevel gegeven?'

'Barnabus.'

'Nou, Barnabus heeft niets over mij te vertellen.'

'Hij zei dat hij een stroom telegrammen uit Londen krijgt. Je vader heeft zijn invloed laten gelden en wil dat je naar huis komt. Je hebt het helemaal verbruid bij Barnabus. Ik heb begrepen dat hij een gerieflijke scheepshut voor je had geregeld, maar dat je niet bent komen opdagen.'

'Ik moest voor Nora zorgen.'

'Nou, nu ben ik hier om op haar te passen dus hoef je geen moeite meer te doen.'

'Ik ga naar huis als ik het wil. Als Nora beter is.'

'Het spijt me dat ik dit punt moet benadrukken, miss Lingwood, maar je zit midden in een oorlog en iedereen hier valt onder het gezag van het leger. Als wij zeggen dat je naar huis moet, dan ga je naar huis.'

'Ik ga als Nora zich goed genoeg voelt om te reizen. Ik laat haar niet alleen. En ik wil Rosa vinden.'

'Als Nora Krimkoorts heeft kan het nog weken duren voordat ze gezond is – áls dat al gebeurt. Heb je er nooit bij stilgestaan, miss Lingwood, dat je jullie beide levens op het spel hebt gezet door hier te komen? Heb je de kranten niet gelezen? Nora heeft al meer dan genoeg geleden. Ze verdient beter dan dat haar leven in gevaar wordt gebracht door de grillen van een verwend meisje uit Clapham.'

'Het was geen gril. Mijn verloofde, Henry Thewell, heeft tering en is stervende. Hij stond erop dat ik hierheen zou gaan om Rosa te zoeken, en Nora wilde zo graag mee dat zij het zelf allemaal heeft geregeld.'

'Wat de reden ook is, ik wil dat je naar huis gaat. Ik zorg wel voor Nora McCormack.'

Ik pakte mijn rokken bijeen. 'Ik neem aan dat je net zo voor haar zult zorgen als je voor Rosa hebt gezorgd.' Maar voordat ik drie stappen had gezet greep hij mijn bovenarm, riep hij mijn naam met snijdend gezag en werd ik over het pad naar het fort geleid – of eigenlijk gesleept, want mijn voeten haakten in de zoom van mijn japon.

Hoe hoger we klommen, hoe sterker de wind aan mijn haar

rukte, en uiteindelijk stormde het. Max hield me zo stevig vast dat ik zeker wist dat ik blauwe plekken zou krijgen. In de schaduw van de hoge muur was het plotseling koud en klam, maar we waren in ieder geval beschut tegen de wind. Hoewel hij me losliet bleef hij heel dichtbij staan. Hij torende minstens dertig centimeter boven me uit, zodat mijn blik of ik wilde of niet op zijn ontblote keel en zijn ongeschoren gezicht viel. Het viel me op dat er in zijn donkere ogen geen spoortje vriendelijkheid te zien was. 'Je bent een dwaas en je vertrekt onmiddellijk, of je wilt of niet. Je hebt helemaal gelijk dat Rosa in rook is opgegaan, dat ze waarschijnlijk dood is, en ja, ik voel me verantwoordelijk, hoewel ik niet eens wist dat ze hiernaartoe op weg was en ik haar zeker niet in het kamp wilde hebben, waar ze me alleen maar in de weg liep. Maar één ding weet ik zeker: je gaat haar niet achterna. Dit is geen plaats voor jou. De Krim is een en al ongedierte, ziekte en slecht weer, en dan heb ik het nog niet eens over de raketten en granaten die niet kieskeurig zijn over waar ze terechtkomen.'

Ik kauwde op de binnenkant van mijn wang en strekte mijn hals zodat ik over de met korstmos en vogellijm bedekte rotsen heen de blauwe hemel kon zien.

'Neem nu Nora McCormack,' zei Max. 'Zo taai als oude laarzen. Heeft in Ierland al in een hel geleefd, is alles kwijtgeraakt, maar bleef leven, en na een halfuur op de Krim staat ze op het randje van de dood. Dit is een smerige oorlog. Hij heeft al vier legers verslonden. Deze soldaten die je nu hier ziet, zijn niet degenen die in Alma of Balaklava of Inkerman het slagveld betraden, want bijna iedereen die dat heeft overleefd stierf in de loopgraven boven Sebastopol aan bevriezing of scheurbuik. Ze zijn vervangen door rekruten die zo groen zijn dat als iemand een commando roept, de helft van hen achterovervalt van schrik. Welk arrogant stemmetje in je hoofd heeft je verteld dat je hier zomaar kunt komen aanwaaien, miss Lingwood, en heelhuids kunt terugkeren terwijl dat duizenden soldaten niet is gelukt, evenmin als Rosa of je dierbare dokter Thewell? En Nora McCormack is het volgende slachtoffer. Ook als je niet sterft, hoe denk je dan dat je eraan toe zult zijn als je thuiskomt? Ik ben een soldaat. Ik heb mijn hele leven gedaan wat mij door mijn hogere officieren werd verteld, ook al weet ik dat zowel de officier als het bevel dat hij me geeft krankzinnig is. Ik gehoorzaam omdat ik dat heb geleerd en mijn regiment mijn thuis is. Maar jij zult na één blik op de oorlog zo vol ongeloof naar huis terugkeren dat je je ouders nooit meer in de ogen kunt kijken.'

'Ik weet dat er risico's zijn. Ik weet dat de cholera...'

'Ik heb het niet over cholera. Cholera is een snelle dood. Afgelopen winter waren er momenten dat ik meende dat de arme kerels die vorige zomer in Varna aan cholera stierven de gelukkigen waren. Ik heb het over de oorlog, Mariella. Jouw dood hier zal, net als ieders dood, volkomen zinloos zijn. Ze strooien ons in het rond alsof we handjes zand zijn. Ga alsjeblieft naar huis.' Hij gooide het nu over een andere boeg en ging naast me staan met zijn rug tegen de muur, ogen gesloten, zijn gezicht een en al verticale lijnen en holten. 'Mariella, ik smeek je, ga naar huis.'

'Ik zal gaan, Max. Ik zal gaan als ik er klaar voor ben.'

Hij pakte mijn kin beet en draaide mijn gezicht naar zich toe. Ik probeerde me los te rukken maar hij hield me stevig vast; ik sloeg naar zijn pols maar steeds als ik mezelf bijna had bevrijd, greep hij mijn schouder of bovenarm om me naar zich toe te trekken. Zijn mond was centimeters van mijn gezicht verwijderd. 'Weet je nog dat ik je vertelde over een vrouw in Kertsj die me aan je deed denken?'

'Ja, dat weet ik nog.'

'Nou, laat me je een verhaaltje vertellen. Kertsj zal worden geboekstaafd als een grote triomf voor de Britten, wacht maar af. Ik zie de krantenkoppen al voor me. We voeren naar de stad met onze vloot blinkende, moderne schepen en onze zorgvuldig geselecteerde Turkse, Franse en Britse soldaten, en Kertsj viel bijna zonder dat er een schot viel. We verloren maar twee mannen in de twee dagen waarop we hun kanonnen onklaar maakten en hun wapenarsenalen in brand staken. Die brave oude geallieerden, eindelijk deden ze eens iets goed. Ondertussen zag ik de vrouw over wie ik je vertelde twee keer. De eerste keer was vlak nadat we de stad binnenvielen. Blijkbaar had ze besloten dat doorgaan met het dagelijkse leven de enige manier was om de angst voor ons het hoofd te bieden, dus ze had haar wasgoed meegenomen naar de zee. Ze had een kind van twee of drie bij zich, een jongetje met bruin haar en een hoge kruin. Hij spartelde rond in het water en was met een lange reep stof – dezelfde stof als haar rok – aan haar pols vastgebonden, zodat hij niet kon weglopen. Ik herinner me die vrouw nog vanwege de opvallende oranje en groene strepen van haar rok en vanwege haar haar dat dezelfde kleur had als het jouwe, heel lang was en door een zakdoek naar achteren werd gehouden.

Kertsj was een mooie stad met witte pakhuizen langs het strand en in de straten was het, zoals ik zei, heel druk. Er hing een onrustige sfeer, niet vijandig, niet vriendschappelijk, maar waakzaam. De winkels waren open, de inwoners wilden het ons graag naar de zin maken omdat ze wisten dat hun lot in onze handen lag.

De volgende ochtend marcheerden we naar Fort Yenikale, dat we ook met gemak innamen. Het was onze taak om de bevoorradingsroute van de Russen door de Zee van Azov af te snijden. In totaal hebben we ongeveer tweehonderd boten met hun wapenvoorraden verwoest en bovendien gingen bergen tarwe en meel in vlammen op, voornamelijk door toedoen van de Russen, die niet wilden dat hun voedselvoorraden in handen van de vijand vielen.

Een paar dagen later werd ik door onze bevelvoerder Sir George Brown teruggestuurd naar Kertsj omdat hij had gehoord dat daar wat problemen waren. Hij wilde niet dat onze soldaten er te veel bij betrokken raakten omdat het niet onze taak was om de stad te besturen, maar om ervoor te zorgen dat er geen voorraden meer in Sebastopol terecht zouden komen, en zei dat ik een paar goede mannen moest meenemen om te controleren of alles in orde was.

De stad was zo onherkenbaar veranderd dat ik eerst dacht dat ik ergens een verkeerde afslag had genomen. De winkels, de moskeeën, de kerk, de synagoge, de pakhuizen waren allemaal bestormd en geplunderd door de geallieerden. Alles wat te groot of niet waardevol genoeg was werd de straat op gesleept en kapotgeslagen. Ik kwam een officier van onze handelsmarine tegen met een bundel groene zijde onder zijn arm, die opschepte dat hij en zijn makkers hadden ingebroken in een van de rijkste huizen van de stad, ontdekten dat er niemand was en zelfs waren doorgedrongen tot de slaapkamers van de dames. Hij had dat stuk zijde meegenomen en een met lovertjes bezette avondtas vol haar, dat volgens hem van het hoofd van een van de dames moet zijn geknipt. Hij zei dat het haar toevallig dezelfde kleur had als dat van zijn zuster en dat ze er heel blij mee zou zijn, omdat haar eigen haar nogal dun was en ze een haarstukje droeg. Met de zijde zou een prachtige jurk kunnen worden gemaakt voor de dame met wie hij wilde trouwen.

Ik liet hem gaan omdat ik achter hem een stukje gestreepte stof zag dat ik herkende. Het was de jonge vrouw die ik eerder op het strand had gezien, maar dit keer stond ze in een steegje met haar rug tegen de muur, omringd door drie Turkse soldaten. Een van hen had haar lange haar om zijn vingers gewonden zodat hij haar kon vastzetten tegen de muur en haar overeind kon houden terwijl hij haar verkrachtte. Hij trok zo hard aan het haar dat de huid van haar voorhoofd strak gespannen was en haar ogen wijd openstonden. Op dat moment begreep ik waarom een dame haar haar afknipt als een stad wordt binnengevallen. Aan de voeten van de vrouw lag haar zoon; zijn nek was gebroken en zijn schedel ingeslagen, als een ei.

We sloegen de groep mannen uit elkaar en lieten ze naar hun schip brengen waar ze misschien zijn berecht. Toen droegen we het lichaam van het kind de stad uit om het te begraven. Zijn moeder kon nauwelijks rechtop staan. Naderhand begeleidde ik haar terug naar het strand en stond erop dat ze op een stoomschip werd gezet dat haar naar Constantinopel zou brengen, voor haar eigen veiligheid. Ze zei niet veel maar ik begreep dat ze een Duitse jodin was, niet dat haar nationaliteit ertoe deed – het maakte de Turken, voor wie we deze oorlog voerden, niet uit wat ze roofden en wie ze pijn deden. En overigens gold hetzelfde voor de Fransen en de Britten. Later werd ik naar het museum gebracht waar ik een van de officieren aantrof terwijl hij in een kapotte vitrine stond te graaien en zijn zakken volpropte met juwelen uit een eeuwenoude wereld. De beelden en alle andere voorwerpen die niet gemakkelijk konden worden meegenomen, waren aan stukken geslagen. Tweeduizend jaar geschiedenis aan diggelen omdat de bevelvoerders niet genoeg aandacht besteden aan details. Ik kan het de mannen niet kwalijk nemen. Ze hebben tenslotte niet geleerd dat de oorlog de laagste gemene deler is, maar degenen met een opleiding zouden beter moeten weten. En nu ben jij, Mariella, met je mooie laarsjes hiernaartoe getrippeld op een persoonlijke missie om Rosa te vinden, die hier nog minder belangrijk is dan een strootje in de wind – zoals ze zelf al snel ontdekte. En dat geldt voor jou ook, dus ga alsjeblieft naar huis.'

Mijn blik volgde een voorbijdrijvende wolk, en nog een. Het deed me denken aan de woonkamer in Fosse House, de gordijnen die wapperden in de zomerbries, een wolk mousseline voor een geplooid slaapmutsje. Max hurkte plotseling neer met gebogen hoofd. Ik zette me af tegen de muur, liep voor hem langs, en begon aan de terugweg naar het ziekenhuis, met Balaklava aan mijn linkerhand en de zee rechts, terwijl mijn rokken opbolden in de wind.

Oranje-groen gestreepte stof, waarschijnlijk calicot, bijeengebonden om het middel. Misschien was de vrouw wel een week eerder in Constantinopel geweest en had ze deel uitgemaakt van de groep die ik op de kade had gepasseerd.

Toen ik de barak van Nora binnenliep, sliep ze nog. Ik knielde neer bij haar bed en legde mijn hoofd op haar knie. Haar hand omklemde het houten doosje; dat waarschijnlijk ook een handvol ondraaglijk verleden bevatte.

12

DE VOLGENDE KEER DAT NORA'S KLEINE KAMERGENOOT IN DE BA-
rak verscheen onderwierp ik haar aan een vragenvuur. 'Hoe heet
u? Hoe kan ik water koken? Waar kan ik de was doen? Kan ik
een paar dagen op uw bed slapen als u in het hospitaal aan het
werk bent?'

Ze staarde me even aan alsof ik een vreemde taal sprak, waarbij haar onderlip onder de bovenste verdween doordat ze een
flinke overbeet had, en vertelde me vervolgens langzaam en met
een zwaar accent van de streek Lancashire dat ze Mrs. Whitehead
heette, dat ik met een tinnen ketel gekookt water kon halen in
de hospitaalkeuken, pijlwortel kon kopen bij de leverancier en
Nora's lakens kon laten uitkoken in de wasbarak. Ze zei dat ze
het verschrikkelijk druk hadden vanwege alle gewonden die plotseling waren binnengekomen, eigenlijk de eerste grote golf sinds
het hospitaal in april was geopend. Er werd een kort bestand gesloten – vandaar de zwijgende kanonnen – om de geallieerden
de kans te geven hun gewonden en doden bij het Russische bastion weg te halen en nu werden ze afgeleverd bij het ziekenhuis
in 'niet al te beste staat', zoals zij het noemde.

Toen Mrs. Whitehead een paar uur later terugkeerde, waren
de kanonnen in de verre loopgraven boven Sebastopol weer begonnen met vuren. Ze had een kruik warm water en een rol flanel bij zich, zodat we een warm kompres op Nora's borst konden aanbrengen om de koorts eruit te trekken en ze liet me zien

hoe ik haar kleine slokjes water met pijlwortel kon voeren om haar krachten op te bouwen. Mrs. Whitehead, die een kalme en weloverwogen manier van bewegen had, vertelde me dat ze een ervaren verpleegster was die er genoeg van had om rijke patiënten te verzorgen in stoffige landhuizen. De Krim, zei ze, was eens iets anders.

Toen ik Rosa's naam noemde, schudde ze haar hoofd. 'Rosa Barr? Was zij niet degene die nooit is teruggekeerd van de grot van Inkerman? Natuurlijk heb ik over haar gehoord, maar ik heb haar nooit ontmoet, helaas. Ik was bij miss Nightingale in Skutari en ben pas afgelopen maand met haar hiernaartoe gekomen om me bij de verpleegstersploeg aan te sluiten. Dus ik heb Rosa Barr, die op dat moment al was verdwenen, nooit ontmoet.'

'Heeft u echt met miss Nightingale gewerkt? Hoe was dat?'

'Nou, tot dat moment was ik eraan gewend als verpleegster mijn eigen koers te kunnen varen, dus het was heel vreemd voor mij om bevelen van een ander op te volgen. Maar de vrouwen hier waren een eenheid: we deden wat ons werd opgedragen en dat vond ik prettig.'

De volgende ochtend kwam ik tot de ontdekking dat mijn tassen en kisten, die ik op de *Royal Albert* voor het laatst had gezien, bij de barak waren achtergelaten. Er was geen nieuw briefje van Barnabus en ik realiseerde me dat Max gelijk had gehad; in het grotere geheel was de beslissing van miss Mariella Lingwood om tegen de wil van haar vader op de Krim te blijven van geen enkel belang.

Het eerste voorwerp dat ik uitpakte was mijn correspondentiemap om een zakelijk briefje aan Henry te schrijven waarin ik hem vertelde dat ik weliswaar in het Castle-Hospitaal was, maar dat ik nog geen zekerheid had over Rosa. De toon van de brief was koeltjes en weerspiegelde meer de verwijdering die ik voelde tussen ons en hoeveel pijn hij me had gedaan, dan het medeleven waar een dodelijk ziek man recht op had, maar ik kon het niet helpen – zelfs het schrijven van die paar zinnen was bijna ondraaglijk. In een lange brief aan mijn ouders bedankte ik vader voor de moeite die hij had gedaan, verontschuldigde me nogmaals voor de zorgen die mijn handelingen hem hadden gebaard, maar voegde eraan toe dat ik onmogelijk de Krim kon verlaten voordat ik wist wat er met Rosa had gebeurd. *Zie je,* schreef ik, *vergeleken hiermee valt al het andere in het niet. En ik ben hier deels voor Henry, die alleen maar aan Rosa dacht. Vergeef me alsjeblieft als ik je pijn heb gedaan.*

Naderhand, toen de briefjes klaar waren en ik ze in de postzak had gestopt, schaamde ik me zo voor mijn koele woorden dat ik het naaigarnituur van arme tante Eppie uit mijn koffer haalde en in de tijd dat Nora sliep aan het werk ging. Als eerste besloot ik een strook mousseline los te halen van de onderrokken en een zonnehoed met sluier te maken die schaduw zou bieden en mijn gezicht verhulde. Alle patiënten die in staat waren uit bed te komen, brachten hun tijd door met roken, drinken en staren naar alles wat bewoog, vooral naar mij. Soms waren de blikken op mijn boezem zo roofzuchtig dat ik de nonnen benijdde om hun habijten en de verpleegsters om hun afstotelijke uniformen.

Vervolgens knipte ik enkele meters stof af van mijn rokken waarmee ik de tailles en de mouwen van mijn blouses wijder maakte, zodat ik geen korset meer nodig had en mijn bovenarmen en polsen vrijer konden bewegen. Plotseling was ik gewild. Mrs. Whitehead zei dat veel gewonde mannen uitstekende jassen hadden die alleen hier en daar versteld moesten worden. Ze zou er een paar verzamelen, als ik het niet te druk had; binnen een uur lag er een berg kleren naast me. In het begin voelde ik walging als ik een bebloede broek of jas oppakte, maar ik zette mijn tanden op elkaar, spoelde de vlekken af, droogde de stof in de zon en stopte de gaten. De nonnen en verpleegsters brachten vreemde onderkleding en rokken die versleten waren door het vele dragen en hardhandig wassen. Ik had nog nooit zoveel eenvoudige naden genaaid, was nog nooit zo creatief geweest in het zoeken van extra stof in zomen, mouwen en geplooide rokken en was nog nooit zo dankbaar geweest dat een van de eerste lessen van tante Eppie was gewijd aan onzichtbaar stoppen.

De Krimkoorts trok in golven door Nora heen. Soms sliep ze zo diep dat het leek of ze in coma was, dan werd ze wakker en begon ze te woelen of rilde ze van de kou. Toen Max terugkwam was ik bezig alle kledingstukken die zij en ik bezaten op het bed te leggen. Hij had een fles Franse wijn en lavendelwater dat hij op haar kussen sprenkelde, ging naast haar bed zitten en streelde haar hand. Ik wachtte buiten de barak met mijn naai-werk, een beetje gekrenkt dat zijn aanraking haar meer kalmeer-de dan de mijne.

Na bijna een uur kwam hij naar buiten en zette zijn hoed op. 'Ben je er nou nog, miss Lingwood? Ik geloof dat er morgen een schip naar Gibraltar vertrekt, de *Hollander*. Ik kan in een mum van tijd een hut voor je regelen.'

Ik ging verder met mijn stopwerk, maar vanuit mijn ooghoek zag ik dat hij zijn armen over elkaar had gelegd en vlakbij tegen een barak leunde. 'Zo, Clapham en de Krim komen samen. Wat een afschrikwekkend gezicht.' Het volgende moment beende hij weg om met een groep grof uitziende vrouwen te gaan praten die uit het niets waren opgedoken en boven aan het pad op hem stonden te wachten.

Een uur later voelde ik me nog steeds gekwetst. Er kwam een jonge soldaat naar de barak met een pakket waarin twee zachte dekens zaten. 'Van het British Hotel, op bevel van kapitein Stuke-ley.'

13

De patiënt was aan de beterende hand. Op een ochtend toen ik haar bed had verschoond en de teruggeslagen rand boven aan het laken onder het matras had gestopt, zei Nora: 'Wat zit je te rommelen?'

'Nora.' Ik was zo opgelucht dat ik haar bijna kuste. 'Ben je echt wakker? Weet je waar je bent?'

'Dus je bent gebleven.'

'Ik vind het zo naar voor je dat je ziek bent geweest, Nora.'

'En weet je al iets van Rosa?'

'Niet veel, behalve dat ze is verdwenen. Het schijnt dat ze een ontmoeting had met dokter Thewell waarvan ze niet is teruggekeerd. Dat vertelt kapitein Stukeley tenminste. Hij is hier trouwens een paar keer voor je geweest.'

Ze moest lachen om dit nieuws. 'Ik dacht dat dat een droom was. En wat had hij te zeggen?'

'Hij is heel boos dat we hiernaartoe zijn gekomen. Hij zegt dat het geen zin heeft om hier te blijven omdat hij al vergeefs naar Rosa heeft gezocht.'

Ze zuchtte diep. 'Je moet je tijd niet aan mij verspillen. Je moet haar zoeken.'

Luitenant Newman stond buiten de barak te wachten met een bundel verstelwerk. 'Kapitein Stukeley zei dat ik de vrouwen in het kamp hier niet mee mocht belasten. Hij zei dat u op zoek was naar wat extra werk en dat ik u gezelschap moest houden.'

Ik vertelde hem niet dat Mrs. Whitehead die ochtend een hele stapel lakens had gebracht. Ze had ontdekt dat de ratten de opslagruimte voor het linnengoed waren binnengekomen en aan de hoeken van de stapel netjes gevouwen lakens hadden geknaagd. Ik pakte het bundeltje aan en reeg een draad aan de naald. Hij wilde niet zitten maar ging in de wacht staan, zijn hoofd zijwaarts, en schoof steeds dichterbij tot hij over me heen hing. 'Er is iets gaande, miss Lingwood. Wacht maar af. Ieder ogenblik kan het weer oplaaien. Ongeveer een week geleden zou ik hebben gezegd dat we hier eeuwig zouden blijven rondhangen, maar ik had ongelijk. Op de dag dat u naar ons kamp was gekomen, namen de Fransen 's avonds de Mamelon in en wij de steengroeven, dus dat was een grote stap. Het is nog maar een kwestie van dagen voordat we weer aanvallen. Nu is de Malakov aan de beurt.'

'Hoe komt het dat dit jasje zo kapot is, luitenant Newman?'

'Ach, weet u, het ging er heftig aan toe bij de steengroeven. Eigenlijk was het mijn eerste gevecht waarbij we echt onder vuur lagen.'

Zijn hoofd zakte naar beneden op zijn lange nek. 'Maar je hebt het overleefd,' zei ik, terwijl ik zijn pet, die hij tussen zijn handen wrong, pakte en gladstreek.

'Ik heb het overleefd. Zo is het. Inderdaad. Maar weinig eervol. We moesten onder Russisch vuur naar hun schuttersputten rennen. Ze wachtten ons op, want ze wisten al van tevoren wat we van plan waren. Mijn mannen zijn bijna twee keer zo oud, maar ík moest de bevelen geven. Wat weet ik ervan? Zwaaiend met mijn arm stond ik te schreeuwen en ze renden langs me heen. Ik zag ze vallen en bleef stokstijf staan. Ik kreeg mijn benen gewoon niet aan de gang.'

Met zijn boventanden beet hij een aantal keer op zijn dikke onderlip tot ik zei: 'En wat gebeurde er toen?'

'Uiteindelijk ben ik achter ze aan gelopen. Maar pas nadat de groeven waren ingenomen. Ik struikelde over de Russische lichamen die in de groeven over elkaar heen lagen. Als je er eenmaal in zat, was het niet gemakkelijk om eruit te komen. Het was onze taak om de Russische kanonnen om te draaien zodat ze braken of op de vijand gericht stonden. Maar de Russen stormden weer op ons af. Je zit daar maar in die groeve en ziet de colonnes naar voren rennen en je handen trillen en je voelt de wind van de kogels die je om de oren vliegen. Ik geloof dat ik daar gewoon maar stond met mijn bajonet en wachtte tot de Russen bij me waren, maar uiteindelijk keerden ze om. Ik geloof dat ik geen schot heb gelost.'

Ik werkte naarstig door, zoekend naar troostende woorden.

'Dus de Malakov is de volgende,' zei hij. 'Dat wordt de taak van de Fransen, want wij hebben niet genoeg mannen, maar als ze het hebben veroverd, stormen wij naar binnen om de Grote Redan in te nemen en dan ligt de weg naar Sebastopol, in ieder geval de zuidelijke zijde, open.'

'Zo klinkt het heel vanzelfsprekend. Als het zo gemakkelijk is, waarom zijn de geallieerden dan niet eerder begonnen met de aanval?'

'Goede vraag. Een of twee obstakels, miss Lingwood.' Hij hurkte naast me waardoor zijn schouder tegen mijn knie drukte, alsof hij een iets te aanhankelijke labrador was in plaats van een officier, en tekende met de punt van zijn zweep een kaart in de stoffige aarde. 'De Grote Redan is een flinke kolos, v-vormig, zo, met de punt naar ons toe, en het wemelt er van de kanonnen. En kijk, tussen onze loopgraven hier en de Redan ligt ongeveer honderd meter open terrein. En daar ligt de verhakking, een dikke wal van kreupelhout en zo, en daarachter een greppel.'

Dit was bekend terrein; het deed me denken aan de keren dat ik voor vaders tekenbord stond terwijl hij met zijn aanwijsstok zwaaide en me de nieuwste bouwtekeningen liet zien, een straat met op schaal getekende huizen, een aanzicht van de voor- en achtergevels, een overzichtstekening en tot slot het deel dat ik het mooist vond, een doorsnede van de aarde waarin de verschillende lagen van de Londense klei te zien waren met buizen, gesteente en ondergrondse stromen.

'Vorige week,' zei Newman, 'zag ik hoe de Fransen de Mamelon bestormden. Mijn god, de mannen in de voorhoede vielen bij bosjes.'

Ik keek even in zijn vochtige blauwe ogen en wist dat als ik mijn hand maar een centimeter uitstak, hij zijn gezicht tegen mijn boezem zou laten zakken en zou huilen als een kind. 'Misschien hoef je niet. Misschien wijzen ze jouw compagnie niet aan.'

'Jawel. Dat weet ik zeker. Ze hebben veel vertrouwen in Stukeley, wacht maar af. Trouwens, kapitein Stukeley vroeg me u te vertellen dat hij vanavond Mrs. McCormack weer een bezoek zal brengen, als dat schikt.'

Natuurlijk maakte ik meteen Nora's bed op, waste haar gezicht en gaf haar een schone muts, en maar goed ook, want ook Max bleek zijn best te hebben gedaan. Zijn haar en snor waren bijgeknipt en zijn donkere ogen hadden hun gewoonlijke glans herwonnen. Een stel giechelende vrouwen liep achter hem aan, waarschijnlijk om naar zijn brede schouders en lange benen te gluren.

Hij knikte heel formeel naar me, 'Miss Lingwood,' en toen hij Nora tegen de kussens zag zitten brak op zijn gezicht een vrolijke grijns door. 'Nou, Nora McCormack, ben je eindelijk uit de dood teruggekeerd om me lastig te vallen?'

'Inderdaad, Max Stukeley.'

Hij gaf haar een dikke kus op de wang, trok een stoel bij en zette een mand naast haar op bed. Net Roodkapje, dacht ik.

'Luister,' zei Max, 'ik heb het met Mrs. Seacole van het British Hotel over je gehad en dit heeft ze voor je meegegeven. Kippenbouillon en rijstpudding. Heel licht op de maag en precies wat je nodig hebt om snel je bed te kunnen verlaten. Dus wees een brave meid en eet het allemaal op.'

'Brave meid? Hoe durf je.'

'Ik zeg wat ik wil. Het was heel ondeugend van je om zomaar hier te komen en ziek te worden. Waarom heb je dat gedaan?'

Ze gingen zo in elkaars gezelschap op dat ze niet merkten dat ik de barak verliet.

'Waarom denk je? Ik moest wel op zoek gaan naar Rosa.'

'Geloof je dan niet dat ik mijn best voor haar doe, Nora?'

'Ik geloof dat je andere dingen aan je hoofd hebt. Bovendien benijdde ik jullie allebei. Ik wilde zien wat er hier gebeurde.'

'Aha, dat lijkt er meer op. Nu komen we dichter bij de waarheid.' Hij deed haar accent overdreven na. 'Laat me je vertellen, Nora McCormack, dat de verhalenvertellers uit jouw County Sligo hun gelijke hebben gevonden in de Russische gevangenen. Als je een brave meid bent en je mond houdt zal ik je een van hun verhalen vertellen.' Hij dempte zijn stem. 'Ik heb ze horen praten over de *rusalka*, de geest van een verdronken meisje die rondwaart bij de rivieren. 's Nachts probeert ze ons knappe jongemannen het water in te lokken met beloften van eeuwig geluk. En overdag vermomt ze zich als slang en slaapt ze in een boom.'

'Ik twijfel er niet aan dat het haar weinig moeite zal kosten om dit hele dwaze leger achter zich aan het water in te laten lopen.'

'Maar die Russen zijn minder rancuneus dan jullie Ieren. Om te ontsnappen hoeven ze alleen maar een kruisje te slaan en dan kunnen ze naar huis.'

'En hoe weet een ongelovige heiden als jij hoe je een kruisje moet slaan? Maar ik zou die Russen graag ontmoeten om een paar nieuwe verhalen te horen.'

'Word dan maar snel beter, Nora McCormack, dan zal ik je meenemen naar het kamp.'

'Ach, Max Stukeley, hoe moet ik met de Russen praten als ik hun taal niet spreek?'

'Nou, het kan zijn dat onze Russische vijand minder onwetend is dan wij graag denken, en dat sommigen beter Engels spreken dan wijzelf. Maar, Nora, is er iets wat ik voor je kan doen voordat ik ga?'

Hij praatte nu zo zacht en met zoveel tederheid dat ik hem niet kon horen en tot mijn irritatie merkte ik dat op het laken in mijn handen bloedvlekken zaten doordat ik niet goed had opgelet en in mijn vinger had geprikt.

14

Derbyshire, 1844

HET WERD NU ZO WARM DAT ROSA EN IK DE BUXUSHAAG MOES-
ten verruilen voor een verstopplaats met meer schaduw. 'We hebben een schuilplaats in het woud nodig,' zei ze, 'maar ik heb nog
niets kunnen vinden.'

Het hele uitgestrekte terrein van Stukeley was goed onderhouden en aangeharkt, zelfs het bos waar de rivier was omgeleid
en omgevormd tot een reeks poeltjes en golvende watervallen
tussen de berken en eiken. 'Ingenieus,' zei Rosa, 'maar onna-
tuurlijk. Ik weet wel wat ik liever heb. Misschien wil Max ons
helpen een soort schuilplaats te bouwen.'

Ik had Max er liever niet bij betrokken omdat hij zo snel geïrriteerd was en Rosa altijd onrustig van hem werd. Maar het plan
had zich nu eenmaal in haar hoofd genesteld, en dus brachten zij
en ik de ochtend door met zoeken naar de ideale plek in het bos,
waarna we op wacht gingen staan bij de stallen om hem te bespringen zodra hij klaar was met zijn lessen.

Nadat ze een uur hadden gekibbeld over de plaats van het
nieuw te bouwen hol of 'prieel', zoals we het zouden noemen,
de beste bouwmethode en wie het scherpste mes mocht gebruiken, kozen ze uiteindelijk voor een holte boven het water waar
twee jonge boompjes zo dicht bij elkaar stonden dat ze samengebonden konden worden tot een poort. Toen werd er een geraamte gemaakt van in elkaar geweven takken die op hun beurt
werden bedekt met varens en bladeren zodat een overkapping

ontstond. Eerst probeerde ik te helpen maar ik kon weinig doen omdat ik het botste mes had en toen ik probeerde een varen uit te trekken, liep ik een snee op in mijn hand.

Gelukkig was er die ochtend op het rozenhouten bijzettafeltje van tante Isabella een vlek ontstaan door een plens water uit een overvolle vaas. 'Ik heb een van je mooie kanten kleedjes nodig, Mariella, om de vlek te bedekken. Je moeder zegt dat je er in een oogwenk een voor me kunt maken.' Dus ik had een goed excuus om tegen een boomstam te gaan zitten met mijn haakwerk en de anderen gade te slaan.

'Zo gaat het heel goed,' zei Rosa na een tijdje. 'Het lijkt er zowaar op dat je deze keer weet wat je doet.'

'Ik heb veel geoefend,' zei Max. 'Op school heb ik vaak buiten geslapen. Ik kan er niet tegen om opgesloten te zitten in een slaapzaal.'

'Merkt niemand dat je weg bent?'

'Alleen als ze je echt nodig hebben, willen ze dat je bent waar je hoort te zijn. De rest van de tijd kun je gaan en staan waar je wilt.'

'Mijn vader wilde altijd weten waar ik was,' zei Rosa. 'Dat was zijn enige regel. En ik durf te wedden dat Mariella nog nooit in haar leven op een verboden plek is geweest. Besef je wel dat zij de enige van ons drieën is die een echte familie heeft, met zowel een vader als een moeder – en zelfs de ideale plaatsvervangende broer die Henry heet.'

Ze stopten even met werken en staarden me aan. Rosa's gezicht was rood van de warmte en in haar blauwe ogen zag ik weemoed en genegenheid, maar in de priemende ogen van Max ontbrak alle passie. Ik had hem een keer met dezelfde blik naar een fazant zien kijken die plotseling met veel lawaai uit de bosjes tevoorschijn kwam.

'Bovendien,' zei hij, terwijl hij nog een varenblad in het web van takken stak, 'moet ik ervaring opdoen met dit soort dingen. Vader zegt dat ik in het leger moet.'

'Het léger? Nee, Max, dat kan niet.'

'Eerlijk gezegd staat het idee me niet tegen.'

Ze zat als een elfje met warrig haar tussen de varens. 'Je mag niet in het leger. Wat kun je dan nog voor nuttigs doen?'

'Meer dan als ik hier blijf.'

'Maar ik zal je nooit meer zien. Je kunt me niet achterlaten.' Even leek ze van plan een blad uit elkaar te scheuren. Toen zei ze kil: 'Ik heb Mariella meegenomen naar de Fairbrothers.' Zoef, zoef, deed zijn mes, maar hij zei niets. 'Hoe moet het verder met hen als jij niet eens probeert iets aan hun situatie te doen?'

Hij antwoordde niet maar klom de heuvel op om meer varens te halen terwijl ik verwoed zat te haken. Plotseling gooide Rosa haar mes neer en riep: 'Ach, wat heeft het ook voor zin!' Ze rende naar het stroompje beneden. Een paar tellen bleef haar bleke jurk zichtbaar tussen de bomen door, toen verdween ze uit het zicht.

Ik stond op het punt achter haar aan te gaan, maar Max riep: 'Nee, blijf hier, ik ga wel.' Ik hoorde zijn voetstappen op de gevallen bladeren van vorig jaar en daarna sloot de stilte van het woud zich om me heen.

Eerst was ik opgelucht dat ik eindelijk eens niet degene was die Rosa moest troosten. Het was zo warm en hun ruzie was zo hevig en gewichtig geweest, dat ik blij was met de rust. De hele middag had ik ernaar verlangd om het nieuwe prieel te betreden, dus ik pakte mijn haakwerk op, kroop naar binnen en ging in kleermakerszit onder het varendak zitten. Het bos om me heen was gevuld met vogelgezang en ik had prachtig uitzicht op de kleine vallei, de felgroene blaadjes van de nieuwe berken en het heldere water van het stroompje dat in zijn kunstmatige bedding over de kiezeltjes kabbelde.

Een tijdje zat ik rustig te haken en omdat ik een eenvoudig ontwerp had gekozen van met elkaar verbonden stokjes vorderde het werk snel. Bovendien had ik een geheime metgezel: in mijn tasje zat de enige brief die Henry had geschreven sinds ik hier was – niet meer dan een paar regels om me te vertellen over zijn studie en me te vragen hem niet te vergeten, maar voor mij was het genoeg. Ik haalde de brief tevoorschijn, las hem voor misschien wel de vijftigste keer, en ging weer verder met mijn haakwerk.

Plotseling stokte mijn hand omdat ik achter het prieel duidelijk geritsel hoorde. Misschien was het niet verstandig om hier in mijn eentje te zitten. Waren het stropers? Er klonk geen geluid meer.

Ik maakte nog een paar lussen... weer geritsel van bladeren. Er zat iets achter me in de bosjes en ik kon niet zien wat het was omdat ik binnen zat. Welk monsterlijk wezen zou me bespringen als ik naar buiten kwam? En als ik bleef zitten, wat zou er dan plotseling opdoemen om mij te ontvoeren?

Ik zat volkomen stil en ook in het bos klonk geen geluid, alleen maar het gefluit van een vogel.

Ik maakte een rij gekruiste stokjes.

Opnieuw geritsel. De haaknaald bevroor tussen duim en wijsvinger. Toen hoorde ik gesnuif boven mijn hoofd en daar was Rosa's gezicht dat, vertrokken van onderdrukt gelach, door de bladeren heen op me neerkeek, en een paar meter verderop zat Max. Toen ze mijn blik opvingen, barstten ze in lachen uit en ploften naast me neer.

'We zitten al een hele tijd naar je te kijken,' zei Rosa.

'Je vingers bewegen zo snel als je werkt dat ze een waas worden,' zei Max.

Ik probeerde te lachen, maar in plaats daarvan begon ik te huilen omdat ik zo bang was geweest.

'O nee, o Mariella, het spijt me zo,' riep Rosa. 'Wees niet boos. Ik kon het niet laten. Je zag er zo vredig uit daarbinnen, als een klein zaadje in een noot.'

'Laat me zien hoe je het doet,' zei Max plotseling, die zo dichtbij kwam zitten dat zijn knie op de mijne lag. 'Ik wil het leren.'

Mijn handen trilden nog en ik schrompelde ineen omdat ik dacht dat hij me plaagde, maar hij leek het te menen. 'Alsjeblieft.'

Ik zette heel langzaam een paar kettingsteken en gaf hem de haaknaald en het garen. Eerst produceerde hij alleen maar knopen en kronkels, maar toen legde ik mijn handen op de zijne zodat ik ze kon sturen terwijl ze een lus maakten in de draad en de haaknaald erdoorheen staken. Op zijn vingers zaten harsvlekken maar ze waren zeer behendig en al snel zette hij de ene steek na de andere. Het was heel vreemd om hem zo stil te zien, met zijn donkere hoofd gebogen over zoiets onwaarschijnlijks als een haakwerkje terwijl zijn scherpe knie tussen mijn ribben prikte. Opeens gleed de haaknaald eruit waardoor de draad in de knoop raakte en ik hem weer op weg moest helpen.

Ondertussen vlijde Rosa zich tegen mijn andere zij, sloeg haar armen om mijn middel en legde haar hoofd op mijn schouder. Af en toe kuste ze mijn natte wang. Het bos was vriendelijk, vol groen en gouden licht en prachtige, verschuivende schaduwen. Ze waren allebei heel rustig, tot het tijd was om terug te gaan en Rosa het plan opvatte om boven aan de steile oever te gaan staan en naar beneden te rennen zodat Max haar kon opvangen vlak voordat ze in het water zou tuimelen. Haar haar waaide op, ze maakte vaart, sneller, sneller, en botste tegen hem aan; hij wankelde een paar stappen achteruit en zette haar toen veilig op de grond.

'Nu jij, Mariella,' riep hij, terwijl hij zijn armen spreidde. 'Kom op, het hoeft niet zo snel.'

'Als je wilt ga ik met je mee,' zei Rosa.

'Ik kan niet. Ik wil niet. Dwing me niet,' en ik begon te huilen. Vol schaamte keek ik op ze neer, Max in zijn loshangende hemd en met een ongewoon vriendelijke blik in zijn ogen, Rosa al halverwege de helling in haar gretigheid om me te helpen.

15

De Krim, 1855

NA VIJF DAGEN IN HET KAMP TE HEBBEN RONDGELOPEN ZONDER TE worden opgemerkt door de gezagsdragers in het ziekenhuis, liet mijn geluk me in de steek en kreeg ik bezoek van een slordig uitziende vrouw, mogelijk de echtgenote van een soldaat, die me vertelde dat de hoofdverpleegster, Mrs. Shaw Stewart, mij in haar kantoor verwachtte.

Inmiddels was mijn kleding net zo verkreukeld als die van alle anderen. Ik had mijn haar al meer dan een week niet gewassen en mijn mutsjes waren slap geworden. Toch zette ik mijn bonnet op en trok ik handschoenen aan voordat ik trillend naar mijn afspraak ging.

De dame in kwestie zat aan een bureau in een barak die sterk op de onze leek, behalve dat de inrichting bestond uit slechts één bed, een kleine tafel, een paar stoelen en een berg papier. Ik klopte aan, maar ze ging door met schrijven terwijl ik op de drempel bleef staan en in gedachten nog eens mijn excuses doornam.

Mrs. Shaw Stewart was onmiskenbaar van hoge komaf; op de een of andere manier bleef haar zwarte merinos jurk zelfs in de hitte elegant, ze had een breed voorhoofd met een dunne witte huid, en haar slanke handen waren een onomstotelijk bewijs van aristocratie, zoals Mrs. Hardcastle zou zeggen. Ik was van plan een band te scheppen door te refereren aan lady Mendlesham-Connors, maar Mrs. Shaw Stewart gebaarde naar een stoel en sloeg met haar eerste opmerking alle hoop op een beleefd gesprek de bodem in. 'Rosa Barr was uw nicht, meen ik, en dokter Thewell uw verloofde. Natuurlijk kende ik miss Barr. Zij en ik zijn samen hiernaartoe gereisd met miss Stanley. We zaten eerst in het Koulali-Hospitaal en kwamen in januari allebei hier om in het Algemeen Ziekenhuis te werken. Ik was dol op haar en had bewondering voor het vuur waarmee ze haar werk deed.'

Ik was sprakeloos. Mrs. Shaw Stewart ging verder: 'Niets kan het gedrag van miss Barr vergoelijken. Geloof me, miss Lingwood, we hebben hier in Balaklava een bijna onmogelijke taak gekregen: de dokters werken ons tegen, alsof we verwikkeld zijn in een absurd schaakspel in plaats van een gezamenlijke missie om de zieken te genezen; ik heb voortdurend problemen met de nonnen, die aan alles en iedereen hun ellendige geloofsleer proberen op te dringen; die arme miss Nightingale liet hier bijna het leven en was aan mijn zorgen overgeleverd, terwijl ik nauwelijks een glas schoon water ter beschikking had, laat staan gepast onderdak voor deze bijzondere dame. Het laatste waar we op zaten te wachten was het onfatsoenlijke gedrag van uw Rosa Barr.'

'Wat deed ze dan? Mrs. Shaw Stewart, ik wil graag...'

'Voordat ik hier kwam werkte ik als leerling in instituten in Duitsland en Londen. Ik weet wat discipline is. En ik ben religieus. Maar deze andere dames – hoewel die naam niet op allemaal van toepassing is – worden gedreven door een soort zendingsdrang, en miss Nightingale en ik zitten opgescheept met een stelletje hysterische vrouwen, duizend gewonde soldaten en dokters die ons nog geen ei of een druppeltje eau de cologne geven zonder dat er eerst een dik pak formulieren moet worden ondertekend. Uw Rosa Barr wilde alle, maar dan ook alle, soldaten die haar pad kruisten persoonlijk redden. Ze vond altijd dat onze eigen soldaten geen voorrang mochten krijgen boven de Russische gevangenen als de laatsten er slechter aan toe waren. Ze hield zich niet aan de regels. Ze begreep maar niet dat de reputatie van een dame in gevaar komt als zij een hele nacht in haar eentje doorbrengt in een zaal vol mannen. Er zijn grenzen, miss Lingwood, en uw nicht overschreed ze allemaal. Dus het verbaast me niets dat het zo met haar is afgelopen, hoewel het me natuurlijk wel verdriet doet. Voor mij betekent het een paar handen minder en een aantal lastige brieven die ik zal moeten schrijven als we eindelijk achter de waarheid komen.'

'Wat denkt u...'

'Ik heb geen tijd om te speculeren maar eerlijk gezegd weet ik uit ervaring dat bepaalde meisjes die zo ver van huis tussen duizenden mannen verkeren grote kans lopen in de problemen te komen. Uw nicht Rosa heeft het zichzelf onmogelijk gemaakt toen ze in het kamp ging wonen en bij de mannen in de loopgraven ging werken. Ziet u, ze deed wat ze wilde en verloor ieder normbesef. Het spijt me, miss Lingwood, ik weet dat u met dokter Henry Thewell verloofd bent. Vooral voor u moet het pijnlijk zijn... Maar liaisons tussen verpleegsters en dokters was precies waar miss Nightingale het bangst voor was. We hebben zo hard moeten vechten tegen de vooroordelen van de dokters en nu dit.'

'Mrs. Shaw Stewart, toen ze nog voor u werkte, wat voor indruk maakte Rosa toen?'

'Ze leek, net als wij allemaal, volkomen in de war. Eerst hongersnood, dan een feestbanket. Eerst geen bedden of alleen halve bedden, zonder matras of zonder poten, dan zoveel bedden dat ze met honderden tegelijk opgeslagen moesten worden en een heleboel ruimte opslokten. Het ene moment is er niets te eten dan gezouten vlees en muffe koekjes, en weer later is er zoveel boter, geconserveerd kalfsvlees en plumpudding dat we moeten opletten dat de mannen geen galaandoening krijgen. En dat doet me eraan denken: jam.'

'Ik...'

'Jam. Er blijkt een pot frambozenjam te zijn verdwenen van de planken in de barak van Mrs. Whitehead waar u en uw dienstmeid verblijven.'

'Eh, ja, ik...'

'Miss Lingwood, twee dingen. Ten eerste: elk artikel dat wordt weggenomen van de plank met de geschenken die zijn gestuurd door aardige mensen in Engeland, moet worden verantwoord, anders stort het hele systeem in. We hebben al twee vrouwen naar huis moeten sturen wegens kruimeldiefstal. Ten tweede, elk open potje is een potentieel gevaar. U hebt de pot halfopen onder het bed achtergelaten. Gelukkig werd hij gevonden voordat de hele barak vol zat met kakkerlakken.'

'Het spijt me, ik...'

'En dat brengt me bij de laatste kwestie. Ik heb Nora Mc-Cormack onder mijn hoede genomen omdat ik me herinnerde dat Rosa Barr lovend over haar sprak toen we samen in Skutari werkten. Ze had veel uitstekende technieken afgekeken van Mrs. McCormack. Maar ik wist dat ik er niet goed aan deed om een vrouw toe te laten zonder referenties, en natuurlijk werd ik gestraft voor mijn onvoorzichtigheid, want ze werd meteen ziek.'

Ik wist wat er ging komen. Ik overwoog zelfs haar nogmaals te onderbreken, maar ze hief haar hand op. 'Er is hier geen plaats voor u, miss Lingwood. Ik begrijp dat u uw nicht wilt zoeken, en juich dat tot op zekere hoogte ook toe, maar hier kunt u niet blijven. Iedereen weet dat er een grote aanval op stapel staat, en als het zover is, wordt het ziekenhuis overspoeld met gewonden en dan bent u ons alleen maar tot last. Ik verwacht dat u binnen een week vertrekt, maar ondertussen kunt u doorgaan met uw naaiwerk. Alles op de Krim valt uit elkaar, dus u zult geen gebrek hebben aan werk.'

'Natuurlijk. Dank u wel. Ik doe het gr...'

'En ik verwacht dat u zich niet inlaat met de rooms-katholieke nonnen die u tegenkomt. Mrs. Whitehead is echter in orde. Anglicaanse kerk. Vader was geestelijke. Minderbroeder. En blijf uit de buurt van de gewonden die herstellend zijn of in staat zijn hun bed uit te komen; al is een man op sterven na dood, dan nog haalt hij zich rare ideeën in het hoofd.'

Ze pakte haar pen op, wat ik opvatte als teken dat ik kon vertrekken. 'Overigens, miss Lingwood, misschien vindt u het interessant om te weten...' Ze liet een veelbetekenende stilte vallen terwijl ik bij de deur bleef wachten en luisterde naar het gerommel van de kanonnen in de verte en het gekletter van metaal in een nabijgelegen barak. 'Dit is de barak waar miss Nightingale sliep toen ze ziek was. Wekenlang hing haar leven aan een zijden draadje. Ze lag op dat bed en aan de andere kant stond een klein kampbed waar haar toegewijde verpleegster, Mrs. Roberts, sliep, als dat mogelijk was. Dat is het tafeltje, zoals je ziet met inklapbare pootjes zodat het ook dienst kan doen als dienblad, waaraan miss Nightingale brieven schreef en aantekeningen maakte – zelfs in haar delirium, wat tekenend is voor haar toewijding. Iedere dag kwam er een boodschapper aan de deur om te horen hoe het met haar ging zodat hij dat kon doorvertellen aan de soldaten. Op een gegeven moment bracht lord Raglan in eigen persoon haar een bezoek en zelfs de koningin stuurde een telegram. Zoveel respect geniet miss Nightingale bij alle soldaten op de Krim, ongeacht hun rang, en bij al onze dierbare vrienden thuis. En dat is de reden, miss Lingwood, dat de verpleegsters van miss Nightingale altijd boven iedere twijfel verheven moeten zijn; de reputatie van vele grote mannen en vrouwen is afhankelijk van onze prestaties.'

16

26 mei 1855

Lieve Mariella,

Vanmorgen ontvingen we je brief uit Pescara waarin je ons vertelt dat Henry je naar de oorlog heeft gestuurd om Rosa te zoeken. Vader is de hele ochtend weg geweest om telegrammen te versturen maar hij staat nu naast me en dicteert wat ik moet schrijven. Hij zegt dat je onmiddellijk naar huis moet komen. Hij zegt dat deze hele toestand hem doet denken aan een fabel uit zijn jeugd, waarin een kaas van een wagen valt en een heuvel af rolt, en de menner is zo dom dat hij, om erachter te komen waar de kaas is gebleven, er nog een achteraan rolt, en dan nog een, omdat hij de kaas iedere keer uit het oog verliest als deze onder aan de heuvel is aangekomen. Ik neem aan dat hij hiermee bedoelde dat eerst Henry dan Rosa en daarna jij op dezelfde manier zijn verdwenen. Hij zegt dat hij niet begrijpt waarom Henry jou naar zo'n gevaarlijke plek stuurt; als je een man was, zou het al erg genoeg zijn – als je een op een na oudste zoon was geweest had hij misschien overwogen je als soldaat te laten gaan – maar in dit geval staat hij erop dat je onmiddellijk terugkomt, ongeacht de kosten, en daarna wil hij er geen woorden meer aan vuilmaken. Hij zegt dat ik moet schrijven dat hij je een nieuwe straat met huizen wil laten zien die hij zojuist heeft voltooid op de andere bouwplaats in Wandsworth. De eerste en tweede verdieping hebben erkers en hij denkt dat je het sierlijke portiek prachtig zult vinden. Als je geld nodig hebt voor de terugreis, zal hij dat onmiddellijk sturen.

Het gebrek aan vorderingen in de oorlog verbaast ons allemaal. Ik vind het maar een vreemde oorlog, omdat er niets gebeurt. Rosa's vriendin, ene miss Leigh Smith, heeft al twee keer gebeld om te vragen hoe het met je gaat. Ze hoopt dat je misschien les wilt geven op haar school, Mariella, en geeft hoog over je op. We hebben afgesproken dat ze een keer met me meegaat naar het tehuis om met de gouvernantes te praten over hun eigen scholing en die van hun leerlingen. Dat zullen ze zeer waarderen want niemand vraagt ooit naar hun ideeën. Het is hier in Londen zo warm dat we ze aansporen om 's middags in de tuin te gaan zitten, hoewel het gazon maar klein is, zoals je weet, en de bloembedden vergeven zijn van de slakken. Voordat Mrs. Hardcastle terugkwam – ze is terug, Mariella, en ik moet zeggen dat ze erg boos is over je beslissing om niet met haar mee te reizen; ze heeft het nergens anders over – had ik rieten meubels besteld, maar ze zegt dat dat heel onhandig was, om niet te zeggen pure geldverspilling, omdat er geen ruimte is om ze in de winter op te slaan en we net zo goed de eetstoelen in de tuin hadden kunnen zetten.

Mariella, als je hier was had je kussens kunnen maken voor de nieuwe rieten stoelen zodat de gouvernantes comfortabel konden zitten.

En nu het belangrijkste nieuws van deze brief: je tante Isabella gaat trouwen. Ze is verloofd met Mr. Shackleton, die je hebt ontmoet, en ze gaan in Dulwich wonen. We zijn allemaal zeer verbaasd dat ze zich al zo snel hebben verloofd, maar Isabella verzekert me dat ze erg aan hem gehecht is geraakt. Vooral de Hardcastles (zoals je je misschien herinnert zijn Mr. Shackleton en Mr. Hardcastle verre familieleden van elkaar) begrijpen er niets van en zij zegt dat ze zich afvraagt of ze wel weer op reis kan gaan als er zoveel gebeurt zodra zij haar hielen licht. Isabella vraagt of je Rosa als je haar ziet wilt laten weten dat ze een nieuwe papa krijgt, en dat ze uiteraard bij hen mag komen wonen. Nora komt ook in aanmerking voor een positie in het

nieuwe huishouden, hoewel Isabella het haar maar moeilijk kan
vergeven dat ze, in haar woorden, de bloemetjes buiten zet op de
Krim, en ze is erg gesteld geraakt op Ruth dus misschien neemt
ze haar mee, wat naar mijn mening geen groot verlies zou zijn
voor ons huishouden. Ze vraagt ook of je, als je de troepen
bereikt, haar stiefzoon Max Stukeley wilt zoeken om hem het
nieuws te vertellen.

Mariella, papa is nu de kamer uit gelopen en ik wil graag nog
iets persoonlijks schrijven wat ik niet aan hem zal laten zien. Ik
kan het niet laten te zeggen dat je gedrag van de laatste tijd me
zo verbaast dat ik je nauwelijks herken als mijn dochter. Ik ben
heel boos op je geweest, Mariella, en zo bezorgd dat ik
nauwelijks slaap en ik vond je egoïstisch en weinig
plichtsgetrouw, maar de laatste tijd – vooral sinds Mrs.
Hardcastle terug is, geloof ik – zie ik alles anders. Vergeet
overigens niet je handen regelmatig te wassen met carbolzeep en
je drinkwater te koken. Mrs. Hardcastle zegt dat dit de
aangewezen methoden zijn om de meeste ziekten te vermijden.
Maar Mariella, ik merk dat ik nu trots en jaloezie voel.
Ik vraag me trouwens af of je als je terug bent een manier kunt
vinden om een soort luifel of overkapping te maken want aan het
einde van de dag schijnt de zon precies in de tuin...

17

De Krim, 1855

Op zaterdag 16 juni verscheen Newman met weer een gescheurde tuniek en een wond op zijn hand die het gevolg was
van een val van zijn paard. 'Dom van me, miss Lingwood. Heel
dom. Ik rijd al mijn hele leven en dan dit. Mijn paard begon
zich plotseling te verzetten en voor ik het wist lag ik op de grond
en werd ik het halve paradeterrein over gesleurd. Ik ben naar
de officier van gezondheid gegaan maar die stuurde me snel weer
weg. En gelijk heeft hij. Een stijve arm hindert me nauwelijks
bij mijn werk. Mijn uniform heeft er meer onder geleden dan
ik.'

Newman zag er terneergeslagen uit en ik smeekte hem te blijven om een kopje thee te drinken en Nora gezelschap te houden, maar hij zei dat het zo druk was in het kamp dat hij niet
eens tijd had om zijn paard vast te binden. Dus bleef hij wat om
me heen drentelen terwijl ik de schade aan zijn jasje opnam. Er
sijpelde bloed door het verband om zijn hand en zijn onderlip
hing slap. Zijn paard, waarschijnlijk het dier dat hem een dag eerder had afgeworpen, stond rustig bij ons en keek met zijn zachte bruine ogen rond.

De stof van de mouw was tot aan de elleboog gerafeld en versleten en de epaulet was half afgescheurd. 'Ik vroeg me af of u
het meteen zou kunnen doen, miss Lingwood. Ik heb dat jasje
in de steengroeven gedragen. Het heeft me beschermd. Ik neem
aan dat u hebt gemerkt dat de kanonnen de laatste dagen geen

seconde meer stil zijn. Waarschijnlijk wordt er iets voorbereid. Ik heb dit geluksjasje nodig voor het geval dat.'

'Natuurlijk. Morgen is het klaar. En wat zou u ervan vinden, luitenant Newman, om me te vergezellen op een picknick, zoals u eerder had voorgesteld? Als u tijd heeft.'

'Zeker. Dat zou ik fijn vinden. Fantastisch idee. Mrs. Seacole zal voor proviand zorgen.' Hij kwam heel dichtbij en fluisterde op vertrouwelijke toon: 'Miss Lingwood. Ik vroeg me af – ik heb een paar mannen naar uw nicht gevraagd, miss Barr. Ze zeggen dat er een man was die hier regelmatig kwam en op de deur van haar barak bonkte. Een dokter. Ik vond dat ik het u moest vertellen. Het spijt me. Moet moeilijk voor u zijn. Hij was de man met wie ze is verdwenen.'

'Dank u wel, luitenant Newman.'

'Ik wil u geen pijn berokkenen.'

'Luitenant Newman, u heeft me niets nieuws verteld. Maakt u zich geen zorgen. Morgen is dit jasje klaar.'

'Morgen. Mooi. Dom van me. Ik had de teugels moeten laten vieren, maar het leek wel alsof hij zich tegen me keerde, de smeerlap. Ik probeerde uit alle macht in het zadel te blijven.' Hij huilde weer en een plasje speeksel kleurde de wol van het jasje op mijn schoot donker. Om hem niet in verlegenheid te brengen, keek ik niet op. 'Goed, tot ziens dan, miss Lingwood, miss McCormack.' Hij stond in de deuropening van de barak en tuurde de duisternis in.

Het is Mrs. McCormack,' klonk Nora's stem van binnen.

'Neem me niet kwalijk, natuurlijk, Mrs. McCormack.'

'Pas op uzelf, luitenant Newman. God zegene u.'

Nog steeds vertrok hij niet maar bleef hij wat heen en weer lopen, gevolgd door zijn lange schaduw. Ondertussen kauwde zijn paard op het dorre gras en knipte ik de rafels van de stof en zag ik het beeld voor me van Henry die op de deur van Rosa's barak stond te bonken.

Ik stelde mijn andere taken uit om Newmans jasje af te maken, maar dat bleek onnodig want de volgende dag was er geen teken van hem te bekennen. Tijdens het wachten naaide ik een zachte binnenvoering voor de mouwomslagen en boorden van Mrs. Whitehead, om te voorkomen dat de ruwe stof van haar jurk over haar huid schuurde. Het bombardement boven Sebastopol leek te zijn verdrievoudigd in hevigheid en boven de heuvels hingen dikke rookwolken. Om vijf uur was Newman nog steeds niet verschenen.

Het ziekenhuisleven ging door en over het pad naderden een paar wagens met nieuwe gewonden. Het leek erop dat de Russen toch nog in staat waren om terug te vuren en net als wij raketten en kanonskogels achter de vijandelijke linies terecht konden laten komen. Om zes uur trokken de nonnen zich terug voor de avondmis en ik merkte dat ik jaloers was op hun vermogen om zich af te sluiten voor de nerveuze spanning in het ziekenhuis; als de kanonnen even zwegen, waren hun stemmen te horen die Latijnse gebeden opdreunden. Later, om ongeveer acht uur, vertelde Mrs. Whitehead ons dat het gerucht ging dat er de volgende dag een grote aanval zou komen en dat de geallieerden eindelijk zouden doorbreken en Sebastopol zouden bereiken. 'Stel je voor,' zei ze, 'het lijkt onvoorstelbaar, maar misschien is het morgen wel allemaal voorbij.' Met haar gebruikelijke doelgerichtheid ging ze met haar gezicht naar de muur op haar bed liggen en viel prompt in slaap om volledig voorbereid te zijn op de opwinding of verschrikkingen die de volgende dag zouden kunnen brengen.

Nora en ik hadden het minder gemakkelijk. Het was een kwelling om het smalle bed te moeten delen, we hadden het warm en benauwd en werden geplaagd door vlooien. Diep in de nacht hoorde ik het geklik van haar kralen en een gefluisterde litanie van Weesgegroetjes tot ze eindelijk ontspande op het moment dat de kanonnen zwegen en haar adem regelmatig werd.

Op die momenten was ik het eenzaamst. Ik had het gevoel alsof ik met mijn vingertoppen aan de afgrond van de oorlog, van Rusland zelf hing, en dat het niemand zou kunnen schelen als ik naar beneden viel. Ik probeerde iedereen voor me te zien op de plaats waar ze zich nu bevonden: mijn ouders en Isabella in hun bedden in Fosse House; Henry in zijn kleine, donkere kamertje in Narni, smachtend naar Rosa; Max die zich in zijn kamp dicht bij de vijandelijke linies voorbereidde op de strijd; Rosa, o god. Boven alles verlangde ik ernaar te weten wat er met Rosa was gebeurd.

Ik had ontdekt dat iedere nieuwkomer in het geallieerde kamp voor afleiding zorgde en dat iedere ongewone gebeurtenis eindeloos werd besproken, dus als Rosa zich ergens binnen een straal van twintig mijl bevond, moest ze ervan op de hoogte zijn dat Mariella Lingwood en Nora McCormack op de Krim waren.

Maar waarom kwam ze dan niet naar me toe? Tenzij ze zich te veel schaamde of niet in staat was om te komen, of gevangen was of verdwaald. Of dood.

Eindelijk dommelde ik in, maar vroeg in de ochtend, nog voor de dageraad, werd ik weer wakker. Er liep een rat over mijn voet, maar ik deed nauwelijks moeite om hem weg te schoppen; ik was alleen maar geïrriteerd omdat ik door zijn geritsel nauwelijks kon horen wat er buiten gebeurde. Stilte, dan de knal van een raket. En nog een.

Ik gleed van het bed, pakte Nora's laarzen, klopte er even hard mee op de vloer voor het geval iets zich in de loop van de nacht in de voet had genesteld, trok ze aan en glipte naar buiten. Het was rustig in de ziekenhuisbarakken, hoewel een paar ramen werden verlicht door flakkerende lantaarns die van het ene bed naar het andere werden gedragen. Toen ik tussen de hutten door over het pad naar het fort sloop, voelde ik een kille zeewind. Boven de heuvels in het oosten, boven Balaklava, brak de dageraad door en in de verte hoorde ik de harde knallen van kanonnen en granaten.

Wat raakte een nieuwe omgeving toch altijd snel verbonden met onaangename herinneringen. Dit fort deed me denken aan de picknick die ik gisteren had zullen hebben met die arme Newman en aan de vrouw met de oranje-groen gestreepte rok wier kind Max in Kertsj had begraven. Terwijl de lucht zilver kleurde, werd het lawaai van de kanonnen luider en ontwaakte de haven voor een nieuwe hectische dag. Zelfs in mijn onervaren oren klonken de beschietingen anders dan het onophoudelijke bombardement van gisteren. Het was niet constant maar hevig, plotseling gevolgd door de dreun van een kanon op zee. Het leed geen twijfel dat dit de dag van de grote veldslag was. Ik ging in de berm zitten, sloeg mijn armen strak om mijn knieën en keek naar de hemel. De hemel werd al gauw roze-goud en er hing een zilte geur. De explosies deden me pijn; ze leken te weergalmen in mijn bloed.

18

Derbyshire, 1844

ROSA ONTWIKKELDE EEN FASCINATIE VOOR DE FILANTROPISCHE activiteiten van moeder, vooral als ze met het ziekenhuis te maken hadden. Op een middag kwam ze met pen en papier naar het kleine, lege kamertje op de bovenverdieping dat moeder en ik als klaslokaal gebruikten en vroeg of ze een paar aantekeningen mocht maken. Ze wilde weten hoe zij ook lid kon worden van een bezoekersraad van een ziekenhuis en welke verantwoordelijkheden daarbij hoorden.

Na een tijdje kreeg ik genoeg van het gesprek en sloop ik weg, deels om te zien of een van hen het zou merken. Toen ik door de hal liep zag ik dat de deur van de bibliotheek open was en dat het zonlicht rechthoekige vormen maakte op het rood-groene tapijt daarbinnen. Dit was de enige kamer waar ik nog nooit was geweest, omdat hij altijd afgesloten was en Rosa de toegang was verboden, dus ik sloop naar de deur om even naar binnen te gluren.

De bibliotheek was in dat plotselinge helle licht mooi en intimiderend tegelijk. Een oneindige hoeveelheid boeken stond in hoge eikenhouten boekenkasten waarboven driehoekige nissen zaten met marmeren busten van belangrijke figuren – althans, dat vermoedde ik; ik herkende er niet een. De symmetrie van de rijen boeken, de zorgvuldig gekozen posities van de tafel en de stoelen bij het raam, de leunstoelen aan weerszijden van de haard, de ladekasten tegen de verste muur – alles bracht mijn ordelijke geest in verrukking. Anders dan de rest van Stukeley, waar overal bloemen stonden, volgens de smaak van tante Isabella, was deze kamer sober en functioneel ingericht. Ik genoot zo van de geur, dat ik een paar stappen naar binnen zette en op goed geluk een boek van de planken pakte, eraan snoof, het meenam naar de tafel en het opensloeg.

Grieks. Teleurgesteld sloeg ik de bladzijden om. Dus ik had hier toch niets te zoeken.

'Je moet eigenlijk aan de andere kant van de tafel zitten,' zei een stem achter me, zodat je schaduw niet op de bladzijde valt.'

Ik vloog overeind en sloeg het boek snel dicht: Sir Matthew Stukeley, met wie ik in de maand sinds we hier waren nauwelijks meer dan drie woorden had gewisseld, stond in de deuropening naar me te glimlachen. Met zijn magere gestalte, vooruitstekende onderlip, smalle gezicht en indrukwekkende snor leek hij niet erg bij mijn voluptueuze tante te passen. Zijn stem kwam vanachter in zijn keel en Rosa zei dat zowel zijn voorkomen als zijn stemgeluid haar deed denken aan een oude geit, een associatie die misschien was beïnvloed door het feit dat de twee het niet met elkaar konden vinden, 'in het geheel niet,' zoals moeder zei. Voor iemand die in zo'n lawaaiige omgeving werkte als een loodfabriek, bewoog hij zich opvallend geruisloos door het huis en zijn afstandelijkheid maakte de avondmaaltijd altijd tot een beproeving, ook al sprak hij nooit tegen me. Maar die middag, toen ik hem angstig een vluchtige blik toewierp, zag ik in zijn ogen niets dan vriendelijkheid – genegenheid zelfs.

Hij duwde tegen de deur zodat deze bijna dichtging en sloeg met zijn lange vingers de titelpagina van het boek op. Rosa zei dat de familie van haar stiefvader niets voorstelde; onze moeders waren de dochters van een Esquire, maar de Stukeleys waren tot een paar generaties terug eenvoudige loodmijnbouwers geweest. Als dat echt waar was, had Sir Matthew opvallend delicate handen, in tegenstelling tot mijn vader, wiens handen eeltig en knobbelig waren door alle ongelukken met bakstenen en voorhamers.

'Kun je Grieks lezen?' vroeg Sir Matthew.

'Nee. Het spijt me.'

'Wat spijt je?'

'Ik hoor hier niet te zijn. Het spijt me. De deur stond open. Ik wilde alleen even kijken. Ik kon me niet inhouden.'

'Je moet nooit bang zijn om boeken te bekijken. Je mag hier altijd komen. Boeken zijn voor iedereen. Ik heb je aan tafel geobserveerd. Je hebt uitstekende manieren. Ik weet dat je voorzichtig zult zijn. Het is een van de grote teleurstellingen in mijn leven dat geen van mijn zoons goed is in leren. Kun je Latijn lezen?'

'Nee, o nee. Rosa wel, een beetje.'

'Rosa kan alles, een beetje. Ze maakt me razend met die halfslachtigheid waarmee ze alles aanpakt. Wie is je favoriete schrijver? Misschien heb ik hier iets van hem. Ik heb wel wat romans.'

Aangezien ik heel weinig las, behalve de periodieken, kon ik geen enkele naam noemen. Moeder zei dat ik te jong was voor de meeste romans en ik durfde niet te vertellen dat Rosa en ik *Oliver Twist* aan het lezen waren, voor het geval hij me vragen stelde over hoofdstukken die we nog niet hadden gehad.

'Poëzie,' zei hij. 'Houd je van poëzie?'

'O ja, heel erg.'

'Wie is dan je favoriete dichter?'

Ik kon ook geen dichter bedenken, behalve een naam die Rosa kortgeleden had laten vallen. 'Byron. Ik houd van Byron.' En meteen kon ik mezelf wel slaan want natuurlijk kende ik het werk van één dichter heel goed: Henry's favoriet, Keats. Ik had zelfs het gedicht 'Meg Merrilies' van begin tot eind kunnen opzeggen.

Sir Matthew lachte en ik zag dat hij een prachtig gebit had. 'Is het heus? Weet je wel zeker dat je mama daarvan op de hoogte is? Nou, ik heb hier heel wat van Byron. Welk gedicht van hem wil je het liefst lezen?'

Ongelukkig liet ik mijn hoofd hangen.

'Luister, Mariella, voel je vrij om elk boek te lezen dat je wilt, zolang je het maar niet meeneemt uit de bibliotheek. Ik zal je laten zien waar alles staat. Poëzie staat op deze planken en ik heb een kleine verzameling toneelstukken die je misschien zal interesseren. Hier staan naslagwerken, de meeste wetenschappelijk, en dit zijn korte verhalen. Hier staan de Latijnse boeken, hier de Griekse. Ooit zal ik op alle planken een naambordje bevestigen, maar tot die tijd moet je je eigen weg zoeken.'

Ik sloop rond en voelde me een bedrieger, omdat ik tot dat moment geen enkele belangstelling had gehad voor boeken. En hij betoonde me zoveel respect dat ik ervan in de war was. Was dit echt dezelfde Sir Matthew die stijfjes aan het hoofd van de tafel zat, mijn moeder en Isabella kortaf antwoord gaf, Rosa negeerde, Horatio treiterde, Max vol minachting bejegende en gerechten die hij niet wilde, afsloeg met een minieme beweging van zijn wijsvinger?

Ik vond dat ik als tegenprestatie op zijn minst enige interesse moest tonen, dus ik stelde een vraag: 'Wat bewaart u in die ladekasten?'

'Ladekasten? O ja, natuurlijk. Daar bewaar ik kostbare voorwerpen in. Sommige boeken zijn veel te waardevol of te zeldzaam om ze bloot te stellen aan het daglicht. Misschien laat ik het je wel eens zien, als ik weet hoeveel je echt van boeken houdt. Maar vertel me eerst eens wat je van ons Derbyshire vindt.'

'Ik vind de heuvels prachtig,' zei ik.

Hij lachte weer. 'Dat is maar goed ook. Daar zijn er hier veel van. En verder?'

'Ik ben graag bij Rosa.'

Zijn glimlach verflauwde. 'Rosa. Ach ja, jullie zijn natuurlijk nichten van elkaar en bijna even oud. En wat spoken jullie tweeën zoal uit?'

'O. Nou, ik naai.'

'Ja, ik heb je naaiwerk gezien.' Zijn blik viel op mijn hals. 'Heb je die mooie kraag gemaakt?'

'Ja.' Ik kon het niet laten eraan toe te voegen: 'En deze mouwomslagen ook.'

Ik stak mijn handen naar voren en hij glimlachte vriendelijk. 'Ze zijn heel mooi. Ik neem aan dat Rosa niet naait.'

'Ze leert het snel. En zij leert mij andere dingen.'

'Wat leert ze je?'

'Ze laat me dingen zien. We gaan op onderzoek uit.'

'En ben je met haar hier binnen geweest?'

'O nee. We weten dat de deur meestal op slot is. En ze zegt dat ze hier niet mag komen.'

'Tot mijn spijt heb ik haar hier een keer aangetroffen terwijl ze een uitzonderlijk sappige appel zat te eten boven een zeldzaam boek. Daarom mag ze hier pas weer komen als ze wat ouder is. Maar jij mag hier komen wanneer je maar wilt, op voorwaarde dat je het aan niemand vertelt, want ik wil geen kinderachtige jaloezie. Ik kan best wat gezelschap gebruiken als ik thuis ben en misschien heb ik zelfs wel tijd om je een beetje Latijn te leren, zodat je Rosa kunt bijbenen. Wat vind je daarvan?'

Hij zette het boek terug op de plank en ik nam aan dat het gesprek voorbij was. Toen ik langzaam naar de deur liep, riep hij me terug. 'Kom je nog eens terug?'

'O ja.'

'Morgen dan, dezelfde tijd.'

Hij stond met gebogen hoofd en trommelde met zijn vingers op tafel. Ik had medelijden met hem. Hij moest wel eenzaam zijn als hij de tijd wilde verdrijven door mij Latijn te leren. Maar toen ik wegrende naar de Italiaanse tuin en in de buxushaag kroop, was ik bezorgd. Hoe kon ik mijn belofte aan Sir Matthew houden zonder het aan Rosa te vertellen, voor wie ik nooit geheimen had? Maar zij had een hekel aan Sir Matthew en zou boos zijn als ze wist dat ik zijn aanbod om mij les te geven had geaccepteerd. Uiteindelijk besloot ik dat er toch niets terecht zou komen van mijn afspraak in de bibliotheek – Sir Matthew zou de volgende dag alles vergeten zijn en mijn leven zou veel rustiger zijn als ik mijn mond erover hield.

19

De Krim, 1855

LAAT IN DE OCHTEND NAM DE WIND AF EN WERD DE LUCHT STIL EN warm. Vanaf de haven kwam een jongen aangerend die riep dat de Fransen de Malakov hadden ingenomen; het moest wel waar zijn want ze hadden de driekleur zien wapperen op de borstwering. Maar toen zeiden een paar Turken, die met een wagen vol citroenen langsreden dat de Fransen juist waren teruggedreven en dat de Russen geen enkele moeite hadden de Malakov te behouden.

Mijn nieuwste taak was knopen naaien aan tientallen ziekenhuishemden. Nora, die zich voor het eerst had aangekleed, zat naast me buiten de barak, met haar gezicht opgeheven, genietend van de zon. Alleen haar lippen bewogen en ik hoopte dat ze bad voor Max en Newman. Toen zag ik dat er een boodschapper over het pad aan kwam galopperen. Ik liet mijn naaiwerk uit mijn handen vallen en rende naar de veldkeuken om het nieuws te horen.

Er zouden veel gewonden komen. Om de een of andere onbegrijpelijke reden hadden de Britten de Redan bestormd, terwijl ze onder vuur lagen van de kanonnen op de Malakov. Ze waren neergemaaid door een hagel van kartetsen en kogels en uiteindelijk werden de weinigen die nog overeind stonden teruggedreven naar de loopgraven. Volgens een ruwe schatting hadden de Britten een paar honderd man verloren en de Fransen meer dan tweeduizend.

De berichten werden steeds somberder. Ik haalde Nora, die ziek was van angst en zwakte, over om terug te gaan naar bed en Mrs. Whitehead fluisterde me het volgende bericht toe. 'Ze zeggen dat er drieduizend Fransen zijn gesneuveld. Blijkbaar heeft een van hun generaals raketvuur verward met het aanvalsteken, waardoor zijn mannen te vroeg aan de aanval begonnen en het verrassingseffect teniet werd gedaan.'

'Maar ik dacht dat de Russische verdediging inmiddels bijna geslecht was.'

'Naar nu blijkt hebben de Russen ons bij de neus genomen. Ze hebben een rij kanonnen verborgen gehouden achter hun bastion en gisteren deden ze alsof ze niet in staat waren terug te vuren om munitie te sparen. Ze hadden zich goed voorbereid. Toen ze gisteren onze lantaarns en kampvuren zagen, wisten ze dat we op het punt stonden om aan te vallen en brachten ze hun geschut in stelling.'

'En de Britten?'

'Een bloedbad, miss Lingwood. Raglan heeft ons toch op de Redan afgestuurd, hoewel de Russische kanonnen op de Malakov bleven vuren. Onze mannen vielen bij bosjes terwijl ze over het open terrein renden of de Russische verdedigingswerken probeerden te bestormen. Slechts een heel klein aantal heeft de Redan zelfs maar bereikt en nu liggen honderden gewonden en stervenden onder de Russische bastions, in de hete middagzon, en niemand kan bij ze komen omdat er geen staakt-het-vuren is overeengekomen.'

De hele middag zat ik bij de deur van de warme, kleine barak van Mrs. Whitehead knopen aan te naaien, terwijl karren vol gewonden de heuvel op kwamen rijden en Nora lag te slapen. Ik probeerde me af te sluiten, maar het lukte niet. Het bloed kolkte door mijn aderen; ik had het te warm, was te rusteloos, te nutteloos. Ik overwoog zelfs om Mrs. Shaw Stewart te smeken mij aan het werk te zetten in de ziekenzalen of een van de verpleegsters aan te klampen om te vragen of ze een simpel klusje voor me hadden, als ik maar kon helpen.

Toen zag ik een ruiter die met een sukkeldrafje het ziekenhuis naderde, afsteeg, met een van de ziekenbroeders sprak, uit het zicht verdween en plotseling weer verscheen op het pad boven onze barak. Nu drong tot me door dat hij het vertrouwde uniform van het Derbyshire-regiment droeg en er stoffig en slordig uitzag.

'Miss Lingwood? Ik ben hiernaartoe gestuurd door het Algemeen Ziekenhuis. Daar ligt een familielid van u, meen ik, kapitein Max Stukeley. Hij is er slecht aan toe. Wil u spreken voordat hij onder het mes gaat, als u even tijd voor hem heeft.'

Vanuit de barak klonk gekreun. Ik knikte naar de officier, zei dat ik onmiddellijk zou vertrekken, ging naar binnen en pakte mijn bonnet. Nora leunde op haar elleboog en haar stem was veel sterker dan de week daarvoor. 'Neem water mee voor die jongen. Schoon water. Laat ze hem niet die vieze troep geven. En jij moet ook geen druppel aannemen van anderen. Niemand heeft er wat aan als je ziek wordt. En neem schoon verband mee voor de wonden, die bandages die je gisteren hebt gemaakt. En sta niet toe dat ze een van zijn ledematen afsnijden, tenzij het echt niet anders kan. Ze zijn iets te gretig met het mes. Geloof me, ik heb in Ierland gezien dat amputatie niet altijd nodig is als je een wond goed schoonhoudt. Als hij zijn arm of been nog kan bewegen, is het de moeite waard om het te behouden; als ze het weghalen, is de kans groot dat hij sterft.'

'Ik zal zien wat ik kan doen.'

'Laat hem niet doodgaan, hoor je? Ik wil je hier niet terugzien als hij sterft. En stop dit in zijn handen. Zeg hem dat ik voor hem bid.'

Ze greep mijn pols en liet de groene rozenkrans in mijn hand vallen. Ik vulde het glas naast haar bed bij, deed een sjaal om en liep naar de deur. 'Mariella.' Ik draaide me om, geschokt dat ze mijn voornaam gebruikte, maar ze knikte alleen en gebaarde dat ik snel moest vertrekken.

Terwijl ik wegrende voelde ik vooral opwinding omdat Max naar míj had gevraagd. Iemand had mij, Mariella Lingwood, nodig. Nooit eerder had ik zo sterk gevoeld dat ik een doel had en had ik zo weinig nagedacht over de problemen die mij te wachten stonden als ik mijn bestemming had bereikt. Maar deze euforie verdween snel toen de implicaties van de verwondingen van Max tot me doordrongen. In gedachten ging ik terug naar het Guy's Hospitaal waar ik Henry een amputatie zag uitvoeren: het plotselinge gebaar met zijn armen, de dieper wordende stilte, het gekraak van botten. Als het kind het niet had overleefd, zou Max het dan wel overleven? Ik liep sneller. Ik moest hem redden, voor Rosa. Als hij stierf was ik de enige die overbleef.

En ik besefte dat als Max midden op het slagveld was geraakt, ook Newman waarschijnlijk in de vuurlinie terecht was gekomen.

Ik begon te rennen, met kleine stapjes omdat mijn voeten in mijn rokken haakten, en raakte al snel buiten adem. Binnen een paar minuten had ik de veilige omgeving van het ziekenhuis verlaten en was ik in de haven, waar zoveel verkeer was dat ik mij een weg moest banen door een menigte zeemannen en Turkse en Sardijnse soldaten. Toen sloeg ik de weg in naar het Algemeen Ziekenhuis, dat tegen de helling was gebouwd, boven de spoorweg. De eerste barakken lagen bijna op gelijke hoogte met de toppen van het dichte groepje masten in de haven.

Ik trof een chaos aan en hoewel de avond nog maar net was gevallen, was het hospitaal fel verlicht, als een concertzaal. Buiten de barakken lag een rij hulpeloze mannen op strozakken. Ik hoorde een kreet en nu drong een afschuwelijk zacht achtergrondgeluid tot me door: het geluid van pijn. Verpleegsters en ziekenbroeders liepen tussen de zieken met flacons en emmers of rollen verband, en dokters bogen zich over de lichamen, mompelden instructies, onderzochten ledematen en gingen weer verder. Toen ik te dicht langs een van de strozakken liep, schoot een hand uit en greep mijn enkel. Het enige wat ik bij mijn voeten zag was een gapende wond in de nek van een man en zoveel bloed op zijn hemd dat ik eerst dacht dat hij een rood jasje droeg. Het lukte me niet mijn enkel los te wringen dus ik hurkte neer en staarde in zijn waanzinnige ogen. Hij kon niet spreken en hield alleen mijn enkel in een ijzeren greep.

Ik weet niet wat ik moet doen, ik weet niet wat ik moet doen, dacht ik in paniek. Iemand moet me helpen. Ik hoor hier niet thuis.

Uiteindelijk legde ik de andere hand van de man in de mijne. Zijn vingers waren ruw en zijn nagels smerig. Ik streelde zijn koude handpalm en keek toe terwijl een paar vliegen zich loom lieten zakken en zich tegoed deden aan zijn nek. Ik probeerde de misselijkheid terug te dringen en dwong mezelf in zijn ogen te kijken. Zijn vingers lieten mijn enkel los maar zijn niet-ziende ogen bleven op mijn gezicht gericht terwijl ik betekenisloze, troostende woorden fluisterde. Na ongeveer tien minuten werd zijn blik leeg. Het ene moment was hij er nog, het volgende was hij weg.

Ik zette een paar passen achteruit en stapte op de tenen van een dikke verpleegster die me stomverbaasd aankeek. 'Wie ben je? Wie heeft je gestuurd?'

'Ik ben op zoek naar Max Stukeley. Kapitein. Derbyshire-regiment.'

Ze haalde haar schouders op. 'Die ken ik niet.'

'Hij is gewond. Hij wacht op een operatie.'

'Daar. Probeer het daar maar.'

Ik zag een luifel met lantaarns waaronder het een drukte van belang was. Er lag een lange rij brancards, het stonk er naar bloed en er hing een weeïge geur die naar mijn hoofd steeg en waarvan ik later ontdekte dat het chloroform was. Ik zag felle lichten, schermen, schragen en voorovergebogen gestalten. Ik liep de rij af tot ik Max ontdekte, die met een arm onder zijn hoofd, een doodsbleek gezicht en brandende ogen naar mij opkeek.

Ik liet me naast hem op mijn knieën vallen.

'Je hebt wel je tijd genomen,' zei hij. 'Ik moest me weer terug in de rij laten leggen.'

'Ik heb mijn best gedaan.'

'Ach, ja. Je best.' Hij wenkte me dichterbij te komen. 'Mijn been is verbrijzeld. Het moet eraf. Ik wilde je zien voordat ik aan de beurt ben – voor het geval dat. Rosa's spullen liggen in het kamp en jij moet ze meenemen. Ik wilde ons niet allebei spoorloos laten verdwijnen. Zelfs als ik dit overleef word ik linea recta naar huis gestuurd, dus ik kom daar niet meer terug.'

'Rosa's spullen.'

'Ik zou het niet kunnen verdragen als ze kwijtraken. Het enige wat ik nog van haar heb.'

'Ik ben ervan overtuigd dat Rosa niet voorgoed verdwenen is, Max. Ik weet zeker dat ze terugkomt.'

Hij lachte droogjes en wendde zijn gezicht af.

'Wat is er met je been gebeurd, Max?'

'Twee minuten buiten de loopgraven. Er vloog een granaat op me af. Raakte mijn knie op het moment dat hij ontplofte. Hulpeloos, volkomen hulpeloos, ik kon nauwelijks nog kruipen.'

'Het is niet jouw schuld dat je geraakt bent.'

'Niet?' Plotseling greep hij me bij de schouder, legde toen zijn hand in mijn nek en trok mijn hoofd omlaag tot een paar centimeter van zijn gezicht. Zijn adem voelde warm op mijn mond. 'Denk je niet dat ik het eigenlijk zelf heb gewild? Het is mogelijk. Soms maakt mijn geest zich los en denkt: mijn god, was ik maar dood. Ik bid tot God dat het niet mijn schuld is, want de mannen die voorwaarts marcheerden zijn voor mij gestorven. Ik schreeuwde dat ze achter mij aan die loopgraaf uit moesten komen en al in de eerste minuten vielen ze neer. Ze gingen door tot ze dood waren.'

'En Newman?'

'Ik weet het niet. Dat heb ik niet gezien. Hij probeerde me te helpen, maar ik heb hem weggestuurd.'

'Jij kon niet weten dat die mannen zouden sterven.'

'Ik wist dat Raglan alleen maar het bevel voor de aanval had gegeven om zijn vervloekte gezicht te redden. We hadden geen enkele kans. Die man heeft vastgeroeste ideeën. Hij haat de Fransen. Wil niet de indruk wekken dat de Britten lafaards zijn. We wisten dat het zelfmoord was, en toch zijn we gegaan.'

'Waarom dan, Max? Als je wist wat er zou gebeuren.'

'Bevelen. Ik gehoorzaam bevelen.'

'Dat deed je vroeger nooit.'

Even zag ik iets fonkelen in zijn ogen. 'Inderdaad, dat deed ik vroeger nooit.' De hand in mijn nek verslapte en gleed bijna naar beneden.

'Max, drink dit.' Ik duwde hem overeind zodat zijn hoofd tegen mijn borst leunde. Hij legde zijn hand over de mijne, die de flacon vasthield, en dronk gretig. Het gewicht van zijn hulpeloze lichaam en de plotselinge intimiteit schokten en ontroerden me, maar mijn stem was rustig: 'Wat kan ik nog meer voor je doen?'

'Zoals ik al zei, zou ik het niet kunnen verdragen als de bezittingen van Rosa kwijtraken. Ik kan de gedachte niet verdragen dat zij daar ergens is. Op de laatste dag hadden we ruzie. Het bekende verhaal, we gingen boos uit elkaar. Ze was koppig, dacht altijd dat ze iedereen kon redden. Toen ze in Stukeley kwam wonen, was het alsof opeens de zon ging schijnen – ik had meer aandacht aan haar moeten besteden. Ik weet niet of er in het kamp iemand overblijft om op haar spullen te passen.'

'Ik haal ze wel, Max.'

'Mooi, dat is alles. Ga maar.'

'Nora zei dat ik bij je moest blijven.'

'In hemelsnaam, niet zo'n sombere toon. Daar kan ik niet tegen.'

'Dus ik kan verder niets voor je doen?'

'Haal Rosa's spullen. Verlaat de Krim. Ga naar huis. Dat heb ik al een paar keer gezegd. Nu heb je met eigen ogen gezien hoe het ons vergaat.'

Hij trok even met zijn hoofd en zijn ogen gloeiden van pijn, maar ik aaide over zijn droge, warme wang om zijn aandacht te trekken. 'Henry zei altijd dat sommige dokters iets te graag wilden amputeren. Hij zei dat het bot kan genezen als het een schone breuk is en het bot niet door het vlees steekt. Hoewel hij een fantastisch chirurg is, zegt hij dat chirurgie niet altijd het antwoord is. Nora zei hetzelfde. Laat ze niet je been afzetten, tenzij het niet anders kan.'

'Ik ben niet echt in de positie om me te verzetten. Ik blijf liever in leven, met of zonder been. Geloof ik, al begrijp ik niet waarom. Wat kan ik nog als ik maar één been heb?'

'Van alles.' Op dat moment kon ik geen carrière bedenken die bij Max paste en waar je niet twee benen voor nodig had. 'Je kunt geestelijke worden.'

Hij proestte van het lachen. 'Geweldig. Echt zo'n ideetje van miss Mariella Lingwood. Mooi zo, probleem opgelost.'

'Kun je je been helemaal niet bewegen?'

'Ik probeer het liever niet, dank je.'

'Zorg ervoor dat ze dit verband gebruiken. Ik zal het hier achterlaten, onder je kussen. En vertel ze wat Henry heeft gezegd. dokter Henry Thewell. Vertel het ze. Ik weet zeker dat ze zullen luisteren als ze zijn naam horen.'

Hij duwde zwakjes tegen mijn schouder. 'Mariella. Ga nu. Ik wil dat je me alleen laat.'

'Maar Nora zei dat ik bij je moest blijven.'

'Ga weg. Je bent dodelijk vermoeiend.'

Zijn ogen sloten zich. Ik bleef even zitten, keek naar de trillende boog van zijn ooglid en dacht terug aan de jongen die langs de pilaar van het nieuwe portiek van Stukeley omhoog was geklommen en tegen mijn raam had getikt, ik bedacht hoezeer Nora op hem gesteld was, hoe hij altijd Rosa's woede wist te wekken, maar haar ook betoverde, en hoe hij naast de vrouw in de gestreepte rok in Kertsj had gestaan terwijl haar zoon werd begraven. Ik liet voor de zekerheid de rozenkrans in zijn hand glijden en toen kon ik me niet meer beheersen en kuste ik zijn bewusteloze lippen.

20

T<small>OEN IK HET HOSPITAAL VERLIET WAS IK ZO MISSELIJK EN SLAP DAT</small> ik niet wist wat ik moest doen, maar omdat Max me had gevraagd de spullen van Rosa op te halen liep ik door de toenemende duisternis naar de kampementen.

De Krim was een gevaarlijke plek, en niet alleen vanwege de beschietingen. Ik had geleerd dat geen enkel bezit veilig was voor criminelen en landlopers, zelfs niet in het hospitaal, waar de voorraadkasten stevig op slot zaten. Vee dat in leven was gebleven ondanks de ratten die aan hun poten knaagden, verdween in de nacht en kleren die buiten hingen te drogen, werden van de waslijn gegrist. Misschien stond iemand me in het donker op te wachten om mij de kleren van het lijf te scheuren, of erger. Het British Hotel van Mrs. Seacole was fel verlicht en bij de deur had zich een groep mannen verzameld – even overwoog ik om te vragen of ik daar kon overnachten; het hotel zag er zo troostrijk uit, daarbinnen zou ik vast veiliger zijn dan buiten, wat lady Mendlesham-Connors ook beweerde.

Terwijl ik verder liep werd er sporadisch geschoten vanuit de loopgraven en vulde de hemel zich met lichtflitsen, maar verder was de nacht stil en was er steeds minder verkeer op de weg. In de tenten en barakken van het grote kamp klonk geroezemoes en hier en daar zag ik donkere gestalten die rondliepen of bij de vuren stonden. Ik werd zo nu en dan staande gehouden, maar zodra ik met damesachtige stem mijn Engelse naam noemde, mocht ik verder. Het kamp van het zevenennegentigste regiment was nog verder weg dan ik me herinnerde; een lang traject over uitgesleten paden. Na een tijdje werd ik gepasseerd door een langzaam rijdende treinwagon en ik klampte me vast aan een metalen stang om me een eindje te laten voortslepen. De lucht was gevuld met kruitpoeder en de sterren boven Sebastopol werden verduisterd door een gordijn van rook.

Toen ik het kamp van het Derbyshire-regiment bereikte, was het pikdonker. Ik had honger en mijn voeten deden pijn. Een wachtpost met slaperige ogen wees naar een tent waar een groep officieren zat te eten. Eerst was ik te verlegen om naar binnen te gaan, maar iemand zag me staan. Ik legde uit wie ik was en toen ik eerst de naam van Max en daarna van Rosa noemde, viel er een stilte. Een of twee van de mannen waren half opgestaan toen ik was verschenen – ik droeg tenslotte een strakke rok en een vermaakte blouse waarin ik eruitzag als een soldatenvrouw – maar na mijn weifelende inleiding stonden ze allemaal op. Ze waren beleefd en wilden me graag helpen, maar ze waren ook dodelijk vermoeid en somber. Een onderofficier kreeg opdracht een lantaarn te pakken en mij naar de barak van Max te brengen waar ik de nacht kon doorbrengen als ik dat wilde.

Terwijl we tussen de rijen tenten doorliepen, vertelde hij me dat niemand wist waar Newman was. Het scheen dat hij de verhakking had bereikt – de manshoge barricade van kreupelhout, rommel en omgehakte bomen – en iemand herinnerde zich dat hij Newman zag rennen over het open terrein achter de loopgraaf, maar daarna had niemand hem meer gezien. Ze vermoedden dat hij was neergeschoten en op het slagveld lag, zoals zoveel anderen van het regiment. Aangezien er geen staakt-het-vuren was overeengekomen, zou het zelfmoord zijn om nu te proberen hem weg te halen.

De jonge officier ontgrendelde Max' barak, hing de lantaarn aan een haak in het dak en zei dat hij iemand zou sturen met thee en een maaltijd. Net als Newman was hij waarschijnlijk nog geen twintig en hij had een lijzig accent en onberispelijke manieren, maar hij was niet in de stemming voor een uitvoerig gesprek. Na zijn vertrek plofte ik neer op een smal bankje dat tegen een van de wanden van de barak stond, nam een slok water uit mijn flacon en sloot mijn ogen. Buiten werd nu zo zwaar geschoten en het klonk zo dichtbij, dat ik onder het bed zou zijn gaan liggen als ik niet zo uitgeput was. Nu bleef ik in elkaar gezakt op het bankje zitten tot het weer stil was. Toen schudde ik mezelf wakker, opende mijn ogen en merkte dat ik naar Rosa staarde.

Boven het bed van Max hingen drie afbeeldingen. De eerste was een bijna volmaakte reproductie van het portret van zijn moeder dat Rosa me had laten zien in zijn slaapkamer in Stukeley, behalve dat in deze versie haar twee zoons waren weggelaten. De geportretteerde zat voorovergebogen en keek lachend en met de charmante, afwezige blik die ik me herinnerde van het origineel, naar een punt in de verte. Daarnaast hing een illustratie uit *Punch*, een prent van twee ongelukkige soldaten in een sneeuwstorm. En ten slotte een portret van Rosa, in een houding die ik goed kende: in kleermakerszit op het bed, diep verzonken in een boek, haar hoofd in de handen en haar loshangende haar langs haar gezicht. Het was een natuurgetrouwe, haastig gemaakte schets, waarschijnlijk van Max, die de vorm van haar gezicht, de lengte van haar neus, de slanke, lange vingers heel getrouw had weergegeven. En het portret bewees dat ze in zijn hut was geweest: op de achtergrond zag ik dezelfde twee afbeeldingen, de moeder van Max en de prent uit *Punch*, en zelfs de muurplanken achter het bed waren er lichtjes in getekend, met kwasten en al.

Ik schaamde me voor mijn reactie op het portret: op zo'n moment kun je allerlei gevoelens verwachten, maar vreemd genoeg voelde ik een steek van jaloezie omdat Rosa en Max samen in deze hut hadden gezeten, omdat ze voor hem had geposeerd, hem had aangekeken en geglimlacht of ongeduldig gezucht. Ze hadden zich hier afgesloten voor de oorlog, helemaal alleen met elkaar.

Een ziekenbroeder bracht een blad met thee, soep, brood en een kom helder water. Toen hij weg was, sloot ik de deur achter hem en begon te eten. Het gebogen hoofd van Rosa boven een boek. Ze leek zo dichtbij, dat ik bijna haar lichte ademhaling kon horen en de warmte van haar hoofdhuid door haar haar kon voelen. Ik wist precies hoe het voelde om die lange lokken te kammen, ze op te tillen en er haarspelden tussen te schuiven.

Als zij zat te lezen, vlocht ik meestal haar haar, wachtend tot ze bij het einde van een bladzijde of een hoofdstuk was, en ik voelde me buitengesloten omdat ze helemaal opging in het verhaal. Ik was geërgerd omdat op dat moment van alles in haar hoofd omging wat voor mij onbereikbaar was.

En waaraan had zij gedacht toen deze tekening werd gemaakt? Alleen maar aan het boek? Waaraan nog meer? Had ze aan mij gedacht? Aan Max? Aan Henry?

Rosa. Rosa, kijk naar me. Zég iets tegen me.

Ondertussen maakten andere details van de kleine barak zich los uit de duisternis: de paar boeken op de planken – een militair handboek, een bijbel, *In Memoriam* van Tennyson en *Bleak House* van Dickinson (waarschijnlijk het boek dat Rosa had zitten lezen terwijl ze geportretteerd werd); een plank met briefjes en papieren, schrijfgerei, een kam, zeep, tandpoeder. In een hoek stonden een paar grote kisten op elkaar gestapeld, waarschijnlijk bewaarde Max daarin zijn kleding, en onder het bed, maar duidelijk zichtbaar, stond de koffer van Rosa met haar naam op de zijkant geschilderd in mijn eigen keurige blokletters. Ik had hem voor het laatst gezien op het vieze trottoir bij London Bridge Station.

Het duurde een halfuur voordat ik me ertoe kon zetten om de koffer aan te raken, maar uiteindelijk zette ik hem op het bed, opende het slot en tilde de deksel op. De geur die eruit kwam was zo sterk dat ik terugweek. Het leek wel of er een extract van Rosa in de koffer was bewaard, de geur van haar huid en haar haar.

Ik knielde neer bij het bed, pakte een armvol kleren en begroef mijn gezicht erin. Rosa was aanwezig in de textuur van de zachte wol tegen mijn huid, de onderkleding die ik voor haar had gemaakt, de voeringen voor de mouwen en kragen. Alle kledingstukken waren veel gedragen maar zorgvuldig gewassen en opgevouwen. Ik zocht naar sporen die ze op de stof had achtergelaten, maar het enige wat ik vond was haar geur – citrusvruchten, muskus, Rosa. Er gingen allerlei beelden door mijn hoofd: haar haar dat langs mijn gezicht streek als ze plotseling haar hoofd draaide, haar blote benen die een boomtak omklemden, haar ogen die me stralend aankeken in het flakkerende groene licht van de buxushaag. Rosa. Rosa in de tuin van Fosse House, met haar handen op haar rug voor ons uit lopend, Rosa die me stevig in haar armen hield en haar gezicht in mijn nek duwde: 'Ik houd meer van je dan van wie ook ter wereld.'

Ze leek zo dichtbij, dat ik half verwachtte dat ze uit de koffer zou springen, maar welbeschouwd was de inhoud zo weinig waard, behalve voor mij, dat ik me afvroeg waarom Max zich er zo druk om had gemaakt. Haar leven leek te zijn teruggebracht tot de kern: een paar kleren, maar niet haar stevigste rok, een gezichtsdoekje, een handvol zakdoeken (met het door mij geborduurde monogram RB), een paar lege velletjes schrijfpapier. We hadden zoveel meer ingepakt: pastelkrijt en houtskool om te tekenen, haar naaispullen, medicijnen die Nora had uitgekozen, pijlwortel, laudanum, kalomel, valeriaan, eucalyptus, pleisters, zeep, zout – alles was verdwenen. En als ik had verwacht aanwijzingen te vinden voor haar verhouding met Henry, kwam ik bedrogen uit, behalve dat er helemaal onderin een in leer gebonden opschrijfboekje lag en een lap bleekgroene zijde die ik soms als sjaal had gedragen bij mijn avondjurk om mijn borst te bedekken. De doek zat om een stapeltje papieren gevouwen.

Op de eerste bladzijde van het opschrijfboekje stonden in het duidelijke handschrift van Rosa de woorden: AANTEKENINGEN OVER VERPLEGING. ROSA BARR. AUGUSTUS 1854.

De volgende bladzijde was getiteld: Guy's Hospitaal. Bezoek van miss Barr en miss Lingwood.

1 Ziekenzaal (voor mannen) bezocht
Patiënt bekeken met uitslag op zijn borst. Gesprek met
verpleegster.
2. Operatie bijgewoond – amputatie boven de knie. Jongen. 13.
Chirurg – Henry Thewell
Verdovingsmiddel – Alcohol
Opvallende snelheid en zorgvuldigheid.
Chirurg droeg lange jas. Geen schort.
Succesvol, maar wat zal dat kind zich voortaan afschuwelijk
voelen als hij aan vandaag terugdenkt.

En in de kantlijn een toegevoegde krabbel: *Overleden als gevolg van de operatie. Wat had het voor zin?*

Ik sloeg meer bladzijden om.

SEPTEMBER 1854, LADY ISABELLA STUKELEY HEEFT LAST VAN HARTKLOPPINGEN

Miss Barr assisteert bij het aderlaten van genoemde patiënte. Vier bloedzuigers aangebracht. Patiënt tegen de avond veel rustiger. (Dr Raymond heeft patiënte bezocht. Miss Barr heeft geen vertrouwen in hem. Mr. Philip Lingwood zegt dat zijn vrouw en haar vrienden hem beschouwen als een goede dokter, omdat hij het altijd eens is met de diagnose van de patiënt zelf.)

JANUARI 1855, KOULALI HOSPITAAL

Aantekeningen over medicatie. Volkomen lukraak. Voor dezelfde aandoening schrijft de ene dokter rabarber in poedervorm voor (10 gram) en de andere opiumtinctuur (30 druppels). Er is geen enkele sprake van methodiek.

Ik sloeg de bladzijden steeds sneller om. Nu zou ik toch Henry's naam wel tegenkomen.

RUSSISCHE VERPLEEGSTERS

Het Russische leger laat vrijwillige verpleegsters bij de soldaten werken. Ze schijnen een methode te hebben om de dodelijk gewonden te scheiden van degenen die onmiddellijk hulp nodig hebben en degenen met lichte verwondingen.

Haar laatste aantekening was heel dik geschreven, alsof ze te hard op de pen had gedrukt.

Ik zou nog meer nut hebben als beheerder van de VOEDSELVOORRADEN.

Ik legde het opschrijfboekje weg en pakte het groene, zijden bundeltje. Ik ging achteroverliggen en drukte het pakje tegen mijn borst. Uiteindelijk vouwde ik de zijde open en de papieren dwarrelden op het bed. Maar toen ik het eerste velletje oppakte, realiseerde ik me dat het beschreven was in mijn handschrift, niet dat van Henry, zoals ik had verwacht. Ik vouwde een ander vel open. Weer een brief van mij. Alle brieven bleken van mij te zijn en waren plichtsgetrouwe verslagen van mijn leven in Londen sinds Rosa met miss Stanley naar de Krim was vertrokken. En toen vond ik oudere brieven in een nog kinderlijker handschrift, waaronder mijn allereerste briefje aan Rosa, dat ik lang geleden had verstuurd nadat ik was teruggekeerd van Stukeley.

30 juni 1844

Lieve Rosa
Weer thuis lijkt het alsof er niets is veranderd sinds ons vertrek.
Volgens moeder is het zelfs alsof we niet zijn weg geweest. Vader
was heel verbaasd ons te zien, en geïrriteerd omdat hij vandaag
vroeg van zijn werk weg moest om ons af te halen van het
station. Tijdens de treinreis spraken moeder en ik weinig over de
reden waarom we zijn weggestuurd. We wisten het niet. Toen ik
vanmorgen wakker werd, vroeg ik me af waar ik was...

In de groene zijde zat nog één voorwerp, in een envelop die meerdere keren was gevouwen om de inhoud te beschermen: Rosa's medaillon, waarin het kleine vlechtje van ons haar zat, samen met de grijze lok die van het hoofd van haar overleden vader was geknipt.

De nacht was onverwacht koud en ik was eraan gewend geraakt naast Nora te slapen, dus ik wikkelde mezelf in de schaapsvacht van Max, die me omhulde met een verstikkende dierlijke warmte. In Henry's kamer in Narni had ook zo'n jas gehangen. Arme Henry, als hij hem nu zou aantrekken, zou hij bezwijken onder het gewicht.

Toen ging ik op het bed liggen en luisterde naar de krakende planken van de barak en het kanonvuur dat nu zo dichtbij klonk dat ik steeds weer wakker schrok. Mijn hand rustte op het opschrijfboekje van Rosa en het medaillon hing om mijn hals, maar mijn zintuigen waren zo troebel dat ik in een halfslaap door een rivier van beelden zwom. De geuren van het beddengoed, de schaapsvacht en de barak zelf maakten me onrustig omdat ze in niets leken op de geuren die ik gewend was. Max, waarschijnlijk: aards, mannelijk, een vleugje aromatische olie. Inmiddels was hij vast onder het mes gegaan en lag zijn geamputeerde been op een berg andere afgezette ledematen. Misschien was hij intussen gestorven aan shock of pijn. Ik wreef mijn wang tegen de wol van zijn jas alsof ik zo het bloed in zijn gehavende lichaam kon dwingen te blijven stromen.

Om mijn gedachten te verdrijven begon ik me af te vragen hoe het kwam dat Rosa's bezittingen zo weinig vertelden. Ik had in haar koffer geen enkele aanwijzing kunnen vinden voor een geheime relatie. Misschien had Max iets gevonden en vernietigd. Maar als Rosa me had verraden, als ze verliefd was geworden op Henry, waarom had ze dan al mijn brieven bewaard? Het medaillon gaf meer informatie. Ze had het afgedaan, het krachtigste aandenken aan haar verleden; misschien wat dat een teken dat ze afstand van me had genomen.

Opnieuw dwaalden mijn gedachten af, deze keer naar het slagveld en naar Newman onder de door rook versluierde sterren. Dood of levend? Arme jongen, wat ging er in zijn hoofd om toen hij bij Max vandaan rende en in een hagel van kogels terechtkwam?

Ik rolde me op in Max' schaapsvacht. Mijn rechterbeen deed pijn, alsof ik hetzelfde voelde als hij, en ik dacht terug aan de schommel van Stukeley, aan Rosa en Max die boven het kleine ravijn zweefden, hun lachende ogen op mij gericht. We dagen je uit, Mariella. Die nonchalante tred van hem, vol zelfvertrouwen, de kracht waarmee hij me naar het verwoeste fort had gesleurd en me tegen de muur had geduwd.

21

Derbyshire, 1844

Ongeveer een week nadat Max had verteld dat hij bij het leger zou gaan, nam Rosa me mee op een lange wandeling. We liepen over de winderige heuvelrug boven de vallei, daalden een stukje af, staken via een klein stenen bruggetje een veenriviertje over, gingen aan de andere kant weer omhoog en wandelden verder om de vallei heen tot aan de heuvel tegenover Stukeley Hall, waarvandaan we het huis konden bewonderen in al zijn complexe glorie, omringd door tuinen, wandelpaden en vegetatie. Het was bewolkt en het dreigde te gaan regenen, maar Rosa vond dat het hoog tijd was dat ik meer zou zien van het landgoed van haar stiefvader. 'Als we nog iets verder lopen komen we bij de loodsmelterij en die wil ik je graag laten zien.' Aan haar pijnlijke greep om mijn pols merkte ik dat ze snode plannen had.

Al van een afstand hoorde ik het gedreun van de smelterij, een bakstenen schuur met een schuin dak. Boven ons, op de top van de heuvel, stond een hoge, ronde schoorsteen waaruit rook opsteeg van de ovens onder de grond.

'Ben je ooit in de smelterij geweest, Rosa?'

'Ik wilde wel, maar het mocht niet van mijn stiefvader. Uiteraard.'

'Waarom niet? Je zou denken dat hij trots is omdat het zijn fabriek is.'

'Hij zei dat ik ervan zou schrikken. Hij heeft moeder er ooit mee naartoe genomen en daarna was ze een week ziek als gevolg van de hitte. Het was te verwachten dat zij er ziek van zou worden, maar ik zou er wel tegen kunnen, ook al is het een helse plek. Ik had gehoopt dat Max er iets aan zou doen. Ik had bedacht dat hij op een dag het lood zou beheren en Horatio het textiel, maar Max wil er niets mee te maken hebben.'

'Is dat de reden dat je zo boos op hem was toen we het prieel bouwden?'

'Natuurlijk. Als hij in het leger zit, zie ik hem nooit meer. En stel dat hij sneuvelt. Maar Max zegt dat Sir Matthew zijn bezit nooit zal splitsen, en als hij dat zou doen, zou hij zijn dierbare bedrijf nooit aan Max toevertrouwen.'

'Dan kun je Max niets verwijten.'

'Jawel. Hij moet proberen de dingen te veranderen. Anders doet niemand het.'

Ik keek door mijn oogharen naar de smalle vensters. 'Nou, ik begrijp heel goed dat hij hier niet wil werken.'

'Ik wil even binnen kijken.'

'Al had Sir Matthew me persoonlijk uitgenodigd, dan nog zou ik niet gaan. Ik zou niet durven. Luister eens naar dat kabaal.'

'Dat komt goed uit, want hij nodigt je toch niet uit. Waarom zou hij?' Ze ging op haar hurken zitten, en leunde voorover als een kat die klaar is voor de sprong, en keek een tijdje strak naar de smelterij. 'Waarom gaan we nu niet?'

'Nu? Dat kan niet. O nee, Rosa, het is te laat, het is bijna theetijd.'

'Ja, nu. Kom. Ga mee. Volg me.' En ze sprong overeind, vloog de heuvel af naar het kleine gat in de muur, dat net groot genoeg was voor een mens, maar niet voor een schaap.

'Rosa! Rosa!'

'Schiet op. Ik geloof dat stiefvader er vandaag niet is. Hij zei iets over Sheffield, dus dit is het beste moment.'

Verzet had geen zin; de steile helling trok me naar beneden en de bodem van de vallei kwam snel dichterbij, tot we op gelijke hoogte waren met de hutjes van het dorp. 'Ik blijf hier,' riep ik, maar de gedachte dat ik in een winderig veld moest wachten, omringd door schapen en dorpskinderen die allemaal leken op het kroost van Mrs. Fairbrother, stond me zo tegen dat ik Rosa volgde over het modderpad dat langs een rivier naar de fabriek liep. De lucht was gevuld met metalige rook en de schaarse blaadjes aan de paar bomen die er stonden, waren verdord en beroet. Op het terrein stond een rij wagens te wachten en we liepen langs bergen metaalslakken die tweemaal zo hoog waren als het gebouw. Onder aan een van de bergen stonden een paar kleine kinderen. Met gebogen ruggen pakten ze handenvol modder om te kijken of er iets in zat.

'Rosa. Rosa,' drong ik fluisterend aan, maar ze pakte mijn hand en trok me naar een klein deurtje dat in een veel grotere deur zat. De spanning in haar vingers en de fonkeling in haar ogen betekenden dat ze niet van haar plan af te brengen was: ze moest en zou naar binnen.

Buiten was het geluid al oorverdovend, maar toen ze de deur opendeed was het alsof we het bonkende hart van de hel waren binnengestapt. De hitte, de woeste bewegingen en het doordringende gekletter van metaal grepen mijn lichaam vast en schudden het los van zijn geraamte en spieren tot ik zo slap en slijmerig was als een wurm. Zelfs Rosa stond als aan de grond genageld toen ze de vlammen in de reusachtige oven zag. Menselijke gestalten bewogen tegen een achtergrond van gloeiend metaal, pijpen en stortkokers. Kolen vielen als een zwarte regenbui in het vuur, wat gepaard ging met zoveel kabaal en stank dat ik zeker wist dat het haar op ons hoofd zou verschroeien en onze oogleden zouden wegbranden zodat onze ogen voor altijd open zouden blijven staan. Ik schreeuwde: 'Nee, nee, we moeten gaan,' en trok haar mee naar de deur en het middaglicht van Derbyshire in, waar nu zelfs de bedompte lucht van de vallei zoet rook.

Geen van de kinderen leek ons op te merken toen we voorbijliepen, hoewel Rosa even stilstond alsof ze ze wilde aanspreken. Toen beende ze weg. 'Kom, ik heb je nog niet alles laten zien.' De grond was zompig, de modder was door de wagenwielen losgewoeld en de rivier links van ons, die bij de loodfabriek vandaan liep, was vaalbruin. En toen, na nog een paar meter, zagen we een bekend groepje hutjes.

'Begrijp je het nu?'

'Dat is het huis van de Fairbrothers.'

'En kijk eens naar het water.'

'Dat is heel smerig.'

'Toen stiefvader de loodfabriek bouwde liet hij de mensen in de hutjes blijven. Meestal zijn het de allerarmsten, degenen die niet kunnen werken. De meesten van hen worden ziek, net als de Fairbrothers.'

Ik vreesde dat ze me zou dwingen een bezoek te brengen aan het hutje, maar ze liep voor me uit de heuvel op, kroop door een gat in de muur en wandelde terug naar Stukeley. 'Snap je. Daarmee heeft hij Stukeley kunnen kopen, met die monsterlijke fabriek. Jij kon het nog niet eens één minuut verdragen, maar kinderen die nog niet half zo oud zijn als wij, zitten daar twaalf uur per dag in de slakken te wroeten. Ik haat hem. Ik haat die man.'

We liepen zwijgend verder, omdat ik geen idee had hoe ik haar moest troosten, maar vooral omdat ik vond dat ze dit verdriet over zichzelf had afgeroepen door naar de smelterij te gaan. Eerst pakte ik haar rok, toen probeerde ik mijn arm door de hare te steken, maar ze schudde hem van zich af. Toen we de top van de heuvel hadden bereikt, waren we buiten adem en daalde er motregen op onze vieze gezichten neer. Ik veegde haar gezicht schoon met mijn duimen en eindelijk gaf ze zich gewonnen. Ze omhelsde me stevig en kuste me. 'De dingen die jij doet, doen niemand kwaad. Maar ik wilde dat je het begreep. Ik had gehoopt dat Max de smelterij zou overnemen en beter zou beheren, maar dat doet hij niet. Je hebt Petey Fairbrother gezien. Hij zal snel sterven; allemaal vanwege mij.'

'Vanwege jou?'

'Jazeker. Ik woon toch op Stukeley? En het geld waarmee dat afschuwelijke huis met die belachelijke tuinen is betaald, is verdiend met andermans ellende. Sir Matthew zegt dat er geen bewijs is dat de kinderen ziek worden van het lood, hij zegt dat sommige kinderen gewoon zwak zijn van geboorte. Hij zou ze weg kunnen halen uit die hutjes waar het water en de lucht zo sterk vervuild zijn; of hij zou de loodfabriek kunnen renoveren – volgens Max zijn er nieuwe manieren om de pijpen aan te leggen; of hij zou het water uit de tuinen van Stukeley kunnen omleiden zodat ze een schone watervoorraad hebben. Hij zou van alles kunnen doen, maar zonder bewijzen onderneemt hij niets.

Hij haat mij zelfs omdat ik een keer heb geprobeerd er met hem over te praten. Hij wilde niet luisteren en uiteindelijk begon ik te schreeuwen en noemde ik hem een moordenaar en daar is het bij gebleven. Dus nu weet je het. Hoe kan ik zo leven? Wat kan ik doen?'

Ik stond naast haar, met gebogen hoofd, niet in staat vast te stellen of wat ze me vertelde waar was. Eigenlijk was ik er tamelijk zeker van dat die vriendelijke man die mij Latijn leerde niet met opzet deze wantoestanden kon hebben veroorzaakt.

Rosa aaide over mijn hoofd. 'Het spijt me, Mariella. Wees niet boos op me. Het was verkeerd van me om je hiernaartoe te brengen en je zo te laten schrikken. Maar je hoeft niet bang te zijn. Jou valt niets te verwijten.'

'Jou ook niet, Rosa.'

'Mij wél. Mij valt wel iets te verwijten omdat ik ervan weet en aan zijn tafel eet en onder zijn dak slaap. En toch doe ik niets. Niets.' Ze balde haar handen een paar keer tot een vuist en haar ogen vonkten van woede.

'Wat zou je kunnen doen?'

'Ik weet het niet. Slim zijn. Meer weten. Weglopen.'

'Waarheen?'

'Plotseling lachte ze. 'Naar jou, natuurlijk. Nu heb ik jou. Op een dag vlucht ik naar jou.'

22

De Krim, 1855

DE VOLGENDE MORGEN WAS IEDEREEN IN HET KAMP AL VROEG OP
om de loopgraven op te zoeken – officieren, soldaten, hospik-
ken, ziekenbroeders, sommige nog in het vieze uniform van gisteren, met bloeddoorlopen ogen, slordig haar, andere met bebloede verbanden om. Regimentsartsen, soldatenvrouwen en
kampvolgers stonden achter de geallieerde verdediging te wachten. Ik voegde me bij de andere vrouwen, die manden droegen
met water en brood.

Een heel klein vrouwtje met fonkelende ogen schuifelde naderbij. 'U heeft toch iets te maken met Rosa Barr?'

Mijn bloed begon sneller te stromen. 'Ja, ik ben haar nicht.'

'Dat dacht ik al. Iedereen zegt dat u op haar lijkt.'

'Kent u haar dan goed?'

'O, ja. Ze was een goede vrouw. Deelde alles met iedereen.'

'Was. Waarom zegt u "was"?'

'Nou, ze is toch verdwenen. Ze ging ervandoor met haar
krankzinnige dokter en is niet meer teruggekomen. Dat wist u
toch. We dachten allemaal dat u daarom hier was.'

'Heeft u ze samen gezien?'

'Natuurlijk. Hij kwam steeds weer naar het kamp om haar te
zien. En uiteindelijk is ze met hem meegegaan.'

'Wat denkt u dat er met haar is gebeurd?'

'Ik weet het niet.' Ze stond op haar tenen om in mijn oor te
kunnen fluisteren. 'Maar hoe komt het dat hij helemaal verwil-

derd en stom terugkeerde, terwijl niemand haar ooit nog heeft gezien?'

Ik lachte; bijna vertelde ik haar dat Henry mijn verloofde was en dat ik wist dat hij geen vlieg kwaad deed, maar de woorden stierven op mijn lippen.

Omdat er nog steeds geen sprake was van een staakt-het-vuren, hadden honderden mannen de hele nacht voor de Russische bastions in het open veld gelegen en nu klom de brandende zon weer omhoog in de hemel. De vrouwen zeiden dat een paar mannen gisteren hadden geprobeerd hun gewonde kameraden naar het kamp te slepen, maar dat ze terug waren gedreven door een regen van kogels. De stemming was grimmig, de soldaten scholden op de Russen omdat deze geen staakt-het-vuren wilden. Het probleem was dat de Russische gewonden binnen hun eigen bastion waren gevallen en dat alleen de Fransen en Engelsen in de zon lagen. Daarom hadden de Russen geen haast.

We kwamen op de top van de heuvel waar ik met lady Mendlesham-Connors naar Sebastopol had staan kijken. Hier had zich een groep verzameld omdat vanaf deze plaats de stad goed zichtbaar was en je hier toch relatief veilig was voor verdwaalde kanonskogels. Lord Raglan stond bij de hogere officieren, die over de Russische bastions uitkeken. Hun gepoetste knopen en gespen blonken in de zon en Raglan zelf was te herkennen aan het feit dat er maar één hand op zijn rug lag en hij omringd werd door een groepje assistenten met papieren en veldkijkers. Hun paarden stonden iets lager op de heuvel in de schaduw van een stenen verschansing. Iets verderop, apart van de anderen, zat lady Mendlesham-Connors op haar paard.

Ik probeerde mijn gezicht te verbergen onder de rand van mijn zonnehoedje, maar het was te laat; ze had me gezien. Lady Mendlesham draaide haar paard en draafde naar me toe. Ze riep zo hard mijn naam dat de anderen omkeken en de soldatenvrouwen ruimte maakten. Ik was enigszins verrast en ontroerd dat ze blij leek te zijn me te zien. 'Mijn beste miss Lingwood. Wat afschuwelijk. Het is een ramp. Mijn man is razend. Hij zegt niets meer tegen me. Raglan lijkt de kluts volledig kwijt te zijn – ze krijgen geen enkel zinvol bevel meer uit hem. Ik kan de gedachte dat onze mannen daar op het veld liggen niet verdragen. Kijk, kijk.'

Ze draaide zich, richtte haar veldkijker op de bastions en gaf hem aan mij.

Zonder de kijker had ik alleen maar de doolhof van loopgraven gezien op de vlakte voor Sebastopol en de grote Russische forten die onder de strakblauwe hemel lagen te roken. Voor de forten lagen overal rode, blauwe en witte stippen die deden denken aan confetti. Toen ik de lenzen scherp had gedraaid, drong tot me door dat deze vlekjes soldaten waren. Sommige lagen op een hoopje, andere ver uit elkaar, blauwe Franse uniformen onder de Malakov, rode Britse jassen onder de Redan. Tussen de gevallen mannen lagen wapens, vlaggen, ladders, wolzakken – de brokstukken van de oorlog. Boven hen cirkelden aasgieren rond, die af en toe een duik maakten.

Lady Mendlesham zei met trillende stem: 'Ze zullen sterven van de dorst. Dat heb ik vaker zien gebeuren. Hun wonden gaan zweren. We kunnen ze nog redden als ze ons de kans maar zouden geven.'

'Het zijn er zoveel,' zei ik.

'Wat dacht u dan? Ze stormen met honderden tegelijk naar voren. In dit geval werd het een bloedbad. Geen man-tegen-man gevecht, alleen maar kogels. Ik heb mijn man gezegd dat dit zo niet kan, maar hij weigert met me te praten, zoals ik al zei. Ze weten zich geen raad met Raglan, want hij wil maar geen beslissing nemen over wat er nu moet gebeuren.'

'Wat zou hij kunnen doen?'

'Op zijn paard klimmen. Ernaartoe rijden. Met de Russen praten. Trots en alcohol houden hem tegen. En waarschijnlijk ook angst. Trots is wat heeft geleid tot zijn idiote bevelen. Ik vraag me af... Ach, ik heb er genoeg van, ik ga naar huis. Ik heb het gevoel dat ik hier niets meer kan betekenen. Waarom gaat u niet met me mee? We zouden een scheepshut kunnen delen, als dat nodig is. Wat vindt u ervan?'

'Mijn dienstmeid is ziek. Mijn nicht...' Ik richtte de kijker weer op de gekleurde vlekjes op het slagveld. Waar was Newman?

'Nou ja, mijn aanbod blijft staan. U kunt hier niets doen, u loopt alleen maar in de weg.' Ze pakte de kijker terug en gaf haar paard de zweep. 'Trouwens, die pony die ik u had geleend, is uit zichzelf naar huis gelopen. U had me wel even kunnen vertellen dat u veilig thuis was gekomen. Ik maakte me zorgen.' Ze wees naar de paarden en daar stond onmiskenbaar de gehavende Schicht, zwaaiend met zijn staart en met zijn hoofd zachtjes tegen de flank van zijn veel grotere buurman duwend, schijnbaar met geen enkel ander doel dan hem te treiteren.

De zon brandde en af en toe voelde ik een hete windvlaag. De hemel gloeide en de zee lag als een glinsterende strook goud achter de Russische bastions. Niemand bewoog. De tijd kroop voorbij. Waarschijnlijk stierven de gewonden terwijl we stonden te kijken. Af en toe probeerde een soldaat het veld op te rennen om een kameraad te halen, maar ze werden meteen tegengehouden door anderen. Zo nu en dan klonk een knal aan de ene kant van de vlakte en landde er een granaat tussen de doden en gewonden. Soms vroeg ik me af waar ik nog op wachtte: ik moest teruggaan om te zien of Max nog leefde; ik moest terug naar Nora. Maar ik kon het niet. Ik bleef op mijn plaats, en keek toe terwijl de schaduwen eerst korter en na twaalf uur weer langer werden, en de vogels hun afschuwelijke duikvluchten maakten om zich tegoed te doen aan opengereten vlees.

Halverwege de middag deden geruchten de ronde onder de soldaten, en degenen met een veldkijker wezen naar de haven waar, zo werd gezegd, Britse en Russische boten bijeen waren gekomen om de voorwaarden van het tijdelijke bestand te bespreken. Een paar minuten later klonk er opgelucht gekreun toen boven de Redan en de Malakov witte vlaggen verschenen die langzaam over de vlakte werden gedragen. Als een grote golf kwamen honderden mannen uit de loopgraven tevoorschijn, Fransen van de ene kant, Britten van de andere kant, die voorwaarts renden met brancards en schoppen.

Bevangen door de hitte struikelde ik achter de brancarddragers aan en ondertussen zag ik rechts van mij een zwerm vliegen boven een lijk zoemen. De geur van rottend vlees was eerst nog vaag, maar werd geleidelijk ranzig, misselijkmakend, overweldigend. De mannen gingen klinisch te werk; ze spoedden zich van het ene lichaam naar het andere en de zeldzame momenten dat ze een sprankje leven zagen, klonk een kreet en renden dokters en brancarddragers erop af. Ik liep verder en verder, langs de Russische soldaten met de witte vlag, door een ondiepe loopgraaf vol lichamen, rechtstreeks naar de verhakking die bescherming bood tegen vuur vanaf de Redan. Er stonden een paar Russische officieren, die er in hun uniform heel lang en goed verzorgd uitzagen. Ze stonden sigaren te roken en te roddelen en toen een van hen mijn blik opving, gaf hij me een lome knipoog. Zijn uitdrukking veranderde, hij stootte zijn kameraad aan en wees naar mij. Ik bloosde en verstijfde terwijl twee paar brutale Russische ogen over mijn mond, hals, borst, middel en voeten gleden. In die paar seconden was ik zo dicht bij de vijand dat ik hun overjassen had kunnen aanraken. De tweede officier knikte, trok een lichte grimas waarbij hij zijn lippen naar beneden trok en zei iets over zijn schouder tegen weer een andere man.

Ik rende naar de Engelse lichamen die langs de barricade lagen, waar een regen van kogels op hen neer moet zijn gedaald. Ik herkende Newman aan zijn verbonden hand. Hij lag op de verhakking, armen gespreid, rug gekromd alsof hij een iets te ambitieus gymnastisch kunstje had willen proberen. Hij lag met zijn rug naar me toe en zijn uniform zat vreemd genoeg heel strak, alsof hij sinds onze laatste ontmoeting een paar centimeter dikker was geworden. Toen ik op mijn tenen om zijn lichaam heen liep, zag ik dat zijn gezicht was weggeblazen en zijn hersenen uit elkaar waren gespat en als een donkere, van vliegen vergeven smurrie op de in elkaar verstrengelde takken lagen. Alleen zijn kaak en oor waren over. De naden van zijn op een na beste jasje stonden op knappen doordat zijn lichaam in de hitte was opgezwollen en zijn niet-verbonden hand was zwart. Toch was het onmiskenbaar Newman: ik herkende zijn blonde kuif, de vorm van zijn jongensachtige, grote oor, de gewonde hand.

Ik ging op een schoon stukje gras zitten en wachtte tot de ziekenbroeders zouden komen met hun brancard. De mousseline van mijn bonnet wapperde in de hete wind en ik bedekte mijn neus en mond in een poging de stank af te weren. Maar ik dwong mezelf naar het hangende lichaam van Newman te kijken.

Ik was relatief dicht bij de Russische bastions en ik hoorde alleen de lage stemmen van de vijandelijke officieren, het geruzie en gekrijs van de gieren, de kille bevelen van Engelse dokters en af en toe een binnensmondse vloek of een gebed.

Op de weg terug naar de loopgraven van de geallieerden, kwam ik langs een groep van ongeveer honderd mannen die een kuil groeven waarin de lichamen van de gewonde soldaten zouden worden gegooid. Voor mij droegen vier mannen het lichaam van Newman naar de begraafplaats naast het kamp. Maar ik wachtte niet tot hij in de aarde werd gelegd; ik had geen tijd. Toen ik bij de barak van Max kwam, stopte ik de inhoud van Rosa's koffer in mijn stoffen tas en vertrok naar het Algemeen Ziekenhuis omdat ik wilde weten of Max dan ten minste nog leefde.

Deel vijf

I

Toen ik laat op de avond aankwam bij het Algemeen Ziekenhuis, merkte ik dat de crisissfeer plaats had gemaakt voor vermoeide rust, hoewel er nog steeds een rij zwaargewonden op een operatie lag te wachten. Ik durfde de naam van Max nauwelijks te noemen uit angst dat ik te horen zou krijgen dat hij dood was, maar uiteindelijk sprak ik met een ziekenbroeder die me de barak aanwees waar hij lag. Hij was nog niet bij bewustzijn. Lange tijd staarde ik naar zijn gezicht omdat ik niet wilde zien wat ze met de rest van zijn lichaam hadden gedaan. Ondanks zijn asgrauwe huidskleur was het een mooi gezicht, waarin niets was te herkennen van de dunne lijnen en de weke kin van zijn vader, hoewel hij wel de hoge neusbrug en de ingevallen wangen van de Stukeleys had geërfd. Het dikke, golvende haar en de donkere wenkbrauwen had hij van zijn moeder.

Uiteindelijk verzamelde ik de moed om mijn blik langs het bed omlaag te laten glijden. Twee voeten. Ja, geen twijfel mogelijk, twee voeten aan het einde van twee benen, waarvan er een in dik verband zat.

Trillend van opluchting fluisterde ik in zijn oor voor het geval hij me kon horen. Eerst vertelde ik hem dat ik in het kamp was geweest om Rosa's bezittingen in veiligheid te brengen en bij gebrek aan vrolijk nieuws, voegde ik eraan toe dat zijn stiefmoeder ging trouwen met een mottenverzamelaar die twee keer zo klein was als zij. Toen ik de vliegen op zijn neusvleugels en oogleden wegwuifde, reageerde hij niet, en ze daalden onmiddellijk weer neer. Ik legde mijn hand in de zijne, maar de vingers bewogen niet.

Dit was de eerste keer dat ik weer in een ziekenzaal kwam sinds mijn bezoek aan het Kazernehospitaal in Skutari. In mijn hoofd maakte ik aantekeningen voor mijn volgende brief aan Henry: voldoende ziekenbroeders en artsen; de geur van carbolzeep; patiënten onder schone lakens met ziekenhuishemden aan; ruime voorraad medicijnen en bandages... Ik was niet van plan melding te maken van de grijze rat die onder een van de bedden zat, de vliegen die zich volzogen op een bloederige doek die op het voorhoofd van een van de patiënten lag. Ook zou ik niet schrijven over de wagon waarin vier lijken werden geladen en het gesnik van een officier die een arm en een oog was kwijtgeraakt in een hagel van kartetsschroot.

Een gewichtige dokter kwam binnen, liet zijn blik over de zaal glijden en kwam naderbij. Toen hij zich over mijn hand boog, bedacht ik dat hij wel een halfuur nodig moest hebben gehad om zijn snor in model te brengen en ik vroeg me af waarom zo'n verheven persoon aandacht aan mij zou besteden. Hij vertelde me dat ze tegen beter weten in het been van kapitein Stukeley hadden behouden, omdat hij dat per se wilde, hoewel het, als hij het al zou overleven, maanden zou duren voordat hij weer kon lopen – áls het al zover zou komen. En in die periode zou hij waarschijnlijk sterven aan een infectie, zoals ze hem hadden verteld. Het was heel mooi om te proberen een gebroken bot te repareren, maar de kans op overleven was veel groter bij een goede, schone amputatie, als de stomp vochtig werd gehouden met champagne tot de wond was geheeld. De reden dat hij mij zoveel respect betoonde, was dat hij op de een of andere manier wist dat ik bij dokter Henry Thewell hoorde, over wie hij misschien iets te lovend sprak: briljante chirurg... hoogste overlevingspercentage... zeer toegewijd... jammer dat hij ziek is geworden.

'Overigens interesseert het u misschien, miss Lingwood, dat ik een stapel boeken heb die dokter Thewell hier heeft achtergelaten. Ik zal ze voor u opzoeken.' Toen wierp hij een deskundige blik op het verbonden been van Max en schoot weg om ergens anders belangrijk te zijn, voordat ik lastige vragen kon stellen.

Ik bleef nog even bij het bed zitten, bedwelmd door de warme lucht, het gezoem van de vliegen en al die gehavende lichamen in een besloten ruimte. Wanneer er schoten klonken boven Sebastopol verkrampten de mannen onder hun lakens. In de barak waarde de geest rond van de zieken die er in de koude winter hadden gelegen, en van Henry en Rosa, die hier op verschillende momenten hadden gewerkt. Ik zag voor me hoe ze achter elkaar aan van bed naar bed renden, hij in zijn bevlekte lange jas, zij gracieus en soepel ondanks haar zware jurk, verenigd in hun wanhopige overtuiging dat als ze maar genoeg wilskracht toonden en als de omstandigheden het toelieten, alles ten goede zou keren.

Max maakte geen enkele beweging, maar toen ik mijn hand een centimeter van zijn lippen hield, voelde ik een nauwelijks waarneembare warmte die me vertelde dat hij leefde. Nora's rozenkrans lag half onder zijn kussen en voordat ik vertrok wond ik hem weer om zijn vingers.

Narni,
20 juni 1855

Liefste Mariella,
Waarschijnlijk ben jij net zo verrast om een brief te krijgen van
mij, de zieke man uit Narni, als ik ben dat ik jou, Mariella
Lingwood, in Balaklava schrijf. Ik sta versteld van je brieven.
Daar zit je dan, in de haven van Balaklava, een plaats die dag
en nacht in mijn gedachten is. Hoewel ik ze allebei vele keren
heb herlezen, vind ik Mariella's gebruikelijke gereserveerdheid
verwarrend. Ze schrijft over de Krim alsof ze het over de meent
van Clapham heeft. Mijn lieve kind, ik kan me jou daar gewoon
niet voorstellen. Als ik aan je denk in je prachtige jurken, netjes,
onberispelijk, timide, kan ik me niet voorstellen dat je in
Balaklava zit, waar alles het tegenovergestelde is van jou. Hoe
ben je daar terechtgekomen? Ik herinner me dat je hier was,
hoewel ik soms zo ijlde dat ik droom en werkelijkheid nauwelijks
van elkaar kon onderscheiden, maar Lyall vertelde me dat jij het
inderdaad was, mijn kleine Mariella, met je dienstmeid, dat we
hebben gepicknickt bij de ruïnes en dat je toen als een haas naar
het front bent gegaan om op zoek te gaan naar je nicht Rosa.
Toch zou ik het niet hebben geloofd als ik die brieven met het
poststempel van Balaklava niet had gekregen.
Zoals ik al zei ben ik heel ziek geweest, maar nu voel ik me zo

*goed, dat ik me afvraag wat ik hier nog doe, waarom ik nog zit
te luieren in de warmte van Italië terwijl ik op de Krim zou
moeten zijn, of thuis, waar ik misschien iets nuttigs kan doen in
een ziekenhuis. Lyall is nog steeds hier en heeft goede hoop dat
ik over niet al te lange tijd volledig hersteld zal zijn, hoewel hij
het onwaarschijnlijk acht dat ik jou achterna kan reizen naar
Balaklava. Hij verzekerde me dat er op dit moment weinig mis
is met mijn borst. Er is alleen sprake van algehele spierzwakte,
vooral in mijn buik, maar ik weet zeker dat dat in de loop van
de tijd beter zal worden. Ik denk met enige ongerustheid terug
aan je bezoek aan Narni. Je vader heeft me geschreven en was
zeer geërgerd over je plotselinge beslissing om naar Rusland te
gaan. Hij geeft mij de schuld. Lieve Mariella, vergeef me als ik
iets heb gezegd wat je van streek heeft gemaakt. Lyall vertelde
me dat ik in mijn delirium soms als een krankzinnige tekeerga.
Toen ik je handschrift zag, werd ik overspoeld met
herinneringen. De levendigste herinnering? Het torenkamertje in
De Iepen: jouw grijze ogen vol vertrouwen en genegenheid en
hoop. En nu kwelt die herinnering me. Ik had je in mijn armen
moeten nemen en je moeten opeisen, maar je was mijn Mariella,
mijn onschuldige zuster-nicht en ik had het gevoel dat ik je zou
verbrijzelen als ik je zou aanraken. Maar nu heb ik spijt van
dat moment, zoals ik van zoveel momenten spijt heb. Wat zou
het heerlijk zijn om de Engelse wind te voelen en regen te zien
vallen op een Engels gazon. Ik zou alles wat ik bezit willen
opgeven om je koele, Engelse wang te kunnen strelen en je
genadige hand in de mijne te houden.
Overigens vraag ik me af of je miss Rosa Barr al hebt gevonden.
Toen ik haar zag, woonde ze in een van de kampen, geloof ik,
bij de mannen. Als je bij haar bent, groet haar dan van mij. En
ook de dokters in het Algemeen Ziekenhuis, als je daarheen
gaat, vooral Radley en Holloway.
De hitte hier is een beproeving. In mijn kamer ontbreekt het aan
frisse lucht en ik ben nog niet sterk genoeg voor een stevige
wandeling. Een ritje met de koets is een te grote aanslag op mijn
arme botten. Ik zit vaak voor het raam en ken de gewoonten van
iedereen in de straat. 's Middags zetten ze hun krakkemikkige
stoeltjes buiten en gaan ze in de schaduw zitten. Ze kijken naar*

mij en ik kijk naar hen. Ik vind het moeilijk om me de Krim
met zonlicht voor te stellen. Ik hoop dat de gewonden fatsoenlijke
ziekenhuiskleding aanhebben. In januari lagen de mannen in de
lekkende kegelvormige tenten van het ziekenhuis onder hun
smerige uniformen, omdat we ze niets anders te bieden hadden.
Rosa vertelde me dat er flanellen nachthemden en vesten in de
opslagruimten lagen, die niet werden uitgedeeld omdat wij dokters
niet wisten dat ze er waren en dus geen aanvraag hadden
ingediend. Had ik het maar eerder geweten.
Lyall is vastbesloten hier bij mij te blijven, hoewel ik helemaal
geen dokter meer nodig heb. Hij zegt dat al die resten uit de
oudheid in de omgeving mijn saaie gezelschap ruimschoots
compenseren.
Hij zegt dat hij in Narni nog geen vijf stappen kan zetten
zonder dat hij over een Romeinse traptrede struikelt of zijn oog
op een Romeinse boog valt.
Maar wat ik eigenlijk het liefste wil is terugkeren naar de Krim.
Ik vind de gedachte dat iedereen daar is zonder mij
onverdraaglijk. Ik voel me zo machteloos. En misschien is je
nicht Rosa nog steeds spoorloos. Heb je al nieuws over haar,
lieveling?
Mariella, ik weet niet goed hoe ik deze brief moet afsluiten.
God zegene je,
Henry Thewell

3

De Krim, 1855

TOEN NORA ME TWEE DAGEN LATER TERUGSTUURDE NAAR HET AL-gemeen Ziekenhuis, was de toestand van Max niet verbeterd, terwijl de patiënt in het bed naast hem, die bij dezelfde aanval was neergeschoten, rechtop zat, met het overgebleven deel van zijn arm in een bloederig verband, ondersteund door een stomp-kussen, en grappen zat te maken dat hij het voorbeeld zou vol-gen van de beroemdste geamputeerde van allemaal, lord Rag-lan, die bij Waterloo zijn rechterarm had verloren, maar in de volgende oorlog toch het bevel voerde over een leger. Als ik me er niet mee had bemoeid, was Max inmiddels misschien ook bijna beter. Maar nu was de infectie in zijn verbrijzelde been hem waarschijnlijk centimeter voor centimeter aan het vergifti-gen.

Ik boog voorover en siste in zijn oor: 'Word beter. Nu. Als-jeblieft, Max. Ga niet dood...' en toen week ik geschrokken te-rug, want zijn ogen gingen open.

'Ik hoopte dat je naar huis was gegaan,' zei hij. 'Hoe is het met Nora?'

'Nora wordt iedere dag een beetje beter.'

'Goed om te horen.' Hij dommelde weer in terwijl ik op een afstandje bleef staan en er in mij een klein bloempje van vreug-de opbloeide, omdat hij beter was. Na een paar minuten werd hij weer wakker. 'Nog steeds hier.'

'Zoals je ziet.'

'Ik geloof dat ik het aan jou te danken heb dat ik nog twee benen heb. Jou en je dokter Thewell.'

'Ik heb alleen maar gezegd...'

'Vreemde toestand. Ik probeer je weg te jagen, maar je komt steeds terug. Je bent verdomd koppig. Nou, laat me je fatsoenlijk bedanken, miss Lingwood.' Ik gaf hem mijn hand, maar in plaats van die te schudden, drukte hij een kus op de binnenkant van de pols, dicht bij de handpalm. Zijn zwarte, van morfine doordrenkte ogen bleven mij aankijken en ik voelde mijn hartslag onder zijn lippen.

'Je moet beter worden,' zei ik. 'De dokter heeft me verzekerd dat amputatie de enige manier was om je te redden. Als je niet beter wordt, is het mijn schuld.'

'Goed dan. Dat mag ik niet laten gebeuren. Ik zal blijven leven.' Hij leek weg te dommelen, maar toen ik mijn hand wegtrok, zei hij: 'En Rosa is er ook nog.'

Nora's koorts keerde terug. Er heerste een nieuwe choleragolf in het kampement en de verpleegsters hadden het te druk om voor haar te zorgen. Toen ik eindelijk weer in de gelegenheid was om Max te bezoeken, lag er een luitenant in zijn bed met een verband om zijn schouder.

Hoewel de arme man sliep, schudde ik aan zijn hand en siste: 'Wat doet u hier? Waar is kapitein Stukeley?'

Hij kon niet spreken. In paniek rende ik door de zaal tot ik een ziekenbroeder vond. 'Wat is er met kapitein Stukeley gebeurd?'

'Kapitein Stukeley?'

Hij was zo dom en traag dat ik niet de tijd nam om mijn vraag te herhalen en verder rende. Tussen de barakken liep een verpleegster met een peper-en-zoutkleurige jurk. 'Kapitein Stukeley, alstublieft, weet u wat er met hem is gebeurd?'

Ze schudde het hoofd en liep door. Ik rende van de ene barak naar de andere en vond uiteindelijk de dokter met zijn elegante baardje die ik bij mijn eerste bezoek had gezien. 'Alstublieft, dokter, wat is er met kapitein Stukeley gebeurd? Is hij...?'

'Enigszins hersteld. In die mate dat we hem naar Skutari hebben gestuurd, en ik hoop dat hij daarvandaan naar ons nieuwe hospitaal in Renkioi kan en dan naar huis. Hij wilde niet vertrekken, maakte flinke stampij, maar met dat been is hij veel beter af als hij hier weg is. Minder kans op infecties. En in de oorlog hebben ze toch niets meer aan hem. Overigens heb ik de boeken van dokter Thewell voor u, als u ze wilt hebben.'

Hij vervolgde gewichtig zijn weg langs de barakken en ik liep heen en weer in een poging een beetje tot mezelf te komen. Had Max gedacht dat ik hem niet nog een keer had bezocht omdat het me niet kon schelen of hij zou blijven leven? Hij had geen boodschap achtergelaten, zelfs niet voor Nora. Echt iets voor hem om zo ondankbaar en tegendraads te zijn.

Een paar minuten later keerde de dokter terug met een groot, zwaar pakket, losjes verpakt in bruin papier dat was vastgebonden met touw. 'Er zitten een paar belangrijke geneeskundige boeken bij,' zei hij. 'Ik weet zeker dat dokter Thewell ze mist.'

Het was die middag snikheet en het pakket was lastig te dragen, maar ik haalde de haven van Balaklava, waar ik bij het water op een kist ging zitten. Op een klein omheind veldje stond een groepje pony's, en een Armeense straathandelaar was bezig een stapel manden van een wagen te laden die bestemd waren voor de loopgraven. Na een paar minuten, terwijl een van de schepen langzaam wegvoer van de drukke aanlegsteiger, realiseerde ik me dat ik een flinke groep toeschouwers had aangetrokken, dus ik stond op en liep naar het Castle-Hospitaal. Het pakket boeken bleef achter op de kist waar ik het had neergelegd en ik hield me doof voor de stemmen die me in verschillende talen nariepen.

4

LORD RAGLAN STIERF, VOLGENS SOMMIGEN VAN WROEGING VANwege zijn rol in de rampzalige aanval op de Redan, volgens anderen aan cholera, maar Nora zei dat hij daarvoor te lang in leven was gebleven. Zijn doodskist werd vervoerd op een negenponder, begeleid door de erewacht van grenadiers, die hem van het Britse hoofdkwartier naar de Baai van Kazachya bij de door de Fransen bezette haven van Kamiesh zouden brengen, waarvandaan hij met een stoomschip naar Engeland zou worden gebracht.

Dus lord Raglan ging in ieder geval naar huis. Nora was nu voldoende hersteld om rechtop te zitten en het rolpaard aan zijn reis te zien beginnen langs een eindeloze rij soldaten, vijftig mannen en drie officieren van ieder regiment, en achter hen een grote menigte zwijgende Britse en geallieerde soldaten. 'Zo'n goede organisatie zullen we hier voorlopig niet meer zien,' zei ze. 'De mannen hebben reden tot huilen. Volgens de verpleegsters in het ziekenhuis is Raglan het beste wat het Britse leger te bieden had. God sta ons bij.'

We wachtten allemaal op een nieuwe grote gebeurtenis, maar er gebeurde niets. De geallieerde generaals leken hun wonden te likken na de infame nederlaag op 18 juni, en ondanks de belegering waren de Russen fel als altijd: hun bastions waren vrijwel ondoordringbaar en de Russische geest was ongebroken, zoals ook was te zien aan de vrolijke, goed verzorgde officieren die langs de barricaden hadden geparadeerd terwijl wij onze gewonden ophaalden. Van Raglans plaatsvervanger, generaal-majoor Simpson, was algemeen bekend dat hij had gesmeekt deze promotie aan hem voorbij te laten gaan; het gerucht ging dat degenen in de regering die tegen zijn benoeming waren, hem als volslagen krankzinnig beschouwden en dat hij en de Franse commandant, Pelissier, geen enkel respect voor elkaar hadden. We zaten in een impasse.

Twee weken later had Nora momenten waarop ze sterk genoeg was om licht verpleegsterswerk te doen, zoals de zwakste invaliden rundvleesbouillon of sagopudding voeren en kompressen op hun huid leggen. Weer een week later kon ze wonden schoonmaken en verbinden. Omdat haar herstel betekende dat ik nu zelfs mijn zwakste excuus kwijt was om in het ziekenhuis te blijven, verwachtte ik iedere dag te worden weggestuurd, maar in plaats daarvan gaf Mrs. Shaw Stewart me de sleutels van de linnenvoorraad en gaf ze mij het beheer over de bergen lakens, kussenslopen, handdoeken, bandages, schorten en nachthemden die dagelijks nodig waren in het ziekenhuis. Bovendien moest ik naailessen geven aan de soldatenvrouwen die na hun terugkeer in Engeland in hun eigen levensonderhoud wilden voorzien. We begonnen heel eenvoudig met knoopsgaten en als beloning voor hun ijver gingen we een stapje verder naar de madeliefsteek, zodat mijn leerlingen na een paar dagen zwarte en witte bloemen op de versleten zomen van hun onderrokken hadden.

Ondertussen maalde het inmiddels vertrouwde mantra maar rond in mijn hoofd. Vind Rosa. Vind Rosa. Iedere keer kwam ik uit op hetzelfde dode punt: Henry die op de deur van haar barak bonsde en de Inkerman-grot waar hij in zijn eentje van terugkeerde. Kon ik er zelf maar naartoe om te kijken, maar het was nu lastiger dan ooit om het ziekenhuis te verlaten, en door de dood van Newman en de verbanning van Max had ik geen begeleider.

In mijn machteloosheid las ik de lijst door die Nora en ik hadden gemaakt op onze eerste ochtend in Balaklava: *Nummer drie. De soldaten opzoeken.* Dit bleek eigenlijk veel gemakkelijker dan ik me had voorgesteld. We hoefden niet zelf de soldaten op te zoeken, ze kwamen met tientallen tegelijk naar ons toe, naar het ziekenhuis gedreven door zonnesteken of verwondingen als gevolg van de Russische beschietingen, dysenterie, tyfus of cholera. We spraken met iedereen over Rosa – met mijn leerlingen, ziekenbroeders, handelaren, marskramers, patiënten, bezoekers. Steeds hetzelfde verhaal: 'Was zij niet degene die naar de grot ging en nooit is teruggekomen?'

Op een late middag verscheen Mrs. Whitehead in de deur van de barak met het linnengoed en wenkte me naar buiten te komen. Hoewel ik me inmiddels had aangewend om zo min mogelijk kleren te dragen – met inachtneming van de fatsoensnormen – was ik doorweekt van het zweet en het gezicht van Mrs. Whitehead was donkerrood omdat zij haar dikke jurk met de sjerp moest blijven dragen die haar onderscheidden als een van de verpleegsters van miss Nightingale. We stonden in de schaduw, bedekten ons gezicht met mousselinen sjaals en wapperden energiek met onze handen, want, alsof de ratten ons nog niet genoeg plaagden, het ziekenhuis werd, net als het hele kamp, aangevallen door vliegenzwermen.

Ze zei: 'Ik denk dat u even mee moet komen naar mijn zaal. Ik heb een patiënt die zegt dat hij uw nicht Rosa heeft gezien.'

Toen ik mijn sluier optilde, sloegen een paar vliegen ter grootte van boordenknopen tegen mijn lippen. 'Zei hij ook wanneer?'

'Een week geleden.'

'Zei hij waar?'

'Hij was op patrouille bij de Tsjernaja-linie. Kom mee.'

'Wacht even, dan zoek ik Nora.'

De patiënt, O'Byrne, was een broodmagere Ier wiens voeten een paar centimeter buiten zijn ziekenhuisbed uitstaken. Toen ik fluisterend vroeg aan welke ziekte hij ten prooi was gevallen, haalde Nora haar schouders op en zei: 'Later, Mariella.'

Hoewel er netten voor de ramen van de barak hingen en de deuren tegenover elkaar openstonden om het te laten tochten, was die arme O'Byrne toch het slachtoffer van een georganiseerde aanval van vliegen, die in drommen neerstreken op zijn gezwollen handen en gebarsten lippen. Maar toen hij me zag, glimlachte hij dankbaar, waarbij slechts twee rotte tanden zichtbaar werden. 'Nou, juffrouw, heb ik even geluk dat ik zo'n lieflijke bezoekster krijg als u.'

'Ik vroeg me af of u tegen miss Lingwood en Mrs. McCormack kunt herhalen wat u mij eerder vertelde,' zei Mrs. Whitehead.

'Mrs. McCormack? En uit welk deel van Ierland komt u dan?'

'Sligo.'

'Sligo?' Zijn ogen werden vochtig. 'En welke familieleden bent u kwijtgeraakt?'

'Niemand over wie ik het met u wil hebben,' was haar antwoord. 'Nou, wat heeft u over miss Rosa Barr verteld?'

Maar hij liet zich niet haasten ten overstaan van een geboeid publiek. 'Natuurlijk hadden we allemaal gehoord van het meisje dat bij Inkerman is verdwenen. Was dat uw nicht, juffrouw?' Het puntje van zijn tong kwam naar buiten om zijn lippen te bevochtigen en er landden zes dikke zwarte stippen op zijn mond. 'We hadden een beschrijving van haar gekregen: lang en slank, met goudkleurig haar. En we hadden gehoord dat ze een afspraak had met een geliefde in de een of andere grot en daarna nooit meer is gezien.' Zijn ogen gleden snel over mijn gezicht. 'Goed, het is een warme avond, ik moet opletten of er iets onze kant op komt vliegen vanaf die Russische bastions en ik verveel me stierlijk, dus ik maak een wandelingetje achter de Franse wachtpost bij de Tsjernaja. Het is daar koel en je hebt er uitzicht op de rivier en de ondergaande zon.' Hij zweeg even, sloot zijn ogen en streek met zijn hand over zijn gezicht. Toen staarde hij omhoog naar het plafond, alsof daar plotseling een visioen was verschenen. 'Ver onder me zie ik haar, bij het water. Een meisje met een blauwe jurk. Ze staat daar zomaar, met blote voeten, terwijl het water over de zoom van haar rokken stroomt en haar haar door de wind wordt opgetild. Ze staat daar zo stil en het is zo'n raar gezicht na zoveel weken in het kamp met alleen maar mannen, dat ik niets zeg of doe, maar na een tijdje kijk ik om me heen om te zien of er nog iemand anders is die haar ziet. Het is niet veilig bij het water, je kunt elk moment worden neergeknald door een Russische scherpschutter op de heuvels. En dan denk ik bij mezelf: tjonge, ik geloof dat zij het is, het meisje dat vermist is. Ik zal naar haar toe lopen om te zien of ik iets voor haar kan doen. Ik merk dat ze haar handen op haar rug heeft en door het ondiepe deel van de rivier heen en weer loopt. Ik kan haar gezicht niet zien.'

De huilerige, blauwe ogen van de man, die me af en toe aankeken om er zeker van te zijn dat ik ieder woord opzoog, stonden me niet aan, maar mijn handen trilden. Toen hij zweeg merkte ik dat ik zowel bewondering voelde voor zijn vertelkunst als woede omdat ik in zijn val was getrapt.

'Dus begin ik voorzichtig af te dalen naar de rivier, hoewel het gevaarlijk is, met aan de ene kant de Franse wachtposten die me in de gaten houden en aan de andere kant de Russen. En heel even verlies ik de vrouw uit het oog, omdat ik op een moeilijk begaanbaar stuk een eindje naar beneden val. En als de rivier weer in zicht komt, is ze verdwenen.'

Hij sloot zijn ogen, alsof hij mijmerde. Alleen een dwaas zou een ander einde hebben verwacht, maar ik was verdoofd van teleurstelling.

'Ik neem aan dat je langs de rivier bent gaan zoeken maar haar niet hebt kunnen vinden,' zei Nora.

'Inderdaad. Ik liep heen en weer. Ik riep zelfs haar naam, want die kenden we allemaal. Rosa! Rosa! Maar geen teken van leven. Uiteindelijk werd het donker en ik voelde dat ik in gevaar was, dus ik ging weg.'

'Het kan iedereen zijn geweest,' zei ik. 'Misschien een Russische uit Sebastopol.'

'Dat kan, maar ik zweer dat het het Engelse meisje was. Iets aan haar, de manier waarop ze bewoog, haar haar dat over haar rug en voor haar gezicht hing, haar versleten jurk, vertelde me dat zij het was.'

'En dat is alles?' zei Nora.

'Dat is alles.'

Ik gaf hem een munt en bedankte hem. Het was een opluchting om de benauwde barak te kunnen verlaten en de warme, zilte buitenlucht in te lopen. Nora en ik namen afscheid van Mrs. Whitehead en liepen langs de laatste barakken. Ze was nog heel zwak en langzaam, en toen we het fort bereikten, gingen we met onze rug tegen de kapotte muur zitten die aan de kant van de zee lag, onze benen naar voren gestrekt en onze rokken opgestroopt om onze enkels en kuiten te laten afkoelen.

'Hij is het soort dat Ieren een slechte naam geeft,' zei Nora.

'Wat is er dan met hem?'

'Ik vermoed dat hij iets te vriendschappelijk is omgegaan met de vrouwen in Kamiesh, miss Lingwood, en dat heeft zijn gezondheid geen goed gedaan.'

'En wat denk je van zijn verhaal?'

'Ach, volgens mij is het klinkklare onzin. Zie jij Rosa al flierefluitend langs een of andere rivier lopen? Wat hij niet vertelde was hoeveel drank hij ophad voordat hij aan zijn late avondwandelingetje begon.'

'Toch klopte zijn beschrijving. Het feit dat ze bij de rivier was... de blauwe jurk... Misschien moet ik ernaartoe, voor het geval dat.'

'Geen sprake van. Als het dan echt moet, wacht je maar tot ik wat sterker ben, zodat ik met je mee kan.'

We zwegen even terwijl de indigoblauwe zee zuchtte en zich terugtrok en er een licht, koel briesje opstak. 'Nora, toen je ziek was, wilde ik dat ik je meer had gevraagd over Rosa. Soms denk ik dat jij haar veel beter moet hebben gekend dan ik. Je hebt zo lang bij haar gewoond.'

'Nou, is het nu dan te laat?'

'Hoe was Rosa toen jullie op Stukeley woonden?'

'Waarschijnlijk hetzelfde als altijd. Ik heb gemerkt dat ze in de loop van de jaren nauwelijks is veranderd. Ze heeft de onstilbare drang om te weten wat er in de levens van andere mensen gebeurt en hoe ze daar deel van kan uitmaken. We praatten altijd veel over de mogelijkheden die zich op een dag misschien zouden aandienen. Ze zei altijd dat jij, Mariella Lingwood, haar beste vriendin, ver weg was in Londen, maar dat ze op een dag naar jou zou terugkeren om echt aan haar leven te beginnen.'

'Ik was toch niet haar enige vriendin?'

'Ze had meestal geen tijd voor de andere jongedames die langskwamen. Ik moet zeggen dat ze niet veel moeite voor ze deed. En natuurlijk lukte het haar nooit om vriendschap te sluiten met de dorpsmeisjes, hoe hard ze ook haar best deed – de verschillen waren te groot.'

'Ze had Max toch.'

'Ach, hij was er zelden. Toen ik op Stukeley kwam wonen, stond hij op het punt in het leger te gaan. Af en toe kwam hij even thuis en dan renden ze samen door de vallei of brachten ze hele nachten pratend door bij het vuur. En als hij vertrok, voelde ze zich nog eenzamer dan daarvoor.'

'Waar spraken ze over?'

'Tja, hoe moet ik dat weten? Haar gebruikelijke obsessies, vermoed ik. Jou. Londen. De toekomst. Het werk dat ze zou gaan doen. Maar hij was geen betrouwbare kameraad. Hij was te wild, met zijn drinkmaats en zijn liefdes.' Ik merkte dat ze me van opzij aankeek.

'Ik dacht dat Max van Rosa hield.'

'Dat is ook zo. Hij kwam altijd bij haar terug. Maar dat weerhield hem er niet altijd van om rond te blijven reizen. En in Australië kostte hem dat bijna zijn leven. Een van zijn kameraden stierf van de dorst. Ze hadden het krankzinnige plan opgevat om een waterbron te gaan zoeken in de westelijke woestijn. Hoe dan ook, dat voorval leek zijn zwerflust even te temperen en hij kwam vaker naar Stukeley.'

'Hij heeft veel respect voor jou, Nora. Hij was heel boos op me omdat we naar de Krim zijn gekomen en jij ziek bent geworden.'

'Nou, hij mag ook wel respect voor me hebben. De ontvangst die Rosa en ik hem iedere keer gaven als hij thuiskwam. Onze eigen privéfeestjes, 's avonds laat, als er niemand in de keukens was. Dat waren de mooiste momenten.'

'En was je gelukkig op Stukeley?'

'Zoals ik al zei, was ik heel erg gesteld op beiden. En lady Isabella was heel afhankelijk van mij, wat voor mij wel prettig was. Maar ik mocht Sir Matthew Stukeley en zijn andere zoon niet en ik had over het geheel genomen een hekel aan het huis – ik kon maar niet wennen aan de overdaad.'

'Maar hoe was je daar dan terechtgekomen?'

'Ik had werk nodig. Mijn overgrootmoeder kwam uit een familie van loodmijnhouders in Derbyshire, maar toen maakte een rondreizende Ier, genaamd McCormack, haar het hof en nam haar mee naar Sligo. We hadden in al die jaren nooit iets van de oude familie gehoord, maar toen het schip in Liverpool aanlegde, had ik het gevoel dat Derbyshire de enige plaats in Engeland was waar ik wat vriendelijkheid zou kunnen vinden bij mijn eigen verwanten. Dus ik begon aan een lange wandeling en vroeg overal de weg, tot ik eindelijk iemand vond die van mijn familie, de Fairbrothers, had gehoord en zo belandde ik uiteindelijk bij Stukeley.'

Fairbrother. Toen ik mijn ogen sloot speelde de zonsondergang over mijn oogleden en de warme muur tegen mijn rug was geruststellend onveranderlijk. Wat had Henry ook weer gezegd over de onzichtbare nevel van de doden? Nu leek het alsof de afwezigen, zowel de levende als de dode, zo dicht om me heen samendromden dat ze me verstikten.

'De Fairbrothers konden me niets bieden, dat was zeker. Een arme weduwe en twee kinderen, van wie er een halfdood was.'

'Maar twee kinderen.'

'Het was duidelijk dat ik niet bij ze kon blijven als ik geen geld had, dus ik ging naar het grote huis en zei wie ik was, waar ik vandaan kwam en wie mijn familie was en op dat moment kwam Rosa de keuken in en zag me daar zitten met mijn hoofd in mijn handen. Tot op de dag van vandaag herinner ik me haar geur toen ze mijn arm aanraakte, hoewel ik bedekt was met het vuil van honderden wegen. Ze vroeg wat ik kon en ik zei dat ik het best was in zieken verzorgen en ze zei: "Nou, dan ben je misschien precies de persoon die we zoeken." Toen maakte ze thee voor me en ze zat naast me terwijl ik dronk. Ze bleef me maar aankijken met die blauwe ogen van haar.'

We zaten nog een paar minuten naast elkaar onder het fort. De zee rolde tegen de klippen en de zachte geluiden uit het ziekenhuis onder ons klonken minder luid dan de geluiden van de keuken in Stukeley Hall, waar al het gerei groot en nieuw was, de bedienden vijandig of achterdochtig rondzwierven in hun gesteven uniformen, terwijl Rosa, met haar feilloze neus voor kansen, een onderzetter weggriste, de ketel pakte, allerlei vragen stelde en talloze ongeschreven regels schond.

Maar toen legde Nora haar zware hand op mijn schouder om zichzelf overeind te duwen en zei dat het tijd was om terug te gaan omdat de mannen vast al om hun eten riepen.

5

Derbyshire, 1844

SIR MATTHEW STUKELEY WAS VRIENDELIJKER VOOR MIJ DAN VOOR de anderen in het huis en daarom hield ik van hem. Er zat geen regelmaat in onze lessen, omdat ik steeds moest wachten op een moment waarop ik aan Rosa's aandacht kon ontsnappen, bijvoorbeeld die enkele keer dat ze zich samen met haar moeder aan haar pianostudie wijdde – die een zwaar beroep deed op het geduld van beiden.

Ik ging graag naar de bibliotheek. Het bezoek maakte gevoelens in me wakker die leken op de gevoelens die ik had tijdens die eerste wandeling in de regen met Henry door de tuin van Fosse House onder één paraplu: een siddering van opwinding, het gevoel uitverkoren te zijn, dat ik zelf mijn vaste grenzen had overschreden. Ik vond het mooi opgepoetste hout van de bibliotheektafel, de schuine lichtstralen die door de hoge ramen vielen, het groene, glooiende gazon achter het glas geruststellend.

Ik behandelde de Latijnse taal als een borduurpatroon dat steek voor steek opgevuld moest worden. En terwijl ik op de vertalingen zwoegde en in een opschrijfboekje dat ik van Sir Matthew Stukeley had gekregen een mooie lijst van nieuwe woorden maakte, genoot ik van de rust in de kamer, zijn ontroerende toewijding aan ons werk, het gevoel van orde terwijl het onbekende deel van het Latijnse gedicht slonk en de Engelse vertaling groeide. Ik hield van de geur van de sigaar die om hem heen hing en die de vage luchtjes van de loodmijn verhulde. Ik associeerde hem met de betoverde bibliotheek, met smetteloze manchetten, met het gevoel dat hij weliswaar net zo oud was als mijn vader, maar toch niet mijn vader was, en daardoor interessant en tegelijkertijd geruststellend was.

Hij zat aan het hoofd van de tafel met mij aan zijn rechterhand. Ik hield van de manier waarop zijn wijsvinger met de schone nagel langs de woorden gleed. Ik hield van de zorgvuldigheid waarmee hij het open boek in een exacte hoek op de grote, lege tafel had gezet. Ik hield van het feit dat er in de bibliotheek in ieder geval geen gevaar was dat er iemand zou binnendringen, en dat ik alleen maar stil hoefde te zitten en te luisteren. Hij sprak met een licht streekaccent en zijn zinnen waren kort en goed gevormd, bijna alsof ik de punten aan het einde kon horen.

Hij en ik waren bijzonder beleefd tegen elkaar. Toen Rosa een keer niet keek had ik een pennendoekje voor hem gemaakt waarop zijn initialen waren geborduurd, en hij spreidde het dankbaar uit en zei dat hij het altijd zou gebruiken. 'Ik vind het een wonder dat je zoveel kunt met twee letters, M en S, en dat je er een monogram van hebt gemaakt. Hoe heette deze steek ook alweer?'

'Satijnsteek.'

'Ik moet er niet aan denken hoe lang die drukke vingertjes van je hiermee bezig moeten zijn geweest.'

'Eerlijk gezegd nog geen uur.'

Mijn hand rustte op de tafel en hij draaide hem om en bekeek de vingertoppen. 'Net wat ik dacht. Arme vingers, vol met naaldenprikken.'

'Ik gebruik een vingerhoed maar soms ben ik onvoorzichtig.' Niemand had ooit zoveel aandacht aan mijn handen besteed, zelfs Rosa niet, en nu ik ernaar keek vond ik dat ze er inderdaad heel behendig en verfijnd uitzagen.

Hij vroeg wat ik die dag had gedaan dus ik gaf hem een ingekorte versie, waarin onze uitstapjes naar het dorp en de geheime schuilplaatsen van Rosa en haar wilde spelletjes met Max niet voorkwamen. Hij was geïnteresseerd in het werk van mijn vader en de opdracht die hij had gekregen om huizen te bouwen langs de nieuwe spoorlijnen, en hij ondervroeg me uitgebreid over Henry, die hij mijn 'adoptiefbroer' noemde.

'Hij heeft geluk,' zei hij,' dat je ouders hem onder hun hoede hebben genomen. En dat hij zo'n liefdevolle zuster heeft gevonden.'

'O, ik ben zijn zuster niet. Ik ben meer een vriendin dan een zuster.'

'En hoe verschilt het gedrag van een vriendin van dat van een zuster, Mariella?'

Dat was een moeilijke vraag. 'Een vriendin wordt gekozen. Natuurlijk heb ik geen zuster of broer, maar ik denk dat ik altijd hetzelfde voor hen zou voelen. Terwijl mijn vriendschap met Henry steeds maar groeit. Ik weet niet hoe het zal eindigen.'

'En ben ik nu ook een vriend, Mariella?'

Ik keek hem even aan en mijn hart maakte een sprongetje bij de gedachte dat deze belangrijke man mijn vriend wilde zijn. Hij glimlachte plagerig en ik kreeg de indruk dat ik hem nog meer zou kunnen behagen. 'Misschien.'

'Wat moet ik doen om je te laten zien dat ik een vriend ben?'

'Dat weet ik niet.' Vanuit mijn ooghoeken wierp ik hem weer een vluchtige blik toe. 'Daar zou ik over na moeten denken.'

Hij lachte luid en drukte mijn hand. 'Mariella, je wilde zien wat ik in die kleine laatjes daar bewaar. Als je wilt, zal ik het je laten zien.'

'Ja, graag, als u het niet vervelend vindt.'

'Kom hier. Ga maar op deze lage stoel zitten.' Hij opende de bovenste la, haalde er een opgevouwen linnen doek uit en spreidde die uit over mijn knieën, heel voorzichtig, zoals zijn lakei voor het eten een servet op mijn schoot zou leggen. Zijn hoofd kwam heel dicht bij mijn gezicht en ik zag dat het haar boven zijn oren zo dun was, dat ik kon zien waar de haartjes uit zijn schedel kwamen. 'Deze spullen zijn heel waardevol, dus we moeten heel voorzichtig zijn.'

Hij trok een laatje uit de kast en zette het op mijn schoot. Ik hapte even naar adem, want ik had weliswaar insecten verwacht, vlinders of motten, maar ik was niet voorbereid op kevers. Daar lagen ze, een stuk of tien, keurig vastgespeld op de strakgetrokken doek op de bodem van de lade, allemaal met een kraalvormig lichaam en zorgvuldig in positie gebrachte pootjes.

Hij lachte weer naar me. 'Vergeef me. Ik kon het niet laten. Ik wilde je reactie zien en je hebt me niet teleurgesteld. Ik wist dat je niet zou schreeuwen, zoals de meeste meisjes. Niet bang zijn, bestudeer ze goed. Zijn ze niet prachtig? Hij ging op de armleuning van mijn stoel zitten en wees naar een bolle kever. 'Dit zijn allemaal waterkevers, en dit is een draaikever. O, wacht even, we moeten oppassen dat je haar niet tussen de diertjes hangt. Sta me toe.' Hij verzamelde mijn haar en hield het losjes vast op mijn rug. 'Als je heel goed kijkt, zie je dat het bovenste deel van zijn oog gemaakt is om boven het water te zien en het onderste deel voor onder water; dat is zo omdat het arme beestje zijn hele leven lang cirkeltjes draait op het wateroppervlak.'

Was Sir Matthew zich ervan bewust dat zijn wijsvinger onder mijn haar heel zachtjes mijn nek streelde of gebeurde het onopzettelijk? Het was zowel opwindend als verontrustend. Maar na een tijdje pakte hij het laatje op. 'Kom eens hier. Kies maar, dan bekijken we er nog een.' Ik legde het servet weg en liep naar de kast. Terwijl hij de laden een voor een opentrok, legde hij een hand op mijn schouder en iedere keer dat ik een uitroep van bewondering slaakte bij het zien van een nieuwe rij spinnen, rupsen en zelfs kikkers, kneep hij even. Uit de kast steeg een vreemde geur op, schoon en vies tegelijk. Ik merkte dat mijn schouder een extra warm kneepje kreeg als ik me vooroverboog om een bijzonder kleurrijk of vreemd exemplaar te bekijken.

Na een paar minuten voelde ik verwarring opkomen omdat de les zo'n onverwachte wending had genomen, en ik zei dat ik Rosa moest zoeken. Onmiddellijk werd hij afstandelijk. 'Natuurlijk, natuurlijk.' Zoals gewoonlijk schudden we elkaar plechtig de hand voordat ik vertrok en bedankte ik hem. Maar toen ik bij de deur was, riep hij me terug en wenkte hij me naar het midden van de kamer, waar ik wachtte met mijn hand op de rug van een stoel.

'Herinner je je het gedicht van vandaag nog?' Hij herhaalde langzaam en met een diepe stem: '*Mijn dame vertelt me dat er niemand is / met wie ze haar dagen liever doorbrengt dan ik...* Toen ik die regel las dacht ik aan jou en mij, en aan hoe weinig tijd we samen hebben en hoeveel plezier we hebben.'

Zoals gewoonlijk had ik een vreemd gevoel toen ik de bibliotheek verliet. Het zat me dwars dat ik Rosa nog steeds niets over de lessen had verteld en ik was een beetje bang geworden door de manier waarop Sir Matthew die dichtregel had voorgedragen, met een keelstem en ogen die mij liefdevol aankeken. Dus besloot ik dat ik niet meer zou gaan en dat ik Rosa meteen over de lessen zou vertellen.

Daarna dacht ik: maar als ik dat doe, wordt ze boos op me, dus ik kan maar beter gewoon stoppen met de lessen, dan komt ze er niet achter. Maar dan zou Sir Matthew beledigd zijn en ik wil heel graag dat hij me aardig vindt. En ik werd blij toen ik hem aan het lachen maakte; het zou interessant zijn om dat nog eens te proberen. En de volgende keer of de keer daarna, zou ik eindelijk de moed bij elkaar rapen om hem een grote gunst te vragen.

6

De Krim, 1855

DE LAATSTE GROEP RUSSISCHE DESERTEURS BRACHT HET NIEUWS
dat hun generaals plannen maakten voor een aanval op de Tsjernaja, ten zuidoosten van Inkerman dicht bij de Traktirbrug, en
dat het hele Russische leger gevechtsklaar was. Rapporten van
Franse spionnen en flarden uit Russische krantenberichten be-
vestigden deze informatie, dus het geallieerde leger bleef nacht
na nacht tot in de kleine uurtjes wakker in afwachting van een
Russisch offensief, dat vermoedelijk hun laatste poging zou zijn
om ons te verdrijven van onze positie in de loopgraven boven
Sebastopol.

Er kwam geen aanval, maar het kamp bleef rusteloos en paraat.
De patiënten die herstellende waren, werden uit de hospitalen verjaagd voor het geval er gewonden vielen in de frontlinie en Nora vertelde dat iedereen die niet nodig was op de cholera-afdeling
de opdracht kreeg om bedden op te maken voor de verwachte
stroom patiënten. Ik moest mijn voorraad inspecteren, een berg
schoon linnengoed klaarleggen, ik kreeg aanvragen voor verband
en pleisters met het oog op het aanstaande bloedbad. Mijn naaiklasje werd opgedoekt bij gebrek aan leerlingen – de vrouwen
gingen terug naar de kampen om daar af te wachten.

Op de avond van de vijftiende hoorden we dat de Russische
soldaten en masse waren weggetrokken van hun positie op de
heuvels ten oosten van de Tsjernaja en onze bedden schudden
door de beschietingen vanuit de loopgraven boven Sebastopol.

Maar diep in de nacht klonk plotseling een salvo van het geschut op de heuvels ten noorden van Balaklava en Mrs. Whitehead tilde haar hoofd, dat bedekt was met een hagelwit slaapmutsje – een geschenk van mij – op van het kussen. 'Dat zullen de Russen zijn,' zei ze. 'Het is begonnen.'

We stonden op en kleedden ons haastig aan, hoewel ik geen idee had waarom. De Fransen en Sardijnen, die stelling hadden genomen op de heuvels van Fedoukine tegenover het Russische kamp boven de Tsjernaja, zouden bij een aanval de volle laag krijgen, dus op het eerste gezicht zouden we in deze slag geen echte rol spelen, maar zoals Nora zei, het zit niet in de aard van de mens om ergens stil te blijven zitten terwijl op een steenworp afstand geschiedenis wordt geschreven. En uiteindelijk was het natuurlijk Rosa die voor mij de knoop doorhakte. Het verhaal van O'Byrne was misschien niet meer dan een verzinsel van een aan syfilis lijdende Ier, maar zijn blik op het meisje met de blauwe jurk bij de Tsjernaja was het laatste waar we ons aan vast konden klampen.

Nora en ik hadden een lange weg voor de boeg, langs het hoofdhospitaal in Kadikoi en de Britse en Sardijnse kampen de heuvels in. Een heel leger kampvolgers was in beweging gekomen, de rijken te paard, de rest – echtgenotes, handelaren, leden van de bevoorradingsdienst en geniesoldaten – te voet. Alle ogen keken naar de kant waar het kanonvuur vandaan kwam, sommige opgetogen, andere vervuld van angst, maar het gevoel dat we een gezamenlijk doel hadden, gaf ons moed. De lusteloosheid van de afgelopen weken was voorbij, er gebeurde iets en wij maakten er deel van uit. Toen Nora struikelde, stak ik mijn hand uit en daarna stak ik mijn arm door de hare. Een of twee keer vroeg ik of ze sterk genoeg was om verder te gaan en ze antwoordde kortaf: 'Ik heb in het verleden een ergere mars meegemaakt dan deze.'

'Is dat zo? Was dat in Ierland?'

Ze zweeg somber.

'Er zijn vast dingen die we nooit kunnen vergeten,' zei ik.

'En niet mogen vergeten.'

'Ik ben Stukeley nooit vergeten, hoewel ik er maar zes weken heb gewoond. Alles staat in mijn geheugen gegrift. Misschien omdat we zo plotseling zijn vertrokken; Sir Matthew keerde zich tegen ons, zie je.'

'Ja, zo was hij, hardvochtig en onvoorspelbaar.'

'Ik heb altijd medelijden gehad met Rosa, omdat ze hem aan het einde moest verzorgen, terwijl ze zo'n hekel aan elkaar hadden.'

'Weet je Mariella, soms denk ik dat het van hem een bewuste keuze was. Hij wilde haar laten lijden door haar als enige in zijn ziekenkamer te dulden.'

'Wat verschrikkelijk. Waarom zou hij dat doen?'

'Hij probeerde haar altijd te straffen, waarschijnlijk omdat ze weigerde de stiefdochter te zijn die hij zich had voorgesteld. Het was dwaas van haar om de zorg voor hem op zich te nemen, maar ja, je kent Rosa. Als er iemand in nood verkeerde, kon ze geen weerstand bieden, wie het ook was of hoe slecht diegene haar in het verleden ook had behandeld. En hij had aan het einde maar weinig vrienden. Sterker nog, sommigen zijn ervan overtuigd dat die val van zijn paard op dat drukke laantje geen ongeluk was.'

'Bedoel je dat hij is geduwd?'

'O nee, zo doorzichtig zal het niet geweest zijn. Misschien is hij gevallen en werd hij niet op tijd weggetrokken van de stampende hoeven. Misschien werd er flink geduwd en getrokken rondom zijn paard. Hoe dan ook, geen van de getuigen kon een duidelijk verslag geven van wat er was gebeurd.'

Het kanonvuur was zo dichtbij dat de grond trilde en kleine steentjes het pad op rolden. De lucht voor ons was zwart van de rook. 'En jouw verwant, Mrs. Fairbrother, wat vond zij van Sir Matthew?'

'Als het arme mens al iets dacht, was het precies hetzelfde als iedereen. Ze vreesde hem evenzeer als ze hem haatte. Maar hij kon zowel charmant als nors zijn. Hij had duistere kanten – de dorpelingen hebben geleerd om hun jonge dochters goed in het oog te houden als hij in de buurt was – maar hij was ook een man van het grote gebaar. Ik geloof dat mijn connectie met de Fairbrothers hem deed besluiten mij aan te nemen en daar ben ik hem dankbaar voor, hoewel hij me niet kon luchten en mij niet eens toestond de lakens van zijn bed te verschonen als hij ziek was.'

'Wat is er uiteindelijk met de Fairbrothers gebeurd?'

'Daarvan ben ik nooit het fijne te weten gekomen. Voordat Max het leger in ging, maakte hij een vreemde afspraak met zijn vader: dat hij al zijn aanspraken op het landgoed zou laten varen als die ellendige hutjes bij de rivier werden vernietigd en de gezinnen ergens anders werden ondergebracht – zolang dat niet was gebeurd, zou hij zijn neus niet laten zien bij zijn regiment. Dus mijn arme neven en nichten woonden in een spiksplinternieuw huis in het dorp, en hoewel ze niet slim genoeg waren om voor zichzelf een goed leven op te bouwen, hadden ze in ieder geval enig comfort. Geen van hen is nog in leven.'

We werden ingehaald door een aantal officiersvrouwen te paard, gevolgd door de geduchte Mrs. Seacole, die alleen reed, haar gezicht omlijst door een flapperend zonnehoedje, haar muilezel beladen met draagmanden. Ons gesprek kwam ten einde omdat we nu zo dicht bij het slagveld waren dat de knallen van de musketten en de artillerie tot diep in onze botten doordrongen, ook al wisten we van de ziekenwagens die ons tegemoet kwamen dat het gevecht niet lang meer zou duren en dat de nederlaag voor de Russen nabij was.

We verzamelden ons op een heuvel, achter een groep Britse toeschouwers, vlak boven de reserve-eskaders van de Engelse en Franse cavalerie, die in perfecte formatie stonden, hoewel hun paarden met opengesperde ogen tegen de teugels vochten. Links van ons stonden Franse en Sardijnse soldaten te wachten op het aanvalsteken, anderen daalden de heuvel af. In de vallei heerste chaos onder dikke rookwolken; een kolkende massa lichamen, kletterende bajonetten, en de dreunen van kogels uit de grote kanonnen op de heuvels.

De Tsjernaja was smal en ondiep, maar de soldaten krabbelden met moeite de steile oevers op. Langs de helling aan onze rechterhand, een paar meter boven de grond, liep een aquaduct, waarover water van een reservoir in de heuvels naar de haven van Sebastopol stroomde. Onder aan de loodrechte wanden lagen stapels lijken, soldaten die getroffen waren door vijandelijk vuur toen ze probeerden over te steken. Binnen tien minuten na onze aankomst, waren massa's Russische soldaten gesneuveld nadat ze door de Fransen en Sardijnen de rivier over en de heuvel op waren gejaagd.

Ik had al geleerd dat in een oorlog alles er van een afstand beter uitziet. Dit tafereel, een bonte mengeling van blauw, bruin en rood, paste bij het ideaalbeeld van de oorlog dat mijn hart sneller had doen kloppen van vreugde toen ik naar de mars voor Buckingham Palace keek. Vanaf mijn hoge uitkijkpunt zagen zelfs de Russische soldaten die tegen de wanden van het aquaduct op klauterden eruit als ravottende kinderen. De geallieerden hadden gewacht tot de Russen halverwege de hellingen waren voordat ze ze terugjoegen met verschroeiend vuur. Overal lagen lichamen in bruine jassen, alsof het terugtrekkende leger een slordig samengebonden strobaal was die uit elkaar begon te vallen. Op een gegeven moment zag ik hoe een handvol Russen door één kanonskogel werd neergemaaid.

Na een uur had wat er over was van het Russische leger zich teruggetrokken in hun kamp op de heuvels en daalde er een stilte op het slagveld neer, af en toe verbroken door een enkel salvo. Ik verwachtte half dat iedereen zou opstaan, zijn kleren afkloppen en weglopen, maar nee, de gevallen mannen bleven liggen en geleidelijk stroomden van alle kanten soldaten, officieren, dokters en ziekenbroeders toe die tussen de doden en gewonden aan het werk gingen.

Ik volgde Nora door het verdorde beemdgras, op zoek naar overlevenden. Het veld rookte nog en zo nu en dan klonk een geweerschot, gevolgd door een kreet van pijn. Dicht bij mij vervloekte een Franse ziekenbroeder de terugtrekkende Russen, van wie bekend was dat ze op gewonde vijandelijke soldaten schoten en op de corveeploegen die de gewonden van het veld kwamen halen, maar het gevaar liet me koud. Ik was te zeer onder de indruk van de duizenden doden, hun weerzinwekkende verwondingen, de rivieroevers die bezaaid waren met lichamen, het rode water van de Tsjernaja en mijn eigen onkunde toen we op zoek gingen naar overlevenden. Sommigen lagen erbij alsof ze in de tijd waren gestold, met hun armen uitgespreid en hun gezicht gefixeerd in een uitdrukking van verbazing of opwinding, anderen hadden zich opgekruld om te sterven, met hun handen voor hun gezicht. Bij sommigen ontbraken buik, benen, armen of zelfs het hoofd, anderen leken ongedeerd. Ze zagen er allemaal zo vlezig uit, hun dood was nog zo vers, ze waren zo ver verwijderd van mijn belevingswereld in hun plotselinge overgang van leven naar dood, dat ik me zo hulpeloos voelde als een veertje in de wind.

Een nog levende soldaat riep me en ik knielde neer om hem een slokje water te geven. Zijn hoofd was te zwaar om in mijn hand te houden, dus ik legde het op mijn schoot en pas op dat moment zag ik aan de kleur van zijn bebloede uniform dat hij Russisch was. Zijn buitenlandse uiterlijk vervulde me met afschuw, de grofheid van zijn trekken en huid, zijn zwarte, kortgeknipte haar, zijn kromme neus, zijn schurftige baard, het feit dat zijn hoofd in mijn schoot lag terwijl hij en ik niets met elkaar gemeen hadden. Maar toen tilde hij zijn hand op en nam hij een losse haarlok van mij tussen duim en wijsvinger. Zijn huid was doortrokken van vuil en de duimnagel was verkleurd door een bloeduitstorting, en toch hield hij het haar zachtjes vast en wreef hij het heen en weer alsof hij het oppoetste. Toen keek hij op, glimlachte wazig naar me en probeerde iets te zeggen.

'Wat?' fluisterde ik. 'Hoe kan ik je helpen?'

Opnieuw vormden zijn lippen een woord en ik bracht mijn gezicht naar het zijne.

'Wat zeg je?'

Er naderde een Franse ziekenploeg; ze pakten hem bij de oksels en de knieën, waardoor hij schreeuwde van de pijn, lieten hem op de brancard vallen en droegen hem naar de rivier waar hij tussen andere gewonde vijandelijke soldaten zou worden neergelegd.

Ik bleef zitten waar ze me hadden achtergelaten en wikkelde dezelfde haarlok om mijn vinger. Ik was ervan overtuigd dat het woord dat hij had gezegd *Rosa* was.

Nora zat een paar meter bij me vandaan over een Franse soldaat gebogen. Ze pakte zijn arm, legde hem tegen haar borst en bracht een keurig verband aan om de gapende wond in zijn pols. Hoewel hij haar niet verstond, kletste ze maar door terwijl ze hem met haar scherpe blik strak aankeek en ik kon me een goede voorstelling maken van de mengeling van aanmoedigingen en instructies die ze tegen hem uitsprak. Toen stond ze op en liet een drager komen. Ze drukte haar hand tegen haar onderrug en zette zich schrap voor de volgende gewonde.

Later hoorden we dat er bij die slag meer dan achtduizend Russen, bijna tweeduizend Fransen en ongeveer honderd Sardijnen waren omgekomen. Velen waren van mening dat de geallieerden de Russen hadden moeten volgen tijdens hun terugtrekking om de definitieve overwinning te behalen, maar in plaats daarvan keerden we allemaal terug naar het kamp.

De volgende dag verzamelde ik de moed om naar het kantoor van Mrs. Shaw Stewart te gaan en te vragen of ik in het ziekenhuis mocht werken. Ze zat aan haar bureau te schrijven in iets wat leek op een lijvig rapport en staarde me vol ongeloof aan. 'Hebt u enige ervaring als verpleegster? Dan is het een belachelijk idee. Ik heb mijn handen al vol aan de memo's van dokter Hall over de vrouwen die daar nu werken en nog een onopgeleide dame die de boel op stelten komen zetten, kan ik er niet bij hebben. U zou niet weten hoe u zich moest gedragen.'

'Ik wil alleen maar werken als een soort ziekenoppasser of...'

'Als ik had geweten dat u al die tijd alleen maar van plan was om het ziekenhuis binnen te komen, had ik u nooit laten blijven.'

'Maar ik was gisteren op het slagveld...'

'Wie heeft u daar toestemming voor gegeven?'

'Ik heb geen toestemming gevraagd. Ik dacht niet...'

'Juist. U bent geen verpleegster, miss Lingwood. U hebt geen idee hoeveel discipline ervoor nodig is. Onze reputatie als verpleegsters in de militaire hospitalen is al broos genoeg; we kunnen ons geen enkel schandaal meer veroorloven. Er is geen sprake van dat u op de ziekenzalen kunt gaan werken en ik begrijp niet eens dat u het vraagt.'

7

Stukeley Hall (!),
Derbyshire
20 juli 1855

Lieve Mariella,
Ik was heel blij je brief te ontvangen en te vernemen dat Nora
aan de beterende hand is en dat jij je nuttig kunt maken. Niet
iedereen zou daartoe in staat zijn onder die omstandigheden.
Vader heeft zich er een beetje mee verzoend, vooral omdat we
vanwege jou en de oorlog uitnodigingen ontvangen van de
hoogstgeplaatste families.
We hebben Ruth gevraagd je de borduurzijde en naalden te
sturen waar je om vroeg.
We hebben nog een brief ontvangen van Henry, die zegt dat het
goed met hem gaat, hoewel ik moet zeggen dat zijn handschrift
niet is zoals het zou moeten zijn. En de inhoud, die bijna alleen
maar is gewijd aan de verdwijning van Rosa, doet vermoeden dat
zijn geest nog niet volledig hersteld is. Ik zou meer met je
meeleven, Mariella, als je vorige brief niet zo koeltjes was, vooral
waar het Henry betrof. Je vader en ik hebben uitgebreid over deze
kwestie gesproken en we hebben besloten dat ik als eerste dokter
Lyall zal schrijven, om hem te vragen hoe het echt met Henry's
gezondheid gesteld is. Het doet ons veel verdriet — ik overdrijf
niet als ik zeg dat Henry en jij constant in onze gedachten zijn

*– dat het erop lijkt dat al die jaren studie, om niet te zeggen al
je hoop, zo tragisch eindigen. Maar dat is de oorlog en ik
vertrouw erop dat je je wel staande houdt.*

*Het lijkt er dus op dat de eerstvolgende bruiloft niet die van jou,
maar die van Isabella zal zijn. Het huis dat zij en Mr.
Shackleton huren, Dulwich, is klein, maar vader heeft het
geïnspecteerd en zegt dat de waterleidingen modern zijn en het
dak stevig. Isabella is van plan om wat zij 'Krimsalons' noemt
te organiseren. Onder onze vrienden wordt over niets anders
gepraat dan de verdwijning van Rosa en het feit dat jij haar
achterna bent gereisd.*

*Van teruggekeerde officieren hebben we gehoord dat Rosa heeft
geprobeerd haar eigen plan te trekken (ik gebruik de uitdrukking
van Mrs. Hardcastle), wat volgens Isabella typisch is voor Rosa.
Soms sta ik versteld over hoe goed ze zich houdt waar het deze
kwestie betreft. Iedereen is opgelucht dat miss Nightingale haar
gezondheidscrisis heeft doorstaan en ze wordt altijd genoemd in
onze gebeden, na de koningin.*

*We hebben gehoord dat de geallieerden een nederlaag zouden
hebben geleden en dat verbaast ons want de* Illustrated London
News *en* The Times *staan vol met berichten dat de geallieerden
veel sterker zijn en dat de Russen in Sebastopol op de knieën
zijn gedwongen. Zoals je weet is je vader een groot aanhanger
van Palmerston, maar zelfs hij is aan het twijfelen gebracht.
Ondertussen hebben we hier een hete zomer en vorige week
hadden we in het huis twee sterfgevallen als gevolg van de hitte –
dat denk ik tenminste. De ene stierf aan een hartaanval, de
andere aan een of andere maagaandoening, mogelijk tyfus,
hoewel ik dat woord niet graag opschrijf en hoop dat het een
andere ziekte was. De dokter wist het niet.*

*Je vraagt je waarschijnlijk af wat ik in Derbyshire doe. Horatio
Stukeley gaat ook trouwen, in september, en hij schreef dat als
Isabella haar bezittingen die nog in het huis zijn, terug wil, dit
het moment is om ze op te halen, omdat het vanbinnen helemaal
zal worden gerenoveerd. Isabella wilde natuurlijk maar al te
graag haar schamele boeltje, zoals zij het noemt, terug hebben
om Dulwich in te richten, maar toen we op de zolder van
Stukeley kwamen, zag ik dat ze een paar prachtige meubels had*

uit het huis van onze vader in Bakewell die ik me nog herinner van vroeger en ik begrijp niet waarom ik ze indertijd niet heb gekregen. Natuurlijk ben ik de jongste zuster en voor zover ik me herinner gingen we na zijn begrafenis naar huis, en liepen we door de oude kamers en zei zij dat ik mocht hebben wat ik wilde, maar mijn ogen stonden zo vol tranen dat ik vrijwel niets zag. Hoe dan ook, ik vond een heel mooi schrijfbureautje met een houder voor inkt en pennen en een naaikastje met drie laatjes die ik altijd opruimde voor moeder; dan rangschikte ik alle klosjes op kleur en bracht het naaldenboekje op orde. Ik denk dat jij het prachtig zou hebben gevonden, maar Isabella zegt dat het allebei dierbare stukken van haarzelf zijn, die ideaal zijn voor het nieuwe huis. Ze naait nooit, zoals je weet, en er was sprake van enige spanning tussen ons toen ik zei dat jij het naaikastje, dat al die jaren stof had verzameld op de zolder van Stukeley, zou moeten krijgen.

De vrouw (het meisje) met wie Horatio gaat trouwen heet Georgiana Stokes Lacey (eigenlijk geloof ik dat we haar 'eerwaarde' moeten noemen) en haar familie bezit veel stukken grond en gebouwen, waaronder een ijzersmelterij en een bestekfabriek in Sheffield. De familie is op dit moment zeer welvarend, naar ik aanneem vanwege de oorlog. Zij is slechts een jongere dochter, met dun haar en een bol gezicht, maar toch. Horatio Stukeley is langer dan ik me herinner, al flink kaal, net als zijn vader, en heeft enorme handen. Ik vond het nooit gemakkelijk om met hem te praten. Overigens hangt hier op Stukeley het portret van de jongste broer Max op een prominente plaats boven aan de trap, met eronder een brief van de generaal waarin hij wordt geprezen om zijn moed op het slagveld bij Inkerman. Blijkbaar was er hoop op nog een promotie maar die hoop is de grond in geslagen door het nieuws dat hij gewond is geraakt. We weten het fijne er niet van, maar Isabella verzekert me dat Max niet het type is om te sterven; ze hebben zich al eerder nodeloos zorgen om hem gemaakt. Georgiana heeft het vaak over zijn terugkeer. Haar fascinatie voor zijn broer zou mij zorgen baren als ik Horatio was. Nu Max gewond is, lijkt Georgiana nog meer belangstelling voor hem te hebben. Ik vind het vreselijk dat hij gewond is – ik vond hem erg aardig toen hij *vorig jaar langskwam bij Fosse House, en voor jou wenste ik dat hij nog op de Krim was. Ik stelde mezelf steeds gerust met de gedachte dat er in ieder geval een bijna-familielid was dat misschien op je paste.*

Wij hebben slaapkamers gekregen op de tweede verdieping, aangezien een groot deel van de eerste verdieping zal worden ingericht voor de eerwaarde Georgiana, hoewel ze nog niet zijn begonnen. Isabella vindt het vervelend dat ze haar oude slaapkamer niet terugkrijgt, maar ik bewaar niet zulke goede herinneringen aan Stukeley dat ik het belangrijk vind om in dezelfde kamer te slapen als de vorige keer.

Ik heb gemerkt dat Isabella sinds haar verloving met Mr. Shackleton, die al haar wensen vervult, kritischer is geworden jegens Sir Matthew. Toen wij hier die zomer verbleven, vroeg ik me af waarom ze voor hem had gekozen. Ik heb nooit van Stukeley gehouden, zoals je ongetwijfeld weet. Ik heb de tijd nooit zo tergend langzaam voorbij vinden gaan als daar, hoewel ik blij was dat zich een vriendschap ontwikkelde tussen jou en Rosa. Ik herinner me dat ik je soms miste, omdat ik nooit wist waar je zat.

Ik zal blij zijn als we vertrekken. Het hele huis is in rep en roer. De eerwaarde G. heeft onze hulp ingeroepen om de bibliotheek leeg te maken. Ze wil er een zitkamer van maken, omdat je hiervandaan het mooiste uitzicht hebt op het gazon. Maar vanavond kwam Horatio binnen voor het eten en toen hij zag dat wij de planken aan het leeghalen waren, zei hij dat hij zich niet kon herinneren dat hij daar toestemming voor had gegeven. Het was heel onaangenaam, want hij ging naar binnen en deed de deur dicht. We hoorden zelfs dat hij hem op slot deed. Tijdens het avondeten zeiden Georgiana en hij geen woord tegen elkaar. Een weinig hoopgevende start, in alle opzichten. Ik heb medelijden met allebei.

Maar thuis spreken Mrs. Hardcastle en ik ook nauwelijks met elkaar en zij gaat nu naar een andere kerk, hoewel ik van Mr. Shackleton hoorde dat ze de dienst daar te uitbundig vindt. Ik vrees dat ze Isabella niet heeft vergeven dat ze met Mr. Shackleton getrouwd is. Hij is tenslotte vierduizend per jaar waard terwijl Isabella bijna niets bezit. Ik mis Mrs. Hardcastle en zonder haar financiële steun kan het tweede opvanghuis voor de gouvernantes niet doorgaan. Je vader is minder gul dan vroeger. Het bedroeft hem dat jij er niet bent, Mariella, hoewel je reis naar de Krim goed is voor zijn zaken omdat die hem veel connecties oplevert. Het is dus heel stil in huis en binnenkort zal zelfs Isabella vertrekken. Ik denk niet dat de gouvernantes al mijn tijd zullen opslokken en ik ga op zoek naar een nieuw doel. Rosa's vriendin, Barbara Leigh Smith, is, zoals ze had beloofd, met me meegegaan naar het tehuis, en we raakten allemaal geïnspireerd bij de gedachte dat er een tijd zou komen waarin meisjes op hun school een volledig en veelzijdig curriculum zouden kunnen volgen. Een paar van die lieve gouvernantes leefden helemaal op toen ze terugdachten aan hun oud-leerlingen. Hoewel Isabella nooit in de kamer blijft als miss Leigh er is – vanwege de schaduw van haar twijfelachtige geboorte, zoals zij het noemt – kunnen Barbara en ik het heel goed met elkaar vinden. Zoals ik al zei is dit een uitzonderlijk warme zomer. De tuin is uitgedroogd. Als we terug zijn in Fosse House, gaan we beginnen aan de bruidskleding van Isabella, hoewel het een triest karwei zal zijn zonder jouw hulp. Ze wil gardenia's op haar hoed.

We hebben gehoord dat het warme weer de cholera heeft teruggebracht in de kampen. Ik ga ervan uit dat Nora erop toeziet dat je alleen schoon water drinkt. Het is heel laat, maar te benauwd om te slapen. Het is bijna volle maan en ik kan de Italiaanse tuin zien waar jij en Rosa altijd speelden.

Als ik schrijf dat ik je mis, moet je dat niet opvatten als verwijt.

Maria Lingwood (je moeder)

8

De Krim, 1855

Het klimaat op de Krim was verraderlijk. Soms leek het Brits, met rustige blauwe luchten en witte wolkjes gevolgd door dagen met motregen of rukwinden. Maar dat was een illusie waar de geallieerde legers keer op keer in trapten; de winternachten waren kouder, de stormen heviger, de winden sterker en de zomerzon heter dan verwacht. En het weer was bijzonder grillig: een snikhete ochtend kon overgaan in een kille avond, een vredige dageraad kon worden verstoord door een orkaan.

De wind bracht zout mee van de zee, stof van de afgesleten vlakte boven Sebastopol, graszaden, vieze geuren, cholera (volgens sommigen) en, bovenal, geruchten. Soms leek het alsof het nieuws niet door monden werd verteld, maar mijn hoofd in werd geblazen door een vlaag hete lucht. We wisten bijvoorbeeld dat de oorlog eigenlijk op drie fronten werd uitgevochten, waarvan wij er maar één waren. De geallieerden hadden met succes Sveaborg in de Finse Golf gebombardeerd en bedreigden nu Sint Petersburg. De stad Kars, op de grens van Oost-Turkije, waar een Brits garnizoen lag, werd echter belegerd door de Russen. Dus over het geheel genomen was er, net als in de loopgraven boven Sebastopol, sprake van een patstelling.

We wisten dat de beroemde Franse chef-kok Alexis Soyer bezig was de keukens van ons regiment te hervormen, zodat de gewone soldaat niet meer iedere ochtend een lap rauw vlees kreeg en dan zelf moest uitzoeken hoe hij het voor de avondmaaltijd moest bereiden. We wisten dat de Franse generaal Pelissier en onze nieuwe generaal Simpson nog steeds geen woord met elkaar wisselden als het niet strikt noodzakelijk was. We hoorden dat miss Florence Nightingale goed herstelde en mogelijk snel zou terugkeren naar de Krim om haar onderbroken inspectieronde door de ziekenhuizen af te maken, een vooruitzicht dat door de meeste verpleegster en dokters als een twijfelachtige zegen werd beschouwd. En ik wist dat kapitein Max Stukeley na zes weken in Renkioi in Turkije, waar hij verbleef in een nieuw ziekenhuis, dat was ontworpen door Brunuel en dus voldeed aan de nieuwste inzichten op het gebied van hygiëne en comfort, ronduit had geweigerd om als patiënt thuis te gaan zitten en was teruggekeerd naar de Krim.

Natuurlijk zou hij op enig moment Nora bezoeken. Misschien kapte ik mijn haar extra zorgvuldig voor het geval ik hem tegenkwam, maar verder stond ik mezelf niet toe ook maar een seconde te denken aan het gewonde been van kapitein Stukeley of de mogelijkheid dat hij ons zou bezoeken. In plaats daarvan zat ik iedere middag met mijn groepje vrouwen in de schaduw van de linnenbarak waar ik ze de fijne kneepjes leerde van het plooien en vlechten en uitlegde hoe je een mouw aan een armsgat moest bevestigen.

Maar op een dag, terwijl we bezig waren met het maken van mouwomslagen, een zeer nauwkeurig werkje, zag ik plotseling dat alle ogen oplichtten en gericht waren op een punt boven mijn hoofd. Ik werd me ervan bewust dat er iemand naar me stond te kijken.

Een stem achter me zei: 'Miss Lingwood, wel heb ik ooit.'

Ik trok zo hard aan mijn draad, dat de stof samentrok maar ik keek niet om. 'Kapitein Stukeley.'

'Ik vraag me af, miss Lingwood, of u mij een paar minuten van uw kostbare tijd wilt schenken.'

Ik was woedend op mezelf omdat ik zo schrok dat ik mijn stem nauwelijks in bedwang kon houden en maar met moeite kon voorkomen dat mijn hoofd zich met een ruk omdraaide. Ik ging even door met uitleggen hoe je de rand van een opslag aan de binnenkant van de mouw vastmaakt met onzichtbare zomen, waarbij ik benadrukte dat geen enkele steek meer dan twee millimeter lang mag zijn. Vervolgens stak ik mijn naald in de stof en stond op, maar Max was diep in gesprek met een zwijmelend vrouwtje dat, ondanks haar gebrekkige vaardigheden, afsprak dat ze een deftig overhemd voor hem zou maken voor het officiers-diner een week later.

We wandelden een stukje over het pad dat voor het zieken-huis langs liep, bekeken door tientallen nieuwsgierige toeschou-wers. Max was angstaanjagend bleek, had bloeddoorlopen ogen, lange bakkebaarden, diepe rimpels op zijn voorhoofd en wan-gen en kon zijn rechterbeen nauwelijks buigen. Al met al, afge-zien van het feit dat hij rechtop stond, zag hij er niet veel beter uit dan toen ik hem voor het laatst had gezien in zijn zieken-huisbed.

'Iedereen dacht dat je naar huis zou worden gestuurd,' zei ik.

'Dachten ze dat? Ik laat me toch niet wegsturen vanwege een pijnlijke knie. Te veel losse eindjes. En het is maar goed ook dat ik erop heb aangedrongen dat ze me zouden laten terugkeren, want anders had ik de inspirerende aanblik van de naaischool van miss Mariella voor echtgenotes en weduwen gemist.'

'Ik weet zeker dat er op de Krim veel interessantere dingen gebeuren.'

'Nou, dat zal je verbazen.' Toen ik even naar hem keek van-onder de sluier van mijn hoed, zag ik tot mijn opluchting dat er, ondanks het feit dat hij tien jaar ouder was geworden, nog steeds een sarcastische blik in zijn ogen lag. 'Maar miss Lingwood, ik geloof dat ik je veel verschuldigd ben. Als jij er niet was geweest, zou mijn rechterbeen nu weg liggen rotten in een kuil.'

'Dat is niet echt aan mij te danken.'

'Voor zover ik me herinner was je nogal dwingend in je ad-vies dat ik een andere oplossing moest eisen dan amputatie.'

'Het was Nora's idee en ik heb alleen maar gezegd dat dokter Thewell...'

'Thewell, juist, dat is degene die we moeten bedanken.'

Hij klonk zo verbitterd dat ik van onderwerp veranderde. 'Je had het over losse eindjes.'

'Ach, dat stelt niet zoveel voor. Ten eerste: de oorlog. Ten tweede: weten hoe het gaat met mijn lieve oude vriendin Nora McCormack. Maar omdat ik al heb gezien dat ze de leiding heeft over een handvol ziekenbroeders, ga ik ervan uit dat ze bijna hersteld is. En ten derde: Rosa vinden.'

Het viel me op dat het welzijn van Mariella Lingwood niet op zijn lijstje voorkwam. 'Dat laatste gaat ons aardig af zonder jou. We vragen voortdurend naar Rosa.'

'Nora zei dat er een vrouw is gezien in de buurt van de Tsjernaja.'

'Door een dronken Ier. Maar we zijn na de slag bij de Tsjernaja geweest en natuurlijk was er geen spoor van Rosa te bekennen. Hoewel een gewonde Russische soldaat haar naam tegen me zei.'

'Er is een verband: de Tsjernaja stroomt via het dorpje Inkerman westwaarts naar de zee. Maar ik vermoed dat je eerste instincten juist waren en dat je Ier verstrikt is geraakt in zijn eigen sprookjes.' Onder de gebruikelijke spottende toon van Max hoorde ik een nieuwe, ruwe klank en de opluchting en blijdschap die ik voelde over het weerzien, verdwenen snel. 'Ik heb besloten terug te gaan naar de grot boven Inkerman, waar Rosa voor het laatst is gezien.'

'Dat is toch heel dicht bij de Russische linies? Ze kan toch niet...'

'Miss Lingwood, loop je met mij mee naar het fort?' Hij stak mij zijn arm toe en trok een wenkbrauw op. Het gebaar, dat vergezeld ging van een abrupte verandering in zijn toon, was te nadrukkelijk om te negeren, maar ik nam zijn arm niet aan uit angst voor wat Mrs. Shaw Stewart zou denken en liep een paar passen voor hem uit tot we buiten gehoorsafstand van de laatste barak waren.

'Mariella, in het ziekenhuis heb ik een soldaat ontmoet die daar al een aantal maanden lag om te herstellen van een nekwond en die helemaal opveerde toen ik toevallig Rosa's naam noemde. Hij vertelde me dat hij voor diverse kwalen was behandeld door jouw dokter Thewell, en hij had zoveel vertrouwen in hem dat hij zelfs bereid was naar Inkerman te gaan, maar hij is nooit bij de grot aangekomen: op een heuvel kwam hij Henry tegen, half bevroren, half ontkleed en ijlend over een vrouw genaamd Rosa. Mijn vriend bracht Thewell terug naar het ziekenhuis waar ik hem later heb opgezocht. Tegen die tijd was hij, zoals ik je al eerder heb verteld, niet in staat samenhangend te spreken.

'Dus je bent niets nieuws te weten gekomen...'

'Kort na Rosa's verdwijning ging ik naar de grot en er was niets wat erop wees dat zij daar was geweest. Ik ben even binnen geweest, heb de nabije omgeving verkend en ben verder de heuvel opgelopen, mijn hersenen brekend over de vraag waar ze naartoe zou kunnen zijn gegaan. Dat is alles. De afgelopen weken in het ziekenhuis heb ik mezelf vervloekt omdat ik niet grondiger te werk ben gegaan.'

'Maar wat hoop je daar nu nog te vinden? Je denkt toch niet dat Rosa nog steeds daar is?'

'Ik weet niet wat ik moet denken.' Ik had hem nog nooit zo koeltjes gezien en zijn smetteloze uniform en bleke huid maakten de afstand tussen ons nog groter. 'Maar er zijn dingen die ik van hem weet, dingen die hij zei, die mij het ergste doen vrezen.'

Ik staarde hem even aan en zei: 'Ik ga met je mee,' hoewel mijn stem zo onzeker klonk dat hij zijn hoofd moest buigen om me te horen.

'Geen sprake van.'

'Ik weet niet waar je op zinspeelt. Ik begrijp je niet, maar ik wil graag naar die grot, al was het maar omdat Henry en Rosa daar allebei zijn geweest.'

'Ik ben geenszins van plan je mee te nemen.'

'Waarom vertel je me dan dat je ernaartoe gaat?'

'Om je te waarschuwen, om je voor te bereiden op het ergste.'

'Ik ga mee. Je kunt me niet tegenhouden.'

'Het is te gevaarlijk. En ik heb daar niets aan je.'

'Dan had je je mond moeten houden.' Mijn naaiklasje stond iets verderop op een kluitje onze ruzie te volgen, dus ik dempte mijn stem. 'Je kunt niet van me verwachten dat ik hier wacht terwijl jij in je eentje op pad gaat, in jouw toestand.'

'En hoe lang denk je dat je nog in dit ziekenhuis mag blijven als bekend wordt dat je een dag lang met mij door de Krim hebt gereden?'

'Niemand hoeft erachter te komen. En bovendien kan het me niet veel schelen.'

'Toe maar. Ach, als miss Lingwood mee wil, wie ben ik dan

om te weigeren? Ik weet nog dat ik je zag paardrijden op Stuke-ley en dat was een deerniswekkend gezicht. Maar wie weet waar je toe in staat bent als ik weiger je mee te nemen.' Hij nam be-rustend zijn hoed af en hinkte terug naar ons publiek dat om hem heen bleef draaien terwijl hij moeizaam het pad af liep.

Die avond ontving ik een briefje waarin stond dat ik de vol-gende morgen om zes uur bij de poort van het British Hotel moest zijn waar ik kapitein Stukeley zou ontmoeten en dat ik ge-paste kleding aan moest trekken. Ik had verwacht dat Nora woe-dend zou zijn als ik haar vertelde over mijn aanstaande tocht, maar tot mijn verbazing stemden allebei mijn barakgenotes in met mijn beslissing. 'Het lijkt wel of iets in jou je beschermt in deze oorlog. Misschien kun je ook Max beschermen.'

'Ik zou graag met je meegaan,' zei Mrs. Whitehead, in een on-verwachte opwelling van koketterie, 'maar ik ken dan ook geen enkele vrouw die niet een tochtje zou willen maken met kapi-tein Stukeley, hoeveel benen hij ook heeft verloren.'

We besteedden een halfuur aan de samenstelling van mijn gar-derobe. Uiteindelijk leende Mrs. Whitehead me een vale blouse en sjaal, waarmee ik wel kon doorgaan voor een boerin of een kampvolgster. 'En je moet je schouders meer laten hangen als je echt niet wilt opvallen.'

Nora stond erop dat ik een crucifix zou omhangen, die ik on-der mijn jurk kon verbergen. 'Als je door de Russen gevangen wordt genomen, zullen ze je beter behandelen als ze denken dat je katholiek bent. Ze hebben respect voor rooms-katholieken. En dat medaillon en die ring kun je maar beter hier laten. Ze zijn te verleidelijk.'

'Ik ben niet van plan me door de Russen gevangen te laten nemen.'

'Je kunt nergens zeker van zijn. Max is op dit moment niet zo behendig als hij vroeger was. Houd hem in de gaten en zorg er-voor dat hij niet oververmoeid raakt. En val hem niet lastig met je hoofdpijnen. Let op dat je genoeg drinkt.'

Ik trok de ring van mijn vinger en gaf hem samen met het me-daillon aan Nora. In mijn vinger bleef een klein deukje achter, dat ik zenuwachtig masseerde.

9

ONDANKS ALLE VOORBEREIDINGEN BEGON DE EXPEDITIE SLECHT, want het enige teken van Max bij het British Hotel waren de twee grote paarden die bij de poort waren vastgebonden. Toen hij eindelijk tevoorschijn kwam, bleek dat hij een stevig ontbijt had gegeten dat Mrs. Seacole voor hem had bereid, en dat hij had gedacht dat ik wel naar de deur zou komen. Dus toen we om halfzeven vertrokken, hadden we al onenigheid omdat we allebei van mening waren dat de ander verantwoordelijk was voor het oponthoud.

Hij had voor mij een zwart paard met een stervormige, witte bles geleend, waarvan de eigenaar was gesneuveld bij de aanval op de Redan. Ik schrok van de grootte van het dier, maar zijn naam was Solomon en hij leek veel rustiger dan Schicht, ook al was hij net zo gehavend geraakt in de strijd. Zijn kleverige ogen werden geplaagd door vliegen – ondanks een gordijntje van gerafeld touw – maar hij zwiepte alleen met zijn staart en zwaaide zachtjes zijn hoofd heen en weer. Max had zich uitgedost in een Armeense broek die hij op de markt in Kamiesh had gekocht en een lang hemd, geleend van een ziekenbroeder, dat hij als een tuniek droeg, met een riem om het middel. Om zijn hoofd had hij een lange witte sjaal gewikkeld, net als de Turken, en al met al leek hij op een magere bandiet. Achter hem aan kwam Mrs. Seacole zelf, die me stralend aankeek terwijl ze een zadeltas volpropte met flessen en etenswaren. Toen we vertrokken, gaf ze mijn paard zo'n harde tik ter aansporing dat hij begon te dansen.

De eerste mijlen spraken we nauwelijks. Mijn vorige ervaring te paard, in gezelschap van lady Mendlesham-Connors was zo rampzalig verlopen, dat ik al mijn concentratie nodig had om in het zadel te blijven, en als ik het al waagde een paar woorden te zeggen, werd dat onmiddellijk afgestraft. Ik had gezien met hoeveel moeite Max zijn paard had bestegen, en zei: 'Het kan niet veilig voor je zijn op de Krim met zo'n wond. Wat kun je nog betekenen op het slagveld?'

'Meer dan de gemiddelde generaal, miss Lingwood. Meer dan iemand die gezond is, durf ik te zeggen. Je kunt beter beschadigde waar in de strijd gooien dan de weinige ongedeerde mannen die ons nog resten.'

Mijn volgende poging was even onsuccesvol. 'Heb je me gehoord toen ik in het ziekenhuis vertelde dat je stiefmoeder weer gaat trouwen?'

'De grillen van die vrouw interesseren me niet.'

'En ik heb begrepen dat ook Horatio verloofd is. Ken je zijn bruid?'

'Een van de meisjes van Stokes Lacey. Hij heeft de rijkste familie in het land uitgekozen. Geld maar geen hart. Ze verdienen elkaar.'

Ik gaf het op. Deze sombere man met zijn stijve benen leek in niets op de roekeloze officier die Henry had uitgedaagd door met zijn paard kriskras over de vlakte van de Krim te jagen tijdens een springwedstrijd. Hoewel ik me steeds eenzamer voelde, hield ik mijn hoofd opgeheven terwijl we langs de tenten en barakken van het uitgestrekte kamp reden, waar de mannen hun tijd doodden met het schoonmaken van hun geweren of het houden van langzame marsen. Voor mijn ongeoefende oog leek alles normaal, maar af en toe keek Max om zich heen om te controleren of hij niet werd afgeluisterd waarna hij stiekem wat woorden wisselde met een medeofficier. Toen we het Franse kamp bereikten, kwam hij even tot leven om een paar goedaardige beledigingen over het kampvuur te roepen, maar hij sloeg de koffie die hem werd aangeboden af. Ik werd voorgesteld als 'ma cousine, une vivandière...', wat de wellustige blikken en glimlachjes niet deed afnemen.

Hoe verder we kwamen, hoe ongelukkiger ik me voelde. Ik was de avond ervoor zo druk bezig geweest met de praktische voorbereidingen voor de tocht, dat nog niet echt tot me was doorgedrongen wat het doel ervan was. Nu vermoedde ik dat Max zo bang was voor wat hij in de grot zou aantreffen, dat hij zijn angst niet eens onder woorden durfde brengen. Als hij echt dacht dat het resultaat van deze reis een gruwelijke bevestiging zou zijn die alle hoop de grond in zou slaan, was het geen wonder dat hij zo in zichzelf gekeerd was, constant alert, maar nooit geanimeerd, en met zo weinig aandacht voor mij dat ik me zo nu en dan afvroeg of hij het zou merken als ik rechtsomkeert zou maken en zou terugrijden naar Nora. Uiteindelijk werd de angst zo groot dat ik niet meer helder kon denken. Hoewel ik mezelf ervan probeerde te overtuigen dat Henry nooit in staat zou zijn om Rosa – of wie dan ook – bewust kwaad te doen, wist ik, nadat ik getuige was geweest van zijn gedrag in Narni, dat ik maar van één ding zeker kon zijn en dat was dat ik helemaal niet wist waar hij toe in staat was.

Toen we de voet van de Sapoun-heuvels bereikten, werd het landschap rotsachtiger. Onder provisorische tentdoeken stonden geallieerde veldwachten in hemdsmouwen. De Turkse buitenposten waren herkenbaar aan de opgerolde bidmatten en de tabaksgeur van de typische, dunne sigaren die de soldaten rookten. Nu ik erop vertrouwde dat ik wel op de brede rug van Solomon kon blijven zitten, werd ik me bewust van de dreiging van Russische scherpschutters. Granaten en raketten werden afgevuurd vanaf de bastions en na twee maanden aan de rand te hebben geleefd van een tentenkamp met duizenden mannen, was het heel vreemd om door vrijwel onbewoond gebied te rijden. Geleidelijk werd het stiller op de weg en het geroezemoes van stemmen stierf weg – hoewel het geknal van de granaten aanhield. We reden door een ooit vruchtbare vallei met verwoeste huisjes in verlaten tuinen. Ze waren helemaal leeggeroofd en de groentetuintjes waren overwoekerd met onkruid. Hier en daar lagen overblijfselen van voorbijgetrokken legers: een kapotte laars, een verbogen wagenwiel, het karkas van een ezel waarvan al het vlees was weggepikt.

De heuvels werden nog ruiger en waren bezaaid met rotsblokken en kreupelhout. Ze werden doorsneden door uitgegraven ravijnen waar de stilte werd verbroken door het gekras van de kraaien boven ons hoofd en het hortende geratel van de artillerie. Bij een splitsing in het pad steeg Max af. Hij haalde een fles uit zijn zadeltas en ging op een ingestorte muur zitten. De inspanning van de rit was af te lezen aan zijn asgrauwe gezicht, maar hij bleef waakzaam.

Hij draaide de dop los, keek toe terwijl ik het lauwe, naar metaal smakende water doorslikte en dronk daarna uit dezelfde fles. 'Het heeft weinig zin om verder te gaan.' Zijn stem klonk mat en zijn ogen waren dof. 'Verderop ligt de weg naar Sebastopol. Hier hoog boven dit pad ligt de grot waar jouw Thewell als een kluizenaar leefde in de weken voordat hij naar huis werd gestuurd. Het is niets meer dan een grot in een heuvel – en het is er gevaarlijk: we zouden gemakkelijke doelwitten zijn.'

'Ik wil niet dat je zo over hem spreekt, "jouw" Thewell.'

'Neem me niet kwalijk, miss Lingwood.'

'Hij is niet mijn Thewell. Het is gemeen van je om hem zo te noemen, dat weet je zelf ook wel.'

Ik probeerde rustig naar boven te kijken alsof het vooruitzicht door een Russische schutter te worden geraakt een risico was waar ik al zo vaak mee te maken had gehad, dat het me niets meer deed. De grot, niet veel meer dan een zwarte vingernagel in de rots, lag hoog in de wand, boven een op het oog loodrechte afgrond.

'Maar hoe hield hij zich in leven?' fluisterde ik.

'Zijn patiënten, degenen die in staat waren hiernaartoe te komen, brachten hem voedsel en brandstof, in ruil voor advies, maar comfortabel kan het niet geweest zijn. Ik herinner me dat de wind van zee in de winter als een derwisj door deze valleien wervelt.'

'Waarom koos hij juist deze plek?'

'Misschien voelde hij zich verbonden met Inkerman. Ik denk dat dat voor ons allemaal geldt, voor iedereen van ons die hier heeft gevochten.'

'Hij heeft Inkerman nooit genoemd in zijn brieven.'

'Natuurlijk niet. De meesten van ons zwijgen er liever over. Maar kijk eens om je heen.' Hij wees naar iets wits in het gras bij mijn voet. Steen? Nee. Een bot, of botten. Een afgekloven vinger. En nu ik beter keek, zag ik dat hij vastzat aan een hand die uit de grond omhoogstak, alsof de eigenaar had geprobeerd zich een weg naar buiten te krabben. En toen zag ik een paar roestige knopen in het gras en een reep stof, een kogel, een stukje metaal, nog een bot. Hoe beter ik keek, hoe meer ik me realiseerde dat de grond bezaaid lag met de half begraven resten van een veldslag.

'Hoe voorzichtig je je voeten hier ook neerzet, je loopt altijd over de gezichten van de doden,' zei Max.

Ik luisterde naar het droge gras dat raspte in de wind, naar een gestage stroom vallend gruis. In de slag bij de Tsjernaja hadden de soldaten zich verspreid over een weids, open terrein en waren ze de vallei in gerend, springend over hun gevallen kameraden. Hier zaten ze op een kluitje, hier konden ze niet wegrennen voor de vijand die hen achtervolgde.

'Bij Inkerman vochten we in de mist en niemand wist waar de volgende aanval vandaan zou komen. Het schijnt dat zelfs de Russische generaal geen kaart van het gebied had, maar in een zeldzame bui van bekwaamheid besloop de vijand ons in het donker, zodat sommigen van onze mannen niet eens tijd hadden om wakker te worden voordat ze verwikkeld waren in een man-tot-mangevecht met een Kozak. We werden gek van angst en verwarring.

'We konden niet in formatie gaan staan, we hadden geen strategie. Er werden grove fouten gemaakt.'

'Tijdens het gevecht kreeg ik een of twee keer jouw Thewell in het oog, hoewel ik toen niet wist wie hij was. Dokters zijn niet geneigd in de vuurlinie te gaan staan, maar hij bleef nooit in de achterhoede hangen, dat moet ik hem nageven. Thewell ontfermde zich over de gewonden zodra ze neergeschoten werden. Hij stelpte de wonden en gaf ze water. Het is een wonder dat hij het heeft overleefd.'

'En later, toen ik hem beter kende, vertelde hij me dat hij gewonde soldaten had gezien die het zeker zouden hebben overleefd als de Russen hen tijdens hun aftocht niet met hun bajonetten in het gezicht of de maag hadden gestoken terwijl ze om water smeekten. Die zinloze en fatale verwondingen kwelden hem. Het probleem met jouw... met Thewell is dat hij de oorlog zag als een soort sport waarbij helaas gewonden vielen, zoiets als rugby. Als een man zijn nek breekt tijdens het spel wordt dat geaccepteerd, maar niet als de tegenstanders hem naderhand vertrappen.'

'Je praat vol minachting over hem, alsof hij een amateur is.'

'We gedragen ons allemaal als amateurs. We vechten alsof iedere stap die we zetten losstaat van de volgende. Na Inkerman raakte het kamp in de greep van een soort doodsangst. We beseften dat het onmogelijk was om Sebastopol nog voor de winter in te nemen, omdat we de Russen veel te veel tijd hadden gegund om hun positie te versterken. En we konden niet naar huis omdat er te veel eer op het spel stond en te veel mannen dan voor niets het leven zouden hebben gelaten. Het werd bitter koud en ongeveer een week later stak er een orkaan op die onze tenten wegblies en onze voorraadschepen tot zinken bracht. De kleren van de mannen werden nat en konden niet worden gedroogd. Na Inkerman voelde Thewell zich nooit echt prettig bij zijn werk in het ziekenhuis omdat hij alleen maar kon denken aan de mannen in de loopgraven die stierven van de kou. En zo kwam het dat hij aan het front ging werken, waar hij Rosa ontmoette.'

'Hij voelde zich verantwoordelijk voor wat er gebeurde. Hij dacht dat hij het leger kon vertrouwen. Hij begreep het niet.'

'Dan had hij erbuiten moeten blijven.'

'Nou, ik ga in ieder geval wel naar de grot. Alleen maar om te zijn waar zij waren. Je kunt hier wachten als je wilt.'

Hij kwam wankelend overeind en we voerden de paarden langs een pad dat achter de ruïne van een klein kerkje langs liep en vervolgens steil en zigzaggend omhoogklom. We stopten even bij de kerk en tuurden in de duisternis: een paar gebroken tegels op de vloer, de resten van een muurschildering, heiligen met elliptische ogen, ronde halo's en stijve gewaden, maar verder was het een ruïne die was ontdaan van alles wat losgerukt kon worden, met gaten in de muren, vlekken op de stenen vloer en een gescheurd stukje canvas dat in een hoek was geblazen.

Max stond in de deuropening en ondersteunde zichzelf met zijn rechterarm. 'Het is een mooie kapel, vind je niet, miss Lingwood? Hij geeft me een gevoel van rust, hoewel ik weet dat een paar arme drommels tijdens de strijd naar binnen zijn gekropen om hier te sterven. Maar ik moet lachen als ik denk aan die dames thuis die in onze kerken dezelfde God vereren als de bevolking van Sebastopol. Wiens gebeden denk je dat Hij zal verhoren? Want het spreekt vanzelf dat Hij voor een van de partijen moet kiezen.'

Ik antwoordde niet omdat ik zijn woede en hoon niet wilde opwekken, maar zette snel een stap naar achteren om hem langs te laten. Toch raakte zijn arm de mijne doordat hij wankelde toen hij op zijn gewonde been steunde. Ik gaf hem een flinke voorsprong voordat ik achter hem aan liep. Zijn vijandigheid was meedogenloos en het deed me pijn dat hij zo onverschillig was gebleven toen hij me toevallig aanraakte.

Hoewel de lucht nu bewolkt was, bleef het heel warm op het pad en ondanks Nora's waarschuwing voelde ik de speldenprik van een beginnende hoofdpijn. Mijn enige troost was Solomon, die zo dicht bij me bleef dat zijn neus mijn bovenarm raakte en wiens kalme pas deed vermoeden dat deze klim voor hem niets was na de ontberingen van de strijd. Uiteindelijk, na weer een scherpe bocht, kwamen we op een klein plateau, met aan de voorzijde een lage rotswand en aan de achterzijde de grot. De zon was een bleke schijf achter een dikke, gelige nevel, maar de hitte was intens.

Henry's grot was manshoog en tamelijk breed, maar niet meer dan drie meter diep. Ik bleef staan bij de ingang en legde mijn hand op warm steen. Ik dacht dat ik ontroerd zou zijn nu ik deze beladen omgeving had bereikt, maar ik voelde niets. Max nam de paarden mee naar binnen, waar de hitte iets minder verstikkend was. Het rook er naar vochtige mineralen en dierlijke ontlasting en de grond was zwartgeblakerd door vuur. De enige kenmerken die de grot enigszins geschikt maakten als verblijfplaats waren de rotswand, die hem enigszins aan het zicht onttrok, en het weidse panorama over de Tsjernaja met zijn brug, het verwoeste dorpje Inkerman en een andere rotsachtige heuvelrug aan de andere kant van de vallei. De rivier slingerde van links naar rechts, werd breder en verdween, op weg naar de zee, achter de uitloper van een heuvel. Er was niemand te bekennen, behalve een gehurkte gedaante in de verte die een tiental geiten hoedde,

413

en toen het voortdurende artillerievuur even stilviel, hoorde ik vaag belletjes klingelen.

Met de punt van mijn schoen wroette ik in de verkoolde stukjes hout op de vloer van de grot en ik onderzocht de wanden op aanwijzingen dat Henry en Rosa hier waren geweest, maar het enige wat ik vond was rommel, geschroeide blikken en een kapotte fles. Achter in de grot kwamen de vloer en het plafond bij elkaar, maar er bleef een smalle spleet over. Voorzichtig stak ik mijn hand naar binnen. Niets. Weer zocht ik in mijn hart naar iets van opwinding of pijn, want hier stond ik, precies op de plek waar Henry zijn laatste weken op de Krim had doorgebracht. Maar ik voelde me alleen maar verdoofd. Hij leek nu zo ver van me verwijderd dat ik hem nauwelijks meer voor ogen kon halen. Ik zag slechts een korte flits van zijn vochtige haar en zijn wriemelende, warme hand in het kamertje in Narni.

Max wees naar de met struiken begroeide heuvel aan de overkant. 'Achter die heuvel ligt Sebastopol. Langs de rivier en het estuarium loopt een weg. De Fransen hebben daar hun kamp, maar de Russen houden alles in de gaten. Door hier te komen, bracht Thewell zichzelf op het kruispunt van de oorlog.'

'En waar ben je eigenlijk naar op zoek, Max? Je denkt dat Rosa hier is gestorven, niet?'

'Ik denk dat Thewell zijn verstand kwijt was.'

'Hij was dokter.'

'Hij was gek.'

'Wat wreed. Hij was ziek.'

De leegte in zijn ogen en de spanning in zijn gewonde lichaam waren angstaanjagend. 'Mariella, ben je zo blind dat je niet ziet wat er aan de hand is? Heb je al die tijd in Londen niet doorgehad dat hij volkomen geobsedeerd was door haar? Toen hij haar hier was tegengekomen, liet hij haar niet meer met rust. Hij kwam iedere avond naar het kamp, bonkte op de deur en riep haar naam. Ze zei tegen hem dat ze niet van hem hield, maar hij wilde niet luisteren. Uiteindelijk heb ik hem meegesleurd naar mijn barak waar hij op mijn bed ging zitten en begon te huilen als een kind. Hij zei dat Rosa hartstochtelijk van hem hield, dat ze hem achtervolgde vanaf het moment dat hij haar in jullie salon had ontmoet, en dat ze hem gek maakte met haar volharding. Waar hij ook ging in Londen, zij was er ook: in zijn ziekenhuis, zijn nieuwe huis, bij een van zijn lezingen. Hij kwam zelfs hiernaartoe in de hoop haar te kunnen vergeten, maar weer volgde ze hem.'

'Misschien was dat wel de echte reden dat ze naar de Krim wilde.'

'Je klinkt net als Thewell. Niets kon hem ervan overtuigen dat hij de laatste persoon op aarde was van wie Rosa zou kunnen houden. Daar zat hij, ineengedoken in zijn overjas, zijn vuisten gebald op zijn knieën, zijn gezicht vertrokken van de tranen, en hij herhaalde steeds maar weer: "Ze houdt van me, ze houdt van me."'

'Waarom ben je er zo zeker van dat ze niet van hem hield?' Iedere keer dat we het woord 'liefde' tegen elkaar zeiden, trof de betekenis ervan me als een hamerslag op mijn borst.

Hij schudde het hoofd en bestudeerde mijn gezicht zo aandachtig dat ik begon te trillen. 'Mijn god, moet je dat echt vragen? Heb je nooit begrepen dat er maar een persoon op aarde was die ze met heel haar hart liefhad? Mijn arme Mariella, wat zou je leven eenvoudig zijn geweest als die lastige Rosa er niet was geweest. Ik neem aan dat je dan inmiddels Mrs. Thewell was geweest die zich alleen maar druk maakte over suikertangetjes.'

'Denk je dat dat het enige is wat ik kan?'

De wreedheid trok weg uit zijn ogen en hij schonk me een korte, berouwvolle glimlach. 'Hoe dan ook, uiteindelijk verliet Thewell inderdaad het kamp. We hoopten dat hij was teruggekeerd naar het ziekenhuis, maar in plaats daarvan ging hij hierheen. Rosa werd verteerd door schuldgevoel. Ze zei dat het allemaal door haar kwam. Ze had Henry misleid en daardoor jouw hart gebroken. We hadden een hevige ruzie. Ze zei dat ze naar hem toe moest om hem over te halen terug te komen. Ik zei dat ze als ze naar de grot ging zijn zieke geest alleen maar nog meer bewijzen zou geven dat ze van hem hield. Maar op een nacht werd ik weggeroepen en toen ik terugkwam, was het te laat. Ze was verdwenen.'

'En toen?'

'Hij was een gekwelde ziel, Mariella, hij had zichzelf niet meer onder controle.'

'Maar hij kan haar toch geen kwaad hebben gedaan.'

'Wie zal het zeggen.'

'Nee, nee, ik wil het niet geloven.'

'Mariella, Rosa is nooit teruggekeerd.'

'Nee. Ze is niet dood. Er zijn te veel aanwijzingen. Ze is gezien bij de Tsjernaja... Sommige Russen leken mijn gezicht te herkennen...'

'Het zal gemakkelijker worden als we zekerheid hebben.'

Ik luisterde naar zijn onregelmatige pas terwijl hij verder omhoogliep over het pad. Ik probeerde me een Henry voor te stellen die door liefde tot zulke extreme daden werd gedreven – bonkend op het ruwe hout van Rosa's barak, zijn eenzame stem die in het slapende kamp om haar schreeuwde, zo anders dan de beheerste chirurg die door zijn armen op te heffen een volle operatiezaal het zwijgen had opgelegd of de keurige heer die zo precies mijn mond had gekust. Ik herinnerde me hoe we samen bij het raam hadden gestaan en naar de konijnen hadden gekeken terwijl hij mij een aanzoek deed en hoe ik, na zijn vertrek, in mijn eentje in de onveranderde voorkamer had gezeten. En één absurd moment lang benijdde ik hem, omdat hij zo diep had gevoeld, omdat hij in de greep was geweest van zo'n heftige passie.

En Rosa? Ik kon me goed voorstellen dat ze uit het kamp was gevlucht, vastbesloten alles op te lossen. Maar wat had ze gevoeld toen ze hier was aangekomen en hem zag zitten bij het vuur, toen hij door de vlammen heen naar haar keek en zij het ongeloof in zijn ogen zag, het sprankje hoop?

Het was heel stil in de grot en de muffe lucht was zwaar van de warmte. Uit de vallei onder ons klonk het gekras van kraaien en daarna het lage gerommel van kanonnen. De paarden kauwden op hun hooi en keken me onverschillig aan. Ik liep langzaam naar de ingang van de grot waar een zacht windje waaide, alsof de vallei zijn adem niet meer kon inhouden, een zaadpluisje dwarrelde op de zoom van mijn rok en gele wolken verzamelden zich boven de heuvels aan de overkant.

Waarom had ik aan haar getwijfeld? Ik zag haar voor me, zwevend boven het ravijn op Stukeley, met ferme pas het pad afdalend naar het huisje van de Fairbrothers, knielend bij de stervende jongen. In een van zijn laatste briefjes aan haar had Henry geschreven: *Je onwankelbare trouw maakt me bang.* Hij wist maar al te goed met wie hij te maken had. Wat moet ze zijn obsessie benauwend hebben gevonden, wat moet ze zich gevangen en schuldig hebben gevoeld.

Rosa, waar ben je nu?

Geen antwoord.

Toen ik luisterde naar haar stem in mijn hoofd, was hij verdwenen.

De hele reis naar de grot had ik verwacht dat ik een teken zou vinden, iets van betekenis, misschien de schim van Rosa. Ze had me tenslotte hiernaartoe gelokt. Ze waarde rond in de ziekenhuizen, ze had haar naam achtergelaten op tientallen tongen, ze kwelde mijn geest met haar onstilbare behoefte mij zelfs het meest verborgen deel van haar leven te laten zien. En nu? Stilte. Als ik probeerde een beeld op te roepen van haar in deze grot die moest doorgaan voor een geheime schuilplaats, zag ik niets. In plaats daarvan werd ik eindelijk getroffen door haar totale afwezigheid.

10

Derbyshire, 1844

Tijdens mijn zevende les was ik van begin af aan zo nerveus dat mijn hart bonsde en mijn oksels vochtig waren. Deze keer zou ik het hem echt vragen. Ik had het helemaal uitgedacht en zelfs woord voor woord geoefend wat ik zou zeggen. Hij was zo liefdevol en geduldig dat hij onmogelijk kon weigeren. Het was tenslotte nauwelijks een gunst; ik zou hem alleen maar vragen om te doen wat onmiskenbaar het juiste was. En ik beeldde me in dat alles op Stukeley daarna volmaakt zou zijn: Rosa zou verrast zijn over wat ik had bereikt en als ik terugging naar Londen zou ze een gelukkig leven leiden zonder mij, omdat zij en haar stiefvader vrienden zouden zijn.

Sir Matthew opende de deur van de bibliotheek, liet mij met een speelse buiging binnen, sloot de deur zachtjes en trok mijn stoel naar achteren. Toen overhoorde hij me zoals gebruikelijk. Als mijn antwoord goed was, klopte hij me op de arm, als het fout was kreunde hij en liet hij zijn hoofd in zijn handen zakken, waar ik normaal altijd om moest giechelen, maar deze keer was mijn lach geforceerd.

Toen ik het antwoord opschreef brak mijn pen. Vader zou geïrriteerd zijn, maar Sir Matthew glimlachte alleen maar. 'Maak je geen zorgen, Mariella, ik heb er nog meer dan genoeg. En het geeft mij de kans om mijn favoriete cadeau te gebruiken.' Hij haalde een doos tevoorschijn met een stuk of tien metalen kroontjespennen, liet mij er een uitkiezen, zette hem in de houder, veegde zijn vingers schoon met mijn pennendoekje, doopte de pen in de inkt en gaf hem aan mij. We keken allebei naar het glimmende blauwe spoor dat mijn keurige handschrift achterliet.

'Kijk eens hoe vaak ik mijn pennendoekje heb gebruikt. Aan de ene kant is het jammer om hem met inkt te besmeuren, aan de andere kant herinnert iedere vlek me aan het attente brein dat op het idee van dit prachtige cadeau is gekomen.'

Wanneer zou ik het vragen? Nu, terwijl we met onze hoofden naast elkaar over het papier gebogen zaten, of later, als ik in de leunstoel zat zodat hij nog een lade met insecten op mijn schoot kon zetten en mijn haar naar achteren kon houden? Of misschien zou dat vandaag niet gebeuren. Als ik niet opschoot zou de klok misschien slaan ten teken dat het tijd was om te vertrekken.

Hij leunde achterover. 'Mijn Mariella laat vandaag niet veel van haar talent zien. Zit je iets dwars, lief kind?' Zijn blik was zo vriendelijk dat ik bijna in huilen uitbarstte. 'Laat de gedichten vandaag maar zitten. Je mag het boek meenemen, als je wilt. Maar kom eerst hier. Kom maar.' Hij pakte me stevig vast, trok me overeind en nam me mee naar de andere kant van de bibliotheek waar de ladekasten stonden. Ik had geleerd zijn vingers een verlegen kneepje te geven, dat hij altijd beantwoordde en erg op prijs leek te stellen, dus legde ik mijn hand in de zijne terwijl er een traan over mijn wang naar mijn lippen liep.

Hij bukte zich, keek me aan, drukte mijn hoofd tegen zijn van tabaksgeur doortrokken vest en zei zachtjes: 'Wat is dit nu? Ik kan niet toestaan dat mijn lieve kleine meisje huilt. Ah, ga maar hier zitten, dan kan ik je even bekijken.' Hij tilde me op en zette me boven op een van de ladekasten, zodat onze ogen op gelijke hoogte waren en mijn knieën tegen zijn borst drukten. Toen pakte hij mijn handen en streek met zijn duimen over mijn knokkels. 'Zo, wat is er?'

'Ik ben heel ongelukkig door iets wat ik heb gezien.'

'Aha, en wat is dat dan?' Hij kuste mijn wangen, eerst de ene, toen de andere, en legde zijn voorhoofd tegen het mijne zodat onze neuzen elkaar raakten en ik zijn sigarenadem kon ruiken. 'Zeg het maar.' Ik liet mijn hoofd voorover zakken zodat we nog dichter bij elkaar waren, net als wanneer Rosa en ik met onze gezichten naar elkaar in bed lagen.

'In het dal...'

Een deel van mij vond het heel prettig dat hij over mijn rug aaide en me naar zich toe trok zodat mijn knieën langs zijn zijden onder zijn armen gleden. Het was net als wanneer Henry me optilde en me ronddraaide in de tuin, of wanneer vader me naar bed droeg. Maar het lichaam van Sir Matthew was anders, de geur was verkeerd en ik kende hem niet goed genoeg om zo dicht bij hem te zijn. Ik moet het zeggen, snel. 'Alstublieft, ik vroeg me alleen maar af... Er woont een familie bij de rivier, de Fairbrothers. Een van de kinderen is heel ziek. Ik denk dat als ze een ander huis hadden...'

Met de ene hand hield hij mijn hoofd tegen zijn borst, met de andere streelde hij mijn nek. 'Fairbrother?'

'Ik denk dat u niet weet dat het jongetje stervende is. U kunt het niet weten, anders zou u er zeker iets aan doen.'

'Je bent een grappig kind. Ik dacht dat het jou was verboden om bij de Fairbrothers in de buurt te komen.'

'O, maar iedereen kent ze.'

'Iedereen?'

'Moeder probeert altijd de armen te helpen in Londen,' zei ik snel.

'Is dat zo?' Tot mijn opluchting was hij helemaal niet boos. Hij leek zelfs nog meer van me te houden, want hij kuste de rug van mijn handen en stak teder mijn haar achter mijn oren. 'Zie je, Mariella, het probleem is dat het leven niet zo eenvoudig is als je denkt. Ik moet iedere dag honderd moeilijke beslissingen nemen en iedere beslissing doet sommige mensen plezier en schaadt anderen. Wat zou er gebeuren als ik één familie zou laten verhuizen? Hoe moet het dan met al die anderen die in hetzelfde dal wonen? Ik zou geruïneerd zijn als ik voor al die mensen nieuwe huizen moest bouwen. En als ik al mijn geld kwijtraakte, kon ik niemand betalen en zouden de arbeiders geen werk hebben en dan zouden al hun kinderen honger lijden, en dat zou een hele hoop ellende veroorzaken.'

'Maar de rivier is zo smerig.'

Voor het eerst zag ik een glimp van ongeduld in zijn ogen. 'Ach, dat is niet belangrijk, laten we die vieze oude rivier vergeten. Welke lade zullen we vandaag nemen?' Hij legde zijn han-

den om mijn middel alsof hij me wilde optillen. Zijn duimen lagen onaangenaam hoog, net onder mijn borst, maar ik sloeg mijn
armen om zijn nek omdat ik deze gelegenheid niet voorbij wilde laten gaan; ik zou nooit meer de moed vinden om het nog
eens te proberen. 'Als er maar schoon water was,' zei ik. 'Dat is
goed voor alle gezinnen.'

Hij wreef met zijn duimen over mijn ribben. 'Je hebt er goed
over nagedacht, hè?'

'Vader zou kunnen helpen. Vader weet alles van pijpleidingen
en afvoeren.'

'Nee maar. Nou, als ik ooit advies nodig heb, weet ik hem te
vinden.'

'Alstublieft, wilt u er iets aan doen?' smeekte ik.

'Mariella, nu is het genoeg. Een van de redenen dat ik zo gesteld ben op deze bibliotheek is dat ik hier niet over mijn werk
hoef na te denken. Dus nu geen woord meer over die hutjes.'

Ik zuchtte en speelde toen mijn laatste troef; ik duwde zijn han-
den weg alsof ik niets meer met hem te maken wilde hebben.
Even zweeg hij, maar toen hij sprak klonk zijn stem heel anders.
'O, dus het meisje begint te mokken als ze haar zin niet krijgt.'

'Daar gaat het niet om. Maar ik kan niet gelukkig zijn terwijl
ik weet dat Peter Fairbrother zo ziek is. Het voelt niet goed.'

'Zo is het nu eenmaal, Mariella. Je zult moeten leren leven met
de kennis dat niet iedereen altijd gelukkig kan zijn.'

'Maar u kunt ons gelukkig maken. U hoeft er alleen maar voor
te zorgen dat ze schoon water hebben. Als u een kanaal liet graven vanaf het bos…'

'Wie bedoel je met "ons"?'

'Mij en de Fairbrothers en…'

'Waar komt al dat geklets over kanalen vandaan?' Alle warmte was uit zijn ogen weggetrokken en plotseling zag ik hem als
de Sir Matthew Stukeley die met zijn nette jas en kravat aan het
hoofd van de eettafel zijn eten in kleine stukjes van gelijke grootte zat te snijden zonder een woord te zeggen. 'Aha, nu begrijp
ik het. Dit komt van Rosa, of niet soms? Jullie tweeën hebben
dit samen bekokstoofd. Waar of niet?'

'Nee. Nee.'

'Zij heeft je verteld wat je tegen mij moest zeggen. Ik neem aan dat dat de reden is dat je steeds hier komt, om het vuile werk voor Rosa op te knappen.'

'Nee, zo zit het niet.' Nu begon ik echt te huilen omdat ik nog nooit in mijn leven zo kil was toegesproken.

'Heeft ze je weer meegenomen naar de hutjes? Nou? Ik heb jullie verboden daar in de buurt te komen.'

Ik huilde hulpeloos, verpletterd door zijn afschuwelijke woede. 'Sir Matthew, ik zweer u dat Rosa niet weet dat ik hier ben, ze weet er niets van, ze zei tegen me dat ik u niets mocht vertellen over onze bezoekjes aan de Fairbrothers, maar ik geloof dat u niet echt begrijpt hoe graag ze wil helpen...'

Hij liep naar een rij planken en bestudeerde met grote interesse de rug van een van de boeken. 'Nee. Niet nu. Genoeg. Ga maar weg, ik ben hier niet voor in de stemming.'

Ik gleed van de ladekast af en stond midden in de bibliotheek te huilen. Toen liep ik voorzichtig naar hem toe en probeerde mijn vingers in de zijne te strengelen, maar hij draaide zich van me weg. 'Om je de waarheid te zeggen, Mariella, geloof ik je niet. Ik denk dat je haar alles over onze lessen hebt verteld. Mijn god, het is echt iets voor Rosa om jou te gebruiken voor haar eigen belangen. Ik zal haar moeten straffen.'

'Nee, nee, Rosa weet niet dat ik hier ben.'

'Waarom heb je me niet gehoorzaamd? Je wist dat je niet naar de hutjes mocht. Dat was voor jullie allebei meer dan duidelijk.'

'We wilden alleen maar helpen. Alstublieft, wees niet boos. Alstublieft. Ik wil zo graag dat u en zij vriendschap sluiten. Ik wil dat alles goed komt en dat ze ziet wat voor man u bent.'

'Houd op met huilen. Ik verwijt jou niets. Maar Rosa zou beter moeten weten. Ik heb het haar al eerder gezegd. Ze kent haar plaats niet. Toen ik haar voor het eerst zag, vond ik dat ze het gezicht van een engel had. Maar ze bleek juist ongehoorzaam en eigenwijs, en daarom heb ik er spijt van dat ik met haar moeder ben getrouwd. Begrijp je het niet? Ze verpest alles. Nee, ze moet worden gestraft. Ik zal haar er eens goed van langs geven.' Hij keek me onderzoekend aan. 'Ja, ik heb een zweep die ik voor Max bewaarde. Misschien moet ik hem voor Rosa gebruiken.'

'Nee, nee, alstublieft niet. Alstublieft, straf haar niet, straf mij dan.'

Hij liep met grote passen naar een van de kasten, nam een sleutel uit zijn zak en haalde een gelakte stok tevoorschijn met een leren lus aan een van de uiteinden, waarmee hij in zijn hand en tegen zijn enkel sloeg als om hem te beproeven. Ik volgde de zwiepende beweging van het leer en kromp ineen.

'Dus je wilt dat ik jou straf in plaats van Rosa.'

'Ja... ik vind het niet erg...'

'Kom dan maar hier.' Hij pakte mijn arm en liet zijn blik over me heen glijden alsof hij nadacht over waar hij me het best kon raken. Met het uiteinde van de zweep volgde hij mijn lichaam – mijn schouder, bovenarm en heup. Hij tilde zelfs de zoom van mijn rok op om naar mijn trillende knieën te kijken. Ik snikte hulpeloos en alleen zijn greep hield me overeind, toen gooide hij zijn zweep weg en zei hij zachtjes: 'Mariella, ik ben niet van plan je te straffen. Je hebt niets verkeerd gedaan, behalve dan dat je naar Rosa hebt geluisterd, maar het maakt me verdrietig dat de mening van Rosa blijkbaar belangrijker voor je is dan de mijne. Toe, stop nu met huilen.'

'Beloof me dat u Rosa niet zult vertellen wat ik heb gezegd. Beloof me dat u haar niet zult straffen.'

Hij nam me mee naar de leunstoel, aaide over mijn hoofd, kuste mijn hand en trok me toen heel voorzichtig op zijn schoot. 'Stil maar. Je wilt je mooie gezicht toch niet verpesten met die tranen?' Ik hief mijn gezicht op en hij veegde mijn ogen droog met zijn geparfumeerde zakdoek, sloeg zijn benen over elkaar, waardoor ik nog dichter tegen hem aan zat, en omhelsde me nogmaals. Toen nam hij mijn kin in zijn hand en bestudeerde mijn gezicht, eerst mijn ogen, toen mijn mond. Van diep uit zijn keel borrelde een klein lachje op en toen kuste hij me op de lippen.

Het was maar een klein kusje, een heel lichte druk van zijn mond op de mijne en iets heel vreemds, een snelle beweging van zijn tong tussen mijn lippen, maar ik schrok er zo van dat ik me van hem wegduwde en opstond. Toen wist ik niet meer wat ik moest doen; ik wilde zeker niet dat hij weer boos zou worden. Dus ik maakte een knix en gaf hem voor de volledigheid ook nog een hand. Daarna pakte ik de gedichtenbundel op en liep snel naar de deur, terwijl ik dacht: godzijdank is het voorbij en heeft hij me vergeven. Hij zal het Rosa niet vertellen.

Ik keek nog één keer om. Hij zat onderuitgezakt in de stoel, met zijn benen wijd, zijn handen samengevouwen onder zijn kin, en keek me aan met zijn gebruikelijke, vochtige blik vol genegenheid. Toen deed ik de deur open, glipte de gang in en botste hard tegen Max aan.

Door deze nieuwe schrik begon ik te klappertanden en trilden mijn knieën tegen mijn onderrok. Maar Max kende geen genade en voor ik het wist had hij me meegetrokken naar de ruimte onder de trap.

I I

De Krim, 1855

STRUIKELEND LIEP IK NAAR DE INGANG VAN DE GROT, ZETTE MIJN handen aan mijn mond en slaakte een kreet over de vallei: 'Rosa.' Eerst klonk mijn stem zo zwak dat hij werd weggeblazen door de warme wind, maar ik schreeuwde opnieuw: 'Rosa!'

Keer op keer riep ik haar naam, tot mijn stem brak en de kanonnade boven Sebastopol een spottende echo was geworden. 'Rosa. Kom terug. Rosa.' Nu was haar naam een schurende snik in mijn keel.

Iemand schudde ruw aan mijn schouder en een hand werd over mijn mond gelegd. 'In godsnaam, Mariella.' Hoewel ik mijn hoofd van links naar rechts rukte en aan de pols van Max trok, bleef hij me stevig vasthouden en gebood hij me stil te zijn.

Uiteindelijk gaf ik mijn verzet op, maar zodra zijn greep verslapte, draaide ik me naar hem toe. 'Geen wonder dat je me haat.'

'Waar heb je het over?'

'Wat gebeurde er nadat je vader ons die keer wegstuurde van Stukeley?'

'Niets.'

'Ik geloof je niet. Hij zei tegen me dat hij Rosa zou straffen.'

Hij legde zijn vinger tegen mijn lippen alsof ik een kind was. 'Mariella, ben je vergeten dat het oorlog is? Sst. Houd je stil.'

'Ik heb je vader verteld over Rosa's bezoekjes aan de Fairbrothers. Hij heeft haar vast pijn gedaan vanwege mij.'

'Mariella, moet alles altijd bij jou beginnen en eindigen?'

'Dit wel. Nora zei dat hij Rosa zelfs heeft gedwongen om hem te verplegen als een soort straf. Wat heeft hij haar nog meer aangedaan? Vertel het me.'

'Kom in ieder geval mee naar binnen, uit het zicht. Goede god, ik heb je zelden je stem horen verheffen boven een fluistertoon, en dan besluit je juist hier een hysterische aanval te krijgen.' Hij pakte me stevig bij de hand en trok me mee het donker in. 'Als je het echt wilt weten, jij was niet meer dan de zoveelste ergernis, een nieuwe nagel aan de doodskist van hun relatie, niets meer dan dat. Vader kon Rosa niet onder de duim houden, dus vond hij manieren om haar te kwellen. Onze schommel werd weggehaald omdat hij te gevaarlijk zou zijn, de buxushaag werd omgehakt omdat het uitzicht moest veranderen, ze mocht in haar eentje niet meer dan een halve mijl van het huis komen.'

'En hield ze zich aan zijn regels?'

'Natuurlijk niet. Ze wist precies hoe ze hem kon treiteren. Zelfs toen hij zijn eigen zieke lichaam gebruikte om haar vrijheid in te perken, draaide ze de rollen om door hem te beschouwen als onderdeel van haar verpleegstersopleiding. Hoe slechter het met hem ging, hoe sterker ze werd.'

'Maar ze moet erachter zijn gekomen dat ik les van hem kreeg. Waarom heeft ze me in haar brieven of toen ze naar Londen kwam nooit een verwijt gemaakt?'

'Omdat ze te veel van je hield.'

'Nee. Nee. Ik kan het niet verdragen. En nu is ze verdwenen. O, god, ik wil zo graag dat ze terugkomt.' Ik rukte aan mijn rok en mijn sjaal alsof ik zo op de een of andere manier mijn lichaam kon zuiveren en ik haatte het kind dat zo parmantig in de leunstoel van Sir Matthew had gezeten met een gesteven servet uitgespreid over haar schoot, te vol van haar eigen machtsgevoel om het gevaar te zien. En dit afgelopen jaar, die kokette momenten met Henry… Hoe kon ik zo zelfingenomen zijn geweest, en zo blind voor wat zich voor mijn neus afspeelde. Dwaas, dwaas.

Ik frunnikte doelloos aan het hoofdstel van Solomon; de dodelijke leegte van de grot verlaten was het enige waaraan ik nu kon denken. Max stond met zijn armen over elkaar te kijken. 'Mariella, je was nog maar een kind. Het was jouw schuld niet.

Vergeleken met Rosa was je een gemakkelijke prooi. We hadden allemaal beter op je moeten letten.'

'Hoe bedoel je, vergeleken met Rosa.'

'Waarom denk je dat mijn rijke vader met jouw straatarme tante trouwde? Rosa was het lokaas, zoals ik later begreep. Hij dacht waarschijnlijk dat zij zijn kleine speelkameraardje zou worden als hij haar eenmaal bij zich had op Stukeley – ze vertelde me dat hij haar in een hoek had gedreven in de Italiaanse tuin, maar dat ze hem met een paar goed gekozen woorden van het lijf wist te houden. Het is dus geen wonder dat hij probeerde met jou een geheime relatie op te bouwen.'

'Ze vertrouwde me. Ik deed het achter haar rug om. En nu heeft ze zich voor mij opgeofferd.'

Max legde zijn elleboog op de geduldige hals van Solomon en keek me onderzoekend aan. Met zijn andere hand veegde hij wat vuil van mijn kin. 'Ze was dol op je. Jij was het licht in haar leven. Ze had het altijd over jou, haar Londense nicht. Zodra ik haar de kans gaf, als ik even niet op mijn hoede was, begon ze over je te praten: over je ogen, je kleren, je stem, je talent met naald en draad.'

'Ik was het niet waard.' Maar ik liet de teugels van Solomon los. Alles veranderde. Rosa en Henry waren niet in de grot, maar Max wel, leunend tegen het paard, heel anders dan de man met zijn versteende blik die mij een uur eerder alleen had gelaten. Het geluid van de kanonnen werd gedempt door het steen en in de onwennige stilte zonk ik weg in dezelfde donkere ogen die mij zo vurig hadden aangekeken toen hij midden in de nacht de slaapkamer van Stukeley binnensloop.

'Dus je hebt Rosa niet gevonden,' zei ik ten slotte.

'Je had gelijk, ze is hier niet. Ik heb op de heuvel gezocht naar een teken, pas omgewoelde aarde misschien. Maar heel Inkerman is een begraafplaats. Het was zinloos.'

Zelfs de paarden stonden roerloos en de paukenslagen van de kanonnen werden naar de achtergrond gedrongen. Max streek met zijn vinger omhoog langs mijn wang en mijn hoofdpijn bonkte tegen mijn slaap. 'Ik wilde je zo graag weer zien glimlachen zoals je deed toen je me vond in het ziekenhuis – zo ja, die langzame, aarzelende glimlach.' Zijn duim gleed over mijn lippen. Ik wankelde even en viel tegen mijn paard. Mijn verstand was trager dan mijn zintuigen en toen ik mijn hand tegen zijn borst drukte om hem op afstand te houden bonsde het bloed in mijn vingers.

'Ik dacht dat je van Rosa hield,' zei ik.

'Natuurlijk houd ik van Rosa. Ze is mijn gekke meisje, mijn zuster. Maar jij hebt een heel ander effect op mij, jij, met je kanten onderrokken en steelse blikken vanonder je bonnet.'

'O, ik had geen...' Zijn snor raakte mijn lippen en mijn botten werden vloeibaar. Een seconde lang aarzelde de oude Mariella, maar ik stapte niet naar achteren; ik wilde hem te graag. Dus legde ik mijn handen op zijn achterhoofd, sloot mijn ogen en stak hem mijn half geopende mond toe. Max kuste met de vurigheid waarmee hij alles in zijn leven deed. Ik werd hard tegen zijn lange, slanke lichaam gedrukt en de lauwe kussen die ik ooit met Henry had uitgewisseld werden tot stof. Toen we elkaar weer aankeken waren we geschokt en verlegen. De vreemde gewaarwording dat ik Max Stukeley had gekust, de kwetsbaarheid van zijn oogleden en de zachtheid van zijn mond deden me pijn. Mijn in een geleende blouse en strakke rok gehulde lichaam was nieuw en vol verlangen. Ik hield zijn gezicht tussen mijn handen, streelde zijn kaak en jukbeenderen en zoog zijn geur op.

Toen hij mijn oor kuste, fluisterde hij: 'We moeten gaan. Het is al bijna te laat. We bereiken het kamp niet meer voor het donker is.'

'Nee. Nee. Max.'

'Miss Lingwood, je reputatie gaat aan diggelen.'

'Wat doet het ertoe vergeleken hierbij?'

Hij drukte zijn lippen zo zacht op mijn handpalm en de binnenkant van mijn pols dat ik tegen hem aan leunde en mijn vingers onder zijn mouw stak zodat ik zijn blote arm kon voelen. Ik genoot van de schok van huid tegen huid, de zachtheid van zijn nek, de ruwheid van zijn wang. Uiteindelijk sloeg hij zijn arm om me heen en trok met zijn andere een gestreepte deken tevoorschijn die hij op de vloer van de grot gooide. In het schemerdonker lag ik met mijn hoofd op zijn schouder en legde ik mijn benen over zijn niet-gewonde knie. Dat kleine gat in de heuvel was zowel mijn thuis als een plaats waar ik volkomen anders was. De herinnering aan de slaapkamer in Narni vervaagde terwijl ik de geur van Max inademde, met mijn vingers door zijn zwarte haar woelde en vooroverboog om hem op zijn mond te kussen, tot hij mijn hoofd beetpakte en me een donkerder, woester universum in trok waar ik me alleen bewust was van de gladheid van zijn warme huid en de behoefte om te worden aangeraakt en vastgehouden.

'Waarom ben je veranderd?' fluisterde ik. 'Je probeerde me steeds weg te sturen. Ik dacht dat je me haatte.'

'Ik haat je ook, iedere centimeter, vooral dit zachte, geheime plekje achter je oor. Maar toen ik je daarnet hoorde schreeuwen, dacht ik dat je door de Russen gevangen was genomen en ik zei tegen mezelf: "Je bent een domkop, Max Stukeley. Je rent hier maar rond om de verdwenen Rosa te zoeken en ondertussen breng je Mariella in gevaar."'

Hij kuste mijn oogleden en ik dreef verder en verder weg van mijn gewone zelf. Mijn lippen sloten zich om zijn tong, mijn lichaam nam de juiste houding aan om zijn gewicht te kunnen dragen en mijn hand verkende de welvingen van zijn schouder en keel. De blouse van Whitehead maakte zich los uit mijn rok en hij streelde mijn rug, zijn kussen waren als veertjes tegen mijn oor. 'Eigenlijk had je geen kans. Ik heb het allemaal uitgedacht in dat akelige ziekenhuis in Renkioi. Vierde losse eindje: de liefde bedrijven met dat koppige brutale nest, Mariella Lingwood.' Zijn vingers maakten een trage dans over mijn huid en toen ze zich om mijn borst sloten kromde mijn rug zich. Hij kuste mijn sleutelbeen en mijn borst door de dunne stof van de blouse en ik voelde zijn broze botten en luisterde naar zijn hart.

Toen de zon onderging trokken de wolken weg. Boven de heuvel aan de andere kant van de vallei verscheen een stukje van de maan en een paar vleermuizen kwamen fladderend tevoorschijn uit een spleet in de rotsen en maakten duikvluchten in de duisternis. We hielden elkaar vast terwijl de lucht oplichtte en de grond schudde door het kanonvuur. Naarmate de nacht vorderde en de hitte van de dag wegzonk in de rotsen, verstevigde ik mijn greep. Van Max houden was als koorddansen boven een afgrond. Overal om ons heen zuchtten en draaiden de honderden dode mannen onder de dunne laag aarde.

'Ik kan nog nauwelijks geloven dat je het hebt overleefd,' zei ik. 'Als ik eraan denk dat ik je misschien nooit meer had gezien en hier nooit zo met jou had kunnen liggen, krimpt mijn hart ineen. Waarom zijn wij nog in leven en de anderen niet? Wat geeft ons het recht?'

Hij aaide over mijn haar en gaf me een trage, bedroefde kus. 'Mariella, we hebben het recht niet. In een oorlog is een halve centimeter het verschil tussen leven en dood.'

'Hoe kun je nog vechten met die wetenschap?'

'De dood maakt deel uit van het proces, het is een van de vele mogelijke uitkomsten. Op sommige dagen ril ik van angst, op andere word ik euforisch bij de gedachte aan de volgende veldslag. Het maakt niet uit hoe ik me voel: de oorlog gaat door, we vechten, we blijven in leven of we sterven. We hebben geen keus.'

'Maar als het een verkeerde oorlog is, als het geen zin heeft...'

'Je klinkt net als Rosa. Maar ik heb tegen haar gezegd dat het een kwestie van vertrouwen is. Ik verwacht dat mijn mannen mij onvoorwaardelijk gehoorzamen en ik doe hetzelfde. Dat is de regel, voor iedereen.'

'En wat zei Rosa daarvan?'

'Rosa zei dat ze nooit een soldaat zou kunnen zijn. Ze heeft het in het ziekenhuis tenslotte maar een paar weken uitgehouden omdat ze zich niet aan de regels kon houden.'

'Mrs. Shaw Stewart was van mening dat Rosa de grenzen overschreed toen ze bij de mannen in de loopgraven ging werken.'

'Precies, zo is Rosa.'

'En toen is ze dus hiernaartoe gegaan, naar Henry.'

'En waar ging ze toen heen? Hoeveel verder kón ze nog?'

Het werd kouder en de met kussen gevulde nacht rolde zo snel de ochtend tegemoet dat ik de vloer van de grot rond voelde tollen onder een waas van sterren. Vroeg in de ochtend stonden we op, rillend en stijf, zadelden de paarden, namen ze mee naar buiten en stonden even stil om achterom te kijken. We hadden niets achtergelaten dan een stenige leegte en onder ons lag de vallei. De heuvels aan beide zijden waren gehuld in nevel en de rivier, die eerst naar rechts liep en vervolgens een bocht maakte om de heuvel en uit het zicht verdween, zag eruit als kwik.

Rosa had hier gestaan, ze had haar handen bij het warme vuur van Henry gehouden, in de hoek gedreven door zijn krankzinnige behoefte aan liefde. En op dat moment, vervuld van mijn eigen nieuwe liefde, zag ik door haar onverbiddelijke ogen de mogelijkheden van dat lint van water met daarlangs de weg naar Sebastopol.

'Max.'

Hij pakte mijn arm vast en volgde mijn blik. 'Nee, zelfs Rosa was niet zo onbesuisd.'

'Zij zou het niet onbesuisd hebben gevonden.'

'Sebastopol?'

'Ze verafschuwde de oorlog. Ze wilde nuttig zijn. Bij de Russen werken was voor haar een voor de hand liggende keuze.'

'Ze zou nooit langs de veldwachten zijn gekomen.'

'Rosa kennende heeft ze gewoon haar naam genoemd en kon ze zo doorlopen.'

'Waarom heeft Henry haar laten gaan?'

'Misschien sliep hij. Misschien heeft ze hem op zijn plichten gewezen en heeft ze hem overgehaald terug te gaan naar het kamp.'

We stonden naast elkaar en keken naar de rivier die van ons vandaan kronkelde onder een deken van mist. Toen volgde ik Max het pad af, langs het kerkje naar de vallei. Beneden was een splitsing; het ene pad liep tussen rotsblokken en struiken door naar de weg langs de rivier, de andere naar het kamp.

We hadden geen keus. We draaiden de rivier onze rug toe en reden naar het kamp van de geallieerden. Ik hield mijn ogen gericht op Max, wiens statige paard vol zelfvertrouwen voortstapte, en op de bleke hemel. Ik probeerde niet te schrikken van elk krakend takje en elk ratelend salvo uit de loopgraven, en ik probeerde er niet aan te denken dat ik over twee uur, één uur, een halfuur van hem gescheiden zou worden.

Al snel kregen we steeds meer gezelschap. Deze keer waren de veldwachten alert en zenuwachtig en we werden keer op keer staande gehouden. Het kamp was klaarwakker. Er liepen schichtige gestalten van tent naar tent, de kampvuren waren gedoofd en er klonk gekletter van wapens.

Tegen de tijd dat we het Castle-Hospitaal bereikten, was het al bijna helemaal licht. Max steeg af en we stonden buiten het zicht tussen onze paarden. Hij kuste me, zijn ogen zacht van liefde. 'Ga maar,' zei hij, 'ik zal naar je kijken.' Hij was zo nieuw voor me; het wonder van onze nacht samen was nog binnen bereik. En ik herinnerde me maar al te goed een ander afscheid: de tranen van Newman die de stof van zijn jasje donker kleurden, zijn lichaam languit op de verhakking.

Ten slotte liet ik Max gaan. Toen ik omkeek stond hij er nog. Het enige wat ik van zijn gezicht kon zien, was zijn glanzende, bleke voorhoofd.

Nora en Mrs. Whitehead waren niet in de barak en ik stond in de duisternis, omgeven door het vertrouwde gebulder, mijn oren gespitst om de hoeven te horen van het paard van Max die de heuvel weer afreed. Toen dacht ik weer aan Rosa en ik zag voor me hoe ze Henry verliet terwijl hij lag te slapen of onverbiddelijk en definitief afscheid van hem nam, haar rokken bijeen pakte en het stenige pad afrende naar de vallei.'

12

DE VOLGENDE DAG, IN DE VROEGE OCHTEND VAN 5 SEPTEMBER, BE-
gon het laatste bombardement op Sebastopol met een hevigheid
die de barak deed schudden, de dozen op de planken deed verschuiven en zelfs de ratten op de vlucht joeg. Meestal werd zo'n
zwaar bombardement al snel gevolgd door een stilte, maar deze
keer duurde het maar voort, alsof er een soort dodelijke koorts
was uitgebroken op aarde. Na een paar minuten verrees een zuil
van rook in de blauwe lucht en hoewel we een paar mijl van Sebastopol verwijderd waren, klemden we onze kaken op elkaar in
reactie op het kabaal.

Maar ik kon mezelf niet meer los zien van de stad, de geallieerden eromheen, de vijand binnenin. Hoe zou het zijn om
te wonen in een rustig huis in de buitenwijken, een Russische
versie van Fosse House, met lichte kamers, een smaakvolle inrichting, bezittingen die in de loop van een leven zijn verzameld,
en dan te zien hoe het werd vergruisd als een eierschaal? Ik dacht
aan de voorkamer met het schrijfbureau van mijn moeder en mijn
naaitafeltje, keurig opgeruimd voor een nieuwe dag. Die meu-
belstukken waren zo constant als de aarde zelf, onveranderlijk
aanwezig. Maar midden in de rommel staan, van het ene kapotte gebouw naar het andere sluipen, nergens zeker van zijn, behalve dat de stad enkele ogenblikken later een nieuwe aanval te
verduren zou krijgen – had Rosa echt daarvoor gekozen?

Ondertussen ontdekte ik dat er een briefje onder de deur was geschoven waarin stond dat ik bij Mrs. Shaw Stewart werd ontboden.

Ik waste mijn gezicht, veegde het stof uit mijn haar, kleedde me om, zette een schoon kapje op en deed een schoon schort voor, hoewel het me pijn deed om afscheid te nemen van de kleren die ik in Inkerman had gedragen. Toen liep ik naar de barak waar miss Nightingale ooit had gelegen. Het ontging me niet dat ik in het voorbijgaan meer aandacht trok dan normaal van ziekenbroeders en ambulante patiënten. Het was duidelijk dat ik gesnapt was: iedereen wist van mijn expeditie naar Inkerman met kapitein Max Stukeley, om nog maar te zwijgen van mijn vertraagde terugkeer naar het ziekenhuis.

Deze keer stond Mrs. Shaw Stewart op toen ik in de deuropening verscheen en leunde ze met een hand op het bureau. Ze droeg een zwarte bonnet, vastgemaakt met pas geperste linten, haar rokken werden gesteund door minstens vijf onderrokken en ze had geen schort voor. Ik nam aan dat dit de kleding was die ze droeg als ze slecht nieuws te vertellen had.

'Miss Lingwood, ik heb gisteren iemand gestuurd om u te halen, maar u was onvindbaar.'

Ik zuchtte en zag het al voor me: mijn verklaring, mijn smeekbeden, het pakken van mijn spullen en de zoektocht naar een verblijfplaats in Balaklava.

Normaal klonk haar stem zacht en verfijnd, maar die ochtend moest ze hem verheffen om boven het gebulder van de kanonnen uit te komen. 'Als u niet wilt vertellen waar u bent geweest, zal ik u niet onder druk zetten. In zekere zin is het mijn zaak niet, want u bent geen verpleegster van mij, hoewel u mij, na alles wat ik voor u heb gedaan, fatsoenshalve wellicht uitleg verschuldigd bent.' Een lange stilte terwijl ik mijn vieze duimnagel bestudeerde. 'De reden dat ik u wilde zien was dat u mij kortgeleden toestemming vroeg om in de ziekenzalen te werken. Helaas zijn sindsdien maar liefst drie van onze vrouwen geveld door cholera. Als u gisteren hier was geweest, had u geweten dat Mrs. Whitehead, die een trouwe kracht was op de cholerazalen, zelf slachtoffer is geworden. Als u nog bereid bent, kunt u helpen bij haar verzorging. Het is niet de ideale oplossing, maar mijn verpleegsters moeten natuurlijk worden verzorgd door vrouwen, en aangezien we bericht hebben gekregen dat we ieder moment honderden gewonden kunnen verwachten, kan ik geen ervaren verpleegsters missen. U zult worden geïnstrueerd door Mrs. Mc-Cormack, en voor u gelden dezelfde regels als voor alle verpleegsters, hoewel ik op dit moment nog niet bereid ben u een formeel contract aan te bieden.'

In haar grijze ogen lag minachting. Het leed geen twijfel dat ook zij precies wist waar ik de vorige dag was geweest, en met wie. De gedachte kwam zelfs in me op dat haar toestemming om op de cholerazaal te werken misschien een soort straf was.

'Natuurlijk,' zei ik. 'Ja. Natuurlijk. Graag.'

'Ik weet zeker dat u de gevaren kent. Ik wil graag dat u uw familie schrijft dat u geheel vrijwillig en op uw eigen initiatief deze beslissing heeft genomen. Uiteraard gaat het om een proefperiode. Daarna kijken we verder.'

Ze ging aan haar bureau zitten en pakte haar pen op. Dat was het teken dat ik kon gaan, en ik liep naar de deur, maar toen, gedreven door een roekeloze aandrang om Rosa's eer te herstellen, zei ik: 'Mrs. Shaw Stewart, wat mijn nicht Rosa Barr betreft, ik geloof dat ze naar Sebastopol is gegaan.'

Ze was te welopgevoed om enige blijk te geven van verbazing, op een opgetrokken wenkbrauw na. 'Sebastopol? Waarom in godsnaam?'

'Om als verpleegster te werken. Dat is tenslotte het enige wat ze wilde.'

'Heb je daar bewijzen voor?'

'Nee, alleen maar wat ik van Rosa weet.'

'Alsof wij zelf niet genoeg zieken hebben. Hoe haalt ze het in haar hoofd om over te lopen naar de vijand?'

'Voor Rosa maakte het niet uit bij welke partij de zieken hoorden.'

Ze glimlachte flauwtjes. 'Nou, miss Lingwood, als ze echt in Sebastopol is, denk ik dat we nog harder voor haar moeten bidden dan we al deden.'

De cholera-afdeling lag een eindje van de andere afdelingen af en op dat moment, vlak voor de laatste aanval op de Redan, was het ziekenhuis leeg genoeg om de weinige vrouwelijke patiënten een aparte barak te geven. Toen ik de deur opendeed en naar binnen glipte, sloeg de verstikkende hitte me in het gezicht. De ramen en deuren waren gesloten om de vliegen buiten te houden en er brandde kamfer om de lucht te zuiveren, maar niets kon de stank van ziekte verhullen.

Mijn eerste patiënt, Mrs. Whitehead, die nog maar twee avonden geleden zo meisjesachtig opgewonden was geweest over mijn tocht naar Inkerman, had zo hard gewerkt voor de choleraslachtoffers dat ze was ingestort van uitputting. Ze was gevonden op het pad naar de latrines; haar gewoonlijk smetteloze jurk was bevuild en haar gezicht had de veelzeggende asgrauwe tint die het eerste stadium van cholera kenmerkte. Toen ik aan haar bed verscheen, was ze er zo slecht aan toe dat ze iedere slok rijstwater die tussen haar lippen werd gegoten direct weer uitbraakte, en een dokter had de gebruikelijke medicatie voorgeschreven: kalomel om de gifstoffen te verdrijven, opium om haar ontlasting te binden, water en een zoutoplossing om ervoor te zorgen dat er vloeistof in haar bloed werd opgenomen. De behandeling had steeds minder effect.

Nora nam me terzijde en mompelde. 'We zijn het aan haar verplicht om haar leven te redden. Ik ben bij het British Hotel geweest en heb advies gekregen van Mrs. Seacole die op haar reizen meer choleragevallen heeft gezien dan de dokters hier verkoudheden hebben behandeld. Dit is wat je moet doen: laat al die ellendige medicijnen voor wat ze zijn, vooral de opium, die haar vechtlust wegneemt, en geef haar alleen maar citroensap uitgeperst in rijstwater. Geef haar iedere vijf minuten een nieuwe dosis. Wijk niet van haar zijde. Als ze kramp krijgt, roep mij dan.'

Toen ze weg was, ging ik naast mijn patiënt zitten en boog me over haar heen alsof ik er alleen maar zeker van kon zijn dat haar leven niet weggleed als ik haar in de gaten hield. Soms merkte ik dat mijn gedachten afdwaalden naar de grot boven Inkerman, soms volgde ik Rosa naar de vallei en langs de rivier naar Sebastopol. Soms kwam Nora, hield de hand van Mrs. Whitehead vast, bad voor haar en sloeg een kruisje, maar meestal was ik alleen met mijn patiënt, terwijl in de verte de kanonnen van de geallieerden rommelden.

Inmiddels wist ik precies wat de bron van ieder salvo was, en dat als er een korte pauze was, dat alleen maar kwam doordat de kanonnen moesten afkoelen en de mannen moesten rusten. Een ziekenbroeder, gestuurd om de vloeren te schrobben, vertelde me dat er zoveel rook boven Sebastopol hing dat je niet meer goed kon zien wat er in de stad gebeurde, hoewel iemand had verteld dat de grote gebouwen tot puinhopen gereduceerd waren en dat de bastions zodra de kanonnen even zwegen, krioelden van de soldaten die probeerden de schade te herstellen voordat het bombardement verderging.

Toen de kramp begon, hielp Nora me om Mrs. Whitehead overeind te tillen en wreven we haar rug en armen in met eucalyptusolie om de bloedsomloop te stimuleren en te voorkomen dat ze blauw zouden worden. Ik herinnerde me dat Henry had gezegd dat de belangrijkste doodsoorzaak bij cholerapatiënten verdikking van het bloed is doordat er serum naar de darmen wordt getrokken om de infectie daar te genezen – vandaar de verkilling en de krampen in de ledematen. Om te ontsnappen aan de pijn rolde Mrs. Whitehead zich in een bal en wierp ze zich op de grond, maar we legden kompressen in haar nek en op haar borst en druppelden vocht in haar onwillige mond.

'Dus,' zei Nora, terwijl we onze patiënt op haar buik legden en opnieuw haar handen en voeten begonnen in te smeren en haar kuitspieren masseerden om warmte in haar koude, zwetende vlees te kneden, 'volgens jou is Rosa naar Sebastopol gegaan.'

'Dat denk ik. Ik weet het niet zeker.'

'Het is waar dat die meid altijd overal haar neus in stak, vooral in zaken die haar niet aangingen.'

'Maar als ik gelijk heb, kan ze dit bombardement onmogelijk overleven.'

'Ik zal voor haar bidden. En als het nodig is, als het te erg wordt, moeten jij en ik gewoon daarnaartoe gaan om haar eruit te halen.' Onze blikken ontmoetten elkaar en ze trok een wenkbrauw op – een uitdaging of een belofte. Toen wikkelden we Mrs. Whitehead in dekens en legden hete stenen bij haar voeten.

Toen de kapelaan voorzichtig zijn ronde door de zaal deed, fluisterde ik: 'Maar ze gaat nog niet dood.'

Hij schudde zijn kale hoofd en had veel te veel haast om met me in discussie te gaan. 'Ik zal haar toch zalven, dan is dat maar vast gedaan, voor het geval dat.' Hij boog zich over de lantaarn en las uit *Het boek der gewone gebeden* een tekst die hij uit zijn hoofd moest kennen: 'Wij bevelen ootmoedig de ziel van deze uw dienaar, onze geliefde broe... zuster in uw handen, als in de handen van een getrouwe Schepper...'

Ik deed niet mee met zijn gebed omdat ik het gevoel had dat hij haar lot bezegelde. Ik had al meer dan genoeg mannen tot stof zien terugkeren, dus nam ik mijn toevlucht tot de enige genezing die ik kende: ik naaide Mrs. Whitehead in mijn hoofd weer aan elkaar. Had ik niet mijn hele leven het menselijk lichaam verhuld met mijn kant en decoraties, mijn haakwerk, appliqué en borduursels? Ik had meters stof geknipt, geplooid, gezoomd en afgezet met figuurnaden, tot ik zelf een wandelende japon met hoofd en handen was geworden. En nu viel Mrs. Whitehead door de cholera sneller uit elkaar dan ik haar kon verstellen. De ziekte plukte de haren uit haar hoofd, trok de kleren van haar lijf, scheurde het vlees van haar botten, zoog het bewustzijn uit haar ogen en verdreef de glimlach van haar lippen.

13

DRIE DAGEN ACHTEREEN, TERWIJL HET BOMBARDEMENT VAN SEBAS-pol maar doorging, verliet ik de cholerabarak alleen om te eten en te slapen. Als ik in het licht kwam, kneep ik mijn ogen dicht als een jong katje en zoog ik de schone lucht naar binnen. Zelfs als ik mocht gaan en staan waar ik wilde, was er geen sprake van geweest dat ik Cathcart Hill had kunnen beklimmen om te zien wat er gaande was. Blijkbaar hadden de bevelvoerders van de geallieerden ten minste één ding geleerd van de nederlaag in juni: een groep toeschouwers op de heuvels lokte niet alleen vijandelijk vuur uit, maar wees de vijand er ook op dat er iets op til was. Er werd gefluisterd dat op 8 september de Redan en de Malakov opnieuw zouden worden aangevallen, en dat als de bastions waren ingenomen de geallieerden verder zouden marcheren naar Sebastopol.

Ik hoorde niets van Max, maar ik verlangde zo naar hem dat ik iedere keer dat er een deur openging, iedere keer dat ik een mannelijke stem hoorde of een rode tuniek zag, ervan overtuigd was dat hij het was.

'Waarom zou een kapitein in het Britse leger in godsnaam boodschappen naar je sturen op een moment als dit?' vroeg Nora. 'Ik weet niet wat er die dag tussen jullie is gebeurd, maar ik heb wel gemerkt dat je sindsdien met je hoofd in de wolken zit. Wees voorzichtig met die Max Stukeley.'

'Ik wil niet voorzichtig zijn. Ik ben altijd al voorzichtig geweest.'

'Nou, dan denk ik dat jullie elkaar verdienen, meer zeg ik niet. Misschien benijd ik je wel, Mariella Lingwood, maar ik hoop alleen maar dat hij je hart niet breekt.'

In de nacht van 7 september sloeg het weer zo plotseling om dat ik vroeg in de ochtend verstijfd van kou wakker werd, en zo veel mogelijk lagen kleding aantrok. Uiteindelijk gaf ik mijn pogingen om te slapen op, wikkelde mijn dikste sjaal om me heen, zette me schrap tegen de ijzige wind en liep naar de cholerabarak waar ik een ziekenbroeder tegen het lijf liep die probeerde voor het eerst sinds het voorjaar de kachel aan te steken. Maar ondanks de kou was Mrs. Whitehead er beter aan toe; haar lippen waren niet paars meer en haar ademhaling was regelmatig.

Pas nadat ik mijn patiënt had omhelsd, was weggerend om een kom bouillon te halen en een aanvraagformulier voor extra dekens had laten ondertekenen, merkte ik dat er nog een grote verandering was: stilte. Geen kanonnen. Het leed nu geen twijfel meer dat de volgende aanval op de bastions op het punt stond te beginnen.

Die hele ochtend tijdens het werk waren we verstrooid en spraken we fluisterend, in afwachting van nieuws. Het eerste verslag kwam van de ziekenbroeder die brood en koffie bracht voor het ontbijt en ons vertelde dat de Britse en Franse troepen in de vroege ochtend de loopgraven in waren getrokken. 'Natuurlijk moesten ze al heel vroeg beginnen omdat de doorgangen zo nauw waren dat er maar twee tegelijk door konden. En ze zeggen dat de mannen nauwelijks konden lopen door hun zware bepakking – twee dagen aan rantsoenen. Het is de bedoeling dat ze de bastions bestormen en dan verdergaan, recht op Sebastopol af.'

Ik wist zeker dat Max met zijn mannen mee was gegaan; in gedachten zag ik hem in de krappe loopgraven, gehinderd door zijn gewonde been, ik zag de vochtige aarden wanden die krioelden van de insecten, ik hoorde de gefluisterde bevelen, de plagerijtjes. De vorige keer werd zijn been al na drie minuten half weggeblazen. Deze keer zou hij veel langzamer zijn. Hoe groot was de kans dat hij het zou overleven?

Het volgende nieuws kwam van de dokter van Mrs. Whitehead, die de voorgaande dag in het hoofdkwartier was geweest en vol trots tot in detail uitweidde over het aanvalsplan. Hij vertelde ons dat de Franse sapiers hun loopgraven zo dicht bij de Malakov hadden aangelegd dat de soldaten vlak bij de muren eruit konden klimmen en de Russen overrompelen. Zodra de driekleur boven de Malakov wapperde, zouden de Britten uitbreken en de Redan innemen.

Vlak voor het middaguur verzamelden we ons op het kronkelige pad buiten de barakken en hoorden we het salvo dat het begin van de Franse aanval markeerde. Tien minuten later zagen we vier raketten door de schemerige lucht vliegen, wat voor de Britten schijnbaar het teken was om te beginnen met hun aanval op de Redan.

Ik ging weer aan het werk: ik gaf Mrs. Whitehead wat pijlwortel met citroensap, ik verschoonde de lakens en waste haar gezicht – en nog steeds geen nieuwe berichten.

Toen werd van barak tot barak doorverteld dat er een boodschapper in galop naar het kamp was gekomen om ons te waarschuwen voor de hospitaalwagens die ieder moment konden arriveren. De Malakov was weliswaar veroverd door de Fransen, maar de aanval van de Britten op de Redan was opnieuw mislukt. Net als de vorige keer waren de soldaten op het moment dat ze uit de loopgraven waren verschenen met honderden tegelijk neergeschoten door de Russen, die al klaarstonden. Om zes uur werd het aantal gewonden bevestigd: tienduizend geallieerde soldaten, dertienduizend Russen.

Rond middernacht lag het ziekenhuis zo vol gewonden dat zelfs ik toestemming kreeg om ze te verzorgen, mits ik bij Nora in de buurt bleef en deed wat me werd opgedragen. Ik bracht tourniquets aan om slagaderlijke bloedingen te stelpen, ik druppelde water in opengesperde monden, ik hield bloedende ledematen omhoog zodat ze verbonden konden worden. Ik had het gevoel dat ik tot aan mijn nek in het bloed zat en iedere keer dat ik bij een brancard neerknielde en weer in een van pijn vertrokken gezicht keek, sloeg mijn hart over omdat het Max zou kunnen zijn.

Als er een deur openging, beet de wind in onze huid en rukte hij aan de vlammen in de olielampen, maar we merkten het nauwelijks. Ook hieven we ons hoofd niet op als er een reeks explosies weergalmde in de nacht en de ogen van onze patiënten zich vulden met doodsangst. En toen ik om vier uur 's ochtends op mijn bed neerplofte en de aarde trilde door weer een zware knal, besteedde ik er geen enkele aandacht aan, hoewel ik niet geloofde dat ik, na alles wat ik had gezien en alles wat ik misschien was kwijtgeraakt, ooit nog zou kunnen slapen.

14

Een paar uur later werd ik wakker. Het was stil en om het ziekenhuis hing een herfstige mistsluier. Toen ik bij de cholerabarak kwam, zag ik dat Mrs. Shaw Stewart over het bed van Mrs. Whitehead heen gebogen stond en ik verstijfde even, bang dat ze een terugval had gehad, maar mijn patiënt was volledig bij bewustzijn en hoewel ze nog koorts had, kon ze een beetje thee drinken. Mrs. Shaw Stewart, die waarschijnlijk al zo'n vierentwintig uur niet had geslapen, wierp één blik op mij, vertelde me dat ik me zo niet in de zaal kon vertonen en stuurde me naar de linnenkamer om onze geslonken voorraden te inspecteren.

Ik ontgrendelde de deur, keek naar een rat die de verste hoek in schoot en begon de lakens te tellen. Al klappertandend ging ik van de ene stapel naar de andere, ik telde en telde nog een keer omdat de getallen uit mijn hoofd weggliepen. Als Max in de voorhoede van die aanval op de Redan had gezeten, had hij het zeker niet overleefd – met zijn gewonde been was hij zelfs voor een beginneling een gemakkelijk doelwit. Ik herinnerde me zijn lange, warme ledematen, zijn stevige handen, het vuur in zijn ogen toen hij me kuste. En ik herinnerde me de resten van Newmans lichaam, vastgepind op de verhakking.

Geleidelijk werd ik me ervan bewust dat het op het pad steeds drukker werd met mannen die naar de hemel boven Sebastopol keken en toen ik me bij hen voegde, hoorde ik het vreemde bericht dat de Russen in de nacht hun eigen bastions hadden opgeblazen, waaronder de Redan, dat ze zelf nog in handen hadden. Ze hadden alle levende zielen – ongeveer tienduizend burgers en soldaten – geëvacueerd over een drijvende brug die van de zuidzijde van de haven naar de noordzijde liep. En toen de laatste man veilig de overkant had gehaald, staken ze de brug achter zich in brand.

De mannen spraken zachtjes en vol ongeloof met elkaar: onze artillerie was duidelijk superieur, de bastions waren volledig in onze handen en we hadden het hele vijandelijke leger de zee in kunnen drijven, en toch hadden onze generaals de Russen laten ontsnappen. Dus nu lagen de Russen gerieflijk in de loopgraven ten noorden van de stad. En het zuiden van Sebastopol, waar nu geen levende ziel meer te bekennen was, was van ons.

Sommige mannen lachten toen ze het nieuws hoorden, andere vervloekten de generaals omdat ze die verdomde Rusky's hadden laten ontglippen, weer andere waren te uitgeput om te reageren. Ik ging terug naar Mrs. Whitehead en waste haar handen en nek.

Wat was er met Rosa gebeurd?

De hele dag vroegen Nora en ik iedereen die maar wilde luisteren of ze Max hadden gezien, maar niemand wist iets van hem. Ze gaf me een pincet en liet me zien hoe je kronkelende maden uit een zwerende snee in een schouder moest plukken. Ik verwijderde het verband van een bloedende stomp en depte de wond. Ik zat een halfuur naast een jongen die niet zichtbaar gewond was, maar wiens vingertoppen langzaam zwart werden en die ziek van heimwee stierf. Terwijl de ijskoude wind door de barakken gierde en de vliegen naar de vergetelheid blies, stookten we de zwakke kachels op en legden we steeds meer dekens over onze rillende patiënten.

Rond het middaguur schreef ik een briefje aan Max Stukeley van het zevenennegentigste Derbyshire-regiment en gaf het aan een van de koetsiers.

Er kwam geen einde aan de stoet hospitaalwagens en naarmate de dag vorderde, verslechterde de toestand van de gewonde mannen die ze brachten. Ze waren uit de loopgraven en uit de verlaten bastions gehaald, sommige zo gruwelijk verbrand door kruitpoeder dat ze geen centimeter huid meer op hun lichaam hadden. Een soldaat, Laidlaw, was zijn halve ruggengraat kwijt door een granaat, maar hij was heel opgewekt, ervan overtuigd dat hij alleen maar een lichte klap op zijn hoofd had gehad. Toen ik hem een slokje limonade gaf glimlachte hij me vriendelijk toe.

'Miss Lingwood, is het niet?'

'Ja, hoe weet u dat?'

'Ik heb u in het kamp gezien. Ze zeiden dat u de nicht van Rosa was.'

'U hoort bij het Derbyshire-regiment?'

'Dat klopt.'

Ik slaagde erin de naam te fluisteren: 'Kapitein Stukeley?'

'Ik kan u niet zeggen wat er met hem is gebeurd, juffrouw. Ik zag hem op de Redan, wuivend naar ons en schreeuwend dat we hem moesten volgen. Maar dat lukte ons niet allemaal. De Russische beschietingen…'

'En toen?'

'Het volgende wat ik me herinner is dat ik in een greppel onder een dode man lag.'

Ik werd weggeroepen voor een andere patiënt. Toen ik terugkwam, werd Laidlaw naar buiten gereden waar hij bij de andere doden zou worden gelegd.

Om drie uur 's ochtends werden we naar bed gestuurd, maar ik zat met samengeknepen handen in de barak en zag alleen maar beelden voor me van de wonden die ik had verzorgd. Vooral Laidlaw liet me niet los; steeds weer dacht ik aan zijn gehavende glimlach en de manier waarop hij onwetend de dood in was gegleden. Toen Nora een halfuur later binnenkwam, zei ze geen woord maar liet me een stukje papier zien dat ze in haar hand had; het briefje dat ik naar het kamp van het Derbyshire-regiment had gestuurd. Op de achterkant stond het woord SEBASTOPOL.

'Wat betekent dat?' vroeg ik.

'Lieve hemel, kind, het betekent dat ze daar is, precies zoals je zei, en dat hij achter haar aan is gegaan.' Ze bond haar bonnet om, trok een deken van haar bed, vouwde hem in tweeën en sloeg hem om haar schouders.

'Nora?'

'Als Max naar Sebastopol is gegaan moeten we hem volgen. Hij zal ons nodig hebben.'

We stopten onze manden vol met verband en brood en water, bogen onze hoofden tegen de bittere ochtendwind en liepen naar Balaklava – dat stiller was dan ik het ooit had gezien, alsof de schepen zelf in apathie waren weggezonken – en vervolgens via het Algemeen Ziekenhuis, waar honderden lantaarns brandden, het kamp in.

Hoewel het maar een paar dagen geleden was dat ik hier met Max had gereden, was alles anders. In het ontwakende kamp kwamen de mannen met een houding van matte moedeloosheid uit hun barakken en sloegen zichzelf op de armen tegen de kou. De smeulende vuren werden weer aangewakkerd, potten kletterden, maar de mannen hadden grauwe gezichten en toonden geen enkele interesse. Terwijl we verder liepen vormde zich achter ons een stoet van mannen, allemaal op weg naar Sebastopol. Steeds meer mannen voegden zich bij ons, tot we bij de verlaten loopgraven kwamen en over de hoogvlakte naar de rokende bastions keken.

Overal zagen we kolkende stroken grijs: de zee, de rook boven de stad, af en toe verlicht door vuur, de bewolkte lucht. Nora en ik haakten onze armen in elkaar en passeerden de Britse verdedigingswerken. Het voelde dwaas en roekeloos om hier te wandelen, over een terrein dat was gehavend door granaatvuur, gevangen door een gemene koude wind: het was alsof we aan een kust stonden waar de zee zich plotseling onvoorstelbaar ver had teruggetrokken, maar op elk moment terug kon stormen om over ons heen te spoelen. Onderweg kwamen we wagens vol doden tegen en een groep terneergeslagen Russische gevangenen, begeleid door jolige Fransen.

Nu werd maar al te duidelijk waarom de Britten zo'n verpletterende nederlaag hadden geleden onder de Redan. Onze loopgraven eindigden ongeveer tachtig meter van de hoge wanden en onze mannen moeten bij bosjes tegelijk zijn neergemaaid terwijl ze omhoogklauterden. En de Redan had vrijwel loodrechte wanden. Hoe hadden ze kunnen denken dat ze die konden beklimmen terwijl ze beschoten werden door de Russen? Hoe had Max dat kunnen denken, met zijn gewonde been? De stank van bederf was overweldigend en overal langs de muren van het bastion lagen stormladders en andere treurige overblijfselen van de Britse aanval – kapotte kanonnen, hoeden, laarzen, ransels.

Terwijl we de Redan beklommen, bekroop me het gevoel dat ik op de een of andere manier aan de verkeerde kant van een spiegel zat, en het was alsof wij, bezoekers van die gereflecteerde wereld, streng verboden terrein betraden. Hoewel de meeste doden en alle gewonden uit het bastion waren weggehaald, hing er een weerzinwekkende stank van verrotting. De verdedigingswerken binnenin – een doolhof van aarden en stenen wallen – waren gereduceerd tot bergen kapotte kanonnen, verkoolde schanskorven, waaruit stukken steen, kleding, laarzen en hoeden staken, en een paar voorwerpen uit individuele levens – een gescheurd stukje papier, een korst donker brood, een ketel en een rode zakdoek. Aan het andere einde, diep onder de grond, zwaaide de deur van een schuilkelder open en er verscheen een grijnzende soldaat die een kooi had gevonden met een klein, geel vogeltje.

Toen we het bastion verlieten stuitten we op het eerste teken van gezag: een Britse cavalerist op een groot, zwart paard. 'Het spijt me, dames. Strikte orders. Niemand mag hierlangs.'

'We hebben een boodschap gekregen van kapitein Max Stukeley, die misschien in de stad is.'

'Dat lijkt me niet waarschijnlijk, mevrouw.'

Hij zette zijn paard dwars over de weg en keek recht voor zich uit om iedere verdere discussie te smoren. We liepen het bastion weer in en vonden een ander pad dat naar de stad leidde. Maar ook hier werd ons de weg versperd door een cavalerist. Inmiddels hadden we gezelschap van een woedende bende soldaten. 'De Fransen zijn de stad in gegaan, de Turken zijn de stad in gegaan. Ze roven alles en wat blijft er dan voor ons over?'

De officier bleef stoïcijns en de mannen liepen een stukje terug en bleven op een afstandje staan. Maar Nora vloekte binnensmonds, pakte me bij de arm, trok me achter het paard langs en sleurde me mee over het pad, terwijl de cavalerist ons nariep en de soldaten aanmoedigingen schreeuwden.

Het pad leidde langs de ruïne van een koepelkerk en daalde af in een diep ravijn dat doorliep tot aan de buitenste wijk van Sebastopol. Langs ditzelfde rotspad moeten iedere nacht honderden

Russen hebben gemarcheerd aan het begin van hun wachtdienst, hun gedachten bij de uren die zouden volgen, de verveling, de plotselinge angst, de kans om gewond te raken of te sterven. De enige Russen die waren overgebleven waren de doden. De straat was geplaveid met granaatscherven en kartets dat onder onze voeten kraakte. Vreemd genoeg was dit geluid zuiver en troostrijk vergeleken met de aanblik van kapotte huizen, het lijk van een man die half een deur in was gekropen, een andere man die keurig rechtop tegen een muur was gezet, een dood paard op zijn zij, zijn opengereten buik vol vliegen.

'Waar gaan we naartoe?' riep ik tegen Nora. 'Hoe moeten we ze ooit vinden?'

Het voelde alsof we de eer van de stad schonden nu we haar in deze toestand bekeken, alsof ze ooit een stijlvolle vrouw was geweest met mooie kleren aan, maar nu languit en naakt op de grond lag. Van de huizen was niet veel meer over dan deurposten en kozijnen, de kerken waren ingestort en zwartgeblakerd, geen enkel gebouw was intact. De wind blies door de stegen en voerde rommel en gruis mee dat bleef steken in de puinhopen. Hoe verder we de stad in liepen, hoe meer Franse en Turkse soldaten we tegenkwamen met hun buit onder hun armen of op hun rug gebonden: onderrokken, bestek, iconen, tuingereedschap, schilderijen, stoelen, zelfs hoofdeinden van bedden. Heel even, één bizar moment lang, leek er een feestelijke sfeer te hangen.

De stank van rook en dood vermengde zich plotseling met een vleugje zilt en ik realiseerde me dat we dicht bij de zee waren. Het werd steeds stiller op straat; hier liep niemand meer angstig van het ene huis naar het andere, hier waren geen geallieerde soldaten meer met armen vol geroofde spullen.

Het werd zelfs heel stil en we kwamen bij een groot gebouw dat er in zijn vergane grandeur uitzag als een stadhuis.

Er stond een groepje mannen bij de deur en op de trap stond een Britse officier die zijn hand opstak. 'Dit is het ziekenhuis,' zei hij, 'hier willen jullie niet naar binnen.'

'We zijn op zoek naar kapitein Max Stukeley,' zei Nora. 'Heeft u hem gezien?'

We wachtten niet op antwoord. Binnenin zagen we de resten

van een statige hal, een stuk van een balustrade, het kapotgeslagen hoofd van een gipsen cherubijn. De weinigen uit het geallieerde kamp die naar binnen hadden durven gaan, hadden hun mond en neus bedekt en keken rond met opengesperde ogen. Mrs. Seacole was er, een journalist met een opschrijfboek, een paar officieren, een Engelse dokter. Nora en ik stonden even stil en voegden ons toen bij hen.

15

Derbyshire, 1844

OP EEN SNIKHETE DAG LIET ROSA ME HAAR LAATSTE GEHEIM ZIEN.
De paden waren bedekt met stof, zelfs de vliegen waren te lam-
geslagen door de hitte om zich te verheffen van de haag en de
gesmolten lucht zakte als een slap kussen op de heuvels neer.

Wij waren allebei lusteloos en boos op elkaar omdat zij had
voorgesteld om te gaan zwemmen, maar ik, toen we bij het meertje
in het bos kwamen, weigerde erin te gaan. Het water zag er koel
en schoon uit, maar je kon nooit weten en toen ik mijn vingertoppen in het water doopte, schoot een bootsmannetje weg over
het oppervlak. 'Jij kunt toch zwemmen terwijl ik toekijk,' zei ik.

'In mijn eentje is er niets aan. Ik doe altijd al alles alleen als jij
er niet bent. Als je meegaat kunnen we wedstrijdjes doen naar
de overkant.'

'Ik kan nauwelijks zwemmen. Ik probeer het alleen wel eens
als we naar de kust gaan.'

'Je kunt toch watertrappen?'

'Max gaat wel met je mee.'

'Ik wil dingen doen met jou om zo veel mogelijk te genieten
van de tijd dat je hier bent.'

Uiteindelijk wandelden we verder, door het berkenbos naar
de heuvel.

'Waar gaan we dan naartoe?' vroeg ik toen we helemaal naar
de top waren geklommen en omlaag keken naar het smalle dal
aan de andere kant.

Rosa had haar haar in een knot gebonden zodat de wind langs haar nek kon strijken en haar wangen waren ongewoon roze. Ze keek recht voor zich en haar gezichtsuitdrukking, obstinaat en nerveus tegelijk, joeg me angst aan.

'Waar gaan we naartoe?' vroeg ik weer.

'Dat zul je wel zien.'

'Ik heb het zo warm.'

'Waar we naartoe gaan is het koel. En het is niet ver meer.'

Maar ik vond het wel ver. De weg slingerde zich tussen twee stapelmuren door naar de bodem van het dal en vervolgens liepen we een kreupelbosje in waar een beekje over de stenen kabbelde. Toen ik achteromkeek zag ik dat we een flinke afdaling hadden gemaakt en dat het een steile klim terug zou worden. We volgden het pad nog ongeveer een halve mijl tot we bij een gehuchtje kwamen met stenen huisjes en links een veel groter huis, verscholen achter een hoge muur en een vergrendeld hek – wat Rosa natuurlijk niet afschrikte.

'Kom,' zei ze, terwijl ze naar de linkerhoek van de muur liep, en een tel later had ze zich door een gat tussen de muur en de aangrenzende haag gewurmd. Zoals gewoonlijk kon ik niet anders dan haar volgen, en daar stonden we in de hoek van de tuin naar het huis te kijken.

'Ken je degene die hier woont?' vroeg ik.

'Ja.'

'Gaan we aanbellen?'

'Misschien.'

Het huis was heel netjes gebouwd, met zes ramen op de eerste verdieping en vier op de begane grond, twee links en twee rechts van een witte voordeur, onder een klein afdak met een trapje van drie treden; een onopvallend huis in een tuin die duidelijk ooit goed was onderhouden, maar nu vol stond met uitgegroeide papaver, ridderspoor en wilgenroosjes.

Voor alle ramen zaten stevige luiken. 'Ze zijn er niet,' zei ik.

'Dat was ook niet waarschijnlijk.'

Ze was heel anders dan normaal; ze liep niet brutaal naar de voordeur en begon ook niet aan een sluiptocht door de tuin. Ze stond daar maar.

'Als je denkt dat er iemand in de buurt is, kunnen we dan misschien om een glas water vragen?' vroeg ik. 'Ik heb zo'n dorst.'

'Er is niemand, dat zie je toch. Het huis is afgesloten.'

'We kunnen het toch proberen.'

Nu kwam ze in beweging en ze liep langs een klein stallen-
blok naar een rommelig gazon met paardenbloemen en een stok-
oude schommel aan de tak van een appelboom. Het terrein daalde af naar de rivier.

'Waar ga je naartoe?' riep ik.

Ze antwoordde niet maar stond stokstijf naar het huis omhoog
te kijken.

16

De Krim, 1855

Het ziekenhuis was steenkoud omdat de ramen tijdens het bombardement kapot waren gegaan. In de laatste dagen van de belegering waren hier ongetwijfeld steeds meer dodelijk gewonden naartoe gesleept om op de brancards, sleden en veldbedden te sterven, net zo lang tot iedere centimeter ruimte was opgevuld. Ze lagen in rijen van tien, achtergelaten tijdens de wanhopige vlucht over de drijvende brug, de mannen die al lang geleden waren gestorven, de mannen die net waren gestorven en de mannen die nog in leven waren, gedrenkt in uitwerpselen en bloed. Sommigen hadden zich tegen pilaren of muren omhooggewerkt in een poging weg te komen van de rest, anderen waren al zo lang dood dat hun lichamen er net zo uitzagen als dat van Newman op de Redan. Weer anderen spartelden en kreunden nog, hun mond opengeduwd door hun gezwollen tong.

Aan de andere kant van de zaal zagen we een trap die naar beneden liep. We bedekten de onderste helft van ons gezicht met onze sjaals en baanden ons een weg door de zaal; de vloer was kleverig van het bloed. Ook op de trap lagen lichamen en beneden was een nog donkerder ruimte, die slechts werd verlicht door een paar druipende kaarsen.

In een hoek zat een Britse officier op de grond met zijn benen gestrekt en zijn rug tegen de muur. Zijn donkere, gekwelde ogen ontmoetten de mijne boven een woestenij van lijken. In zijn armen lag het lichaam van een vrouw en in de hand waarmee hij haar schouder omklemde, hield hij een verfrommelde envelop. Ze droeg een bevuild schort met daaronder een gescheurde blauwe jurk en haar hoofd was achterovergeknakt op haar slanke nek, haar gezicht naar boven gericht, met halfopen mond en wijd open ogen, en haar blonde haar was als een vlag over zijn rode tuniek gedrapeerd.

17

Sebastopol,
6 september 1855

Mijn lieveling, mijn Mariella,
Ik denk dat deze brief je zal verrassen – eerst omdat hij van je
nicht Rosa komt, en vervolgens als je hoort waar ik zit.
Het is vroeg in de avond en ik zit in een kelder, in feite mijn
huidige slaapkamer, die wel een snufje Mariella zou kunnen
gebruiken, want het ontbreekt aan al het comfort waarin jij zo
deskundig bent. Ik ben door een van de verpleegsters hiernaartoe
gestuurd om wat te slapen – zelfs ik durf me niet tegen haar te
verzetten: ze is anderhalf keer zo groot als ik, twee keer zo
breed, heel streng. Ik zit onder aan een trap en houd mijn papier
bij het licht. Alles is in rook gehuld en licht, in welke vorm dan
ook, is zeer in trek.
Als ik je dit stuur, Mariella, doe ik dat uit zwakte en dat spijt
me. Ik heb je tenslotte beloofd dat ik vaak zou schrijven en
natuurlijk kwamen iedere week trouw jouw brieven. Maar ik
stond voor een moeilijke keuze: zwijgen of leugens vertellen.
Ik had het volgende met mezelf afgesproken: ik zal haar niet
achtervolgen, ik zal haar niet lastigvallen, ik zal haar laten
denken dat ik gewoon tot stof ben vergaan, net als de andere
doden op de Krim. Maar ik zou het niet kunnen verdragen als je
om me rouwt en boos bent omdat ik ben verdwenen zonder een

woord. Dus hier ben ik dan. Deze oorlog is de hel, van begin tot eind, en nu ben ik een beetje te onvoorzichtig geweest voor mijn eigen bestwil, waardoor ik buiten ieders bereik ben. Er is een uitweg, we hebben gezien dat er een brug wordt gebouwd ten noorden van de stad, maar ik kan er niet overheen: ik word steeds weer teruggezogen omdat ik nog een glimp wil zien van het Britse kamp. Ik moet de lichtjes van de kampvuren zien en zo af en toe een flits opvangen van een rood uniform. Ik beeld me graag in dat er een kans is dat Max, de ondernemende, de dappere, me zal vinden en terugbrengen, hoewel ik eigenlijk niet wil dat hij dat doet.

Ik heb het einde van de wereld bereikt en het is een bitter einde. Ondanks wat ik hierboven heb geschreven, kon ik mijn eigen soort uiteindelijk niet meer verdragen. De Britten hebben zich blindelings in de oorlog gestort, ongeacht de gevolgen, en gaan maar door met doden omdat ze daar nou eenmaal aan gewend zijn. En nu onderga ik de gevolgen. We hebben hier niets meer, geen dokters, geen verband, geen medicijnen, maar de gewonden blijven toestromen van de bastions en uit de kapotgeschoten huizen; we kunnen ze niet wegsturen, maar we kunnen ook niets voor ze doen. De cholera woedt overal. Ik heb geen schoon water. Ik ben niet meer dan een hand die kan worden vastgehouden als er iemand sterft.

In mijn hoofd zie ik beelden van mijn ellendige stiefbroer Horatio die zijn loodfabriek inspecteert en met zijn klamme vingers in een kistlading munitie wroet. Dan schrijft hij met zwarte inkt: SEBASTOPOL, rekent hij een buitensporige prijs en stuurt hij de kist de zee over. Ik zit hier onder de versplinterende hemel en weet dat ik Rosa ben, dat ik niets ben, behalve wat zacht vlees dat getroffen zal worden door een van de kogels van Horatio.

Je ging mee naar het treinstation om me uit te zwaaien, met je mooiste bonnet op en je dapperste glimlach. Maar ik zag die glimlach vervloeien, als een van mijn waterverfportretten, en toen de trein het station uit reed, wist ik dat ik geliefd was. Op dat moment deed ik ertoe.

Maar wat je ook doet, wees niet verdrietig dat ik niet ben teruggekomen. Bedenk dat dit mijn keuze was.

Ben je getrouwd? Zit je behaaglijk achter het gepoetste eikenhout

van je nieuwe voordeur? Heeft Henry je gelukkig gemaakt,
Mariella?
Ik heb hem gezien op het slagveld, misschien heeft hij je dat
verteld. Hij was zichzelf niet. Wist ik maar zeker dat je
gelukkig was. Voor Henry ben je een constante. Dat weet ik
omdat ik ook schuldig ben aan die gedachte. Maar wil je wel een
constante zijn? Ik heb gezien hoe je bent als je boos wordt — die
keer in de koets op de terugweg van ons bezoek aan het
ziekenhuis, de blik in je ogen als je tegen mij in opstand kwam
— en ik wacht met angst en opwinding op wat er gaat gebeuren.
Max noemde het de kracht van de naald. Ik heb ontzag voor
haar, zei hij, omdat ik niet weet — en zij ook niet — waartoe ze
in staat is als ze al die energie ergens anders in zou investeren.
Je hebt ons allebei in je macht, weet je; we zaten 's avonds in
zijn barak, omgeven door het geraas van de beschietingen, en
probeerden jouw beeld op te roepen.
Ik denk dat ik deze brief toch verstuur. Ik geloof dat ik dat moet
doen. Ik ken een officier die hem mee kan nemen over het water
en hem veilig naar Londen kan laten versturen. Ik dacht dat ik
het zou kunnen verdragen om zomaar in het niets op te gaan,
maar ik merk dat ik het niet kan. Het is te laat, Mariella. Ik
strek mijn hand naar je uit, ik luister of ik je stem hoor, maar ik
kan je niet vinden.
Dus gun ik mezelf de troost van de wetenschap dat je behendige
vingers de envelop open zullen scheuren en dit papier eruit zullen
trekken, dat je op de bank zult zitten met je voeten tegen elkaar
en je rug recht, maar iets voorover leunend, zoals je doet als je je
concentreert, het licht op je zorgvuldig in een scheiding gekamde
haar, en als je klaar bent met lezen zul je de brief opgevouwen
op je schoot leggen en je naaiwerk oppakken.
Maar ik denk dat ik nog even zal voortleven in iedere
onberispelijke steek die je zet.
Rosa.

18

Derbyshire, 1844

IN DE ACHTERGEVEL VAN HET HUIS ZATEN RAMEN MET PANELEN DIE uitzicht boden op een stenen terras. Rosa liep ernaartoe en drukte haar gezicht tegen het glas. 'Alweer luiken,' zei ze. 'Zie je wel, ze zijn er niet.' Ze bonsde op het raam.

'Wat doe je? We moeten gaan. Zo meteen komt er iemand.' Ik probeerde haar weg te trekken, maar ze bleef op het glas hameren tot ik dacht dat het zou breken. Uiteindelijk gaf ze het op, rende naar de rivier, schopte haar laarzen van haar voeten, trok haar kousen uit, gooide ze naast zich neer en waadde het water in.

'Rosa, wat doe je? Pas op dat je je voeten niet snijdt. Waarom zijn we hier? Dit is privé...'

Toen ze halverwege was keerde ze terug, met opgetrokken rokken en haar witte gezicht vertrokken van pijn. 'Mijn huis. Dit was mijn huis. Die kamer aan de achterkant was van vader, daar zat hij altijd te lezen.'

Ik draaide me om en keek naar de geblindeerde ramen en het stoffige schilderwerk.

'Toen hij stierf, erfde een neef het en moesten moeder en ik vertrekken, hoewel hij maar eenmaal per jaar naar het noorden komt om te jagen, en hij zou niet blij zijn me dan te zien, geloof me. De rest van het jaar kan ik niet naar binnen, hoe vaak ik ook kom. Ik moet het allemaal in mijn hoofd doen. Ik doe de voordeur open en sta in de hal, ik ruik de boenwas van de vloer, ik zie zijn hoed op de kapstok en zijn wandelstok tegen de muur en met een zwaai open ik de deur van zijn studeerkamer, maar ik kan niet verder. Ik kan hem niet zien, omdat hij er niet is.'

We staarden elkaar aan. Haar verdriet was ondraaglijk, omdat ik haar inmiddels zo goed kende dat haar pijn mijn pijn was geworden. Ze draaide zich om en schopte met haar benen een fontein van water omhoog, tot ze een waas was van zwiepend haar en waterdruppels.

Even beet ik op mijn lip en vroeg ik me af wat ik moest doen. Toen liep ik naar haar laarzen en zette ze keurig naast elkaar, schudde de kousen uit, die nog warm waren van haar benen, en rolde ze op. Ten slotte trok ik mijn eigen schoenen en kousen uit en stak een teen in de rivier. Ik voelde scherpe stenen onder mijn voeten en het water was verbazend koud.

Ze lachte, rende naar me toe en pakte mijn hand. Toen trok ze me dieper en dieper de rivier in en drukte me stevig tegen haar borst terwijl het water langs ons stroomde en aan de zomen van onze jurken trok. Onze natte wangen raakten elkaar en onze handen grepen elkaar vast, terwijl ze me meevoerde in een wilde dans, tot ik niets anders zag dan fonkelende waterdruppels, de rondtollende hemel en haar verrukte, hongerige ogen.

Historische context

DE KRIMOORLOG IS EEN VAN DIE EPISODEN IN DE GESCHIEDENIS waarvan je nooit precies de redenen begrijpt, hoeveel je er ook over leest. Dat komt doordat er zoveel en zulke ingewikkelde redenen waren. In feite was de oorlog onnodig, maar niemand had echt de wil om er een einde aan te maken.

Turkije was heel zwak, 'de zieke man' van Europa, en Rusland maakte daar misbruik van om zijn territorium uit te breiden, tot woede van de Fransen en de Engelsen. Er waren allerlei ingewikkelde conflicten tussen de katholieken (gesteund door Frankrijk) en de orthodoxen (Russisch) over het recht om erediensten te houden in de tempels van Jeruzalem. Engeland had al ongeveer veertig jaar geen oorlog meer meegemaakt – sinds Waterloo – en had alle vertrouwen in zijn leger en zeemacht. Dus waarom niet wat amok maken op buitenlandse bodem? Een uitje voor de soldaten, een kans om voor het eerst in eeuwen een bondgenootschap te vormen met Frankrijk en de Russen een lesje te leren.

Maar juist het feit dat de Krimoorlog plaatsvond op het hoogtepunt van de victoriaanse vooruitgang in technologie en geneeskunde, in 1854, werd het leger fataal. De nieuwe stoomschepen en Minié-geweren gaven het leger veel zelfvertrouwen, maar beide uitvindingen bleken onbetrouwbaar. Precies op het moment dat de soldaten in Turkije en Rusland met honderden tegelijk aan cholera stierven, voerde dokter John Snow in Londen een nauwkeurig experiment uit om te bewijzen dat cholera werd verspreid door vervuild water. En in Hongarije werd dokter Semmelweiss, die had aangetoond dat besmettingen konden worden voorkomen als het ziekenhuispersoneel grondig zijn handen waste, verguisd door zijn collega's. Dus vertrok het leger vol goede moed naar onbekend gebied – Rusland – met onbetrouwbaar vervoer en wapens, onervaren generaals en inadequate medische voorzieningen. De gevolgen waren rampzalig.

Ondertussen las ik dat Florence Nightingale een onwettige nicht had, Barbara Leigh Smith, precies even oud als zij, die nooit was erkend door de Nightingales. Leigh Smith, een vroege feministe, was onderwijzeres, strijdster voor vrouwenrechten en bevriend met de eerste vrouwelijke arts, Elizabeth Garrett Anderson. Ze was een van de vele bijzondere vrouwen die in de geschiedschrijving zijn overschaduwd door Nightingale – net als Mary Seacole en andere verpleegsters op de Krim, onder wie Nightingales vriendinnen Lady Blackwood en Mrs. Roberts, en haar vijanden, Elizabeth Davis en de Eerwaarde Moeder Bridgeman. Deze vrouwen met hun botsende ambities spelen allemaal een rol in de roman, evenals de Industriële Revolutie en het daaruit voortkomende onbehagen bij sommige rijken die zich ervan bewust waren dat hun rijkdom was verworven over de ruggen van anderen. De omstandigheden voor de soldaten in de Krim waren weliswaar erbarmelijk, maar sommigen waren van mening dat ze op het slagveld heel wat beter af waren dan thuis.

Onderzoek

Schrijven over de oorlog was voor mij een waagstuk, omdat ik nooit zelf getuige ben geweest van militaire strijd. Daarom verzon ik iemand die er nog minder van wist dan ikzelf (Mariella Lingwood), gaf haar een reden om de oorlog op te zoeken – het verlangen om haar nicht Rosa te vinden – en liet haar en de kennis die ik door mijn bezoek aan de Krim had opgedaan over het gebied de rest doen.

Ik begon *Rosa's oorlog* te schrijven met als uitgangspunt de verwarring die een victoriaanse juffrouw moet voelen als ze zich plotseling voor een onmogelijke opgave gesteld ziet: de man van wie ze houdt is stervende en, erger nog, lijkt verliefd te zijn geworden op haar nicht, de onverzettelijke, vurige Rosa. De enige manier waarop Mariella achter de waarheid kan komen over deze twee mensen die haar zo dierbaar zijn, is door naar de Krim te gaan, naar het brandpunt van de oorlog, waar Rosa als verpleegster werkt.

Maar ik kon niet verder zonder zelf de sfeer van Balaklava en Inkerman en Sebastopol te hebben geproefd, dus ging ik in oktober 2005 naar de Krim. Ik had in de zondagskrant een advertentie zien staan voor een georganiseerde reis met als een van de activiteiten een tour langs de gedenkplaatsen op de Krim.

Background reading

In mijn romans probeer ik te vermijden om historische personen en gebeurtenissen te fictionaliseren. In plaats daarvan gebruik ik ze als 'ankers' voor mijn verhaal. Ze bieden vaak mooie, kleine verhaallijntjes. Als Mariella bijvoorbeeld eindelijk de haven van Balaklava binnenvaart, zit Florence Nightingale op een jacht dat net vertrekt. Er waren vele redenen waarom ik niet wilde dat Mariella en Nightingale elkaar zouden ontmoeten – wat mij fascineerde in mijn onderzoek naar de ziekenzorg in de Krim was dat Nightingale weliswaar een belangrijke rol speelde, maar dat er ook andere sterke vrouwen bij betrokken waren (van wie sommigen hevige aanvaringen hadden met Miss Nightingale). Daarom wilde ik niet dat de persoon van Florence Nightingale het boek zou domineren. Maar het gegeven dat Nightingale in mei 1855 het oorlogsgebied bezocht, Krimkoorts kreeg en naar Constantinopel werd gebracht om te revalideren – waarbij haar boot die van mijn Mariella Lingwood passeerde – gaf mij een vast punt in de geschiedenis waarmee ik Mariella in Balaklava wilde laten samenvallen.

Dankwoord

DIT IS EEN ZEER SELECTIEF VERSLAG VAN MIJN VOORSTUDIE...
Mijn belangstelling voor Florence Nightingale begon in mijn vroege jeugd, met het boek *Florence Nightingale, an Adventure from History*. Later ging ik over op de biografie van Cecil Woodham-Smith over Florence Nightingale (Constable), en haar eigen levendige inleiding tot de Krimoorlog, *The Reason Why: Behind the Scenes at the Charge of the Light Brigade* (Constable). Een recentere studie over Nightingale, *The Nightingales: The Story of Florence Nightingale and her Remarkable Family* van Gilian Gill (Hodder & Stoughton), gaat dieper in op haar familierelaties en vriendschappen, en *Florence Nightingale Avenging Angel*, van Hugh Small (Constable), onderzoekt de oorzaken van haar instorting na haar terugkeer uit de Krim. Sue M. Goldie's *Florence Nightingale, Letters from the Crimea* (Mandolin) biedt inzicht in wat er gebeurde achter de schermen van de ziekenhuizen en wijst de weg naar een aantal gedetailleerde verslagen van verpleegsters en vrouwelijke reizigers. De autobiografie van Mary Seacole, *Wonderful adventures of Mrs Seacole in Many Lands* (Penguin) geeft een beeldend ooggetuigenverslag van de oorlog vanuit een andere hoek. Andere biografieën die een springplank vormden voor mijn ideeën waren *Barbara Leigh Smith Bodichon* van Pam Hirsch (Chatto & Windus), *Elizabeth Garret Anderson* van Jo Manton (Methuen), *Richard Monckton-Milnes* van James Pope-Hennessy en *Keats* van Andrew Motion (Faber & Faber). Er zijn talloze verslagen uit de eerste

hand van de Krimoorlog, evenals historische studies. *Crimea* van Trevor Royle (Little, Brown & Co.) leverde mij een ruime achtergrond en bibliografie en de twee ooggetuigenverslagen die ik het meest heb gebruikt waren *Despatches from the Crimea* van Russell (André Deutsch) en *Sebastopol, verhalen* van Tolstoj. De basis voor mijn onderzoek naar de Victoriaanse achtergrond waren *Victoria's Heyday* van J.B. Priestly (Penguin), *The Victorians* van A.N. Wilson (Hutchinson) en *Victorian London* van Liza Picard (Weidenfeld & Nicolson). *An Encyclopedia of Needlework* van Thérèse de Dillon (Mulhouse), geërfd van mijn grootmoeder, vertelde me alles over de naaldkunst.

Tot slot wil ik Helen Garnons-Willias en Mark Lucas bedanken voor hun strenge commentaar en onschatbare advies, Peter Cawley, Fred Groom en Steven Irwin voor hun informatie, en Charonne Boulton, die met me mee is gereisd naar de Krim.